In addition to the *Activités* and *Structures*, this edition includes two **new** boxes within the "white" pages to help students become more active, effective language learners.

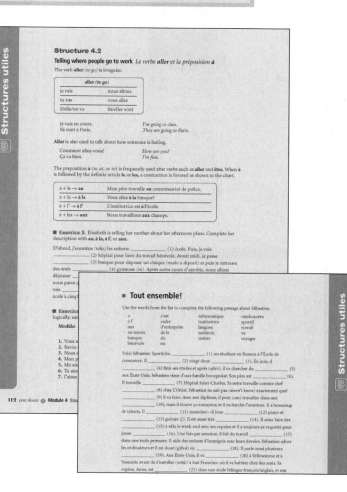

■ Réfléchissez et considérez

In French, time is often stated according to the 24-hour clock. What American institution uses this system? What are the advantages of using the 24-hour clock? Give the 24-hour equivalent of the following: 1. huit heures du matin, 2. midi, 3. trois heures de l'après-midi, 4. onze heures du soir.

New! *Réfléchissez et considérez* sections include anticipation strategies that encourage students to first think about how they might carry out a specific communicative function in English before they are exposed to how French speakers might achieve a similar goal.

Both of these new additions are designed to provide students and instructors with more structure and guidance in using the textbook as a true teaching and learning tool. These new sections help students become more independent learners by asking them to engage with the material, reflect, take action, and practice new concepts autonomously. These notes provide the instructor with more ideas and flexibility to move from the end-of-chapter grammar back to the chapter or to use the "white pages" before and after the "green grammar pages" more strategically.

New! *Notez et analysez* comments encourage students to focus on the grammar structures in each theme (not just direct them to the grammar pages at the end of the chapter) so they can begin to understand the relationship between the grammatical structures and the context. **New detail in the accompanying instructor annotations** provides specific examples of how to creatively present and use each new theme and structure.

Structures utiles—the "green" pages of each chapter—allow students to study French as a system. These pages provide concise grammar explanations in English, examples and translations, exercises to apply the rules, and a final exercise, *Tout ensemble!*, which challenges students to integrate all of the vocabulary and structures of the chapter. New correlations within these sections direct students to **iLrn™ French** where they can find more practice and enrichment activities for target grammar and vocabulary. *See page 7 for a detail about iLrn™ French*.

MOTIFS is in tune with today's francophone world!

With this text students learn through rich, culturally authentic contexts that enable them to communicate on larger themes, such as housing, school, food, work, and relationships. **All-new audio and video resources** are incorporated into the learning program, bringing today's vibrant francophone culture to life for your students in the classroom and in their own explorations of the language.

Perspectives culturelles

Le sport

is required in school

Le sport est important en France. Deux Français sur trois pratiquent un sport. L'éducation physique fait partie de l'enseignement obligatoire° en France (à l'école primaire, au collège et au lycée). Contrairement aux États-Unis, après les cours, les élèves n'ont pas la possibilité de pratiquer un sport à l'école. Pour compenser, ils pratiquent des activités sportives dans des associations sportives municipales ou privées. Ces associations, communément appelées des «clubs», organisent l'entraînement° et les

training

compétitions. Les clubs sont ouverts aux jeunes et aux adultes aussi. Pour devenir° membre, il faut acheter° une licence mais ça ne coûte pas cher du tout°.

become / buy / not expensive at all

members

Le nombre de licenciés° a considérablement augmenté et on compte aujourd'hui près de dix millions de licenciés. Le football, le tennis et le judo sont les sports qui regroupent le plus° de licenciés. Le basket-ball, le handball, la

the most

pétanque°, l'équ[...]

a game similar to bocce ball / horseback riding / more and more

regroupent auss[...]

Beaucoup de[...]

do not necessarily join

partie° d'associa[...] même des activi[...] découverte ou d[...]

followers

d'adeptes° depu[...]

all terrain / hiking / rock climbing / paragliding

terrain°, la rand[...] et le canoë-kaya[...]

N'oublions [...] les Français aim[...] télévision. Le fo[...]

events

sont les sports l[...] événements° sp[...] Monde (de foot[...] football), la Co[...] jeux Olympiqu[...]

Le parapente dans les Alpes

■ Avez-vous compris?

Dites si les phrases suivantes sont vraies ou fauss[...]

1. Beaucoup de jeunes font du sport à l'école apr[...]
2. Des matches de foot et de basket entre les éq[...] organisés le week-end.
3. Les jeunes doivent faire partie d'une associa[...] l'entraînement et aux compétitions.
4. Seulement les jeunes peuvent faire partie de[...]
5. De moins en moins *(Fewer and fewer)* de Fra[...]
6. Le football et le golf regroupent le plus de lic[...]
7. Ces associations sportives sont gratuites *(fre[...]
8. Les sports de découverte sont de plus en plu[...]
9. Le basket-ball est un des sports les plus regar[...]
10. Le judo est un sport qui n'est pas très popula[...]

Un match de tennis

Perspectives culturelles

Le travail moins traditionnel

Introduction

En France, la conception du travail, surtout chez les jeunes, est en évolution. Un bon salaire° est important, mais on accorde une importance prioritaire aux relations humaines dans le travail et on recherche le développement personnel.

Beaucoup de jeunes envisagent° le travail comme une aventure personnelle. Ils sont ouverts à toutes les nouvelles formes de travail et à l'utilisation des technologies dans l'entreprise. Ils sont aussi généralement plus mobiles et considèrent tout changement de travail, d'entreprise ou de région comme une opportunité.

salary

see

Profils

Voici deux portraits de jeunes qui illustrent cette tendance. Pour eux, profession et passion vont ensemble.

À 30 ans, Alain Ginot fait partie de la nouvelle génération des producteurs de cinéma. Il a rencontré° son associé, Marc Mouger, à l'université. Les deux étudiants sont en première année de fac quand ils créent° Fidélité Productions et produisent° leur premier film. Pendant trois ans, parallèlement à leurs études, les associés produisent des courts métrages°. Aujourd'hui, Alain reçoit° près de vingt propositions par semaine.

met

create

produce

short films / receives

À 22 ans, Sara Marceau est un «trekker» de choc. Cette accompagnatrice de randonnées touristiques° passe six mois de l'année à Madère ou à Chypre et six mois dans le Sahara. Son agence de voyage° est spécialisée dans les randonnées à pied°. Chef d'expédition, elle organise le trek—d'une ou deux semaines—de A à Z. «Je guide les touristes, je les rassure°.» Une grande responsabilité mais parfaitement adaptée à Sara qui adore les voyages.

excursion guide

travel agency

walking excursions

reassure them

Adapté de «Ils ont fait de leur passion leur métier» dans L'Étudiant, juillet et août 1999

Alain, un producteur nouvelle génération

■ Avez-vous compris?

A. Indiquez si les phrases suivantes sont vraies ou fausses. Corrigez les phrases fausses.

1. Pour les jeunes, un bon salaire est une priorité.
2. Beaucoup de jeunes utilisent les nouvelles technologies dans leur travail.
3. Les jeunes n'aiment pas changer de région pour leur travail.

B. Attribuez les phrases suivantes à la personne appropriée: Alain Ginot ou Sara Marceau.

1. Cette personne préfère travailler en plein air *(fresh air)*.
2. Cette personne travaille avec des clients qui cherchent l'aventure.
3. Cette personne a commencé à travailler dans le cinéma pendant ses études universitaires.
4. Cette personne travaille avec un ami de l'université.

■ Et vous?

1. Quand vous recherchez un emploi, qu'est-ce qui compte le plus *(what matters most)* pour vous: un bon salaire, le développement personnel, les relations humaines, la flexibilité des horaires ou autre chose?
2. Est-ce que vous considérez le travail comme une aventure personnelle?
3. Que comptez-vous faire après vos études, rentrer chez vous ou explorer une autre région?

Sara, «trekker» dans le désert

Perspectives culturelles sections explore topics related to the *Module* theme, highlighting the importance of culture by providing in-depth background related to the *Module's* major cultural theme(s).

New! Many of the text's *Perspectives culturelles* sections now contain *Voix en direct* followed by chapter-concluding *Voix en direct (suite)*. These authentic interviews with native speakers capture the true meaning of communication by reinforcing grammar and vocabulary and providing auditory and visual support to create a near-perfect authentic experience for your students. The activities in these sections encourage interaction and the cultural notions explored push students to reflect on stereotypes and think critically about the foundations of their own cultural perceptions.

Voix en direct (suite)

Go to **iLrn** to view video clips of French speakers talking about their work and their views about work.

Voix en direct (suite) features video clips that can be found on **DVD** for classroom use and on **iLrn™ French**. These clips can be viewed with or without French subtitles. Accompanying video activities provide more in-depth discovery of the linguistic and cultural notions. See page 7 for more information about **iLrn™ French**.

Recorded on the **Text Audio CDs**, *Voix en direct* sections present opportunities for active listening and lively debate as well as opportunity for cultural competence. *Voix en direct* features people from all walks of life responding with authentic, lively colloquial language. These interviews are correlated with exercises in the student **Workbook/Lab Manual**.

Updated! Authentic readings in *Perspectives culturelles* and *À lire, à découvrir et à écrire* also give students insight into culture by exposing them to fiction and non-fiction genres, including magazine articles and interviews, poems, short stories, letters, and songs. These *Lectures* also include activities that systematically guide students through the process. Each *Lecture* includes *Activités de lecture, Expansion de vocabulaire,* and *Compréhension et intégration* sections.

MOTIFS integrates the latest in teaching and learning technology

From the first *Module* to the last, **Motifs** provides you with the resources you need to teach your course in a way that suits your goals and your students' learning styles, and at the same time reflects the vitality of the French language and francophone culture.

New Video Program!

With **Motifs**, students will not only hear French, but can actually see people interacting in the language in contemporary settings. This edition's new **Video** features clips relating to the vocabulary and grammar points presented in the *Thème* and *Pratique de conversation* sections of each *Module*. The new *Perspectives culturelles* sections of the video are tied to cultural sections in the text and will engage your students in francophone culture. *Voix en direct (suite)* sections feature additional interviews with native French speakers. Pre- and post-viewing questions built into the video prompt in-class interaction and discussion. In addition, follow-up activities for the video program are found on the website and are assignable as homework.

DVD: 1-4130-3049-1

Also available on iLrn™ French.

New Instructor's Resource CD-ROM!

Preparing your course has never been easier. The **Instructor's Resource CD-ROM** includes an extensive testing program, sample syllabi with outlines for multiple schedules and course formats, sample lesson plans, teaching tips on grammar presentations, and suggestions for use of film and music. **New** audio clips are included, providing a bank of listening comprehension opportunities for tests or as prompts for quizzes. **New** oral activities provide a wealth of ideas for testing and/or oral presentations and can also be used with the **iLrn™ French VoiceBoard**. 1-4130-3045-9

Putumayo's *French Café* CD

This compelling album captures the essence of "café culture" by uniting some of the most famous names in French music with newer artists who blend their progressive styles with the sounds of the past. Ask your Thomson representative how you can package **French Café** with the text for a nominal fee. Not available separately. 1-4130-2318-5

A Time Saving Annotated Instructor's Edition!

This **Annotated Instructor's Edition** is a valuable and time-saving resource. You'll find helpful annotations throughout each *Module*, including teaching tips and suggestions, cultural notes, *Activité* expansions, and answers for questions found in the *Activités* and other exercises.

MOTIFS features iLrn™ French integration!

iLrn™ French

This all-in-one diagnostic, tutorial, assessment, assignment, and course management system saves you time and saves your students money!

Everything your students need to master the skills and concepts of the course is built right in to this dynamic audio- and video-enhanced learning environment, including:

- A **powerful and interactive study tool** that helps students determine their unique study needs.
- An **audio-enhanced eBook** with integrated activities
- Companion video, including *Voix en direct (suite)* **video clips** with activities
- An interactive **VoiceBoard** with *Situations à jouer!* role-plays
- An online **workbook**
- An online **lab manual** and audio
- Interactive **enrichment activities**, and
- Access to online tutoring with a French teaching expert through **vMentor**™

vMentor™

iLrn™ solutions are organized around what you do day to day, saving you time on course set up and administrative tasks! With its easy-to-use interface, you can:

- Assign audio-enhanced tests, homework, and enrichment activities in minutes with a click of the mouse
- Choose pre-assigned homework and exercises for every chapter or edit, modify, and customize assignments to meet your particular course needs
- Access students' grades as well as track student progress on practice and study activities, and
- Gain insight into class progress and trouble spots with the *Gradebook's* multiple grading options

Interact with the power and simplicity of **iLrn™ French!**
To preview a sample chapter of the product, visit
http://iLrn.heinle.com.

Package **iLrn™ French** or **iLrn™ French *Live!*** with *Motifs*, **Fourth Edition:**

- To package access to **iLrn™ French** with the text, use ISBN: 1-4130-4246-5

MOTIFS is supported by a comprehensive learning system

Text Audio CDs

Included with every new copy of the book, these CDs contain activities selected from the *Pratique de conversation* sections as recorded by native speakers and the *Voix en direct* interviews, giving students additional opportunities for out-of-class practice. Stand-alone: 1-4130-3042-4

Workbook/Lab Manual

The **Workbook/Lab Manual** is an integral tool to help students master the course material. The *Activités écrites* in the **Workbook** give students opportunity to apply and practice the material presented in the textbook, including the vocabulary, structures, and cultural information. *Perspectives culturelles* sections provide more practice with the cultural notions and *Voix en direct* speakers. The **Lab Manual**, with its *Activités de compréhension et de prononciation*, includes listening comprehension activities and instruction in pronunciation. 1-4130-3043-2

*Also available on **iLrn™ French**.*

Lab Audio CDs

These CDs include dialogues, pronunciation exercises, conversation tips, as well as practice with spelling, the alphabet, intonation, rhythm, accent, and sound distinguishers. 1-4130-3044-0

*Also available on **iLrn™ French**.*

Book Companion Website

www.thomsonedu.com/french/motifs

This outstanding site features vocabulary and grammar quizzes for each *Module*. These discrete-point quizzes are assignable and include matching, multiple-choice, and fill-in-the-blank questions with instant feedback. The website also includes open-ended cultural activities that encourage students to further explore key topics presented in each *Module*. Both the quizzes and the cultural activities can be submitted to the professor to be graded. Also included on the website are the follow-up activities for the video program; these are assignable as homework.

Système-D 4.0: Writing Assistant for French

Simply the best investment for anyone learning to write in French! This powerful program combines the features of a word processor with databases of language reference material, a searchable dictionary, a verb conjugating reference, and audio recordings of vocabulary, and example sentences. Students develop critical thinking skills by learning to read, analyze, see word associations, and understand the link between language functions and linguistics structures in French. 1-4130-0081-9

Heinle iRadio

Whether walking to class, doing laundry, or studying at their desk, students now have the freedom to choose when, where, and how they interact with their MP3-ready, audio-based educational media! Students select from several French-language grammar, vocabulary, and pronunciation tutorials. They may listen to them on the spot on their computers, download the MP3 to their hard drives, or feed the MP3 directly to their player. These tutorials not only improve students' grammar and pronunciation in French, but also hone their listening skills in general. To learn more, visit www.thomsonedu.com/french.

Merriam Webster's French-English Dictionary

0-87779-917-2

This bilingual, bi-directional guide to French and North American English includes extensive coverage of Canadian French. More than 80,000 entries and 100,000 translations, including abundant examples of words used in context.

French Typing Accents Bookmark

0-7593-0660-5

This laminated bookmark includes keyboard instructions on how to type in accents, making it an invaluable tool for anyone composing on the computer.

motif / mo-tef / n. [motive, motif, fr] 1: a recurring salient thematic element (as in the arts); esp: a dominant idea or central theme *(American Heritage Dictionary)*. In French, **motif** also refers to motive or purpose.

Motifs, as its cover promises, provides a rich tapestry of language and culture. It is based on the premise that our students' primary motivation to learn French is to acquire the ability to communicate in the language. *Motifs* introduces students to the vocabulary and recurring patterns of French associated with culturally authentic contexts. Its lively, up-to-date language, content, and presentation are designed to engage the interest of the contemporary college student. *Motifs* has carefully selected contexts in which our students might reasonably expect to communicate. It provides the appropriate tools in the form of structures, vocabulary, communication strategies, and cultural background to make this possible. In the process of discovering the language, students are introduced to the French-speaking world in a way that challenges them to look at their own cultural practices more objectively.

Explanation of *Motifs'* organization

Motifs is organized to make the most of students' language learning experience both in and outside of class. It makes a distinction between class time devoted to using French to communicate and the individual study of grammar and vocabulary.

The White Pages

The white pages are designed for classroom use and focus on involving learners actively in communicating in French and exploring cultural themes. Instructor annotations provide suggestions for presenting each new **Thème** and **Pratique de conversation** as well as "teacher talk" for sustaining the use of French in class.

The End-of-Chapter Green Pages

The green pages contain explanations of new structures in English accompanied by self-correcting exercises. Students can therefore study grammar at their own pace, freeing up class time. These pages lend themselves to a variety of approaches. Some instructors, particularly those in intensive programs or teaching classes meeting fewer times a week, assign the grammar explanations and exercises in advance. Others prefer introducing the structures in class and then assigning grammar study as follow-up for homework. Both approaches can be equally effective.

Changes to this edition

1. The rich cultural and linguistic authenticity of *Motifs* has been enhanced to respond more transparently to the National Standards' Communications, Cultures and Comparisons goals.

- **Voix en direct** and **Voix en direct (suite):** Voices of individual native speakers responding to questions related to chapter themes bring a fresh authenticity and a personal dimension to the topics addressed. Rather than simply reading about cultural products and practices, students have the opportunity to hear and see unscripted interviews where native French speakers discuss their daily lives and share their perspectives on topics ranging from the importance of family meals to issues of ethnic identity.
- These interviews and their accompanying activities guide students through a discovery process in which they analyze similarities and differences among the speakers and reflect on their own practices and attitudes.

- The language used in the **Voix en direct** interviews gives students a glimpse of real world natural language including fillers, pauses, repetitions, rephrasings, and reduced forms not usually found in textbooks. It helps illustrate the distinction made in the National Standards between planned speech (presentational oral competence) and spontaneous conversation (interpersonal oral competence).

2. As in previous editions, *Motifs* maintains its commitment to presenting high-interest topics that stimulate discussion, connect to students' interests outside the classroom, and further language acquisition through a content-based approach. New to this edition:

- increased emphasis on sports, including an interview with basketball star Tony Parker
- cultural readings on World music, including the perspectives of francophone artists
- a song by Tiken Jah Fakoly, **Mon pays va mal,** addressing the current situation in Côte d'Ivoire.

3. *Motifs* has always offered strong support for self-directed learners who want to effectively manage their own learning process. In the fourth edition, we have added further support to direct learners' attention to key features in the "data" that help them figure out how the language and cultural systems work.

- **Notez et analysez** are shaded boxes that draw student attention to new language forms in the presentation material and actively engage them in discovering the underlying pattern or rule. While these notes are directed to the students and are written in English, instructor annotations provide suggestions for working with them in French.
- **Réfléchissez et analysez** boxes ask students to reflect on their own culturally determined behavior for managing typical social situations which they might not have consciously considered. For example, students brainstorm ways to strike up a conversation with someone they don't know. This process both heightens their curiosity and provides a reflective framework for looking at equivalent French functional language in the **Pratiques de conversation.**

Overview

Motifs contains 14 **modules** and a unique **module de récapitulation** that reviews key structures to prepare students for a final exam.

White Pages for Classroom Use

The white pages contain the following components:

- **Module opener:** Overview of chapter goals and content
- **Thèmes:** Presentation of thematic content with corresponding communicative **activités**
- **Pratiques de conversation:** Functional language for common social situations
- **Structure boxes:** Each new **thème** or **pratique de conversation** usually requires a new grammatical structure. Structure boxes highlight this relationship and refer to grammar explanations in the green pages.
- **Perspectives culturelles:** Cultural presentations with associated photos and follow-up comprehension and personalized questions
- **Voix en direct:** Authentic interviews with French speakers associated with **Perspectives culturelles,** recorded on the **Text Audio CDs**
- **Écoutons ensemble:** Listening comprehension activities associated with **Pratiques de conversation,** recorded on the **Text Audio CDs**
- **Notez et analysez:** Pointers to help students discover structural patterns in introductory material
- **Réfléchissez et considérez:** Guided brainstorming questions to prepare students for looking at the **Expressions utiles** in the **Pratiques de conversation**
- **Situations à jouer:** Real-life proficiency-oriented activities synthesizing chapter material, including role-plays and project-based activities

- **À lire, à decouvrir et à écrire:** Readings, writing activities and **Voix en direct (suite)** activities
- **Voix en direct (suite):** Authentic video segments of interviews with French speakers located on the student **DVD** and in **iLrn.**

End-of-Chapter Green Pages for Individual Study

The green pages contain the following components:

- **Structures:** Clear grammar explanations in English with examples (five grammar points in Modules 1–9, four in Modules 10–14)
- **Exercices:** Contextualized, discrete-point, self-correcting exercises for students to practice applying grammar rules
- **Tout ensemble!:** A challenging grammar exercise at the end of the **exercices** requiring the use of several rules at once. **Tout ensemble!** activities are useful for chapter exam preparation, since they require students to integrate the chapter material.

Program components

Materials for Instructors

AIE/Audio CD Package The **Annotated Instructor's Edition** provides annotations throughout, with resources, suggestions, background information, and expansion material for helping you teach your course. A copy of the **Text Audio CDs** is also included.

Instructor's Resource CD This CD includes an extensive testing program, sample syllabi with outlines for multiple schedules and course formats, sample lesson plans, teaching tips on grammar presentations, and suggestions for use of film and music in class. **New** audio clips are included, providing a bank of listening comprehension opportunities for tests or as prompts for quizzes. **New** oral activities provide a wealth of ideas for testing and/or oral presentations and can also be used with the **iLrn™ French VoiceBoard.**

Lab Audio CDs These CDs include listening comprehension activities with dialogs and other contextualized passages, as well as pronunciation exercises and practice with spelling, the alphabet, intonation, rhythm, accent, and sound distinguishers.

***Motifs* Video on DVD** With *Motifs,* students will not only hear French, but can actually see people interacting in the language in contemporary settings. This edition's new **Video** features clips relating to the vocabulary and grammar points presented in the **Thème** and **Pratique de conversation** sections of each **module.** The new **Perspectives culturelles** sections of the video are tied to cultural material presented in the text and will engage your students in francophone culture. **Voix en direct (suite)** sections feature additional interviews with native French speakers. Pre- and post-viewing questions built into the video prompt in-class interaction and discussion. In addition, follow-up activities for the video program are found on the *Motifs* **Website** and **iLrn** and are assignable as homework.

Workbook Answer Key/Lab Audioscript Provides answers to all of the workbook exercises as well as a transcript for the **Lab Audio CDs,** and is located on the Instructor's side of the *Motifs* **Website.**

iLrn French for *Motifs* This all-in-one tutorial, assessment, assignment, and course management system saves you time and saves your students money! **iLrn** solutions are organized around what you do day-to-day, saving you time on course setup and administrative tasks! With its easy-to-use interface, you can:

- Assign audio-enhanced tests, homework, and enrichment activities in minutes with a click of the mouse
- Choose pre-assigned homework and exercises for every chapter or edit, modify, and customize assignments to meet your particular course needs
- Access students' grades as well as track student progress on practice and study activities
- Gain insight into class progress and trouble spots with the **Gradebook**'s multiple grading options

French Transparency Bank Contains over 100 thematically-grouped color transparencies, including vocabulary, maps, charts, and cultural information and can be found on the *Motifs* **Website.** Transparencies featuring materials from the *Motifs* program are also located on the *Motifs* **Website.**

Instructor's Resource Website (www.thomsonedu.com/french/motifs) Includes video activities, video transcript, **Workbook/Lab Manual Answer Key** and **Audioscript, Instructor Manual** for the **Heinle French Music CD,** and the **Transparency Bank.**

Heinle French Music CD Free with your **Annotated Instructor's Edition,** this music CD contains a variety of francophone music addressing many of the principal themes in French music from the last twenty years. Accompanying the CD is an **Instructor's Manual** with activities, song lyrics, teaching tips on song analysis and Internet resource links. The **Music CD Instructor's Manual** is available for download on the Instructor's book companion website.

Ancillary resources for students

Text Audio CDs (free with every book) These CDs contain activities selected from the **Pratiques de conversation** and **Voix en direct** cultural section and are recorded by native speakers so that students have additional opportunities for out-of-class practice.

Workbook/Lab Manual The **Workbook** portion of the manual integrates written activities for each **Thème/Pratique de conversation** and **Structure,** and provides expansion work on the **Perspectives culturelles** in the text. In the **Lab Manual,** every lesson begins with **Activités de compréhension,** which present dialogues, newscasts, weather reports, interviews, and other contextualized language accompanied by multiple-choice questions, matching, fill-in, and task-based activities to develop listening comprehension. The **Prononciation et orthographe** section introduces the basics of French pronunciation and provides students opportunities for repetition, sound discrimination, and spelling.

QUIA Online Workbook/Lab Manual This online version of the **Workbook/Lab Manual** offers self-correcting activities and the convenience of a built-in gradebook.

Système-D 4.0 Writing Assistant for French (1-4130-0081-9) The newest version of the writing assistant software provides students with rapid access to language reference materials such as vocabulary and idiomatic phrases, grammar notes, and the *Merriam-Webster French-English Bilingual Dictionary* while composing on a standard word processor.

Merriam-Webster's French-English Dictionary (0-87779-917-2) This compact paperback dictionary contains more than 80,000 entries and 100,000 translations.

French Typing Accent Bookmark (0-7593-0660-5) These laminated bookmarks include keyboard instructions for typing French accents on both Windows and Macintosh computers.

Student Companion Website (www.thomsonedu.com/french/motifs) Includes self-correcting quizzes for practice on each grammar structure and cultural exploration activities for each chapter.

Teaching with *Motifs*

Presenting a new theme

When presenting a new theme, the first goal is to quickly provide a meaningful and interesting context. Examples of "teacher talk" for this kind of activity are provided in the instructor annotations in the initial presentation material for each theme. Students' textbooks remain closed, and the class focuses on the instructor, who uses colorful magazine photos, gestures, props, drawings, overheads, anecdotes, and/or the students themselves to convey meaning. Each theme is typically accompanied by a new structure. However, your first concern should be the overall message and basic vocabulary. At a later stage you will help students turn their attention to form (see "Introducing Structures"). As an example, you are presenting adjectives used for describing personality in **Module 1.** During the previous class, you presented adjectives for physical description and described Paris Hilton. Bring out your Paris Hilton photo again and begin by reviewing what students have already learned: **Regardez cette photo. Qui est-ce? Oui, c'est Paris Hilton. Est-ce qu'elle est brune? Non, elle est blonde. Est-ce qu'elle est grande ou petite? Petite? Oui, elle est assez petite. Est-ce qu'elle est belle? Non? Pour vous, elle n'est pas belle. Jolie? Oui? D'accord.** Write "Paris Hilton" on the board and list several physically descriptive adjectives that you can point to, saying: **Ce sont des adjectifs, n'est-ce pas? C'est une description physique de Paris Hilton ou une description de sa personnalité? Oui, c'est une description physique. Maintenant, parlons de la personnalité de Paris Hilton. Est-ce qu'elle est timide ou sociable?** *(acting out)* **Oui, elle est assez sociable. C'est une qualité positive? Oui? Elle est égoïste? Oui? Et vous, est-ce que vous êtes timide ou sociable?** By using a few commonly known celebrities as well as your students, and by relying on cognates (writing cognates students don't understand on the board for them to recognize visually), you can quickly introduce adjectives until students are using them to give their authentic opinions on celebrities of interest. Once you have introduced the lesson and set the tone, students can begin a pair-work activity based on finding out each others' perceived personality traits.

Using the *Activités* to Build Real Communication Skills

The **activités** are the core of *Motifs.* There are commonly more **activités** than time allows you to do, so you may want to be selective. The **activités** offer a mix of whole-class, pair, and small-group interaction. Formats include word association, logical matching, open-ended personal response, picture-based narration, dialog completions, and task-based activities such as chart reading, interviews, and surveys. Some are more form-focused than others, i.e., they are designed to give students repetitive practice with the same structure. However, they *all* require students to respond in a meaningful manner rather than to simply "get the structure right." Using grammatical structures and vocabulary authentically, i.e., to express what they really want to say, will help students process language at a deeper level and aid in retention. We have found that if from the beginning we make it clear that we really care what the students say as in the following: **Scott, c'est vrai? Vous n'aimez pas le soleil? Mais vous venez de Palm Springs! Je ne comprends pas!**, the entire class will quickly realize that you are paying attention and are using language to communicate and not just to teach its form. They will respond in turn.

    Pair and group work: Many **activités** in *Motifs* are highlighted with a pair work icon. While students are doing pair and group work, circulate in the room to keep students on task, provide assistance, and note common difficulties. Follow up by asking students to report back on what they have learned so that they understand they are accountable for their work and so that they can share with others in the class. To maintain a lively pace, occasionally set a time limit for reporting results in task-based activities. Some activities require some reflection before they can be accomplished. These can be assigned ahead as homework so that in class, students can pool their information to complete the activity.

Using the *Pratiques de conversation* to Teach the Flexible Use of Formulaic Speech

The **Pratiques de conversation** present high-frequency expressions typically used in face-to-face encounters: extending an invitation, ordering drinks in a café or food in a restaurant, making a plane reservation, or renting a room. These are easily identified by the rubric **Comment.** They usually begin with **Réfléchissez et considérez** questions asking students to brainstorm about their own cultural practices in these every day situations. This introductory process helps heighten student interest and also serves as an advance organizer for the **Expressions utiles** that follow. Following the initial presentation of the context and useful expressions is an **Écoutons ensemble!** activity, with the script recorded on the student CD. Bring this to class to demonstrate how the scene would be negotiated by native speakers. Once the students have heard the recording, you may want to ask them to repeat the more useful expressions after you. This can be done in a playful way, paying close attention to rhythm and intonation. With a strong student, you can then improvise a scenario that incorporates the key expressions for your students to learn. For example, the following is an improvisation for **Comment louer une chambre** in **Module 3.** The vocabulary in bold type is from **Expressions utiles** in the student text.

Step One: Introduce context.
INSTRUCTOR: Qui, dans la classe, habite un appartement? Qui cherche un appartement? Est-ce que **le loyer** est cher *(gesture to show expensive)*? **C'est combien, le loyer?** Et vous payez aussi l'électricité, le gaz, le téléphone? **Est-ce que les charges sont supplémentaires?** Oui? James, vous avez un animal, n'est-ce pas? Avez-vous un chat ou un chien? Est-ce qu'on accepte les animaux dans votre appartement?

Step Two: Lead *Réfléchissez et considérez* with students.
INSTRUCTOR: Imaginez que vous cherchez un appartement. Vous avez beaucoup de questions, n'est-ce pas? Travaillez avec un(e) partenaire pour écrire 4 questions en anglais. *(after 3 minutes)* Voyons vos questions. Ce groupe-ci, lisez une de vos questions. *(Student gives question in English; instructor writes it on the board.)* Et ce groupe-ci? *(Write question on the board; after 5–6 questions are on the board, continue.)* Maintenant, regardez les **Expressions utiles** à la page 74. Trouvez les équivalents de vos questions en français. Est-ce qu'il y a une question qui n'est pas dans la liste? (If so, you may wish to provide the French equivalent for the expression. Any differences between the list may be for cultural reasons that you could ask students to speculate about).

Step Three: Set the scene for role-plays.
INSTRUCTOR: Moi, je suis étudiante et je suis assez pauvre, vous voyez. Je travaille, mais je ne gagne pas beaucoup d'argent. Je cherche un appartement pour moi et mon petit chien, Bilou. Vous, vous êtes Mme Beauchamp, la propriétaire. Vous avez un appartement à louer. Alors, vous êtes prête? Allez-y!

Step Four: Model an improvised role-play.
INSTRUCTOR: Bonjour, madame. Avez-vous un appartement à louer?
STUDENT: Oui.
INSTRUCTOR: Oui? Ah, très bien. C'est combien, le loyer?
STUDENT: C'est 800 dollars.
INSTRUCTOR: 800 dollars? C'est un peu cher, non?
STUDENT: Non, euh, je ne sais pas.
INSTRUCTOR: J'ai un petit chien. Vous acceptez les chiens?
STUDENT: Non, les animaux sont interdits.
INSTRUCTOR: Oh, c'est dommage! Merci, madame, au revoir.
STUDENT: Au revoir, mademoiselle.

Step Five: Ask students to invent their own dialog in pairs.

Step Six: Finally, select several groups to perform for the class.

Step Seven: Continue with textbook activities, including *Écoutons ensemble*.

What to expect: student oral performance

Your students' oral performance requires a great deal of individual improvisation using the language they have at hand. Let them know that it is unrealistic to expect their emerging language to be perfect. It will by marked by approximations, circumlocutions, gaps, and miming, and it will require a good deal of creativity on their part. (This creativity is what makes every classroom unique.) Students need you to model effective listening behavior as well and to stress the importance on focusing on the message. They should learn to ask their classmates for clarification or repetition and exhibit general interest and goodwill. It is part of our human nature to be curious about one another. Students who have something "real" they wish to express find they have an eager audience.

Working with the *Lectures*

Motifs gives students experience reading fiction and non-fiction genres, including magazine articles and interviews, poems, short stories, letters, and songs. Readings are selected for theme, quality, and accessibility, as well as student interest. As with all the reading material in *Motifs,* they provide rich input with recognition vocabulary that is beyond the students' level of speech. The texts were all originally intended for native French speakers, and students are not expected to understand every word.

Each step of the **Lecture** presentations has a clear goal, as shown below.

1. **Anticipation** (pre-reading activities): Introduce the topic, engage student interest, access background knowledge, and provide relevant vocabulary.
2. **Activités de lecture** (reading activities): Provide comprehension checks while the text is being read; teach reading strategies, such as recognizing cognates, ordering information chronologically, and paying attention to headlines, photos, and other relevant information.
3. **Compréhension et intégration** (comprehension questions): Verify general comprehension and encourage basic analysis.
4. **Maintenant à vous!** (expansion activities): Stimulate discussion of the text's ideas with members of the class; provide topics for writing about or making a presentation based on the reading. We suggest that you begin each reading in class with the **Anticipation** and, when appropriate, with the first couple of items in the **Activités de lecture** that get students started in the right direction before they tackle the text on their own. Assign the bulk of the reading with associated **Activités de lecture** and comprehension questions for homework. Then follow up in class by first correcting students' work and verifying comprehension before moving on to the **Maintenant à vous!** section and its questions, which require more personal responses and reflective analysis.

Teaching *Perspectives culturelles*

Motifs' **Perspectives culturelles** highlight the importance of culture by providing an entire page of in-depth background related to the **module**'s major cultural theme(s), with associated photographs and follow-up questions. Often taking an ethnographic approach, they present the notion of culture as a dynamic process in which the student is invited to participate. The **Avez-vous compris?** and **Et vous?** questions help students verify comprehension and engage them in reflection on their own culture as they learn about cultural practices, artifacts, and perspectives in the francophone world. We suggest you introduce the topic of these **Perspectives culturelles** in class by reading the first part aloud and asking a couple of questions. Assign the rest for homework and verify comprehension by going over **Avez-vous compris?** in class and then asking a couple of questions of a more provocative, open-ended nature. This cultural material presents students with helpful recognition vocabulary and is better suited to silent reading than pronunciation practice. *Motifs* treats culture as integral to the program. Therefore, questions from this section appear both in the workbook and on the chapter exams. In addition, the content is frequently recycled in the chapter.

Working with *Voix en direct*

Voix en direct interviews are an extension of one of the **Perspectives culturelles** in each **module.** These interview segments are recorded on the **Text Audio CD.** The individuals who agreed to be interviewed are mostly young. The range of speakers reflects some of the ethnic diversity of France and includes African and Canadian accents. The interview questions are similar to the open-ended questions found in **Interaction** activities and in the **iLrn VoiceBoard** activities. What appears in the text is the written transcript of these unscripted interviews; it includes the oral phenomena typical of unplanned discourse (fillers, rephrasings, reduced forms). The topics naturally lend themselves to the vocabulary and structures targeted in the chapter, however, the speakers were not coached to use or avoid any specific forms. Unfamiliar expressions are glossed. **Voix en direct** segments are generally short so they can be worked with in class. However, they are flexible. After playing the audio through and asking a few general questions, you could ask students to listen to the interviews again and complete the follow-up questions as homework. When doing these activities outside of class, students should be encouraged to listen to the audio CD while reading the transcript in order to fully understand the meaning and accustom themselves to hearing native speakers. Follow-up questions contained in **Réfléchissez aux réponses** ask students to identify specific information from the interviews as well as to find similarities and differences among the various speakers and between the speakers and themselves. They help students recognize that these are individual personal responses that are not generalizable across the French-speaking population. In order to underline the variety of practices and attitudes that exist within any particular culture, including their own, you may choose to ask students a question that is likely to elicit a number of different responses. In addition, you could ask your students to speculate how the age or profession of the speaker might impact the answer. For example, if your class is listening to young students talking about how much time they spend with friends at a café, you might ask them to imagine how an older individual or a professional would respond. For certain interview segments, you might ask your students what strikes them personally about the speaker or his or her speech itself. Students might also be encouraged to find expressions they wish to try to integrate in their own speech.

Introducing *Structures*

New grammatical structures generally accompany each **Thème** or **Pratique de conversation.** To present a new structure, first use it systematically in context. For example, in **Module 2**'s theme **Les distractions,** students are introduced to a variety of infinitives along with the conjugation of preference verbs followed by infinitives. To teach these topics, launch into a discussion of your likes and dislikes, using pictures, gestures, and cognates. With your students, imagine the likes and dislikes of celebrities, and query your students about their own personal preferences. The students will hear the same structure repeated a number of times, and as you write some of their responses on the board, they will see the written structure as well: **Moi, j'aime danser. Est-ce que vous aimez danser? Classe, est-ce que Britney Spears aime danser?** Once students have been thoroughly exposed to the structure, point to several sentences on the board that you have gathered from student responses: **J'aime danser. Tu aimes danser? Kaitlin et Seth aiment écouter de la musique.** Say: **Regardez la première phrase. Nous allons compter les verbes: un, deux. Oui, elle a deux verbes. Quel verbe est conjugué? Oui, aimer. Et quel verbe est à l'infinitif? Oui, le deuxième verbe est à l'infinitif.** Lead students in looking at the issues raised by the **Notez et analysez** questions, in this case, recognizing the meaning of cognates. Refer either to the sentences you have written on the board or to the verbs under the drawing on page 32 and ask students: **Quels infinitifs sont des mots apparentés?** After students have studied the grammar in the green pages, they can be relied on to help you review the grammar presentations in class. We have found that students enjoy a brief focused grammar presentation, and visual learners need to see this written on the board. Students typically know little formal grammar, so they are learning many of these labels for the first time.

Teaching the composition process

The thematic writing activities that follow every **module** are designed for a process-based approach to writing. They take students through a series of stages, or **étapes:** gathering information from fellow students or other sources, taking notes, and brainstorming. Finally, the students put together the various parts to write a composition. **Système-D** helps support them in this process with phrases and a convenient grammar reference. In order to take full advantage of the writing support, allow students sufficient time to work through these stages and make clear who their audience is and what you expect from the final project in form and content. Make substantive comments on their work in addition to addressing grammatical and vocabulary errors.

Assigning *Voix en direct (suite)*

In **Voix en direct (suite),** videotaped interview segments available online on the **iLrn** platform and on the *Motifs* **DVD,** students view native speakers respond at greater length to a cultural question related to a chapter theme. Pre-viewing, viewing and post-viewing activities for each interview are available on **iLrn** for interactive viewing or on the Book Companion Website. These segments are ideal for students who wish to explore further and develop their ability to understand spoken French. We encourage you to view these segments and integrate them in class as time and interest permits, or you may assign them to individual students for enrichment.

Tackling pronunciation in a communicative classroom

The sound system of French is challenging to most Americans, and many learners are eager for guidance in this area. The *Motifs* **Audio Program** provides systematic guidance with pronunciation (see the **Lab Manual** sections called **Prononciation et orthographe**). Presentations focus on the pronunciation requirements of each **module.** For example, the subjunctive is frequently signaled by the pronunciation of the final consonants of verbs, e.g., **Il faut qu'il prenne. . .** Students learn about the importance of final consonant release in French. In addition to reinforcing this material in the classroom, we suggest that you frequently take about five minutes to work on specific pronunciation difficulties as they arise. Pronunciation is closely tied to personal identity and can be stressful on the ego. The following suggestions are meant to make pronunciation practice a positive experience: (1) Never single out a particular student for pronunciation practice; (2) If a student is having trouble with an item, work with him/her briefly and then move on to someone else; (3) Make pronunciation practice playful. Exaggerate features of French speech: speak loudly, softly, mimic a French actor, change your voice quality; (4) Don't combine pronunciation practice with other cognitive demands, such as attention to syntax, recall of vocabulary, or expression of meaning. Make the perception and production of sounds your exclusive focus; (5) Use simple, straightforward material as the content of a pronunciation session: numbers, letters of the alphabet, formation of intonation questions, formulaic expressions with their codified intonation patterns; (6) Use pronunciation as an unexpected break from routine. For example, you've been doing group work and students keep responding "no" instead of **non.** Exaggerate this error: *No? No? C'est du français, ça?* **Comment est-ce qu'on dit ce mot en français?** *(Write **non** on the board.)* **Oui, on dit non. Classe, répétez.**

INSTRUCTOR: Est-ce que vous voulez avoir un examen maintenant? Oui ou non?
CLASS: Non!
INSTRUCTOR: Est-ce que vous voulez écrire une composition?
STUDENTS: Non! (etc.)
INSTRUCTOR: Oui, ça va mieux!
Students enjoy this vocal gymnastics as a break from routine.

Selecting and Testing Vocabulary

To give students the tools for individual expression within a given theme, *Motifs* provides rich lexical content. The vocabulary lists at the end of each **module** are divided between high-frequency words (**Vocabulaire fondamental**) and words intended primarily for recognition (**Vocabulaire supplémentaire**). Depending on the interests or experience of a given class, instructors may wish to de-emphasize a fundamental word or highlight a word from the supplemental list. In teaching vocabulary, stress the importance of learning words within thematic groups. In testing vocabulary, especially in multi-section courses, select from the **Vocabulaire fondamental** list. Structure test questions so that students can respond using the relevant words they have chosen to learn within a given group rather than insisting they know every word.

Sample Course Outline

We recommend the following general guidelines for preparing a course syllabus for *Motifs.* These syllabi can also be found on the **Instructor's Resource Manual CD-ROM.**

Semester System

1. 4 to 5 classes per week, 14-week term
Term I: **Modules 1–8**
Term II: **Modules 9–Module de récapitulation**
2. 3 classes per week, 14-week term
Term I: **Modules 1–5**
Term II: **Modules 6–10**
Term III: **Modules 11–Module de récapitulation**

Quarter System

3 to 5 classes per week, 10-week term
Term I: **Modules 1–5**
Term II: **Modules 6–10**
Term III: **Modules 11–Module de récapitulation**

About the authors

Kimberly Jansma received her Ph.D. in Applied Linguistics from the University of Texas at Austin. She coordinates the French Language Program at The University of California at Los Angeles where she directs TA development and teaches all levels of language, including French linguistics. She is a recipient of UCLA's Distinguished Teaching Award and the Copenhaver Award for the use of innovative technology in instruction. Dr. Jansma has published several pedagogical texts and presented research at major conferences. Dr. Jansma's areas of interest include content-based instruction, second language acquisition, and phonology.

Margaret Ann Kassen, who received her Ph.D. at the University of Texas at Austin, is Associate Professor and Language Program Coordinator in the Department of Modern Languages at the Catholic University of America, Washington, D.C. She teaches undergraduate French and applied linguistics courses and works with graduate and undergraduate teacher preparation. Her research interests include foreign language writing, technology-enhanced language learning, and TA development. In addition to presenting at conferences, Dr. Kassen has published articles on technology and writing and edited a volume on developing self-direction in foreign language learners.

MODULE 1

[CD1, Track 2] Écoutons ensemble! Réponses logiques pour se saluer. Listen to the following initial statements and questions and choose the logical response. Mark each exchange as **familier** or **non-familier.** Then listen to the entire exchange to check your answers.

1. —Bonjour, monsieur. Comment allez-vous?
   —Très bien, merci. Et vous?
2. —Salut, Jean. Ça va?
   —Oui, ça va.
3. —Au revoir, madame. À tout à l'heure.
   —Au revoir.
4. —Comment vous appelez-vous?
   —Je m'appelle Anne.
5. —Bonsoir, monsieur.
   —Bonsoir, mademoiselle.
6. —Salut, Jean. À demain.
   —Au revoir.
7. —Je suis de Los Angeles. Et vous?
   —Je suis de Washington.
8. —Je vous présente mon professeur de français, Monsieur Lutèce.
   —Bonjour, monsieur.

[CD1, Track 4] Écoutons ensemble! La communication en classe. Listen to the various people communicating in a clasroom, and number the following situations in the order that you hear them.

INSTRUCTOR: *You need to use the continuous present in that sentence. John is going to the store, not John goes to the store.*

CAMILLE: Mais je ne comprends pas. Vous pouvez répéter, s'il vous plaît? C'est vraiment difficile!

MATHIAS: Moi, j'ai une question. Comment dit-on «anthropologie» en anglais?

INSTRUCTOR: C'est *anthropology.* Vous voyez? C'est le même mot. Il y a beaucoup de bruit dans le couloir. Mathias, vous voulez bien ferme la porte? Fermez la porte, s'il vous plaît.

MARIE: Madame, j'ai une question.

INSTRUCTOR: Un instant, Marie. Ouvrez vos livres à la plage 12. Vous y êtes? Vous êtes à la page 12? Alors, mettez-vous avec un partenaire pour faire l'Activité 5. Travaillez avec un camarade de classe.

[A bell rings. The class is over.]

INSTRUCTOR: Ah, il est l'heure. Donnez-moi vos devoirs, s'il vous plaît.

CAMILLE: Vous allez mettre les devoirs au tableau?

INSTRUCTOR: Mais vraiment, vous êtes impossibles! C'est un cours d'anglais. Alors, en anglais, s'il vous plaît. *Let's speak English!*

MODULE 2

[CD1, Track5] **Écoutons ensemble! Sondage sur les goûts et les préférences.** Listen to the following questionnaire given to a French student on her taste in entertainment, and fill out the form. Then interview a partner to fill out the form.

INTERVIEWER:	**Bonjour, Mademoiselle. Je fais un petit sondage pour mon cours de sociologie sur les goûts des étudiants en ce qui concerne la musique, le cinéma, etc. Vous avez une petite minute?**
ANNICK:	Bof, d'accord, oui. Mais je suis un peu pressée.
INTERVIEWER:	**Je comprends. Ça ne va pas prendre longtemps. Votre nom de famille? C'est... ?**
ANNICK:	C'est Frange. F-R-A-N-G-E.
INTERVIEWER:	**Frange.** [*Repeating the name as he writes it down.*]
INTERVIEWER:	**Et votre prénom?**
ANNICK:	Mon prénom, c'est Annick. A-N-N-I-C-K.
INTERVIEWER:	**Très bien, Annick. Alors, on commence avec la musique. Vous aimez la musique un peu, beaucoup ou pas beaucoup?**
ANNICK:	Moi, j'aime beaucoup la musique.
INTERVIEWER:	**Quel genre de musique est-ce que vous préférez? Le rock? le jazz? le rap? la techno? ou la musique classique?**
ANNICK:	Ah, c'est une question difficile. J'aime toutes les sortes de musique. Mais, si je dois donner une préférence, je dirais que je préfère la techno. J'écoute beaucoup de techno en ce moment.
INTERVIEWER:	**La techno. Bien. Maintenant pour le cinéma. Vous l'aimez?**
ANNICK:	Oui, bien sûr, beaucoup!
INTERVIEWER:	**Et vous préférez quel genre de films?**
ANNICK:	Moi, je dirais que je préfère les films sérieux. J'aime bien les drames psychologiques.
INTERVIEWER:	**Drames psychologiques... Bien. Et pour la télévision?**
ANNICK:	Moi, personnellement, je n'aime pas beaucoup la télévision. Je déteste les jeux télévisés et la télé-réalité. C'est absurde! J'aime quelques séries, comme *Friends*. Ça me divertit.
INTERVIEWER:	**Eh bien voilà, j'ai terminé. Merci pour vos réponses.**
ANNICK:	Je vous en prie. Au revoir.

[CD1, Track 7] **Écoutons ensemble! On parle des cours.** A couple of students are talking about their classes, professors, and the university in general. Listen to their conversation and decide whether each statement is positive or negative.

1. CHARLOTTE: Moi, je trouve le campus agréable. Je suis contente ici.
2. EMEYRIC: Mon prof de maths est très ennuyeux. Je ne l'aime pas du tout.
3. CHARLOTTE: Non? Moi, j'aime bien notre prof de sciences économiques. Il est très intelligent, jeune et dynamique.
4. EMEYRIC: Oui, tu as raison. C'est un cours pratique et intéressant.
5. EMEYRIC: Mais je trouve le resto-U lamentable! Je n'aime pas y manger.
6. CHARLOTTE: Mais tu es vraiment trop critique! Le resto-U n'est pas si mauvais. Et j'aime bien le petit café à côté.
7. EMEYRIC: Et oui, comme toujours, tu as raison. En fait, je n'ai aucune raison de me plaindre. J'aime bien notre fac. Je suis très content ici.

MODULE 3

[CD1, Track 9] Écoutons ensemble! Jennifer cherche une chambre à louer. Jennifer parle à la propriétaire d'une chambre à louer. Écoutez leur conversation et complétez le tableau avec les informations appropriées.

JENNIFER: Je cherche une chambre à louer.

PROPRIÉTAIRE: J'ai une belle chambre lumineuse disponible. C'est aussi près de la fac.

JENNIFER: C'est bien parce que je suis étudiante. C'est combien, le loyer?

PROPRIÉTAIRE: 250 euros par moi, avec une caution de 200 euros.

JENNIFER: D'accord. Je peux avoir un chat?

PROPRIÉTAIRE: Un chat, oui. Mais les autres animaux sont interdits. J'aime les chats, mais je n'aime pas du tout les chiens.

JENNIFER: Je voudrais réfléchir un peu.

PROPRIÉTAIRE: Très bien. Voici mon numéro de téléphone si vous voulez m'appeler...

[CD1, Track 10] Activité 20: Je cherche un studio. Étudiez et complétez le dialogue avec un(e) camarade de classe.

LOCATAIRE: Bonjour, madame. Vous avez un studio à louer?

PROPRIÉTAIRE: Oui, mademoiselle. Il y a le studio numéro 25 en face du jardin.

LOCATAIRE: Est-ce qu'il est meublé?

PROPRIÉTAIRE: Oui, il y a un sofa, une table, des chaises et un lit.

LOCATAIRE: Très bien. Et vous êtes près de la fac?

PROPRIÉTAIRE: Oui, ici nous sommes à trois kilomètres de la fac. J'ai beaucoup d'étudiants comme locataires.

LOCATAIRE: C'est combien, le loyer?

PROPRIÉTAIRE: 400 euros par mois plus les charges.

LOCATAIRE: Y a-t-il une caution?

PROPRIÉTAIRE: Oui, la caution est de 100 euros.

LOCATAIRE: Est-ce que je peux avoir un chat?

PROPRIÉTAIRE: Non, les animaux sont strictement interdits.

LOCATAIRE: Je voudrais réfléchir un peu. Merci, madame.

MODULE 4

[CD1, Track 11] Écoutons ensemble! L'heure. Écoutez chaque mini-dialogue et écrivez l'heure que vous entendez.

1. —Vous avez l'heure?
   —Oui, il est midi dix.
2. —À quelle heure commence le concert?
   —À vingt et une heures.
3. —Mon cours commence à deux heures.
   —Je pense que tu vas arriver en retard.
4. —Neuf heures et quart déjà?
   —C'est l'heure d'aller en cours.
5. —Il est onze heures moins dix.
   —C'est bien. Nous sommes en avance.
6. —À quelle heure arrive le train?
   —À seize heures quarante-cinq.

[CD1, Track 12] **Activité 10: Réponses logiques.** Vous entendez chacune des questions de la colonne A. Comment y répondre? Choisissez la réponse logique dans la colonne B. Ensuite, écoutez l'audio pour vérifier vos réponses.

1. —Tu as cours à quelle heure?
   —À onze heures.
2. —Où est Michel?
   —Je ne sais pas. Il est en retard.
3. —Il est midi et demi?
   —Oui, c'est l'heure de déjeuner.
4. —Tu es libre maintenant?
   —Non, j'ai cours dans un quart d'heure.
5. —Tu as l'heure?
   —Non, je n'ai pas de montre.
6. —Excusez-moi, monsieur. Quelle heure est-il?
   —Il est deux heures dix.
7. —À quelle heure ouvre le musée?
   —Il est fermé aujourd'hui. C'est un jour férié.

MODULE 5

[CD1, Track 14] **Écoutons ensemble! Une invitation par téléphone** In the telephone conversation you're about to hear between Marie-Josée and Henri, listen for the following information.

How does Marie-Josée ask Henri if he wants to go with her to the concert?
Does he want to?
Can he go?
Why not?
How do they end the conversation?

HENRI:	Allô?
MARIE-JOSÉE:	Allô, Henri? C'est Marie-Josée.
HENRI:	Salut, Marie-Josée. Ça va?
MARIE-JOSÉE:	Oui, ça va. Dis, Henri, j'ai des billets pour un concert de jazz. Tu veux m'accompagner?
HENRI:	Oui, je veux bien. C'est quand?
MARIE-JOSÉE:	Demain à 19h00.
HENRI:	Ah, dommage. Je ne peux pas. Je suis occupé demain soir. Je dois travailler.
MARIE-JOSÉE:	C'est pas grave. Un autre jour alors.
HENRI:	D'accord. Merci quand même.
MARIE-JOSÉE:	Allez, à plus.

[CD1, Track 15] **Écoutons ensemble! Le dîner de Véro.** Véronique fait un dîner chez elle samedi soir. Écoutez les messages sur son répondeur et pour chaque invité(e), indiquez si il/elle peut venir, ne peut pas venir ou n'est pas encore sûr(e).

1. JEAN: Allô, euh, Véro, c'est Jean. Je t'appelle pour te dire que je ne peux pas venir dîner chez toi samedi; je dois aller voir ma grand-mère avec mes parents. Désolé. J'espère que vous allez bien vous amuser!
2. YVONNE: Bonjour, Véronique. C'est moi, Yvonne. C'est super, le dîner de samedi. Est-ce que je peux t'aider? Je peux préparer mon fameux gâteau au chocolat. Appelle-moi ce soir. À tout à l'heure.
3. HENRI: Salut, Véronique. Ici Henri. J'ai reçu ton invitation. Je veux venir mais je travaille jusqu'à neuf heures samedi soir. Est-ce que je peux arriver tard? Téléphone-moi pour me dire si ça va. À bientôt.

4. RACHID: Allô, Véro. C'est Rachid. Bien sûr que je serai là samedi soir. Merci de m'avoir invité. À samedi.

5 ROSE: Bonjour. Ici Rose. Véro, je regrette terriblement de ne pas pouvoir venir chez toi samedi. Malheureusement je dois faire du babysitting pour mon frère. Peut-être qu'on peut se revoir la semaine prochaine.

5. KARIMA: Salut, Véro. C'est moi, Karima. Merci pour l'invitation. J'aimerais beaucoup dîner chez toi. Malheureusement, je ne sais pas encore si je peux venir ou non. Ça dépend de mon horaire au boulot. Je peux te le dire vendredi en classe. À demain.

[CD1, Track 17] Écoutons ensemble! Au café. Vous entendez des questions dans un café. Écoutez et choisissez la réponse logique à chacune.

1. D'où es-tu?
2. Qu'est-ce que tu prends?
3. Est-ce que cette place est libre?
4. Qu'est-ce que tu étudies?
5. Je te connais?
6. Où habitent tes parents?
7. Il fait froid, n'est-ce pas?

MODULE 6

[CD1, Track 18] Écoutons ensemble! Au restau-U. Vous êtes dans le restaurant universitaire où vous entendez des conversations.

A. Lisez d'abord les commentaires dans la colonne de gauche. Puis, trouvez la réponse appropriée à chacun dans la colonne de droite. Ensuite, écoutez les conversations et vérifiez vos réponses.

1. —Tu sais, Marc a eu un accident de moto sur l'autoroute!
   —Oh là là! C'est grave? Il est à l'hôpital?
2. —Dis, Claire, je pense que je vais avoir une promotion!
   —Vraiment? Félicitations!
3. —J'ai vu la cousine de Mohammed. Elle dit qu'il est parti pour Paris.
   —Ah oui? Qu'est-ce qu'il va faire à Paris?
4. —Hervé m'a invitée à aller en vacances avec sa famille!
   —Dis donc ! Tu vas y aller?
5. —Sylvie, tu es toute rouge! Pourquoi?
   —Eh ben, voilà ce qui s'est passé. Je t'explique…
6. —Cet après-midi nous allons nous balader à vélo.
   —Ah oui ? Qu'est-ce que vous allez faire après?
7. —J'ai perdu mon livre de français.
   —Zut alors! Qu'est-ce que tu vas faire?

[CD1, Track 19] Activité 10: Un voyage mal commencé. Regardez les images et écoutez l'histoire racontée par votre professeur. Ensuite, recomposez l'histoire vous-même.

Monsieur Montaud, Mme Montaud et leur fille Céline vont faire du camping. D'abord, M. Montaud a cherché l'équipement de camping. Puis, Céline a amené le chat chez les voisins. Mme Montaud a fermé les volets. Ensuite, M. Montaud a rangé les bagages dans le coffre et après, il a accroché la caravane. Mme Montaud et Céline sont sorties de la maison. Mme Montaud, inquiète, a cherché les clés de la voiture dans son sac. La petite Céline a trouvé les clés derrière le pot de fleurs et enfin, ils sont partis. Soudain, on a entendu un grand bruit: la caravane est tombée dans la rue!

MODULE 7

[CD1, Track 22] Activité 8: Faisons les courses!

A. Vous êtes à l'épicerie et vous entendez la conversation suivante. Écoutez la conversation et remplissez les blancs.

IMAGE 1:   Bonjour, madame. Vous désirez?

IMAGE 2:   Je voudrais des haricots verts.

IMAGE 3:   Combien en voulez-vous?

IMAGE 4:   J'en voudrais un demi-kilo.

IMAGE 5:   Voilà. Ça fait 1,50? Et avec ça?

IMAGE 6:   C'est tout. Merci.

[CD1, Track 23] Écoutons ensemble! Rendez-vous au restaurant. Marie-Claire et son copain Charles ont rendez-vous au restaurant. D'abord, écoutez la scène jouée en regardant les images. Puis mettez-vous en groupes de trois (deux clients et un serveur) et inventez votre propre dialogue.

CHARLES: Une table pour deux, s'il vous plaît.

LE SERVEUR: Très bien, monsieur. Suivez-moi… Voici la carte.

CHARLES: Marie-Claire, qu'est-ce que tu veux prendre?

MARIE-CLAIRE: Euh, je ne sais pas… peut-être une salade verte et une omelette.

CHARLES: Moi, j'ai très faim. Je vais prendre le menu du jour.

LE SERVEUR: Madame, monsieur? Vous avez décidé? Pour vous, madame?

MARIE-CLAIRE: Je voudrais quelque chose de léger. Une salade verte et une omelette pour moi, s'il vous plaît.

LE SERVEUR: Et vous, monsieur?

CHARLES: Le menu du jour.

LE SERVEUR: Que voulez-vous comme hors-d'œuvre?

CHARLES: Ummm, de la soupe aux légumes.

LE SERVEUR: Et ensuite?

CHARLES: Le poisson grillé, avec des haricots verts et des pommes de terre.

LE SERVEUR: Très bien, monsieur. Voulez-vous quelque chose à boire?

CHARLES: Une bouteille de vin blanc, un Pinot blanc, s'il vous plaît.

LE SERVEUR: Très bien, de l'eau minérale et un vin blanc.

MODULE 8

[CD2, Track 2] Souvenirs d'enfance

Quand j'étais petite…
Ma mère ne travaillait pas à l'extérieur.
Elle restait à la maison avec nous, les enfants.
Nous habitions une petite maison à la campagne.
Je dormais dans une chambre avec ma sœur.
Mes parents n'avaient pas de television. Ils écoutaient la radio.
Nous avions une vieille Renault.
Les homes jouaient aux boules sur la place.
Après l'école, je jouais à la poupée ou je chassais les papillons avec mon frère.
L'été, nous allions à la mer.

[CD2, Track 4] **Activité 6: Est-ce que tu te souviens de… ?** D'abord, utilisez les éléments suivants pour former six à huit questions que vous voulez poser à vos camarades de classe. Ensuite, écoutez et vérifiez la forme de vos questions.

Modèle: —Est-ce que tu te souviens d'une activité qui était interdite?

1. Est-ce que tu te souviens d'une activité qui était interdite?
2. Est-ce que tu te souviens d'un président que tu admirais?
3. Est-ce que tu te souviens d'un pays où tu voulais aller?
4. Est-ce que tu te souviens d'un musicien que tes parents écoutaient?
5. Est-ce que tu te souviens d'un film que tout le monde critiquait?
6. Est-ce que tu te souviens d'un lieu où tu ne pouvais pas aller?
7. Est-ce que tu te souviens d'un acteur ou d'une actrice qui a influencé ta vie?
8. Est-ce que tu te souviens d'une chose que tes parents répétaient?
9. Est-ce que tu te souviens d'une personne qui était toujours très gentille envers toi?

[CD2, Track 5] **Écoutons ensemble! Alceste se compare à Jérôme.** Écoutez Alceste qui se compare à son cousin Jérôme. Pour chaque chose indiquée, cochez la colonne appropriée, d'après la description d'Alceste.

1. Notre maison était plus près de l'école que la maison de Jérôme.
2. Nous avions une voiture qui était plus vieille que la Renault de la famille de Jérôme, mais elle était aussi grande.
3. Moi, j'étais toujours plus fort en maths que lui, et moins fort en langues.
4. J'aimais beaucoup les parents de Jérôme. Ils étaient aussi ouverts que mes parents.

MODULE 9

[CD2, Track 7] **Écoutons ensemble! Comparez des villes francophones.** Voici des informations sur trois villes francophones: Dakar, Bruxelles et Québec. Dites si les comparaisons que vous entendez sont vraies ou fausses.

1. Il y a moins d'habitants à Bruxelles qu'à Québec.
2. Parmi ces trois villes, Dakar a le plus grand nombre d'habitants.
3. Il y a autant de langues principales parlées à Dakar qu'à Québec.
4. Il y a plus de moyens de transport public à Bruxelles qu'à Québec.
5. Québec a les températures les plus froides.
6. En moyenne, la température à Dakar est plus chaude qu'à Bruxelles.

[CD2, Track 8] **Écoutons ensemble! À l'agence de voyages.** Vous travaillez comme agent de voyages. Prenez des notes sur ce que vos clients demandent.

CLIENT:	Puis-je réserver une place?
AGENT:	Dans quel train, s'il vous plaît?
CLIENT:	Le train qui part pour Paris aujourd'hui en fin d'après-midi.
AGENT:	Le train de 17 heures vous convient?
CLIENT:	Oui, c'est très bien.
AGENT:	En quelle classe, monsieur?
CLIENT:	En seconde, s'il vous plaît.
AGENT:	Fumeurs ou non fumeurs?
CLIENT:	Non fumeurs, si possible.
AGENT:	Très bien, votre réservation est faite. Voici votre billet.
CLIENTE:	Bonjour, monsieur. J'ai besoin d'aller à Bruxelles pour un voyage d'affaires.
AGENT:	Vous pouvez passer par Paris ou Marseille.

CLIENTE:	Ce sont des vols directs?
AGENT:	Oui, ils sont directs.
CLIENTE:	Comme je n'habite pas très loin de Marseille, je vais prendre l'avion qui part de Marseille.
AGENT:	Quand désirez-vous partir?
CLIENTE:	Je voudrais partir le lundi 15 janvier, si possible le matin.
AGENT:	Très bien, mademoiselle. Il y a un vol à 10h30. Cela vous convient?
CLIENTE:	C'est parfait.
AGENT:	Comment est-ce que vous désirez payer?
CLIENTE:	Avec ma carte de crédit.

MODULE 10

[CD2, Track 10] **Écoutons ensemble! Qu'est-ce qu'on dit?** Écoutez les mini-conversations suivantes et choisissez l'expression appropriée pour les compléter.

1. ENFANT: Maman, je suis fatigué.
    MÈRE: Il est tard, mon petit. Tu t'es déjà brossé les dents, n'est-ce pas? Alors, couche-toi et …
2. JEUNE FILLE 1: Tu ne vas pas me croire, Pauline, mais aujourd'hui, le prof a rendu mon exposé sur le poème de Prévert et j'ai eu dix-huit.
    JEUNE FILLE 2: Pas possible! Mme Lacroix ne donne jamais dix-huit!…
3. JEUNE FILLE: Maman, je vais chez Micheline.
    MÈRE: À quelle heure est-ce que tu rentres?
    JEUNE FILLE: Vers huit heures.
    MÈRE: D'accord…
4. LAHBIB: Je pars bientôt en vacances. On va passer cinq semaines au Liban avec la famille de mon père.
    NOURA: Cinq semaines! C'est beaucoup…

[CD2, Track 11] Now listen again to check your response.

1. ENFANT: Maman, je suis fatigué.
    MÈRE: Il est tard, mon petit. Tu t'es déjà brossé les dents, n'est-ce pas? Alors, couche-toi et fais de beaux rêves.
2. JEUNE FILLE 1: Tu ne vas pas me croire, Pauline, mais aujourd'hui, le prof a rendu mon exposé sur le poème de Prévert et j'ai eu dix-huit.
    JEUNE FILLE 2: Pas possible! Mme Lacroix ne donne jamais dix-huit! Chapeau!
3. JEUNE FILLE: Maman, je vais chez Micheline.
    MÈRE: À quelle heure est-ce que tu rentres?
    JEUNE FILLE: Vers huit heures.
    MÈRE: D'accord. Amuse-toi bien!
4. LAHBIB: Je pars bientôt en vacances. On va passer cinq semaines au Liban avec la famille de mon père.
    NOURA: Cinq semaines! C'est beaucoup. Tu vas me manquer.

[CD2, Track 12] **Écoutons ensemble! Opinions opposées.** Vous n'êtes jamais d'accord avec votre colocataire. Écoutez ce qu'il dit et choisissez l'opinion opposée.

1. Quelqu'un te cherche.
2. C'est très sérieux.
3. Tu sors toujours avec Dani.
4. Tu ne vas jamais à la bibliothèque.
5. Tu veux quelque chose à manger?
6. Ça suffit. Je n'en peux plus.

MODULE 11

[CD2, Track 13] Écoutons ensemble! Pardon, monsieur, je cherche... Un touriste vient de faire ses achats aux Galeries Lafayette. Maintenant on lui explique comment aller à sa prochaine destination. Où veut-il aller? Écoutez les explications et choisissez parmi les destinations suivantes: **la gare Saint-Lazare, l'Hôtel de Ville, le Palais de l'Élysée, le musée du Louvre, le musée d'Orsay et l'Opéra Bastille.**

Ce n'est pas difficile. Vous sortez du magasin et vous prenez le boulevard Haussmann à droite. Puis vous traversez le boulevard pour prendre la rue Tronchet sur votre gauche. Vous continuez tout droit. Vous allez passer par l'Église de la Madeleine. À la rue du Faubourg Saint-Honoré, vous tournez à droite. Vous continuez tout droit jusqu'à la rue de l'Élysée et vous tournez à gauche. Vous y êtes!

[CD2, Track 14] Écoutons ensemble! À l'hôtel. Écoutez le dialogue et choisissez les mots qui manquent pour le compléter.

RÉCEPTIONNISTE:	Bonjour, monsieur. Je peux vous renseigner?
TOURISTE:	Oui, madame. Je cherche une chambre avec salle de bains.
RÉCEPTIONNISTE:	Voyons… Nous avons une chambre au quatrième avec câble.
TOURISTE:	Elle fait combien?
RÉCEPTIONNISTE:	C'est quatre-vingts euros la nuit.
TOURISTE:	Est-ce que le petit déjeuner est compris?
RÉCEPTIONNISTE:	Oui.
TOURISTE:	Alors, je la prends.

[CD2, Track 15] Activité 10: Au Vieux Manoir

A. Un touriste arrive à l'hôtel du Vieux Manoir. Écoutez et complétez la conversation.

RÉCEPTIONNISTE:	Bonjour, monsieur. Est-ce que je peux vous aider?
TOURISTE:	Oui, madame. Je voudrais une chambre pour une personne avec salle de bains.
RÉCEPTIONNISTE:	Il reste la chambre 23 qui donne sur la rue. Combien de nuits comptez-vous rester?
TOURISTE:	Deux nuits. C'est combien?
RÉCEPTIONNISTE:	65 euros la nuit.
TOURISTE:	Est-ce que le petit déjeuner est compris?
RÉCEPTIONNISTE:	Oui, le petit déjeuner est compris.
TOURISTE:	Bon, je la prends.
RÉCEPTIONNISTE:	Voici la clé. Prenez l'ascenseur jusqu'au deuxième étage.
TOURISTE:	Très bien. Merci, madame.

MODULE 12

[CD2, Track 18] Écoutons ensemble! Les jeunes parlent entre eux. Répondez aux questions que vous entendez en utilisant un mot familier du vocabulaire que vous venez d'apprendre.

1. Où est-ce que tu habites?
2. As-tu une voiture?
3. Alors comment est-ce que tu vas à l'université?
4. Ton sac à dos est lourd!
5. Moi, j'ai faim. Il y a quelque chose à manger ici?
6. Tiens, regarde! Le frigo est plein! On mange bien ici!
7. Alors, on prépare quelque chose à manger ce soir?

[CD2, Track 19] Activité 9: Lui, il est marrant! Parfois en français on souligne une réponse avec un pronom accentué. Trouvez la meilleure réponse pour chaque question. Puis écoutez l'audio pour vérifer vos réponses. Faites attention à l'intonation.

A: Ta mère, elle est bien?

B: Ah oui! Ma mère, elle est trop bien!

A: Ton voisin Frédo, qu'est-ce qu'il a?

B: J'sais pas moi. Pourquoi?

A: Tes potes ici sont cool?

B: Ah, oui. Eux, ils sont super sympas!

A: Tu connais Claire?

B: Oui, oui. Elle est super bien!

A: Qu'est-ce que tu penses de Chris Rock?

B: Lui, il est marrant.

A: T'aimes ce mec-là?

B: Mais non, il est débile!

[CD2, Track 20] Écoutons ensemble! Dans une boutique de prêt-à porter. Écoutez le dialogue et écrivez les mots qui manquent.

VENDEUR: Bonjour, mademoiselle. Je peux vous renseigner?

CLIENTE: Oui, j'ai vu ce pull dans la vitrine. Est-ce que vous avez ce modèle en vert?

VENDEUR: Je vais voir. Quelle taille faites-vous?

CLIENTE: Je fais du 42.

VENDEUR: le voilà. Vous voulez l'essayer? La cabine est là bas.

[plus tard, devant le miroir]

VENDEUR: Il vous va très bien. Et il est en solde. Qu'est-ce que vous en pensez?

CLIENTE: Je le prends. Vous acceptez les cartes de crédit?

[CD2, Track 21] Écoutons ensemble! Pour chaque compliment, donnez une réponse. Puis écoutez la réponse. (Parfois il y a plus d'une réponse possible).

—Ta jupe est très élégante.
—Merci. C'est gentil. Je l'ai trouvée en solde.
—Tu es exquise dans cette robe!
—Ah Jean-Phi arrête, tu es trop flatteur!
—Ce pantalon te va très bien.
—Ah, je crois que ça me grossit.
—C'est une très jolie montre!
—Ah, c'est rien de spécial.
—J'aime bien ton chapeau.
—C'est un vieux truc que j'ai trouvé au fond de mon placard.
—Cette coupe te va si bien!
—Tu trouves? Moi, je crois que c'est très ordinaire.

MODULE 13

[CD2, Track 22] Écoutons ensemble! Qu'est-ce qui ne va pas? Identifiez l'image qui correspond à chaque mini-dialogue.

1. DOCTEUR: Où avez-vous mal?
   PATIENT: J'ai mal au dos.
   DOCTEUR: Depuis quand?
   PATIENT: Il y a une semaine, j'ai déménagé dans un nouvel appartement, et depuis j'ai des courbatures.
2. DOCTEUR: Vous avez bonne mine.
   PATIENTE: Oui, je me porte très bien. Je suis ici pour ma consultation annuelle.
3. PSYCHIATRE: Qu'est-ce qui ne va pas?
   PATIENT: Je suis déprimé. Je n'ai plus d'appétit. Je n'ai pas envie de sortir de chez moi.
4. DOCTEUR: Qu'est-ce que vous avez?
   PATIENTE: J'ai mal partout.
   DOCTEUR: Quels sont vos symptômes?
   PATIENTE: J'ai mal à la tête, j'ai de la fièvre et j'ai des frissons.

[CD2, Track 23] Activité 11: Dialogue chez le médecin. Monsieur Lefèvre est chez le médecin parce qu'il ne se sent pas bien et il pense avoir la grippe. Écoutez et complétez le dialogue suivant.

DOCTEUR: Bonjour, Monsieur Lefèvre. Comment allez-vous?

PATIENT: Je ne me sens pas bien du tout.

DOCTEUR: Qu'est-ce qui ne va pas?

PATIENT: Je crois que j'ai la grippe. Mais je ne sais pas.

DOCTEUR: Quels sont vos symptômes?

PATIENT: J'ai mal à la gorge, j'ai mal à la tête et j'ai mal au dos.

DOCTEUR: Depuis quand êtes-vous malade?

PATIENT: Depuis deux jours.

DOCTEUR: Ouvrez la bouche et dites «ah». Je voudrais examiner la gorge. Oui, vous avez les glandes enflées et votre gorge est rouge. Avez-vous des frissons?

PATIENT: Non, mais j'ai du mal à avaler.

DOCTEUR: Je veux prendre votre température. Ouvrez encore la bouche... Vous avez une température élevée. Retroussez votre manche un peu s'il vous plaît. Je vais prendre votre tension... Normale. Ce n'est pas grave. Vous avez une petite infection. Je vais vous donner une ordonnance pour des antibiotiques. Prenez ces pilules trois fois par jour, s'il vous plaît.

[CD2, Track 25] Écoutons ensemble! C'est logique? Indiquez si les conseils que vous entendez sont logiques ou pas.

1. Tu n'as pas bien dormi hier soir? Alors, il faut que tu te couches tôt ce soir.
2. Vous avez mal à la gorge? Je vous conseille de faire des gargarismes.
3. Si vous voulez être en pleine forme, il est essentiel que vous mangiez beaucoup de choses sucrées.
4. Tu as l'air énervé. Il ne faut pas respirer profondément.
5. Vous toussez beaucoup. Je vous déconseille de fumer.
6. Qu'est-ce qu'il pleut aujourd'hui! Eh bien, mes enfants, je voudrais que vous alliez au parc.

MODULE 14

[CD2, Track 27] Écoutons ensemble! Entretenir l'amitié. Écoutez les mini-échanges sur l'amitié. Dites si (a) on n'est d'accord, (b) pas d'accord ou (c) indécis. Notez, en anglais, le sujet général de chaque mini-conversation.

1. —À mon avis, l'amitié, c'est une priorité. Il faut trouver le temps de voir ses amis même quand on est pressé.
   —Tout à fait! Les amis passent avant tout!

2. —Moi, je crois qu'il faut tout raconter à un ami; ça fait du bien.
   —Peut-être, mais il ne faut pas exagérer. Il y a des choses que je ne raconte à personne.

3. —Il ne faut pas prendre un ami pour un psychiatre. Si vous êtes dépressif, il vaut mieux voir un professionnel.
   —Ah, non alors! Mes copains me comprennent mieux qu'un psy.

4. —Si vous avez besoin de prendre du recul—peut-être de vivre une relation amoureuse, de travailler sur un grand projet au travail—annoncez votre absence à votre ami; autrement, ça peut causer une vraie rupture.
   —Ah ça oui! Moi, j'ai déjà vécu ce problème. Mes copains sont devenus jaloux du temps que je passais avec une copine. Ça a causé de gros ennuis.

5. —Moi, je mets toujours mes potes avant les histoires d'amour. Les filles, on ne peut pas avoir confiance en elles.
   —C'est pas vrai! Encore des stéréotypes. On peut compter sur les filles comme sur les mecs. Ça dépend de la personne.

[CD2, Track 28] Écoutons ensemble! Comment exprimer ses sentiments. Écoutez les remarques suivantes et identifiez ce qu'elles expriment: le doute, la certitude ou un sentiment négatif / positif.

1. CLAUDINE: Dis, Annick, tu as vu Anne récemment? Je suis sûre que son mari la trompe. Je l'ai vu l'autre soir avec une autre femme!
2. ANNICK: Mais non, Claudine! Il est clair que Jean-Marc l'adore. Ça se voit. Il la traite très gentiment.
3. CLAUDINE: Annick, j'ai peur que tu sois un peu naïve. Tu as trop confiance en lui!
4. ANNICK: Mais non! C'est toi qui as tort! Je suis vraiment surprise que tu parles d'Anne et de Jean-Marc comme ça. Tu vas créer des problèmes. Ça m'étonne!
5. CLAUDINE: Je dis tout simplement la vérité. Je suis certaine que Jean-Marc sort avec une petite blonde. Voilà je n'en parlerai plus!

MODULE DE RÉCAPITULATION

[CD2, Track 29] Écoutons ensemble! On raconte la BD. Vous allez écouter ce qui se passe dans la BD. Écoutez bien et complétez l'histoire avec les verbes appropriés. Le narrateur emploie le **présent de narration.**

1. Gaston, assis dans un rocking chair, travaille tranquillement à son bureau. Fantasio, son collègue de bureau, arrive et dit en passant qu'il faut remplacer la réglette fluorescente.
2. Fantasio conseille à Gaston de ne pas s'en occuper mais Gaston ne l'écoute pas. Il monte sur son rocking chair pour installer la réglette.
3. La chaise commence à vaciller.
4. Fantasio explique que Gaston est trop maladroit pour faire ce genre de travail. Gaston refuse de le croire. Malgré le danger, il lève les bras pour installer la réglette.
5. Il y a un grand bruit: Crac!
6. Gaston tombe la tête la première et brise le bureau. Maintenant, c'est le bureau qu'il faut remplacer!

[CD2, Track 30] Écoutons ensemble! Comment parler de la littérature. Quelques Français parlent de leurs goûts littéraires. Ils veulent lire quelque chose en anglais pour pratiquer la langue. Conseillez quelque chose d'approprié pour chacun d'eux.

Narrateur: Soline, 16 ans

SOLINE: Moi, j'adore lire! J'aime surtout les classiques britanniques. Je viens de lire *Wuthering Heights.* C'était vraiment bien! Il faut un peu de tout: de l'aventure, du suspense, de l'amour et bien sûr, une protagoniste intelligente!

Narrateur: Enzo, 27 ans

ENZO: Je prends le métro pour aller à mon travail donc j'aime passer le temps en lisant des thrillers, des histories de crimes. J'adore les intrigues internationales.

Narrateur: Jean-Luc, 12 ans

JEAN-LUC: Moi, j'aime lire de la science-fiction et de la fantaisie. Par exemple, j'adore les histoires de Harry Potter.

Narrator: Marie-Jo, 40 ans

MARIE-JO: Je lis pour me distraire, moi, pour m'échapper de la réalité. Je dois admettre que je suis une grande romantique au fond. Alors j'aime bien les romans d'amour où il y a un héros tout beau et fort et une héroïne qui le mérite, et où tout finit bien!

Narrateur: Timothé, 19 ans

TIMOTHÉ: Moi, j'aime pas tellement lire. Je préfère regarder des BD. Je crois que ça peut m'aider avec l'anglais parce que je peux regarder les images. Alors j'ai au moins la chance de comprendre quelque chose.

LE ROYAUME-UNI

LA MER DU NORD

LES PAYS-BAS (m. pl.)

L'ALLEMAGNE (f.)

LA BELGIQUE

la Wallonie

LE LUXEMBOURG

LA MANCHE

Dunkerque
Calais
Boulogne
Lille
NORD-PAS-DE-CALAIS
Dieppe
Amiens
PICARDIE
Charleville-Mézières

Cherbourg
Le Havre
HAUTE-NORMANDIE
Rouen
Reims
Verdun
CHAMPAGNE-ARDENNE
Metz
LORRAINE

Caen
BASSE-NORMANDIE
ÎLE-DE-FRANCE
Versailles
Paris
Nancy
Strasbourg
ALSACE

St. Malo
le Mont-St. Michel
la Seine
Chartres
Fontainebleau
Troyes
la Seine
LES VOSGES
Colmar

Brest
BRETAGNE
Rennes
Le Mans
CENTRE
Orléans
la Loire
BOURGOGNE
FRANCHE-COMTÉ

Blois
Tours
la Loire
Dijon

la Loire
Angers
LIMOUSIN
Bourges
Besançon

Nantes
PAYS DE LA LOIRE
Poitiers
AUVERGNE
la Saône
LE JURA

LA SUISSE

L'OCÉAN ATLANTIQUE (m.)

La Rochelle
POITOU-CHARENTES
Limoges
Clermont-Ferrand
RHÔNE-ALPES
Lyon
le Rhône
le Val d'Aoste

L'ITALIE (f.)

Grenoble

Bordeaux
AQUITAINE
Rocamadour
LE MASSIF CENTRAL
le Rhône
LES ALPES

la Garonne
Moissac
Albi
Avignon
PROVENCE-ALPES-CÔTE D'AZUR
Nice
Cannes

MIDI-PYRÉNÉES
Nîmes
Montpellier
Arles
MONACO (f.)

Biarritz
LE PAYS BASQUE
Toulouse
Carcassonne
LANGUEDOC-ROUSSILLON
Aix-en-Provence
Marseille

Lourdes
LES PYRÉNÉES (f.pl.)
Perpignan

L'ESPAGNE (f.)

L'ANDORRE (f.)

la CORSE

LA MER MÉDITERRANÉE

Élévation en mètres
2000+
500–2000
200–500
0–200
Niveau de mer

LA FRANCE

0 25 50 75 100 MILLES

0 50 100 150 KILOMÈTRES

la SARDAIGNE

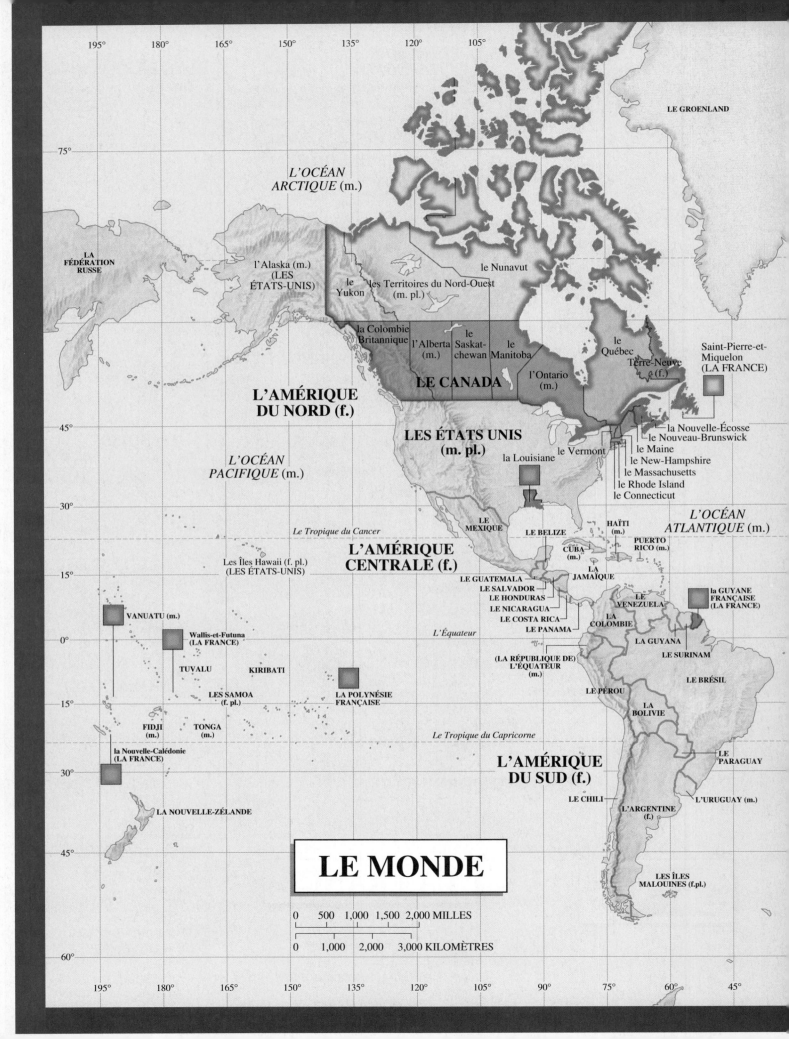

LE MONDE

LE GROENLAND

L'OCÉAN ARCTIQUE (m.)

LA FÉDÉRATION RUSSE

l'Alaska (m.) (LES ÉTATS-UNIS)

le Yukon

les Territoires du Nord-Ouest (m. pl.)

le Nunavut

la Colombie Britannique

l'Alberta (m.)

le Saskat-chewan

le Manitoba

l'Ontario (m.)

le Québec

Terre-Neuve (f.)

Saint-Pierre-et-Miquelon (LA FRANCE)

LE CANADA

L'AMÉRIQUE DU NORD (f.)

LES ÉTATS UNIS (m. pl.)

la Louisiane

le Vermont

la Nouvelle-Écosse
le Nouveau-Brunswick
le Maine
le New-Hampshire
le Massachusetts
le Rhode Island
le Connecticut

L'OCÉAN PACIFIQUE (m.)

LE MEXIQUE

L'OCÉAN ATLANTIQUE (m.)

Le Tropique du Cancer

L'AMÉRIQUE CENTRALE (f.)

Les Îles Hawaii (f. pl.) (LES ÉTATS-UNIS)

LE BELIZE

HAÏTI (m.)

CUBA (m.)

PUERTO RICO (m.)

LE GUATEMALA
LE SALVADOR
LE HONDURAS
LE NICARAGUA
LE COSTA RICA
LE PANAMA

LA JAMAÏQUE

la GUYANE FRANÇAISE (LA FRANCE)

VANUATU (m.)

Wallis-et-Futuna (LA FRANCE)

TUVALU

KIRIBATI

L'Équateur

LE VENEZUELA

LA COLOMBIE

LA GUYANA

LE SURINAM

(LA RÉPUBLIQUE DE) L'ÉQUATEUR (m.)

LE BRÉSIL

LES SAMOA (f. pl.)

LA POLYNÉSIE FRANÇAISE

LE PÉROU

LA BOLIVIE

FIDJI (m.)

TONGA (m.)

Le Tropique du Capricorne

la Nouvelle-Calédonie (LA FRANCE)

L'AMÉRIQUE DU SUD (f.)

LE PARAGUAY

LA NOUVELLE-ZÉLANDE

LE CHILI

L'URUGUAY (m.)

L'ARGENTINE (f.)

LES ÎLES MALOUINES (f.pl.)

| 0 | 500 | 1,000 | 1,500 | 2,000 MILLES |

| 0 | 1,000 | 2,000 | 3,000 KILOMÈTRES |

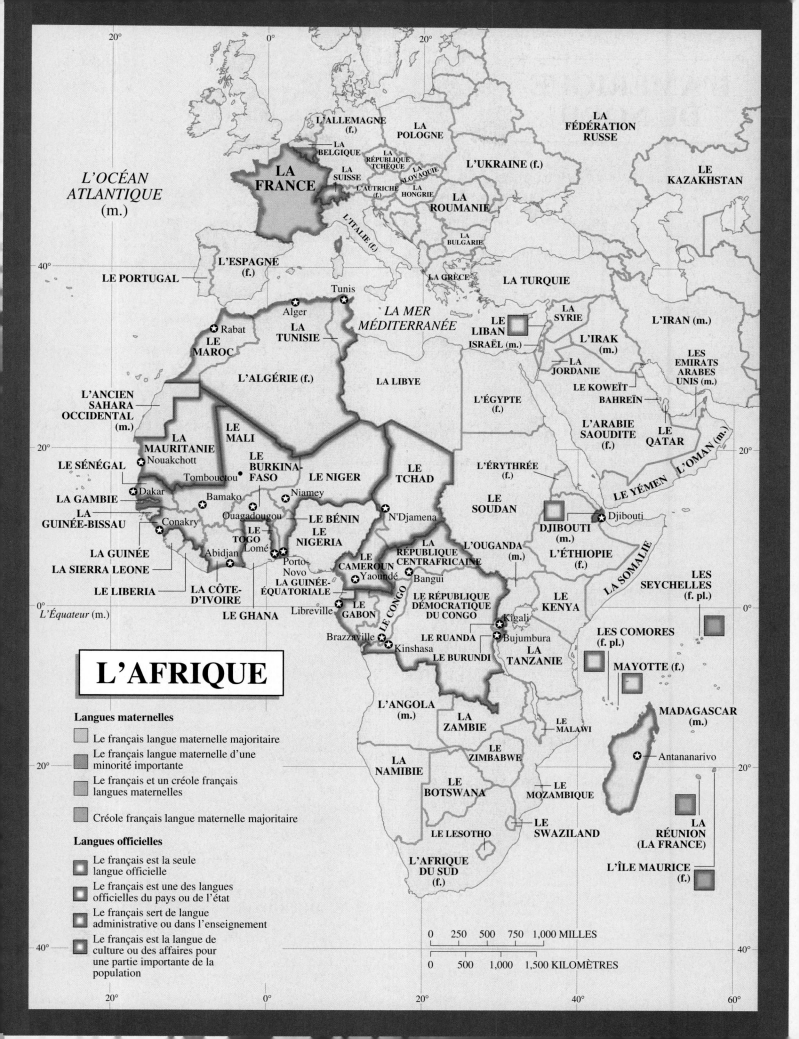

L'AFRIQUE

L'OCÉAN ATLANTIQUE (m.)

LA MER MÉDITERRANÉE

L'ALLEMAGNE (f.)
LA BELGIQUE
LA POLOGNE
LA FÉDÉRATION RUSSE
LA RÉPUBLIQUE TCHÈQUE
LA SLOVAQUIE
LA SUISSE
L'AUTRICHE (f.)
LA HONGRIE
LA ROUMANIE
L'UKRAINE (f.)
LE KAZAKHSTAN
LA FRANCE
L'ITALIE (f.)
LA BULGARIE
LA GRÈCE
LE PORTUGAL
L'ESPAGNE (f.)
LA TURQUIE
LE LIBAN
LA SYRIE
L'IRAN (m.)
L'IRAK (m.)
ISRAËL (m.)
LA JORDANIE
LE KOWEÏT
BAHREÏN
LES EMIRATS ARABES UNIS (m.)
L'ARABIE SAOUDITE (f.)
LE QATAR
L'OMAN (m.)
LE YÉMEN

Tunis
Alger
Rabat
LE MAROC
LA TUNISIE
L'ALGÉRIE (f.)
LA LIBYE
L'ÉGYPTE (f.)
L'ANCIEN SAHARA OCCIDENTAL (m.)
LA MAURITANIE
Nouakchott
LE MALI
LE BURKINA-FASO
LE NIGER
LE TCHAD
L'ÉRYTHRÉE (f.)
LE SOUDAN
DJIBOUTI (m.)
Djibouti
LE SÉNÉGAL
Tombouctou
LA GAMBIE
Dakar
Bamako
Niamey
Ouagadougou
LE BÉNIN
N'Djamena
LA GUINÉE-BISSAU
Conakry
LE TOGO
LE NIGERIA
LA RÉPUBLIQUE CENTRAFRICAINE
L'OUGANDA (m.)
L'ÉTHIOPIE (f.)
LA SOMALIE
LES SEYCHELLES (f. pl.)
LA GUINÉE
LA SIERRA LEONE
Abidjan
Lomé
Porto-Novo
LE CAMEROUN
Yaoundé
Bangui
LE LIBERIA
LA CÔTE-D'IVOIRE
LA GUINÉE-ÉQUATORIALE
Libreville
LE GABON
LE CONGO
LE RÉPUBLIQUE DÉMOCRATIQUE DU CONGO
Kigali
LE KENYA
LES COMORES (f. pl.)
LE GHANA
Brazzaville
Kinshasa
LE RUANDA
LE BURUNDI
Bujumbura
LA TANZANIE
MAYOTTE (f.)
L'Équateur (m.)
L'ANGOLA (m.)
LA ZAMBIE
LE MALAWI
MADAGASCAR (m.)
LA NAMIBIE
LE ZIMBABWE
Antananarivo
LE BOTSWANA
LE MOZAMBIQUE
LE SWAZILAND
LE LESOTHO
LA RÉUNION (LA FRANCE)
L'AFRIQUE DU SUD (f.)
L'ÎLE MAURICE (f.)

Langues maternelles

- Le français langue maternelle majoritaire
- Le français langue maternelle d'une minorité importante
- Le français et un créole français langues maternelles
- Créole français langue maternelle majoritaire

Langues officielles

- Le français est la seule langue officielle
- Le français est une des langues officielles du pays ou de l'état
- Le français sert de langue administrative ou dans l'enseignement
- Le français est la langue de culture ou des affaires pour une partie importante de la population

0   250   500   750   1,000 MILLES

0   500   1,000   1,500 KILOMÈTRES

Motifs

Motifs

An Introduction to French

FOURTH EDITION

Kimberly Jansma
University of California at Los Angeles

Margaret Ann Kassen
The Catholic University of America

THOMSON

HEINLE

Australia • Brazil • Canada • Mexico • Singapore • Spain • United Kingdom • United States

THOMSON

HEINLE

Motifs

Fourth Edition

Jansma | Kassen

Editor-in-Chief: PJ Boardman
Senior Acquisitions Editor: Lara Semones
Senior Content Project Manager: Esther Marshall
Assistant Editor: Morgen Murphy
Executive Marketing Manager: Stacy Best
Marketing Assistant: Marla Nasser
Advertising Project Manager: Stacey Purviance
Managing Technology Project Manager:
Wendy Constantine
Manufacturing Manager: Marcia Locke

Composition & Project Management:
Pre-Press Company, Inc.
Senior Permissions Account Manager, Images:
Sheri Blaney
Photo Researcher: Jill Engebretson
Text Permissions Editor: Elizabeth Jansma
Text Designer: Brian Salisbury
Senior Art Director: Cate Rickard Barr
Cover Designer: Diane Levy
Text & Cover Printer: Transcontinental/Interglobe
Printing

Cover image: © Rick Piper/ALAMY

Printed in the United States
2 3 4 5 6 7 8 10 09 08 07

Library of Congress Control Number: 2006936432

Student Edition: ISBN-13: 978-1-4130-2981-9
Student Edition: ISBN-10: 1-4130-2981-7

Annotated Instructor's Edition: ISBN-13: 978-1-4130-2983-3
Annotated Instructor's Edition: ISBN-10: 1-4130-2983-3

Thomson Higher Education
25 Thomson Place
Boston, MA 02210-1202
USA

For more information about our products, contact us at:
Thomson Learning Academic Resource Center
1-800-423-0563

For permission to use material from this text or product, submit a request online at **http://www.thomsonrights.com**. Any additional questions about permissions can be submitted by email to **thomsonrights@thomson.com**.

Credits appear on pages 517–520, which constitute a continuation of the copyright page.

To the Student

motif / mo-tef / n. [motive, motif, fr] 1: a recurring salient thematic element (as in the arts); esp: a dominant idea or central theme *(American Heritage Dictionary)*. In French, **motif** also refers to motive or purpose.

Motifs, as its cover promises, provides a rich tapestry of language and culture. It is based on the premise that your primary motivation to learn French is to acquire the ability to communicate in the language. This book's lively, up-to-date language, content, and presentation are designed to engage you in contexts in which you might reasonably expect to communicate. In this course, you will learn how to discuss your courses and school life, your family and living situation, your childhood memories, future plans, and other common topics of conversation in French. In addition, you will learn how to use French in face-to-face situations: ordering in a café, buying a plane ticket, renting an apartment, giving directions, or giving advice. *Motifs* provides the appropriate tools in the form of structures, vocabulary, communication strategies, and cultural background to make this possible. Cultural themes are explored throughout the text, in notes, interviews, activities, readings, Web activities, and writing assignments. In the process of discovering the language and culture, you will be introduced to the French-speaking world in a way that challenges you to look at your own culture more objectively.

What to expect of your oral performance

Your oral performance will require a great deal of individual improvisation, using the language you have at hand. It is unrealistic to expect your emerging language to be perfect. It will be marked by approximations, circumlocutions, gaps, and miming, and it will require a good deal of creativity on your part. In class, what you and others say is important. Your role in the classroom is to exchange information with your classmates, asking them for clarification or repetition when needed, and responding to them with interest and goodwill. It is part of our human nature to be curious about one another. When you have something "real" you wish to express, you will find you have an eager audience.

Explanation of *Motif's* organization

Motifs is organized to make the most of your language learning experience both in and outside of class. It makes a distinction between class time used to communicate in French and individual study of vocabulary and grammar. The white pages of the textbook for use in class are devoted to the presentation of topics, cultural themes, and related activities. The green pages at the end of each **module** support your independent study at home. Here, the grammar is explained in English with examples in French, and is accompanied by exercises. An Answer Key is provided in the Appendix so that you can immediately check the accuracy of your responses and pinpoint the material you need to review. Your instructor will present grammar points or review them in class as needed. To be a good language learner, you need to learn how to actively attend to language patterns. The **Notez et analysez** shaded boxes help you with this by drawing your attention to the targeted structures and asking you to analyze the highlighted grammatical forms.

Motifs has a number of components. To get the most out of the program, you will want to familiarize yourself with the layout of the textbook.

Overview

Motifs contains fourteen **modules** plus a review **module.** The first fourteen **modules** each contain standard white pages followed by tinted green pages. These white and green pages have different uses.

Using the white pages

The white pages in the first half of the chapter contain the material you will be working with in class:

- **Thèmes:** New vocabulary is presented through illustrations and photos. The activities are simple and guided to help reinforce new ideas and concepts.
- **Pratiques de conversation:** You will learn more practical language for routine situations in these sections.
- **Perspectives culturelles:** These sections feature relevant cultural information. The **Voix en direct** sections present native speakers from all walks of life responding to interview questions with authentic, and often colloquial, language. The interviews in these sections are available on your **Text Audio CDs.**
- **Écoutons ensemble!:** Recorded on your **Text Audio CDs,** these listening sections include dialogs and announcements
- **Situations à jouer:** These sections provide you with the most opportunity to use your language skills through role-play. Use the **iLrn French Voiceboard** for more language practice online.
- **Lecture** and **Expression écrite:** The reading and writing practice are located in the **À lire, à découvrir et à écrire** sections. The **Voix en direct (suite)** sections guide you to video clips found on the **DVD** and **iLrn French** that present additional interviews on chapter-related topics.

All of these components are accompanied by communicative activities, **Activités,** that incorporate the topic, grammar, and vocabulary of the **module.**

The white pages are written almost exclusively in French and are designed to help you understand, think, and express yourself in French right from the beginning. You will find English in three "boxes" that help you link the grammar structures you study to the class activities and make you a more active, effective language learner. The boxes are:

- **Structure** highlights
- **Notez et analysez**
- **Réfléchissez et considérez**

In much of your communication in class, you will be applying a new grammar structure. **Structure** highlights appear in shaded boxes beneath the relevant **Thème** or **Pratique de conversation.** These alert you to the targeted structures, explain their usefulness for the communicative task at hand, and direct you to the green-tinted pages where you will find a full grammar presentation. **Notez et analysez** comments direct your attention to new structures or vocabulary. They generally lead you to discover patterns based on "data" highlighted in bold and ask you to figure out the underlying rule that will apply to additional activities. In addition to learning grammar and vocabulary, you need to learn how to handle practical social situations. In **Réfléchissez et considérez,** you will be given hypothetical situations, in groups, and asked to reflect on the expressions you would use in English to navigate them.

Using the green pages

In addition to the practice you get listening to French and using it to communicate in class, you will need to study French as a system, much as you would study the material for any academic course. You will be able to do this by using the green pages at the end of the **modules.** These pages provide:

- clear, concise grammar explanations in English
- examples and translations
- exercises to apply the rules (with answers in the Appendix)
- a final exercise, **Tout ensemble!,** that challenges you to integrate all the vocabulary and structures of the chapter

By reading the grammar explanations carefully and checking your comprehension by writing out the exercises and correcting the answers, you will find you can learn a great deal of grammar on your own. Your instructor will review much of this material in class and will provide plenty of opportunities to apply the grammar rules in communicative situations.

Other Tools to Help You Learn French

- The **Workbook/Lab Manual** is an integral tool to help you master the course material. The **Activités écrites** in the **Workbook** give you the opportunity to apply and practice the material presented in the textbook, including the vocabulary, structures, and cultural information. The audio **Laboratory Manual,** with its **Activités de compréhension et de prononciation,** includes listening comprehension activities and instruction in pronunciation.
- The *Motifs* Website (**www.thomsonedu.com/french/motifs**) contains self-correcting quizzes for practice on each grammar structure and web activities that encourage cultural exploration on the Internet for each chapter.
- **QUIA**™ is designed specifically for foreign language and English educators. QUIA™ is the most advanced and easy-to-use e-learning platform for delivering activities over the Web to students. Your online Workbook/Lab Manual is powered by QUIA™.
- **iLrn French** is an all-in-one online companion to your textbook that saves you time and money! Everything you need to master the skills and concepts of the course is built right in to this dynamic audio- and video-enhanced learning environment, including:

  - An **audio-enhanced eBook** with integrated activities
  - Companion video, including **Voix en direct (suite)** clips from the text with activities
  - An interactive **VoiceBoard** with **Situations à jouer!** role-plays
  - An online **workbook**
  - An online **lab manual** and audio
  - Interactive **enrichment activities**
  - Access to online tutoring with a French teaching expert through **vMentor**™

A Few Helpful Hints

Take risks

Successful language learners are willing to guess at meaning and to try expressing themselves even when they do not know every word or have perfect control of the grammar. They stretch and try to expand their repertoires, experimenting with new words and structures, and they realize that learning a language involves making mistakes.

Relax

Your classroom is your language-learning community, where you learn by interacting with other students as well as your instructor. Of course, your French will be rudimentary and direct. This very quality often allows you to open up and express yourself without being too concerned with subtleties or what others think. Take advantage of working in pairs and in small groups to experiment with the language.

Prepare

Success in class requires daily preparation and active study. Remember that language, like music, is meant to be performed. Language classes present new material every day, and catching up once you have fallen behind is difficult. Here are some suggestions to help you study.

Learning vocabulary. Learn words in sense groups: clothing, professions, leisure activities, and so on. For each **Thème** and **Pratique de conversation,** make sure you have mastered enough vocabulary to take part in a basic conversation on that topic. In addition to fundamental words, you should take a little extra time to acquire vocabulary that relates to your own interests. For example, everyone is expected to learn the basic words such as "doctor" that appear on the **Vocabulaire fondamental** list, but if you wish to be a computer programmer, or a member of your family is in marketing, you will want to learn these additional words from the **Vocabulaire supplémentaire** list as well.

To make vocabulary "stick", work/play with it immediately. Put new words into action. For example, when learning words for talking about a college campus, test yourself as you walk through campus; see how many buildings you can identify in French. Making flashcards is another technique for vocabulary study; be sure you quiz yourself going from both French to English and from English to French. Don't forget to include the masculine and feminine articles.

Learning grammar. Learning grammar requires attention to detail along with a recognition of patterns and the ability to manipulate them systematically. Basic memorization of forms, including verb conjugations and tenses, is essential. It is also important that you understand the function of grammar structures in communication.

For example, when you learn about adjectives and their endings, you need to keep in mind that your communicative goal is to describe people and things. The **Structure** boxes that introduce new grammar points in the white activity pages will help you make this connection. Always ask yourself what you can actually *do* in the language with what you are learning.

Developing your listening ability. When instructors use French in class, they are likely to make a number of adjustments to help you understand. These include slowing down, showing pictures, using gestures, and checking to make sure you understand. In *Motifs,* two features will help you adjust to French outside the classroom: **Écoutons ensemble** and **Voix en direct.** The **Écoutons ensemble** activities are in each **Pratique de conversation.** They expose you to the practical language used to accomplish such daily routines as inviting, making a reservation, or ordering a meal. In the **Voix en direct** part of the **Perspectives culturelles,** you will hear native speakers responding to questions relating to the cultural topics. These answers are unscripted so you should expect to hear hesitations, repetitions, fillers, and rephrasings that occur naturally in unplanned speech. Don't expect to understand every word; your goal should be to understand the topic being addressed, a couple of main points, some key vocabulary, and the speaker's general attitude. Use the fact that speakers often repeat themselves to help you get the gist.

In addition to the material online or in the textbook, the *Motifs* **Workbook** and **Lab manual** also has an entire audio program.

Visual icons. A number of icons appear in *Motifs.*

 The headphone icon indicates that the accompanying activity is available on your **Text Audio CD.** The track number is provided. This icon accompanies

- **Écoutons ensemble**
- **Voix en direct**

The pair/group icon indicates that the accompanying activity is designed for you to do with a partner or in a small group.

iLrn The iLrn icon appears in three different sections of the book.

- **Situations à jouer:** With the help of your instructor, you can complete these communicative exercises and additional activities on the **iLrn Voiceboard** for more listening and speaking practice.
- **Voix en direct (suite):** Use the video portion of **iLrn** to watch video clips of these native speakers, as well as complete exercises to test your comprehension of the video.
- Structures pages: Use the Diagnostic and Enrichment sections of **iLrn** to find more practice with grammar and vocabulary.

 Système-D is a useful writing tool that can be used with the **Expression écrite** composition activities. It gives you quick access to vocabulary, verb forms, and expressions related to the topic at hand.

Acknowledgments

Many people have contributed their time and creativity to this fourth edition of *Motifs.* We would first like to thank the students and instructors at the University of California at Los Angeles and at the Catholic University of America for their insightful comments about the program. They have provided invaluable feedback. Special thanks to Marlène Hanssler Rodrigues for her revision of the **Workbook/Lab Manual,** and to Elizabeth Jansma for filming and transcribing interviews. We thank Laetitia Huet and Caren Colley for their numerous contributions to the text, and Laura Faga for her contribution to the **Instructor's Resource CD.** We would like to thank the following people for their valuable contributions to the ancillary program of *Motifs 4e:* Joy McGinn at Syracuse University, Lara Mangiafico at University of Michigan, Myriam Alami at Rutgers University, and Luc Guglielmi at Kennesaw State University. We would also like to thank Sinikka Waugh and Annick Penant for their contributions. In this edition, we are especially grateful to the native speakers who agreed to be interviewed and recorded for all **Voix en direct** sections: Bienvenu Akpakla, Cyrielle Bourgeois, Vanessa DeFrance, Laurence Denié-Higney, Astride Dumesnil, Pierre-Louis Fort, Leatitia Huet, Élodie Karess, Marie Julie Kerharo, Célia Keren, Nicolas Konisky, Gwenaëlle Maciel, Jacques Nack Ngué, Pierre Paquot, Gaétan Pralong, Olivia Rodes, Julien Romanet, Delphin Ruché, and Vanessa Vudo. We also extend our appreciation to our UCLA and CUA colleagues and to the following colleagues at other institutions who reviewed the manuscript and whose constructive suggestions have helped shape the project.

Gwendoline S. Aaron	*Southern Methodist University*
Heather Allen	*University of Miami*
Bruce Anderson	*University of California, Davis*
Claudia Basha	*Victor Valley Community College*
Peggy Beauvois	*Johns Hopkins University*
Dorothy M. Betz	*Georgetown University*
Anne-Sophie Blank	*University of Missouri, St. Louis*
Joanne Burnett	*University of Mississippi*
Marilyn Carter	*College of San Mateo*
Frances Chevalier	*Norwich University*
Teresa Cortey	*Glendale Community College*
Joan Easterly	*Pellissippi State Technical Community College*
Dominick DeFilippis	*Wheeling Jesuit University*
Hilary Fisher	*University of Oregon*
Véronique Flambard-Weisbart	*Loyola Marymount University*
Marvin Gordon	*University of Illinois at Chicago*
Luc Guglielmi	*Kennesaw State University*
Elizabeth Guthrie	*University of California, Irvine*
Jeanne Hageman	*North Dakota State University*
Guy Imhoff	*St. Bonaventure University*
Jane Kaplan	*Ithaca College*
Diane Kelley	*University of Puget Sound*
Larry Kuiper	*University of Wisconsin, Milwaukee*
Michele Langford	*Pepperdine University*
Amy Lorenz	*Loras College*
Josy McGinn	*Syracuse University*
Christopher McRae	*Agnes Scott College*
Brigitte Miner	*Chemeketa Community College*
Christine Moritz	*University of Northern Colorado*
Markus Muller	*California State University, Long Beach*

Helene Pafundi	*Skidmore College*
Marina Peters-Newell	*University of New Mexico*
Sudarsan Rangarajan	*University of Alaska, Anchorage*
Rachel Ritterbusch	*Shepherd University*
Katherine Sharnoff	*Randolph-Macon College*
Jean-Marie Shultz	*University of California, Santa Barbara*
Scott Sigel	*Minot State University*
Penna Swoffer	*Binghamton University*
Roxane Teboul	*Chapman University*
Jacqueline Thomas	*Texas A&M University, Kingsville*
Lawrence Williams	*University of North Texas*

We would also like to express our appreciation to the many people at Heinle who helped nurture this project: PJ Boardman, Editor-in-Chief, and Stacy Best, Executive Marketing Manager. Special thanks go to Lara Semones, our Editor, for her enthusiastic guidance and encouragement throughout the project, and to Esther Marshall, our Production Manager, whose careful attention and vision assembled the pieces artfully. Our thanks to all the freelancers involved with the production of this project, in particular, Christine Wilson, for her help with the technical development; Sev Champeny, project management and native reader; Jackie Rebisz, proofreading; Brian Salisbury, interior design; Diane Levy, cover design; Pre-Press Company and its wonderful staff, in particular Melissa Mattson and Tiffany Kayes, composition and technical project management. Finally, we want to express our appreciation to our families for their patience, confidence, and invaluable insights, which sustained us through the completion of this work. We dedicate the book to them.

Les camarades et la salle de classe

In this chapter, you will learn fundamentals to help you communicate in your classroom surroundings: how to introduce yourself and others, greet fellow students, identify objects in the classroom, identify people and describe them,

Pratique de conversation: Comment se présenter et se saluer

Structure 1.1: Addressing others
Tu et vous

Perspectives culturelles:
Greetings in French

Voix en direct: *Tu* ou *vous*? Quelques réflexions

Thème: Identification des choses et des personnes

Structure 1.2: Identifying people and things *Qui est-ce? Qu'est-ce que c'est? Est-ce que... ?*

Structure 1.3: Naming people and things
Les articles indéfinis

Thème: La description des personnes

Structure 1.4: Describing people
*Les pronoms sujets avec **être***

Structure 1.5: Describing *Les adjectifs (introduction)*

count, and spell. In the **Perspectives culturelles** sections, you will also learn about greetings in the francophone world and why French and English have so many cognates, or words in common. ❀

Perspectives culturelles: Vocabulaire en mouvement

Thème: Les vêtements et les couleurs

Pratique de conversation: Comment communiquer en classe

À lire, à découvrir et à écrire
Lecture: *Tout le monde* (chanson)
iLrn™ **Voix en direct (suite)**
Expression écrite: Petit portrait

Pratique de conversation

Comment se présenter et se saluer

Expressions utiles pour se présenter

Contexte non-familier, respectueux   **Contexte familier**

— Bonjour, madame. Je m'appelle
  Denis Beaufort. Et vous?
— Moi, je m'appelle Christine
  Chambert. Je suis de Marseille. Et
  vous?
— Je suis de Paris.

— Salut! Je m'appelle Anne-Sophie.
  Et toi?
— Je m'appelle Stéphane. Je suis de
  Paris. Et toi?
— Moi, je suis de Montréal.

— Salut, Mélanie. Ça va?
— Oui, ça va.
— Je te présente mon ami, Nabil.
— Bonjour, Nabil.
— Bonjour.

Suggestion for introducing the first lesson: Begin by introducing yourself. Then walk up to a student, shake his or her hand, and say: **Bonjour. Je m'appelle ___. Et vous?** Students may simply give their name. Say: **Bonjour, Jake.** After greeting a number of students, turn to the class and say: **Il s'appelle Jake. Elle s'appelle Jennifer. Et elle** (pointing to a student you've met), **comment s'appelle-t-elle?** As an icebreaker, follow up by having students walk around the room shaking hands and introducing themselves to their classmates. Begin by using the formal greeting. First, model the exchange, playing the two parts using photos of famous individuals in a formal setting. Once students have practiced the formal greeting, write on the board **familier/non-familier (respectueux)** and ask students using gestures: **Quand vous parlez avec les autres étudiants, est-ce familier ou non-familier?** (pointing to the words on the board). Then go through the informal greeting and have students act it out with each other.

 ■ **Activité 1: Comment vous appelez-vous?**

Suivez le modèle avec deux camarades de classe. *(Circulate as if you were at a cocktail party. Remember to shake hands when you say **Bonjour.** Replace the words in bold with your personal information.)*

Modèle: — *Bonjour, monsieur/madame/mademoiselle. Je m'appelle*
              ***Laurence.** Et vous?*
              — *Je m'appelle **Camille.** Je suis de **Dallas.** Et vous?*
              — *Moi, je suis de **Paris.***

 ■ **Activité 2: Comment t'appelles-tu?**

Suivez le modèle avec trois camarades de classe.

Modèle: — *Je m'appelle **Jennifer.** Et toi?*
              — *Moi, je m'appelle **Jake.***
              — *Je suis de **Chicago.** Et toi?*
              — *Moi aussi, je suis de **Chicago.** / Moi, je suis de **Portland.***

Comment s'appelle-t-elle?
Elle s'appelle Juliette Binoche. C'est une
actrice française célèbre. Ses films sont
Chocolat avec Johnny Depp (2000) et *Bee
Season* (2005) avec Richard Gere.

Comment s'appelle-t-il?
Il s'appelle Luc Besson. C'est un réalisateur
(director) français. Ses films sont *Nikita* (1991),
Léon (The Professional) (1995) et *Le Cinquième
Élément (The Fifth Element)* (2000).
Et vous, comment vous appelez-vous?

■ Activité 3: Présentez vos camarades de classe.

Maintenant présentez vos camarades de classe aux autres étudiants.

Modèle: *Il/Elle s'appelle* ———————. *Il/Elle est de* ———————.

■ Activité 4: Testez-vous!

Avec un(e) camarade, montrez du doigt *(point out)* des étudiants et
demandez «Comment s'appelle-t-il/elle?»

Modèle: — *Comment s'appelle-t-elle?*
— *Elle s'appelle* **Elizabeth.**

Expressions utiles pour se saluer

Structure 1.1

Addressing others *Tu et vous*

In French greetings, a distinction is made between formal and informal
terms of address. See page 22 for guidelines on using the formal **vous**
and the informal **tu.** In **Perspectives culturelles** you will read further on
this topic.

Contexte non-familier, respectueux

— Bonjour, madame. Comment
allez-vous?
— Très bien, merci, et vous?

— Bonsoir, mademoiselle.
— Bonsoir, monsieur. À demain.

Activité 4 helps students learn each
other's names. Ask: **Qui est-ce?
Comment s'appelle-t-il/elle? Est-ce
que c'est Tiffany?** Encourage
students to learn each other's names
as soon as possible so they can
address one another in class. Act out
dialogs with students, shake hands as
you greet them, and adjust your style
between formal and informal
greetings.

Contexte familier

— Salut, Paul. Ça va?
— Oui, ça va. Et toi?

— Bonjour, Nicole. Ça va?
— Pas mal. Et toi?
— Moi, ça va.
— Nicole, voici mon amie Sylvie. Sylvie, Nicole.
— Bonjour, Sylvie.
— Bonjour, Nicole.

— Comment ça va?
— Ça ne va pas du tout!

— Au revoir, Pauline. À bientôt!
— Allez, au revoir!

— Salut, Marc. À tout à l'heure!
— Ciao!

CD1, Track 2

▢ Écoutons ensemble! Réponses logiques pour se saluer

Listen to the following initial statements and questions and choose the logical response. Mark each exchange as **familier** or **non-familier.** Then listen to the entire exchange to check your answers.

To present the **Écoutons ensemble!** without audio, read the following statements and questions:
1. Bonjour, monsieur. Comment allez-vous? 2. Salut, Jean. Ça va? 3. Au revoir, madame. À tout à l'heure. 4. Comment vous appelez-vous? 5. Bonsoir, monsieur. 6. Salut, Jean. À demain. 7. Je suis de Los Angeles. Et vous? 8. Je vous présente mon professeur de français, Monsieur Lutèce.

Réponses: 1. non-familier; a
2. familier; b 3. non-familier; b
4. non-familier; b 5. non-familier; c
6. familier; b 7. non-familier; c
8. non-familier, a

1. familier ___ non-familier ___
   a. Très bien, merci. Et vous?
   b. Je m'appelle Henri.
   c. À bientôt.

2. familier ___ non-familier ___
   a. Je suis de Washington.
   b. Oui, ça va.
   c. Au revoir.

3. familier ___ non-familier___
   a. Pas mal.
   b. Au revoir.
   c. Bonjour.

4. familier ___ non-familier___
   a. Très bien, merci. Et vous?
   b. Je m'appelle Anne.
   c. Bonsoir.

5. familier ___ non-familier___
   a. Merci, madame.
   b. Pas mal. Et toi?
   c. Bonsoir, mademoiselle.

6. familier ___ non-familier ___
   a. Bonjour. Comment ça va?
   b. Au revoir.
   c. Bonsoir, monsieur.

7. familier ___ non-familier ___
   a. Je m'appelle Christophe.
   b. Il est de New York.
   c. Je suis de Washington.

8. familier ___ non-familier ___
   a. Bonjour, monsieur.
   b. Ça va?
   c. Salut.

▢ Activité 5: Jouez le dialogue.

Saluez trois étudiants de la classe.

Modèle: — *Bonjour / Salut, Jeanne. Ça va?*
            — *Oui, ça va. (Ça ne va pas. / Ça va très bien. / Ça va très mal.)*

Greetings in French

Learning how to negotiate greetings and leave-takings is important for feeling comfortable in a foreign culture. These practices vary throughout the francophone world. They differ, for example, between France, Québec, and French-speaking Africa.

Bonjour!

In France, greetings are more codified than they are in many Anglo-Saxon countries. Therefore, getting this behavior "right" goes a long way to making a good impression.

First, whenever French people come into contact with others, whether friends or strangers (shopkeepers, waiters, or office personnel), they greet them upon their arrival and say good-bye before leaving. In "official" situations, **bonjour** or **au revoir** is accompanied by **monsieur, madame,** or **mademoiselle** without including the last name.

> — Bonjour, madame.
> — Au revoir, mademoiselle.

A handshake or "la bise"?

Greetings are generally accompanied by a gesture, either a handshake or kisses on the cheeks (**une bise** or **un bisou**). Acquaintances and business associates shake hands each time they see one another. The handshake is a brief up and down movement, rather than a prolonged pumping up and down. Men greeting each other most often shake hands. When leaving a group of people after a social event, it's important to shake everyone's hand or **se faire un bisou.** French family members, friends, and acquaintances **se font la bise** when they greet and part. In addition, when one is introduced to the good friend of a friend or a family member, one often takes part in this ritual as well. For Americans, it is important to note that **la bise** does not usually include a hug; it is light physical contact.

Un sourire?

Americans instinctively smile when they come into contact with strangers. The French generally maintain a more neutral facial expression in public spaces such as the street or the **métro.** This cultural difference can produce misunderstandings. Americans might find the unsmiling French arrogant and aloof. The French, on the other hand, aren't sure how to interpret the smile. Sometimes the flash of a smile is assumed to be a flirtatious advance.

Tu ou *vous*?

In France

One of the most complicated cultural practices in French involves deciding whether to use the formal or informal form of address. Since in English this distinction does not exist, learners will often choose the wrong form or randomly alternate between the **tu** and the **vous** forms. For the French, this can be confusing because the choice involves notions of hierarchy, intimacy, and respect. When in doubt, it is always preferable to err on the side of formality. Use **tu** with family members, friends, and among fellow students. Use **vous** with teachers, older people, and those within the general public with whom you interact. **Vous** is always used to address more than one person. When in doubt, wait for the other person to give you permission to use the **tu** form: **On peut se tutoyer?**

In Québec

French-speaking Canada, like its neighbor to the south, is often more informal than France. Canadians are more inclined to use **tu** with people over fifty, waiters in restaurants, or their boss. **Vous** is generally used with teachers as a form of respect.

Greetings in French-speaking Africa

In Sénégal, Côte d'Ivoire, and other French-speaking African countries, the informal **tu** is also more commonly used than in France. Greetings often involve a more lengthy ritual than the formulaic **Comment ça va?** When seeing an acquaintance or family member after an absence, one inquires about the health and well-being of all their family members: **Comment va ton père? Il se porte bien? Et ta mère, elle va bien?** *(How is your father? He's doing well? And your mother, is she well?)*

■ Avez-vous compris?

Look at the following scenarios and identify the behavior as **bien élevé** *(polite)* or **mal élevé** *(impolite)*. Explain your response.

1. You walk into a bakery and say: **Deux baguettes, s'il vous plaît.**
2. You say **bonjour** to greet your friend's best friend with your hands at your side.
3. Your good friend introduces you to his/her best friend and you kiss him/her lightly on both cheeks.
4. You wave good-bye to your friends at a social gathering and say: **Au revoir. À bientôt.**
5. You're in Québec and you **tutoie** your waiter.

■ Et vous?

1. With several students write down rules for formal and informal greetings in the United States or another country with which you're familiar. Share your rules with the class.
2. Which do you feel is more physical, a hug or a kiss on the cheek? Explain.
3. Explain why French people might be confused when someone switches between the use of **tu** and **vous** when addressing them.

Voix en direct

Tu ou *vous*? Quelques réflexions

CD1, Track 3

On dit qu'entre étudiants ou entre jeunes personnes en général on se tutoie¹, même si² on ne se connaît pas³. Est-ce vrai⁴?

PAQUOT: Oui, entre étudiants... oui oui.

ROMANET: Oui, entre les jeunes, oui, il n'y a pas de problème. On tutoie tout le monde⁵ franchement⁶.

¹*use the informal greeting* ²*even if* ³*don't know each other* ⁴*Is it true* ⁵*everyone* ⁶*frankly*

Pierre Paquot
24 ans
Étudiant, Paris

Alors à quel âge est-ce qu'on commence à se vouvoyer⁷?

PAQUOT: Je ne sais pas s'il y a un âge. C'est plutôt⁸ une différence d'âge. Vers vingt-cinq ou peut-être⁹ trente ans... Enfin c'est difficile à dire¹⁰.

ROMANET: Je pense que c'est quand on change de milieu¹¹, on commence à travailler¹². Quand on est étudiant, on est cool, on est à l'école¹³, on se tutoie, on est à l'aise¹⁴. Il n'y a pas de différence d'âge. C'est quand on commence à travailler que c'est plus sérieux.

⁷*use the formal greeting* ⁸*rather* ⁹*maybe* ¹⁰*hard to say* ¹¹*environment* ¹²*to work* ¹³*school* ¹⁴*at ease*

Julien Romanet
23 ans
Étudiant, Paris

Est-ce que vous vouvoyez les parents de vos amis¹⁵?

PAQUOT: Oui, je les vouvoie en général.

ROMANET: Oui, toujours, toujours. Je vouvoie toujours les parents de mes amis.

KONISKY: Non, je les tutoie en général.

¹⁵*your friends*

Nicolas Konisky
24 ans
Étudiant, Paris

■ Réfléchissez aux réponses

1. Did all the speakers agree that college-age people should use **tu** with each other?
2. When or under what circumstances did they seem to think that this behavior changes?
3. Which of the speakers was less formal?
4. (In groups) Talk about some basic rules of politeness you were taught when growing up and see what differences and commonalities about these codes you find in your group. For example, did you address your friends' parents by their first name?

Identification des choses et des personnes

Structure 1.2

Identifying people and things *Qui est-ce?, Qu'est-ce que c'est?, Est-ce que... ?*

Structure 1.3

Naming people and things *Les articles indéfinis*

One of the first ways you will use French is to ask for help identifying the people and things around you. Identification questions appear on page 23. Naming people and things also requires the use of indefinite articles (see page 24).

La salle de classe
Qu'est-ce que c'est?

C'est **une** fenêtre.

Ce sont **des** chaises.

C'est **un** bureau.

—Est ce que c'est **un** crayon?
—Non, c'est **un** stylo.

Suivez le modèle.

Modèle: — Est-ce que ce sont des cahiers?
— *Non, c'est un livre.*

1. Est-ce que c'est une porte?

2. Est-ce que ce sont des chaises?

3. Est-ce que c'est un bureau?

4. Est-ce que ce sont des cahiers?

5. Est-ce que c'est une craie?

6. Est-ce que c'est un tableau?

Qui est-ce?

The French media are filled with news about American celebrities, especially those in the fields of entertainment. French-speaking celebrities are less likely to be household names in the United States. Let us introduce you to a few here. You will gradually meet more throughout the text.

C'est Tony Parker, un basketteur professionnel. Il joue pour la NBA.

C'est Maryse Condé, un écrivain de la Guadeloupe, un département de la France.

C'est Mathieu Kassovitz. Il est acteur, metteur en scène et mannequin.

C'est la princesse Caroline, princesse de Monaco, une petite principauté entre la France et l'Italie.

C'est Johnny Hallyday. Il est rocker, genre Elvis.

C'est Laetitia Casta. Elle est actrice et mannequin.

C'est Gérard Depardieu, un acteur français connu *(known)* aux États-Unis.

C'est Vanessa Paradis. Elle est chanteuse et actrice. C'est la partenaire de Johnny Depp.

C'est Zinédine Zidane. Il est joueur de foot.

C'est Audrey Tautou. Elle est actrice.

C'est Jean-Paul Gaultier. Il est designer/couturier.

Suivez le modèle.

Modèle: — C'est Tommy Hilfiger?
— *Non, c'est Jean-Paul Gaultier.*

1. C'est Reese
Witherspoon?

2. C'est Pete Sampras?

3. C'est Vanessa
Paradis?

4. C'est Audrey Tautou?

5. C'est Shaquille
O'Neal?

6. C'est Elvis Presley?

7. C'est Mathieu
Kassovitz?

La description des personnes

Structure 1.4

Describing people *Les pronoms sujets avec* **être**

Structure 1.5

Describing *Les adjectifs (introduction)*

In the following **thème**, you'll learn how to describe people. For this you'll need to learn the verb **être** *(to be)* and some descriptive adjectives. The verb **être** is presented on page 25. See pages 26–27 for details on the formation of adjectives in French.

Suggestion: Adjectives are presented primarily as vocabulary items here, with a focus on comprehension rather than on agreement rules. Begin by bringing in pictures to describe. Example: **Regardez cette femme. Elle est belle, n'est-ce pas? Elle est grande, mince et blonde. Et son ami, il est brun avec les cheveux courts. Est-ce qu'il est gros? Non?** Then do **Activité 8** with your students.

■ **Activité 8   À l'arrêt d'autobus**

Décrivez chaque personne à l'arrêt d'autobus *(bus stop)*. Utilisez les adjectifs et les noms dans l'image.

La description physique
Comment sont-ils?

M. Toussaint
grand
d'un certain âge
mince

chien
moche

Jean-Claude
jeune homme
beau
taille moyenne

Mme Vincent
vieille
petite
forte
cheveux gris

Annie
petite fille
blonde

Agnès
Mercereau
taille moyenne
jolie
brune

Patrick
brun
garçon

■ **Activité 9: Écoutez votre professeur: Qui est sur l'image?**

State short descriptions of the people in this drawing (or bring another) for students to identify. **Elle est blonde et jeune.** *(C'est Annie.)* **C'est un jeune homme de taille moyenne.** *(C'est Jean-Claude.)*

Qui est-ce que votre professeur décrit?

Modèle: PROFESSEUR: C'est une vieille femme avec les cheveux gris. Elle est un peu forte et elle porte des lunettes *(wears glasses)*. Qui est-ce?
 ÉTUDIANT(E):   *C'est Mme Vincent.*

■ Notez et analysez

Look at the adjectives in boldface used by François Leclerc and Nicole Brunot to describe themselves. Which one has a different spelling. Why?

Notez et analysez draws students' attention to grammatical features in model sentences to help them discover the underlying rule. Point out that **optimiste** and **sociable** don't change because the masculine form already ends in an **e.** Once you've introduced the idea of adjective agreement, spend most of class time on using these adjectives in a meaningful way, describing people your students are familiar with.

Activité 10 demonstrates the large number of cognates available to students and helps them compare French and English pronunciation of these words. Before putting students in pairs, model the questions. Once students have finished working in pairs, ask: **Est-ce que Robert est optimiste ou pessimiste? Il est optimiste? Est-ce qu'il est un peu optimiste ou très optimiste?** This is the first time students must consistently use negation. Ask a number of questions that will produce negative responses for practice.

Suggestion: Do **Activité 11** books closed, as a listening activity, writing the names of the people to identify on the board. After reading each description, ask: **Qui est-ce?** Encourage students to listen for keywords.

La description de la personnalité
Comment est-il?

François Leclerc

«Moi? euh... Je suis **sociable,** assez **optimiste** et très **patient.**»

Nicole Brunot

«Je suis **sociable** et **optimiste.** Mais je ne suis pas très **patiente.**»

■ Activité 10: Comment es-tu?

Posez des questions à un(e) camarade de classe à propos de sa personnalité. Ensuite, changez de rôles.

Modèles: optimiste
— *Tu es optimiste?*
— *Oui, je suis assez optimiste. Et toi?*
— *Moi aussi (Me too). / Moi, je suis pessimiste.*

timide
— *Tu es timide?*
— *Non, je ne suis pas très timide. Et toi?*
— *Moi non plus (Me neither). / Moi, je suis timide.*

1. idéaliste
2. sympathique
3. timide
4. sociable
5. sérieux (sérieuse)
6. nerveux (nerveuse)
7. fatigué(e)
8. patient(e)

■ Activité 11: Test! Qui est-ce?

Lisez les descriptions et identifiez les personnages célèbres.

Madonna
Gérard Depardieu
Céline Dion

Chris Rock
Ang Lee
Shaquille O'Neal

Michel Cousteau
Oprah Winfrey
Tom Hanks

1. C'est un jeune comique américain qui a sa propre émission sur *Comedy Central.* Il est assez petit, noir et très intelligent.
2. C'est une chanteuse et danseuse très célèbre qui influence sa génération. Elle est blonde et d'un certain âge—pas très jeune, mais pas vieille. Elle n'est pas du tout timide. C'est une femme provocatrice! C'est la «Material Girl».
3. C'est une femme noire de Chicago. Elle est jolie et un peu forte. Elle a une émission à la télévision qui est très populaire, surtout avec les femmes. Elle a aussi un magazine avec sa photo sur la couverture. Elle est idéaliste, généreuse et très riche.
4. C'est un océanographe français. Il fait des documentaires sur l'océan pour la télévision. C'est le fils d'un autre océanographe célèbre.
5. C'est une chanteuse québécoise avec une voix très forte. Elle est grande et mince et elle travaille beaucoup à Las Vegas.

Vocabulaire en mouvement

As an English speaker, you already have a more extensive French vocabulary than you may realize. Why? It all began in 1066 when William the Conqueror, a French Norman, crossed the Channel to invade England. With a French-speaking king on the English throne, French soon became the language of the aristocracy. French words were considered more refined than their plain Anglo-Saxon counterparts. **Combattre** *(to combat),* for example, was more stylish than *fight,* **descendre** *(to descend)* was more refined than *to go down,* and **égoïsme** *(egoism)* more sophisticated than *selfishness.*

A mass migration of words crossed the Channel in the other direction during the eighteenth century, before the Revolution, especially in the area of sports. Since this period, the French have enjoyed talking about **le golf, le tennis,** and **le match.**

More recently, the French have become disturbed by the massive influx of English words invading their country, especially in the areas of business, technology, and popular culture. This cross-fertilization is to your advantage when learning French, especially when you can see the written word. To fully exploit this advantage, you'll need to learn to recognize these cognates, shared by French and English.

FASHION WEEK
Mannequins, couturiers et famous people, ça défile en live sur les podiums entre le 26 février et le 6 mars. Mais, pendant les

1. LE PLUS LU DES MAGAZINES DE FOOT
Planète Foot n'a pas attendu que les Français gagnent la Coupe du Monde et l'Euro pour couvrir l'actualité de toutes les stars du ballon. Depuis 13 ans, nous sommes sur tous les terrains pour vous permettre de découvrir chaque mois vos champions préférés.

À partir de
55 € *
Aller simple
Voiture et passagers

"It is pas cher*!"
Choisissez économie et rapidité !
Avec Eurotunnel, rejoignez l'Angleterre au volant de votre voiture **en seulement 35 minutes !**
En réservant à l'avance et en période de faible affluence, **bénéficiez de tarifs exceptionnels** pour votre voiture, quel que soit le nombre de passagers.
N'attendez plus, en route vers l'Angleterre !

EURO TUNNEL

* C'est pas cher. Billet Court Séjour Eco soumis à conditions, disponibilité limitée, sur certains départs, vendu uniquement en aller retour. Pour réserver, dites "Challenges" au 0810 63 03 04 (prix d'un appel local). Gardes 239928r1.

Réservez au 0810 63 03 04 ou via eurotunnel.com

Le choix naturel pour traverser la Manche en voiture

Le loft de Matali, Miss Design 2006

OÙ VA MON STRESS ?

En direct
LIVE !
SUR INTERNET
dès le 1er mars et pendant toute la durée du salon

■ Et vous?

1. Think of some French words or expressions used in English. When might you use them? For what kinds of topics?
2. What groups of people in France would you expect to use the most English? Why?

Brun and **marron** are both used for brown. **Brun** is generally used to refer to brown hair, eyes, and skin. **Marron** commonly describes the color of clothing. It's an invariable adjective similar to **orange**, as it is based on a noun, the word *chestnut*.

Suggestion: Combine color with clothing using your students as examples. Say: **Regardez Andrew. Il porte un jean et une chemise bleue. Est-ce qu'il y a un autre étudiant qui porte un jean? Les jeans sont très à la mode dans cette classe.** Then make true/false statements about your students' dress. Accustom students to the possessive structure: **La robe de Pauline est bleue.**

Les vêtements et les couleurs

Les couleurs

noir(e) blanc(he) rouge bleu(e) jaune vert(e)

marron orange violet(te) beige rose gris(e)

Les vêtements

— Qu'est-ce que vous portez?
— Moi, je porte...

un blouson
un chapeau
des chaussures (f)
un jean
un manteau
un sac
des lunettes (f) de soleil
un parapluie
des tennis (f) ou des baskets (f)
une robe
un T-shirt
une jupe
un chemisier
un pantalon
une chemise
un short
une cravate
un pull-over (pull, *fam*)

■ Activité 12: Écoutez votre professeur: Vrai ou faux?

Écoutez les descriptions de votre professeur des vêtements à la page précédente *(previous)*. Sont-elles vraies *(true)* ou fausses *(false)*?

Modèle: — Le chapeau est blanc.
    — *Vrai.*

 ## ■ Activité 13: De quelle couleur est... ?

Avec un(e) camarade de classe, regardez les illustrations à la page 14 et répondez aux questions en suivant *(following)* le modèle.

Modèle: — De quelle couleur est le manteau?
    — *Il est noir.*

1. De quelle couleur sont les tennis? Elles sont...
2. De quelle couleur est la jupe? Elle est...
3. De quelle couleur est la chemise?
4. De quelle couleur est la robe?
5. De quelle couleur est le short?
6. De quelle couleur est le pull?

Activité 12: Refer to the clothes on page 14 and make several true/false statements, such as: **La cravate est rouge. Le sac est rose.** Review clothing with a TPR (Total Physical Response) activity: **Si vous portez un jean, levez-vous. Si vous portez un short, levez la main.** Students might also be wearing a tank top (**un débardeur**), a sweatshirt (**un sweatshirt**), **des sandales**, a cap (**une casquette**), or flip flops (**des tongs**).

Comment communiquer en classe

Expressions utiles pour la communication en classe

The following phrases are important for managing activities in the classroom. By learning them, you can help maintain a French-speaking environment, even as a beginner. For example, any time you need a French translation for a word you can ask: **Comment dit-on ___ en français?** Your instructor will welcome a **J'ai une question** or a **Je ne comprends pas.**

Le professeur dit:

Écoutez.

Asseyez-vous.

Allez au tableau.

Fermez la porte.

Ouvrez votre livre.

Regardez le tableau. Faites les devoirs: page 22, exercice 6.

Travaillez avec un(e) camarade de classe.

Rendez-moi vos devoirs, s'il vous plaît.

L'étudiant dit:

Pardon? Je ne comprends pas.

J'ai une question.

Comment dit-on *dog* en français? / Comment ça s'écrit? C-H-I-E-N.

Quelle page?   Répétez, s'il vous plaît.   Merci, monsieur.

■ Écoutons ensemble! La communication en classe

CD1, Track 4

Listen to the various people communicating in a classroom, and number the following situations in the order that you hear them.

- <u>2</u> **a.** Mathias wants to know how to say **anthropologie** in English.
- <u>7</u> **b.** The instructor wants the students to turn in their homework.
- <u>1</u> **c.** Camille doesn't understand what her instructor is saying.
- <u>3</u> **d.** The instructor thinks it's too noisy and asks someone to close the door.
- <u>6</u> **e.** The students are supposed to work with a partner on an activity.
- <u>4</u> **f.** Marie has a question.
- <u>5</u> **g.** The students are supposed to open their books.
- <u>8</u> **h.** The instructor wants the students to speak English.

L'alphabet

$$A \quad B \quad C \quad D \quad E \quad F \quad G \quad H$$
$$a \quad b \quad c \quad d \quad e \quad f \quad g \quad h$$

a	a	Alice	n	en	Nabil
b	bé	Bernard	o	o	Odile
c	cé	Célia	p	pé	Patrice
d	dé	David	q	ku	Quentin
e	e	Esther	r	erre	Roland
f	ef	François	s	esse	Sébastien
g	gé	Guy	t	té	Thérèse
h	hache	Hervé	u	u	Ugolin
i	i	Irène	v	vé	Véronique
j	ji	Jean	w	double vé	William
k	ka	Karim	x	iks	Xavier
l	elle	Lucien	y	i grec	Yasmina
m	em	Mathilde	z	zèd	Zacharie

Les accents

é = e accent aigu: bébé, clé, thé

è = e accent grave: mère, père, chère

ê = e accent circonflexe (â, ê, î, ô, û): forêt *(forest)*, flûte, hôpital *(hospital)*
The **circonflexe** on an **e** or an **o** often represents a missing **s.**

ç = c cédille: garçon, ça va. The **cédille** indicates a soft **c** pronounced like an **s.**

ë, ï = e, i tréma: Noël, Loïc. The **tréma** indicates that the vowel combination should be pronounced as two separate syllables.

Suggestions for pronunciation work: Pronunciation activities work best when students are not distracted by other cognitive demands. Therefore, the straightforward task of learning the alphabet or numbers, or any task that does not require attention to meaning, is an ideal time to work on the correct pronunciation of French sounds. Students enjoy this "playful" attention to accuracy. Think about playing the role of an old-fashioned schoolmistress/master. Throw up your hands and roll your eyes during a botched choral repetition activity. Respond to a "good" performance with rapture. Once students are producing the letters well, challenge them to repeat them more quickly. Never isolate any students who are having difficulty by having them repeat in front of the class until they get it right. Save individual problems for office hours.

The alphabet: The letters E, G, H, J, W, and Y can be challenging. After reviewing the alphabet, have students spell their names for you as you write out the letters on the board.

Activité 14, suggested words: **girafe, zèbre, français, xylophone, hôpital, forêt, appartement, Mississippi.** Think about doing this activity with books closed and giving the instructions in French while acting them out: **Prenez une feuille de papier. Écrivez les chiffres de 1 à 8. Je prononce les lettres et vous écrivez le mot.** After students spell each word, ask: **Quel est le mot?** and help them with the pronunciation.

Activité 14: Select five of the words from the spelling test and ask: **Le mot *xylophone*, comment s'écrit-il?** Work on pronunciation of the letters as students spell out the words. Then ask: **Comment dit-on *xylophone* en français?**

First model **Activité 15** by calling out one of the commands. Then say: **C'est quelle lettre? C'est ___.** Here, students are working on pronunciation of letters as well as expressions for communicating in the classroom.

■ Activité 14: Un test d'orthographe (spelling test)

Écoutez votre professeur et écrivez le mot sur une feuille de papier. *(Write the numbers 1–8 on a piece of paper and write down the words your instructor spells.)*

■ Activité 15: Écoutez votre professeur. Devinez (Guess) ensemble.

Écoutez les phrases suivantes prononcées par votre professeur et trouvez l'équivalent en anglais. Suivez le modèle.

Modèle: PROFESSEUR: Répétez, s'il vous plaît.
ÉTUDIANT(E): *h (hache)*

1. Répétez, s'il vous plaît.
2. Lisez l'exercice à la page 4.
3. Écoutez.
4. Excusez-moi.
5. Faites les devoirs.
6. Posez la question à votre voisin(e).
7. En français, s'il vous plaît.
8. Travaillez avec un(e) camarade.
9. Comment dit-on *dog* en français?
10. Les devoirs sont à la page 2.

a. *Do the homework.*
b. *How do you say "dog" in French?*
c. *Excuse me.*
d. *Read the exercise on page 4.*
e. *Ask your neighbor the question.*
f. *In French, please.*
g. *Work with a partner.*
h. *Please repeat.*
i. *The homework is on page 2.*
j. *Listen.*

Les nombres de 0 à 60

1 2 3 4 5 6 7 8 9 0

0 zéro	10 dix	20 vingt	30 trente
1 un	11 onze	21 vingt et un	31 trente et un
2 deux	12 douze	22 vingt-deux	32 trente-deux
3 trois	13 treize	23 vingt-trois	40 quarante
4 quatre	14 quatorze	24 vingt-quatre	50 cinquante
5 cinq	15 quinze	25 vingt-cinq	60 soixante
6 six	16 seize	26 vingt-six	
7 sept	17 dix-sept	27 vingt-sept	
8 huit	18 dix-huit	28 vingt-huit	
9 neuf	19 dix-neuf	29 vingt-neuf	

In **Activité 16,** have students take down contact information of two students sitting near them. In French, e-mail is commonly referred to as **mail, mèl, e-mail, courrier électronique,** or **courriel. Courriel,** a French Canadian term, has been officially adopted by the French Commission on terminology, but it does not predominate in practice.

■ Activité 16: Donne-moi tes coordonnées (contact information), s'il te plaît.

Demandez les coordonnées de deux étudiants dans votre classe. Substituez votre nom et vos coordonnées.

Modèle: — *Comment t'appelles-tu?*
— *Je m'appelle Jeanne Rambouillet.*
— *Rambouillet? Comment ça s'écrit?*
— *C'est R-A-M-B-O-U-I-deux L-E-T, Rambouillet.*
— *Et ton numéro de téléphone?*
— *C'est 310-643-0975.*
— *Et ton adresse de courriel?*
— *C'est jeanne@yahoo.com (pronounced: **Jeanne a [arobase] yahoo point com**).*

■ Activité 17: Comptez!

Avec un(e) partenaire, comptez.

1. Comptez de 0 à 20.
2. Comptez jusqu'à 60 en multiples de 10.
3. Comptez jusqu'à 60 en multiples de 5.
4. Comptez jusqu'à 30 en multiples de 2.
5. Comptez jusqu'à 30 en multiples de 3.

■ Activité 18: Écoutez votre professeur: Nombres en désordre.

Identifiez la série de nombres prononcés.

liste A: 36, 38, 41, 43, 45, 18, 57, 12

liste B: 26, 38, 41, 52, 43, 18, 17, 12

liste C: 16, 28, 4, 52, 43, 13, 19, 2

liste D: 36, 28, 42, 62, 45, 8, 16, 22

liste E: 16, 8, 44, 50, 15, 13, 57, 2

Activité 18, Goal: comprehension of numbers. Tell students: **Regardez les cinq listes de nombres: A, B, C, D et E. Écoutez bien. Je vais lire une série de nombres. Identifiez la liste que je lis. Est-ce que c'est A, B, C, D ou E?** After leading the activity, ask a strong student to read a series for the class to identify.

■ Situations à jouer!

Qu'est-ce qu'on dit dans les situations suivantes?

Use **iLrn** voiceboard for individual oral practice with the **Thèmes** and the **Pratiques de conversation** in **Module 1**.

1.
> Find out from a classmate how to say *optimistic* in French. Then ask him/her if he/she is optimistic.

2.
> Your friend's mother opens the door. Greet her and tell her your name. She will respond politely.

3.
> Find out someone's name and where he/she is from by asking another classmate.

4.
> You want to write someone's name and phone number in your address book. Ask him/her to spell his/her last name to make sure you write it down correctly.

5.
> Class is over. Say good-bye to a classmate you will not see until the next meeting. He/She will respond appropriately.

Lecture

This song familiarizes students with traditional French names, as well as with names of French people whose parents are of foreign origin, revealing the multi-ethnic composition of French society. The phrase **Quitte à faire de la peine à Jean-Marie** is a reference to Jean-Marie Le Pen, the leader of the far-right **Front national,** an anti-immigrant political party.

■ Anticipation

You are about to read the words of a contemporary French song, by the young French singer Zazie, consisting mostly of a list of French names. The names the singer has selected are important to the song's message, a hymn to tolerance. Before reading the lyrics, jot down a couple of French male and female names you know. *Tout le monde (Everyone)* was a hit (**un tube**), when it came out.

Everyone Chanson: *Tout le monde°*

Words and music by Zazie 1998
«*Made in love*» (album)

1 Michel, Marie
Djamel, Johnny
Victor, Igor
Mounia, Nastassia

5 Miguel, Farid
Marcel, David
Keïko, Solal
Antonio, Pascual

Tout le monde il est beau
10 Tout le monde il est beau

François, Franco
Francesca, Pablo
Thaïs, Elvis
Shantala, Nebilah

15 Salman, Loan
Peter, Günter
Martin, Kevin
Tatiana, Zorba

Tout le monde il est beau
20 Tout le monde il est beau

At the risk of causing pain to Jean-Marie (a far-right anti-immigrant politician) Quitte à faire de la peine à Jean-Marie°

Prénom Zazie
Du même pays
Que Sigmund, que Sally
25 Qu'Alex, et Ali

Tout le monde il est beau
Tout le monde il est beau
Tout le monde il est beau

Assez grand pour tout l'monde

30 Nanananana...

Isabelle de Truchis de Varenne («Zazie»), chanteuse populaire française

■ Activité de lecture

Look over the song and answer the following questions.

1. What's the name of the singer? Does her name figure in the lyrics?
2. Look for traditional French names in the song. Do they correspond to names you included in your list?
3. Like the United States, which is known for its ethnic diversity, France is comprised of people from many nations and continents. Locate names in the song that correspond to the following regions of the world. You may want to use the map at the beginning of the book to help you locate them.

REGIONS

a. North Africa or the Middle East
b. Hispanic countries
c. Francophone Europe or Canada
d. Asia
e. Germany or Northern Europe
f. Mediterranean Europe (Italy or Greece)
g. Eastern Europe

■ Compréhension et intégration

1. What is the message of this simple song?
2. After the release of *Tout le monde,* Zazie was interviewed about listener responses. She explained that she received an extremely insulting letter from someone on the extreme right, and a few letters from boys named Jean-Marie who felt attacked. She assured them that she thinks Jean-Marie is a very nice name. Why did she have to make this point?

■ Maintenant à vous!

Can you think of a popular song that has these kinds of inclusive lyrics (lyrics that stress the intrinsic value of all people independent of their group identity)?

Voix en direct (suite)

Go to **iLrn** to view video clips of French people interviewed for **Voix en direct** introducing themselves. You will also see a little French girl playing school and "teaching" the alphabet.

Expression écrite

■ Petit portrait

In this writing activity you will write a description of a famous person of your choice.

PREMIÈRE ÉTAPE: Rewrite the following description changing Pierre-Louis to Marie-Louise. You'll need to change the gender of the underlined words.

Voici Pierre-Louis. C'est <u>un</u> jeune <u>homme</u> de Marseille. <u>Il</u> est assez <u>grand</u> et <u>beau</u> avec des cheveux blonds et courts. <u>Il</u> n'est pas très <u>intelligent</u>, mais <u>il</u> est <u>patient</u> et sympathique. C'est <u>un homme intéressant</u>.

DEUXIÈME ÉTAPE: Now describe a famous person, following the model above. Attach a picture or photograph to your description.

SYSTÈME-D	
Phrases:	describing people
Grammar:	adjective agreement, adjective agreement (number)
Vocabulary:	hair colors, people, personality, colors, clothing

Structure 1.1

Use the **iLrn™** platform for more grammar and vocabulary practice.

Addressing others *Tu et vous*

When you are speaking to an individual in French, you need to choose between the formal (**vous**) and informal (**tu**) forms of address. When speaking with someone whom you don't know very well, who is older than you, or who is in a higher position, **vous** is in order.

The informal **tu** is used as follows:

- between students of the same age group and young people in general
- between people who are on a first-name basis
- among family members
- with children
- with animals

In some French-speaking countries, such as Canada or French-speaking Africa, the more familiar **tu** form is more common when speaking to a single individual.

> Tu es nerveux, Paul?
> Tu es étudiant ici?

Vous is always used in addressing more than one person. **Vous** is also generally used as follows:

- with and between people who are not on a first-name basis
- among people who are meeting for the first time
- with those who are older than you
- with a boss or superior

In cases of doubt, it is always preferable to use **vous.** You will want to add **monsieur, madame,** or **mademoiselle** for politeness.

> Bonjour, mademoiselle. Comment allez-vous?
> Dominique et Christine, vous comprenez le professeur?
> Bonjour, monsieur. Comment allez-vous?
> Vous parlez français très bien, mademoiselle.

■ **Exercice 1.** *Tu ou vous?* Select the appropriate pronoun for the following situations.

1. You are speaking with your friend's mother, Mme Arnaud.	tu	vous
2. You are speaking to your dog.	tu	vous
3. You are speaking to your instructor.	tu	vous
4. You are speaking with a school acquaintance.	tu	vous
5. Your grandmother is speaking to you.	tu	vous
6. You are speaking with a business acquaintance, Jean-Claude Cassin.	tu	vous
7. You are speaking to a group of friends.	tu	vous

Structure 1.2

Identifying people and things *Qui est-ce? Qu'est-ce que c'est? Est-ce que... ?*

To inquire about someone's identity, ask **Qui est-ce?**

— Qui est-ce?   — *Who is it?*
— C'est Paul.   — *It's Paul.*

If you want an object to be identified, ask **Qu'est-ce que c'est?**

— Qu'est-ce que c'est?   — *What is it?*
— C'est un livre.   — *It's a book.*

Any statement can be turned into a yes/no question by placing **est-ce que** in front of it and using rising intonation.

C'est Richard.   *It's Richard.*
Est-ce que c'est Richard?   *Is it Richard?*

C'est une table.   *It's a table.*
Est-ce que c'est une table?   *Is it a table?*

Que contracts to **qu'** when followed by a vowel sound.

Est-ce qu'il est étudiant?   *Is he a student?*

■ **Exercice 2.** Match the questions in column A with the appropriate answers in column B.

A

1. Qu'est-ce que c'est?
2. Qui est-ce?
3. Est-ce que c'est Paul?
4. Je m'appelle Fred. Et vous?
5. Est-ce qu'elle s'appelle Marguerite?
6. Est-ce que c'est la classe de français?
7. Est-ce que c'est un dictionnaire?

B

a. Je m'appelle Patrick.
b. Non, c'est la classe d'espagnol.
c. Non, c'est David.
d. Non, elle s'appelle Margot.
e. Oui, c'est un dictionnaire.
f. C'est un livre.
g. C'est Jacqueline.

■ **Exercice 3.** Write out an appropriate question for the following answers.

1. — _____ ?

   — Non, c'est un bureau.

2. — _____ ?

   — Non, il s'appelle Jean.

3. — _____ ?

   — C'est un cahier.

4. — _____ ?

   — C'est Jean-Jacques Rousseau.

5. — _____ ?

   — Oui, c'est une chaise.

Structure 1.3

Naming people and things *Les articles indéfinis*

The French indefinite articles **un, une,** and **des** are equivalent to *a, an,* and *some.*

Gender *(Genre)*

All French nouns are categorized by gender, as masculine or feminine, even when they refer to inanimate objects. The form of the article that precedes the noun indicates its gender. As one would expect, nouns that refer to males are masculine and, conversely, nouns that refer to females are feminine. However, the gender of inanimate nouns is unpredictable. For example, **parfum** *(perfume)* is masculine, **chemise** *(shirt)* is feminine, and **chemisier** *(blouse)* is masculine. We suggest that when learning new words, you store them in your memory with the correct article as if it were one word.

	singular	plural
masculine	**un** livre	**des** livres
feminine	**une** fenêtre	**des** fenêtres

Number *(Nombre)*

French nouns are also categorized according to number, as singular or plural. The indefinite article **des** is used in front of plural nouns, regardless of gender. The most common way to make a noun plural is by adding an **s.** If the noun ends in **-eau,** add an **x** to form the plural. Since final **s** is not often pronounced in French, the listener must pay attention to the article to know whether a noun is plural or singular.

singular	plural
un cahier	des cahier**s**
un professeur	des professeur**s**
une fenêtre	des fenêtre**s**
un tableau	des tableau**x**

Pronunciation guide

When **un** is followed by a vowel sound, the **n** is pronounced. If **des** is followed by a noun beginning with a vowel sound, the **s** is pronounced like a **z.** This linking is called **liaison.**

un étudiant
 n

des étudiants
  z

■ **Exercice 4.** Make the following nouns plural.

Modèle: une fenêtre
            des fenêtres

1. un professeur   _____
2. un étudiant   _____
3. un pupitre   _____
4. une porte   _____
5. un cahier   _____
6. un bureau   _____

■ **Exercice 5.** Fill in the blanks with the appropriate indefinite article: **un, une,** or **des.**

1. C'est _____ livre.
2. Ce sont _____ fenêtres.
3. C'est _____ jeune homme.
4. C'est _____ femme extraordinaire!
5. Ce sont _____ étudiants.
6. C'est _____ table.
7. C'est _____ bureau.
8. Ce sont _____ cahiers.

Structure 1.4

Describing people *Les pronoms sujets avec **être***

Subject pronouns enable you to refer to people and things without repeating their names.

— Est-ce que Chantal est jolie?	— *Is Chantal pretty?*
— Oui, **elle** est très jolie.	— *Yes, she is very pretty.*
— C'est Jean-Yves.	— *It's Jean-Yves.*
— **Il** est de Montréal.	— *He's from Montreal.*

Subject pronouns	
singular	**plural**
je *I*	nous *we*
tu *you (informal)*	vous *you (plural or formal)*
il *he*	ils *they (masculine or mixed masculine and feminine)*
elle *she*	elles *they (feminine)*
on *one, people, we (familiar)*	

French verb endings change according to the subject. Although most of these changes follow regular patterns, a number of common verbs are irregular. **Être** *(to be)* is one of these irregular verbs.

être *(to be)*	
je suis	nous sommes
tu es	vous êtes
il/elle/on est	ils/elles sont

Note that **on** is used with the singular verb form even though its meaning may be both singular *(one)* and plural *(people* and *we).*

On est content(s).   *We're happy.*

■ **Exercice 6.** Write the appropriate subject pronoun for the following situations.

1. You're talking to your best friend. _____
2. You're talking about your friend Anne. _____
3. You're discussing the students in your class. _____
4. You're talking about yourself and your family. _____
5. You're talking about the players on the women's basketball team. _____
6. You're addressing a group of people. _____

■ **Exercice 7.** Jérôme overhears a student talking to his friends. Fill in the blanks with the verb **être.**

Philippe et Pierre, vous _____ (1) dans la classe de français de Mme Arnaud, n'est-ce pas? Moi, je _____ (2) dans la classe de Mme Bertheau. Elle _____ (3) très sympathique. Nous _____ (4) vingt-huit dans cette classe. La classe _____ (5) grande et elle _____ (6) formidable aussi. Les étudiants _____ (7) sympathiques et intelligents. Pierre, est-ce que les étudiants _____ (8) sympathiques dans l'autre classe? Tu _____ (9) sûr (*sure*)?

Structure 1.5

Describing *Les adjectifs (introduction)*

Adjectives describe people, places, or things. In French, they agree in number and gender with the noun they modify.

	singular	plural
masculine	Il est petit.	Ils sont petit**s.**
feminine	Elle est petit**e.**	Elles sont petit**es.**

Making adjectives plural

Most French adjectives form their plural by adding an **s** to the singular form as just shown. However, if the singular form ends in a final **s, x,** or **z,** the plural form does not change.

singular	plural
Le pantalon est gris.	Les pantalons sont gris.

Making adjectives feminine

Most feminine adjectives are formed by adding an **e** to the masculine singular form. If the masculine form ends in an **e,** the masculine and feminine forms are identical.

masculine	feminine
Il est fort.	Elle est fort**e.**
Le short est jaune.	La robe est jaune.

Pronunciation guideline

You can often distinguish between feminine and masculine adjectives by listening for the final consonant. If it is pronounced, it generally means that the adjective ends in an **e** and the corresponding noun is feminine.

Il est gran**d**.　　　　Elle est gran**De**.
Le bureau est peti**t**.　　La table est peti**Te**.
Le cahier est ver**t**.　　La robe est ver**Te**.

Irregular adjectives

French has a number of irregular adjectives that differ from the pattern just described. Additional irregular adjectives are presented in **Module 3.**

masculine	feminine
blanc	blanche
vieux	vieille
beau	belle
gentil	gentille

■ **Exercice 8.** Marc's twin brother and sister are remarkably similar. Complete the following sentences describing them.

Modèle: Jean est petit; Jeanne *est petite* aussi.

1. Jean est blond; Jeanne est _____ aussi.

2. Jean est intelligent; Jeanne est _____ aussi.

3. Jeanne porte un vieux chemisier vert; Jean porte une _____ chemise _____ .

4. Jeanne est très belle et Jean est très _____ aussi.

5. Jean est gentil; Jeanne est _____ aussi.

■ **Exercice 9.** Complete the following passage using the appropriate form of the adjectives in parentheses.

Ma mère est une (beau) _____ (1) femme (intelligent) _____ (2) avec des cheveux (blond) _____ (3) et (court) _____ (4) et des yeux (brun) _____ (5). Mon père est (fort) _____ (6) et il est très sympathique. Mon frère et moi, nous sommes (content) _____ (7) de nos parents.

■ Tout ensemble!

Éric sees his friends Paul and Anne at the cafeteria. Complete their conversation with the words from the list.

allez-vous	de	merci	sommes	une
bleue	est	qui est-ce	et toi	une question
ça va	grande	s'appelle	un	

ÉRIC: Salut, Paul et Anne. Comment _____ (1)?

PAUL: _____ (2) bien. _____ (3)?

ÉRIC: Bien, _____ (4). J'ai _____ (5) pour vous. Regardez la _____ (6) fille blonde là-bas. _____ (7)?

PAUL: La fille qui porte _____ (8) jupe _____ (9)?

ÉRIC: Non, elle porte _____ (10) jean.

ANNE: Ah oui! Elle _____ (11) Natalie. Elle est _____ (12) New York.

ÉRIC: Ah bon? Elle _____ (13) étudiante?

PAUL: Oui, en lettres (*humanities*). Nous _____ (14) dans la même classe de philosophie. Viens (*Come on*), je vais vous présenter.

▪ Vocabulaire fondamental

Noms

La salle de classe — *The classroom*

une activité	*an activity*
un bureau	*a desk*
un cahier	*a notebook*
un(e) camarade de classe	*a classmate*
une chaise	*a chair*
une chose	*a thing*
une craie	*a piece of chalk*
un crayon	*a pencil*
les devoirs *(m pl)*	*homework*
un dictionnaire	*a dictionary*
un(e) étudiant(e)	*a student*
une fenêtre	*a window*
une lampe	*a lamp*
un livre	*a book*
un mur	*a wall*
un ordinateur	*a computer*
une porte	*a door*
un professeur (prof, *fam*)	*a teacher*
une question	*a question*
un stylo	*a pen*
une table	*a table*
un tableau	*a (black)board*

Les vêtements — *Clothing*

un chapeau	*a hat*
des chaussures *(f pl)*	*shoes*
une chemise	*a shirt*
une jupe	*a skirt*
des lunettes *(f pl)*	*glasses*
un maillot de bain	*a bathing suit*
un manteau	*a coat*
un pantalon	*(a pair of) pants*
une robe	*a dress*
un sac (à dos)	*a purse (backpack)*

Mots apparentés: un jean, un T-shirt, un pull-over, (pull, *fam*), des sandales *(f pl)*, un short, des tennis *(f pl)*, un sweatshirt, des baskets *(f pl)*

Les personnes — *People*

un(e) ami(e)	*a friend*
un(e) enfant	*a child*
une femme	*a woman*
une fille	*a girl*
un garçon	*a boy*
un homme	*a man*

Pronoms

je	*I*
tu	*you (singular, informal)*
il	*he*
elle	*she*
on	*one, people, we (fam)*
nous	*we*
vous	*you (plural or formal)*
ils	*they (m)*
elles	*they (f)*

Adjectifs

La description physique — *Physical description*

beau (belle)	*handsome (beautiful)*
blond(e)	*blond*
brun(e)	*brown, brunette*
(les cheveux) blonds, bruns, roux, gris, courts, longs	*blond, brown, red, gray, short, long (hair)*
de taille moyenne	*of average size*
fort(e)	*heavy, stocky; strong*
grand(e)	*big; tall*
jeune	*young*
joli(e)	*pretty*
laid(e)	*ugly*
moche *(fam)*	*ugly*
petit(e)	*little, small; short (person)*
vieux (vieille)	*old, elderly*

La description de la personnalité — *Personal characteristics*

célèbre	*famous*
charmant(e)	*charming*
comique	*funny*
gentil(le)	*nice*
raisonnable	*sensible*
sympathique (sympa, *fam*)	*nice*

Mots apparentés: amusant(e), fatigué(e), idéaliste, intelligent(e), nerveux (nerveuse), optimiste, patient(e), riche, sérieux (sérieuse), sociable, timide

Les couleurs — *Colors*

blanc(he)	*white*
bleu(e)	*blue*
brun(e)	*brown*
gris(e)	*gray*
jaune	*yellow*
marron	*brown*
noir(e)	*black*
rose	*pink*
rouge	*red*
vert(e)	*green*

Mots apparentés: beige, orange, violet(te)

Les nombres

(See page 18 for numbers 0–60.)
zéro, un, deux, trois... soixante

Verbes

Je m'appelle...	*My name is . . .*
Il s'appelle...	*His name is . . .*
être	*to be*
porter	*to wear*

Mots divers

une adresse de courriel	*an email address*
assez	*somewhat, kind of*
aussi	*also, too*
un chien	*a dog*
merci	*thank you*
moi aussi	*me too*
pas	*not*
pas du tout	*not at all*
s'il vous plaît, s'il te plaît *(fam)*	*please*
très	*very*

Expressions utiles

Comment se présenter et se saluer — *How to introduce oneself and greet people*

(See pages 2–4 for additional expressions.)

Au revoir. À bientôt.	*Good-bye, So long. See you soon.*
Bonjour, madame.	*Hello, ma'am.*
Comment allez-vous?	*How are you?*
Comment ça va?	*How are you? (fam)*
Bonsoir, monsieur.	*Good evening, sir.*
Comment s'appelle-t-il/elle?	*What's his/her name?*
Je m'appelle Marie. Et vous?	*My name is Mary. What's yours?*
Je te/vous présente Jean.	*This is Jean.*
Je suis de Paris. Et vous?	*I'm from Paris. And you?*
Salut, ça va?	*Hi, how are you?*
Ciao.	*Bye. (fam)*

Comment communiquer en classe — *How to communicate in class*

(See pages 16–17 for additional expressions.)

Ouvrez votre livre.	*Open your book.*
J'ai une question.	*I have a question.*
Je ne comprends pas.	*I don't understand.*
Comment ça s'écrit?	*How is it spelled?*

Questions

De quelle couleur est... ?	*What color is . . . ?*
Qui est-ce?	*Who is it?*
Qu'est-ce que c'est?	*What is it?*
Est-ce que c'est un stylo?	*Is it a pen?*

■ Vocabulaire supplémentaire

Noms

un blouson	*a jacket*
une brosse	*a chalkboard eraser*
un chemisier	*a blouse*
un classeur	*a binder*
un complet	*a man's suit*
des coordonnées *(f pl)*	*contact information*
une cravate	*a tie*
une feuille de papier	*a sheet of paper*
une horloge	*a clock*
une idée	*an idea*
une lumière	*a light*
des lunettes *(f pl)* de soleil	*sunglasses*
le monde francophone	*the French-speaking world*
un parapluie	*an umbrella*
un pupitre	*a student desk*
un sourire	*a smile*
un(e) voisin(e)	*a neighbor*

Les professions — *Professions*

un acteur (une actrice)	*an actor*
un basketteur	*basketball player*
un chanteur (une chanteuse)	*a singer*
un couturier (une couturière)	*a fashion designer*
un danseur (une danseuse)	*a dancer*
un écrivain	*a writer*
un joueur (une joueuse) de foot	*a soccer player*
un mannequin	*a model*
un metteur en scène	*a (film) director*
un prince (une princesse)	*a prince (princess)*
un rocker	*a rock musician*

Verbes

faire la bise	*to kiss on both cheeks*
(se) présenter	*to introduce oneself or another person*
se saluer	*to greet each other*
il y a	*there is, there are*

La vie universitaire

This chapter introduces you to French student life: students' activities and interests, the university campus and courses, and the seasonal calendar. In the **Perspectives**

culturelles sections, you'll learn about the famous Latin Quarter in Paris, a center of student life, and you'll read about what some French speakers like to do on the weekend. ❁

Perspectives culturelles: Le Quartier latin et la Sorbonne

Thème: Les matières

Thème: Le calendrier

Structure 2.5: Talking about age and things you have *Le verbe **avoir***

À lire, à découvrir et à écrire

Lecture: Tony Parker parle: J'aime, J'aime pas

iLrn™ Voix en direct (suite)

Expression écrite: Portrait d'un(e) camarade

✿ Thème

Les distractions

Structure 2.1

Saying what you like to do *Aimer et les verbes réguliers en -er*

Structure 2.2

Saying what you don't like to do *La négation ne... pas*

In the following activities, you will learn to talk about what you like to do and what you do not like to do. To accomplish this, you will need to learn to conjugate the verb **aimer** *(to like)* and to form negative sentences. You will also need a variety of verbs to state what you like to do. See pages 50–51 for the verb **aimer** and other **-er** verbs, and page 52 for negation and definite articles.

For the beginning of this presentation, treat **j'aime** and **je n'aime pas** as chunks. The focus is on learning the vocabulary for the various activities.

In French, the verb **travailler** is used for both work and study: **Je travaille à la bibliothèque.** **Étudier** is more frequently linked with where one studies or what one studies: **J'étudie la philosophie à la Sorbonne.** For beginners, here we're making a concession to the English usage.

Suggestion: Students need to hear **tu aimes/j'aime** and **je n'aime pas** a number of times before beginning **Activité 1.** Bring in pictures to show the activities presented in the list above. **Regardez cette photo. Ils jouent au tennis, n'est-ce pas? Et vous, est-ce que vous aimez jouer au tennis? Non? Qui aime jouer au tennis? Vous jouez au tennis avec un(e) ami(e)? Oui? Alors prenez la photo.** Students should begin associating classmates with various activities. **Qui aime danser? Oui, Lori aime danser. Elle fait de la danse classique, n'est-ce pas? Lori, prenez cette photo.** For homework, have each student bring in a photo of an activity they like or don't like to do. Talk about their photos.

Les activités

J'aime danser.

J'aime / Je n'aime pas...

chanter
danser
écouter de la musique
étudier
jouer à des jeux vidéo
jouer au basket-ball (tennis, football)

manger au restaurant
parler au téléphone
regarder la télévision
surfer sur Internet
rester à la maison
travailler
voyager

■ Notez et analysez

Generally, when you see a French word that looks like an English equivalent, you can count on it having a similar meaning; such words are known as cognates, or **mots apparentés.** Which of the **-er** activity verbs are cognates? Caution: **rester** is a **faux ami,** or "false friend." It means *to stay* rather than *to rest. To rest* is expressed as **se reposer** in French.

■ **Activité 1: Tu aimes danser?**

Utilisez la liste d'activités à la page 32 pour poser des questions à quatre camarades de classe. Ensuite, comparez les réponses.

Modèles: — *Tu aimes danser?*
— *Oui, j'aime danser.*

— *Tu aimes étudier?*
— *Non, je n'aime pas étudier.*

Vous aimez danser le swing?

■ **Activité 2: Occupé(s) (Busy)!**

Regardez l'image à la page 32. Écoutez votre professeur et indiquez si les actions décrites correspondent aux images.

	OUI	NON
1.	☐	☐
2.	☐	☐
3.	☐	☐
4.	☐	☐
5.	☐	☐
6.	☐	☐

Activité 2: Teacher reads the following: **1. Il écoute de la musique. 2. Elle chante. 3. Il travaille. 4. Il étudie. 5. Il surfe sur Internet. 6. Il joue au tennis. 7. Ils jouent au football.**

Alternate activity: You may wish instead to have students write down the number of the person that you describe. Sample script: **Il écoute de la musique (1). Ils regardent la télé (7). Il joue à un jeu vidéo (5). Il joue au basket (6). Elle danse (2). Il parle au téléphone (4).**

Comment exprimer ses préférences

Suggestions: Ask simple yes/no, either/or questions: **Regardez MC Solaar. C'est un musicien, n'est-ce pas? Il chante le rap. Moi, généralement, je n'aime pas le rap. Mais j'aime la musique de MC Solaar. Je préfère le jazz. J'aime beaucoup la musique classique aussi. Et vous? Oui? Un peu? Vous préférez le rock? Vous regardez MTV? Les Français regardent aussi MTV à la télévision.**
The verb **connaître** is introduced here as input exclusively for talking about knowing celebrities.

Structure 2.3

Talking about specifics *Les articles définis*

To talk about things you like and dislike, you will need to use definite articles. For an explanation of the definite articles, see p. 52.

—Tu connais MC Solaar?
—Oui… je n'aime pas beaucoup **le** rap, mais MC Solaar, il est super! J'aime bien aussi **la** musique techno.

■ Notez et analysez

What types of music do you like? Rap? Rock? Jazz? In the mini-conversation, notice how the definite article is used with the type of music, such as **le rap.** What article is used with **musique techno**? How would you say "I like jazz" in French?

Quelques expressions

Pour dire ce qu'on aime et ce qu'on n'aime pas
— Tu aimes voyager?
— Oui, j'adore voyager.
— J'aime **beaucoup** voyager.
— J'aime **bien** voyager.
— Non, je n'aime **pas beaucoup** voyager.
— Je n'aime **pas du tout** voyager.
— Je déteste voyager.

Pour dire ce qu'on préfère
— Est-ce que tu préfères **la sécurité** ou **le risque**?
— Moi, je préfère le risque. Je suis fou d'aventures!
(I love adventure!)

Activité 3: First model a couple of exchanges with students to demonstrate how they can express their degree of interest through intonation and without having to use complete sentences. Follow up on responses: **Oui, vous aimez beaucoup le cinéma? Mais votre réponse n'est pas très enthousiaste! Alors, quel genre de films aimez-vous?**

■ Activité 3: Réponses courtes

Répondez à votre camarade avec une réponse courte.

Modèle: le tennis
— *Tu aimes le tennis?*
— *Oui, beaucoup! / Oui, un peu. /*
  Non, pas beaucoup. / Non, pas du tout!

1. le cinéma
2. travailler
3. les maths
4. étudier
5. la télé-réalité
6. l'aventure
7. parler au téléphone
8. le camping
9. danser
10. le football
11. écouter de la musique
12. voyager
13. jouer au golf
14. les vacances
15. le rap

■ **Activité 4: Préférences**

Suivez le modèle avec votre camarade.

Modèle: danser le rock ou le slow
— *Tu préfères danser le rock ou le slow?*
— *Je préfère danser le rock.*
— *Moi aussi. / Moi, je préfère le slow.*

1. le tennis ou le golf
2. étudier l'anglais ou les maths
3. les films d'action ou les histoires d'amour
4. le jazz ou le rap
5. les montagnes *(mountains)* ou la plage *(beach)*
6. les chats ou les chiens
7. le football français ou le football américain
8. regarder la télévision ou écouter de la musique

Sondage *(Poll):* Goûts et préférences

Philippe Dussert fait une enquête *(is doing a study)* sur les goûts *(tastes)* et les préférences des étudiants de son université. Voici le résumé de ses notes.

Portrait: Mounir Mustafa
12, rue des Gazelles
Aix-en-Provence
Tél. 04-42-60-35-10

Voici Mounir Mustafa. C'est un jeune étudiant algérien de 20 ans. Il étudie les sciences économiques à l'Université d'Aix. C'est un étudiant sérieux, mais il aime aussi s'amuser. Mounir aime un peu la musique classique, mais il préfère le rock et il danse très bien. Il aime les films d'action et il va souvent au cinéma. Mounir n'aime pas beaucoup la télévision, mais il regarde parfois le sport à la télé, surtout des matches de football.

Suggestion: Read the profile to students, pausing to integrate comprehensive checks: **Mounir est français, n'est-ce pas? Non? Vous avez raison. Il est algérien. Et vous, vous êtes algérien aussi? Non? Quelle est votre nationalité? Est-ce qu'il étudie dans une université? Et vous aussi? Quelle musique préfère-t-il, le rock ou la musique classique? Et vous?** After going through the passage for comprehension, try the "read, look up, and say" technique: students read a line silently as you pronounce it, then look up from the page and repeat it out loud.

■ **Activité 5: Testez-vous!**

Consultez le résumé de Mounir. Ensuite *(Then),* indiquez si les phrases suivantes sont vraies ou fausses. Corrigez les phrases fausses.

1. Mounir Mustafa est français.
2. Mounir n'est pas un bon étudiant.
3. Il aime le rock, mais il préfère la musique classique.
4. Il danse bien.
5. Il va rarement au cinéma.
6. Il aime les drames psychologiques.
7. Il préfère regarder les matches de football à la télévision.

Portrait: Jeanne Dumas
14, avenue Pasteur
Aix-en-Provence
Tél. 04-42-38-21-40

Voici Jeanne Dumas. C'est une jeune Française de 18 ans. Elle habite un petit studio avec une copine. Jeanne étudie l'anglais à l'Université d'Aix (l'anglais est facile pour elle; sa mère est américaine). Elle aime un peu le jazz, mais elle préfère le rock. Elle n'aime pas du tout la musique classique. Jeanne aime aller au cinéma, et elle regarde aussi des DVD chez elle. Elle préfère les comédies. Jeanne regarde régulièrement la série *Friends* à la télévision avec sa camarade de chambre.

■ **Activité 6: Testez-vous!**

Consultez le résumé de Jeanne. Ensuite, indiquez si les phrases sont vraies ou fausses. Corrigez les phrases fausses.

1. Jeanne a 18 ans.
2. Elle habite avec sa famille.
3. Elle étudie l'anglais.
4. Elle parle bien l'anglais.
5. Elle adore Mozart et Chopin.
6. Elle n'aime pas les séries américaines.

CD1, Track 5

■ **Écoutons ensemble! Sondage sur les goûts et les préférences**

Listen to the following questionnaire given to a French student on her taste in entertainment, and fill out the form. Then interview a partner to fill out the form.

Goûts et préférences			
Nom de famille: _____		Prénom: _____	
		étudiante française	camarade
Vous aimez la musique:	un peu	[ ]	[ ]
	beaucoup	[ ]	[ ]
	pas beaucoup	[ ]	[ ]
Vous préférez:	le rock	[ ]	[ ]
	le jazz	[ ]	[ ]
	la musique classique	[ ]	[ ]
	le rap	[ ]	[ ]
	la techno	[ ]	
Vous aimez le cinéma:	un peu	[ ]	[ ]
	beaucoup	[ ]	[ ]
	pas beaucoup	[ ]	[ ]
Vous préférez:	les drames psychologiques	[ ]	[ ]
	les films d'aventure	[ ]	[ ]
	les comédies	[ ]	[ ]
	les films d'horreur	[ ]	[ ]
Vous aimez la télévision:	un peu	[ ]	[ ]
	beaucoup	[ ]	[ ]
	pas beaucoup	[ ]	[ ]
Vous préférez:	les jeux télévisés	[ ]	[ ]
	les informations	[ ]	[ ]
	les séries	[ ]	[ ]
	la télé-réalité	[ ]	[ ]
	le sport	[ ]	[ ]

Les activités préférées du week-end

Pour les jeunes, les loisirs° sont très importants. Selon un sondage° récent (SOFRES 2003), les jeunes Français entre 15 et 24 ans disent que leurs loisirs préférés sont (en ordre décroissant°): les amis, le sport, écouter de la musique, la fête°, le cinéma, Internet et faire du shopping. Pour compléter le top ten, il y a aussi la voiture° / la moto°, la télé, la lecture° et les promenades°.

There are actually 11 activities listed due to a tie in the top ten statistics.

leisure activities / survey

descending order
parties
cars / motorcycles / reading / walks

■ Avez-vous compris?

Indiquez si les activités suivantes sont parmi les loisirs préférés des jeunes Français selon le sondage de SOFRES.

OUI	NON	
☐	☐	a. parler avec des amis
☐	☐	b. jouer au tennis
☐	☐	c. rester à la maison
☐	☐	d. écouter un CD
☐	☐	e. regarder un film
☐	☐	f. surfer sur Internet
☐	☐	g. voyager
☐	☐	h. lire un livre

■ Et vous?

1. Quelles activités est-ce que les jeunes Américains aiment faire? Faites une liste de dix activités. Trouvez des similarités et des différences entre votre liste et la liste des jeunes Français.

2. Qu'est-ce que vous aimez faire qui n'est pas sur la liste du top ten? Est-ce qu'il y a une activité sur la liste que vous n'aimez pas faire?

Voix en direct

Qu'est-ce que vous aimez faire le week-end?

Voici les commentaires de quelques jeunes Français à propos de leurs activités préférées du week-end.

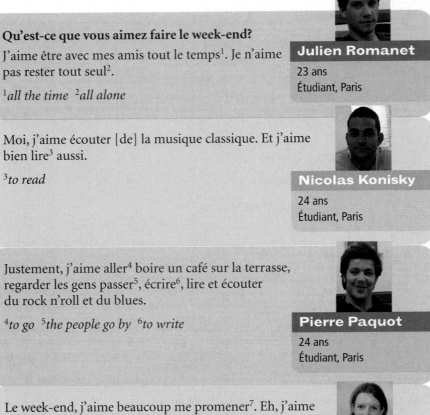

Qu'est-ce que vous aimez faire le week-end?

J'aime être avec mes amis tout le temps[1]. Je n'aime pas rester tout seul[2].

[1]*all the time* [2]*all alone*

Julien Romanet

23 ans
Étudiant, Paris

Moi, j'aime écouter [de] la musique classique. Et j'aime bien lire[3] aussi.

[3]*to read*

Nicolas Konisky

24 ans
Étudiant, Paris

Justement, j'aime aller[4] boire un café sur la terrasse, regarder les gens passer[5], écrire[6], lire et écouter du rock n'roll et du blues.

[4]*to go* [5]*the people go by* [6]*to write*

Pierre Paquot

24 ans
Étudiant, Paris

Le week-end, j'aime beaucoup me promener[7]. Eh, j'aime aussi, euh, sortir[8] avec des amis, rendre visite à mes parents, souvent [si] c'est le dimanche[9] on va déjeuner chez eux[10], euhm..., aller au cinéma, on peut faire du shopping, et j'aime bien aussi ne rien faire[11].

[7]*to go for a walk* [8]*to go out* [9]*Sunday* [10]*to eat lunch with them* [11]*do nothing*

Olivia Rodes

26 ans
Professeur d'anglais dans un institut privé, Cholet, France

■ **Réfléchissez aux réponses**

1. À qui ressemblez-vous le plus *(do you resemble the most)*: à Julien, à Nicolas, à Pierre ou à Olivia? Expliquez.

2. Est-ce que vous aimez être avec des amis tout le temps ou aimez-vous parfois *(sometimes)* être seul(e)?

3. Le dimanche, Olivia aime rendre visite à ses parents. Qu'est-ce que vous préférez faire *(to do)* le dimanche?

Le campus

Structure 2.4

Listing what there is and isn't *Il y a / Il n'y a pas de*

To talk about what is and is not located on your campus, you will be using the expressions **il y a** *(there is / there are)* and **il n'y a pas de** *(there isn't / there aren't)*. See page 53.

Qu'est-ce qu'il y a sur le campus?

Suggestion: Have students close their books and listen as you present the campus using a transparency of the drawing. Read through the description, pointing out campus buildings as they are mentioned. As you read, ask short comprehension check questions such as: **Est-ce que le campus est joli? Les étudiants mangent dans la bibliothèque ou dans la cafétéria? Si vous aimez l'art, qu'est-ce qu'il y a sur le campus? Si vous aimez jouer au tennis, est-ce que vous allez aux courts de tennis ou à la piscine?**

Voici Columbus University, une université typiquement américaine. Son campus est comme un parc. Il y a des résidences universitaires, des salles de classe, une excellente bibliothèque, des laboratoires, des salles informatiques, une librairie et des cafétérias. Pour les activités culturelles, il y a un musée d'art, un théâtre et des salles de cinéma. Il y a aussi des terrains de sport, des courts de tennis, une piscine et un stade. Le campus a un jardin botanique avec des fleurs et des arbres exotiques.

■ Notez et analysez

What word(s) follow **il y a**?
What follows **il n'y a pas**?

Voici Jussieu au cœur *(heart)* du Quartier latin à Paris. C'est le campus où se trouvent Paris VI et VII, qui font partie de l'Université de Paris. Le campus n'est pas extraordinaire. Il y a des salles de classe, des amphithéâtres, une bibliothèque, une salle informatique, un restaurant universitaire, une cafétéria et une petite salle de sports. Mais il n'y a pas de piscine, de terrain de football ou de stade. Beaucoup d'universités françaises sont au centre-ville où il n'y a pas beaucoup d'espace.

Activité 7, Goal: Il y a and Il n'y a pas de combined with campus vocabulary.

■ **Note de vocabulaire**

The abbreviation **la fac,** for **la faculté,** is often used to mean university, as in **Hélène est à la fac** (*Hélène is at school/at the university*). French universities generally have a number of **facultés** or college divisions such as the **faculté de médecine** (*school of medicine*) or the **faculté des lettres** (*college of humanities*). These **facultés** are often located throughout a major city rather than on a single campus.

Activité 8: Conduct as a brainstorming activity: **Qu'est-ce qu'il y a sur le campus de Columbus?** (Write down student input on board.) **Et ici, est-ce qu'il y a une piscine? Oui?** Check off similar items. **Alors, notre université ressemble plus à Columbus. Les universités américaines ont généralement beaucoup d'espace. Mais imaginez une université en ville, comme New York University. Est-ce qu'il y a beaucoup d'espace? Non. Les universités françaises sont souvent en ville. Elles n'ont pas de grands campus avec beaucoup d'espace.**

Activité 9 is designed for listening comprehension. Most new words are cognates. Read with books closed the first time through.

■ Activité 7: Qu'est-ce qu'il y a sur le campus?

Consultez la page 39 et suivez les modèles avec votre camarade.

Modèles: des courts de tennis / Columbus
— *Est-ce qu'il y a des courts de tennis à Columbus?*
— *Oui, il y a des courts de tennis.*

une piscine / Jussieu
— *Est-ce qu'il y a une piscine à Jussieu?*
— *Non, il n'y a pas de piscine.*

1. un restaurant universitaire / Jussieu
2. des courts de tennis / Jussieu
3. un stade / Jussieu
4. des résidences universitaires / Columbus
5. des amphithéâtres / Jussieu
6. une salle de cinéma / Jussieu
7. une librairie / Jussieu
8. un jardin botanique / Columbus

■ Activité 8: Et votre campus?

Est-ce que votre université ressemble plus à Jussieu ou à Columbus? Pourquoi? Écrivez au moins quatre phrases complètes.

Modèle: *Notre université ressemble plus à Columbus parce qu'il y a des terrains de sport... Il n'y a pas de...*

■ Activité 9: Écoutez votre professeur: Où êtes-vous?

Qu'est-ce que votre professeur décrit? Écoutez les descriptions et dites où vous êtes sur le campus. Ensuite, lisez les descriptions et corrigez vos réponses.

Modèle: — Vous portez un short blanc et des tennis. Vous jouez avec une raquette et trois balles. C'est votre service. Où êtes-vous?
— *Je suis au court de tennis.*

1. Vous êtes dans une grande salle silencieuse. Il y a beaucoup de livres sur les tables. Les étudiants regardent leurs notes et étudient.

2. Vous êtes dans une grande salle de classe avec 400 étudiants. Vous écoutez un professeur qui parle avec un microphone.

3. Il y a beaucoup d'étudiants qui habitent avec vous dans ce bâtiment. Les chambres sont très petites, et chaque personne habite avec un(e) camarade de chambre. Il y a aussi une cafétéria médiocre.

4. Vous êtes sur le campus dans un bâtiment où vous achetez *(buy)* des livres et des cahiers pour vos cours. Vous achetez aussi des stylos et des magazines.

5. Vous êtes assis(e) sur un banc avec beaucoup d'autres étudiants. Tout le monde regarde le match de football. Les spectateurs près de vous mangent des hot-dogs et du pop-corn.

Le Quartier latin et la Sorbonne

Le Quartier latin, où se trouve la Sorbonne (fondée en 1253), est célèbre pour ses rues° animées, ses cafés pleins d'étudiants et ses excellentes librairies°.

L'animation et le rythme du boulevard Saint-Michel attirent° des visiteurs du monde entier. D'où vient° le nom du Quartier latin? On parlait latin à la Sorbonne jusqu'à° la Révolution (1789). Aujourd'hui, la glorieuse Sorbonne accueille° quatre universités: Paris I, Paris III, Paris IV et Paris V. Ce sont quatre des treize facultés° de l'Université de Paris. À la Sorbonne, on étudie les lettres° et les sciences humaines.

streets / bookstores
attract
Where does . . . come from
until
is the site of
colleges / humanities

■ Avez-vous compris?

Indiquez si les phrases suivantes sont vraies ou fausses. Corrigez les phrases fausses.

1. Il y a beaucoup d'étudiants dans le Quartier latin.
2. Saint-Michel est une université.
3. On parle latin dans le Quartier latin aujourd'hui.
4. Paris III et Paris IV font partie de *(are part of)* la Sorbonne.
5. On étudie le marketing à Paris I.

■ Et vous?

1. Comment est le quartier où se trouve votre université? Est-ce qu'il y a des cafés et des librairies?
2. Est-ce que votre université a plusieurs facultés?
3. Quelles sont les spécialisations les plus populaires *(the most popular)* à votre université?

La Sorbonne

■ Réfléchissez et considérez

University students around the world have much in common. For example, in the French education system, there are three degrees (**diplômes**): **la licence, le master,** and **le doctorat.** However, there are some differences as well. American students take general courses outside their major; French students typically do not. For this reason, a French student interprets the question **Qu'est-ce que tu étudies?** to mean *What is your field of concentration?* Look at the list of expressions to find a way to communicate the American concept of a major. Though there is no exact equivalent for "freshman" and "sophomore," how are these concepts expressed?

Les matières

Voici les matières typiquement offertes dans une université (une fac) française:

LES LETTRES

LES SCIENCES

LES SCIENCES HUMAINES

LES FORMATIONS COMMERCIALES PROFESSIONNELLES

l'art	la biologie	l'anthropologie	les affaires (*business*)
l'art dramatique	la chimie	la psychologie	la comptabilité
l'histoire	le génie civil	les sciences	(*accounting*)
le journalisme	l'informatique	économiques	le droit (*law*)
les langues	la médecine	les sciences	la gestion
le français	les mathématiques	politiques	(*management*)
le japonais	les sciences	la sociologie	le marketing
le latin	naturelles		
l'espagnol	les sciences		
l'allemand	physiques		
l'arabe			
l'italien			
la littérature			
la philosophie			

Quelques expressions pour parler des études et des cours

Qu'est-ce que tu étudies?

Qu'est-ce que tu as comme cours ce semestre / trimestre?

J'ai français, mathématiques et sciences économiques.

Comment sont tes cours?

Mon cours de maths est / n'est pas (très)   intéressant / ennuyeux°.   *boring*
                                             facile / difficile.
                                             pratique.

En français, j'ai beaucoup   de travail.
                              de devoirs°.   *homework*
                              d'examens°.   *tests*

Tu es en quelle année°?   *year*

Je suis en première / deuxième / troisième / quatrième année.

Ma spécialisation, c'est la biologie°.   *My major is biology*

J'étudie la biologie.

■ Activité 10: Qui a les mêmes cours que vous?

A. Sur une feuille de papier, faites une liste des cours que vous suivez ce trimestre / semestre.

Modèle: *la biologie*
           le français

B. Circulez dans la salle et trouvez un(e) étudiant(e) qui a le même *(the same)* cours que vous.

Modèle: — *Tu étudies l'anglais?*
           — *Oui.*
           — *Signe ici, s'il te plaît.*

CD1, Track 7

☐ Écoutons ensemble! On parle des cours.

A couple of students are talking about their classes, professors, and the university in general. Listen to their conversation and decide whether each statement is positive or negative.

	Positif	**Négatif**
1.	☑	☐
2.	☐	☑
3.	☑	☐
4.	☑	☐
5.	☐	☑
6.	☑	☐
7.	☑	☐

■ Activité 11: Interaction

Posez les questions suivantes à un(e) camarade de classe.

1. Quels cours est-ce que tu as ce trimestre / semestre?

2. Quel(s) cours est-ce que tu préfères? Pourquoi?

3. Quelle est ta spécialisation?

4. Est-ce que tu as beaucoup de devoirs? Pour quels cours?

5. Quels cours est-ce que tu as aujourd'hui?

6. Dans quel(s) cours est-ce que tu as beaucoup d'examens?

Activité 10: Signature activities provide a change of pace. Students circulate with a list of yes/no questions to ask one another. If a student answers yes, s/he signs the sheet. The goal is to get as many signatures as quickly as possible. Walk students through this activity by telling them: **Prenez une feuille de papier. Faites une liste de tous vos cours.** Demonstrate by listing courses on the board. Now show students how to circulate: **Maintenant, circulez comme ça: «Vous étudiez les maths? Oui? Alors, signez ici.» Vous comprenez? Maintenant levez-vous. Circulez dans la classe et posez des questions.**

✳ Thème

Le calendrier

Les jours de la semaine

Suggestion: There are a number of ways to present this material. Begin with the days of the week: **Quel jour sommes-nous aujourd'hui? Oui, aujourd'hui, nous sommes mardi. C'est mardi. Et demain? Demain, c'est mercredi. Combien de jours y a-t-il dans une semaine? Oui, il y en a sept. Répétez les jours après moi. Quels sont les jours du week-end? Aimez-vous le lundi? Non? Moi, non plus. Je préfère le samedi.**

octobre

lundi	mardi	mercredi	jeudi	vendredi	samedi	dimanche
1	2	3	4	5	6	7
8	9	10	11	12	13	14
15	16	17	18	19	20	21
22	23	24	25	26	27	28
29	30	31				

■ Activité 12: Quels jours… ?

A. Répondez aux questions suivantes.

1. Quel est votre jour préféré?
2. Quel(s) jour(s) est-ce que vous travaillez?
3. Quel(s) jour(s) est-ce que vous regardez la télévision le soir?
4. Quel(s) jour(s) est-ce que vous avez votre cours préféré?
5. Quel(s) jour(s) est-ce que vous avez français?
6. Quel(s) jour(s) est-ce que vous restez à la maison?
7. Quel(s) jour(s) est-ce que vous n'avez pas cours?

B. Maintenant, posez les mêmes questions à votre camarade. *(Use **tu** in your interview.)* Comparez vos réponses.

Les mois et les saisons

The **faire** and weather expressions (introduced later, in **Modules 4** and **5**) are used here to illustrate the seasons; use gestures and visuals to focus students on the seasons. Reinforce the vocabulary with something like the following: **Aujourd'hui, nous sommes le mardi 22 septembre. Septembre est un mois de l'automne. Quels sont les mois de l'automne? Combien de mois y a-t-il dans une année? Mon anniversaire, c'est le 8 août. Qui a son anniversaire en août? Levez la main.** Write the months of the year associated with students' birthdays on the board.

L'été, c'est les vacances. On passe les mois de juin, juillet et août à la plage ou à la montagne.

juin   juillet   août

L'automne, c'est la rentrée. En septembre, on recommence le travail et les études.

septembre   octobre   novembre

L'hiver, c'est le froid et la neige. Pendant les vacances d'hiver, on fait du ski.

décembre   janvier   février

Le printemps, c'est le beau temps. On fait des promenades dans le parc.

mars   avril   mai

Le festival jeunes talents est pour quel genre de musique? Qui joue dans ce festival?

Est-ce que c'est un festival national? C'est en quelle saison?

Quelques expressions utiles

— Quel jour sommes-nous?

— Nous sommes lundi aujourd'hui.

— Quel jour est-ce?

— C'est lundi.

— Quelle est la date aujourd'hui?

— C'est le 20 septembre.

— En quelle année sommes-nous?

— Nous sommes en 2007 (deux mille sept).

— Quels jours est-ce que tu as cours?

— J'ai cours le mardi et le jeudi.

— C'est quand, ton anniversaire?

— C'est le 24 juillet.

Suggestion: Bring a French calendar to class to illustrate days, dates, year, and the expressions presented here. Write on board: **Les fêtes de l'année.** Begin by saying: **Le 14 juillet est une date importante en France. Pourquoi? C'est la fête nationale française. Quelle est la date de la fête nationale américaine? Et au Canada? Connaissez-vous d'autres dates importantes?** Other dates: **11 novembre, armistice; mai, Pentecôte.**

Quelques fêtes de l'année

Jours fériés où l'on ne travaille pas:

le jour de l'an	le 1er janvier
la fête du Travail	le 1er mai
Pâques	mars/avril
la fête nationale (Canada)	le 1 juillet
la fête nationale (France)	le 14 juillet
la Toussaint	le 1er novembre
Noël	le 25 décembre

Expand on **Activité 13** by asking additional questions such as: **Quelle est la date de la fête du Travail en France? Et aux États-Unis? En quel mois est-ce qu'on vote aux élections présidentielles américaines? Quel jour de la semaine?**

■ Activité 13: Dates importantes

Donnez les dates suivantes.

1. la Saint-Valentin
2. le jour de l'an
3. votre anniversaire
4. la fête nationale américaine
5. la fête nationale française
6. la rentrée scolaire

■ Activité 14: Interaction

Posez les questions suivantes à votre camarade.

1. Quels jours de la semaine est-ce que tu préfères?
2. Est-ce qu'il y a un jour que tu n'aimes pas? Lequel?
3. Quel est le prochain *(next)* jour férié?
4. Quelle fête de l'année est-ce que tu préfères? Est-ce que tu passes cette fête en famille ou avec des amis?
5. Ton anniversaire, c'est quand?

Structure 2.5

Talking about age and things you have *Le verbe **avoir***

In the following activities, you will be using the verb **avoir** *(to have)* to say how old you are—in French one "has" years. For the conjugation of the verb **avoir,** see page 54.

■ Activité 15: Quel est l'âge de ces gens célèbres?

As you begin **Activité 15,** point out that in French dates are given with the date first, followed by the month and year: **C'est quand l'anniversaire de Juliette Binoche? C'est le neuf mars 1964. Nous sommes en quelle année? 2007** (or current year)? Write on board. **Alors, si Juliette Binoche est née en 64** (write on board), **elle a quel âge maintenant? Oui, elle a quarante-trois ans** (or calculate in current year). Put students in groups to complete this activity designed to review numbers, dates, and birthdays. See which group finishes first. Background information: **Binoche, actrice; Letterman, animateur de télévision; Tautou, actrice; Kassovitz, acteur / réalisateur; Angelou, poète; Besson, réalisateur; Tony Parker, joueur de basket**

A. Travaillez en groupes de quatre et donnez l'anniversaire et l'âge de ces personnes célèbres.

Modèle: Juliette Binoche (9.3.64)
L'anniversaire de Juliette Binoche est le neuf mars mille neuf cent soixante-quatre. Elle a _____ ans.

1. David Letterman (12.4.47)
2. Audrey Tautou (8.9.78)
3. Mathieu Kassovitz (3.8.67)
4. Maya Angelou (4.4.28)
5. Luc Besson (18.3.59)
6. Tony Parker (17.5.82)

B. Maintenant, demandez l'âge ou l'anniversaire de quatre camarades de classe.

Modèles: — *Quel âge as-tu ?*
— *J'ai dix-huit ans.*

— *C'est quand ton anniversaire?*
— *Mon anniversaire, c'est le 22 septembre.*

À quel âge est-ce qu'on commence à faire les activités suivantes?

Modèle: On commence à parler...

Généralement, on commence à parler à l'âge de deux ans, mais ça dépend.

1. On commence à voter...
2. On commence l'école primaire...
3. On commence les études universitaires...
4. On commence à travailler...
5. On commence à conduire *(to drive)*...

■ **Situations à jouer!**

Use **iLrn** **voiceboard** for individual oral practice with the **Thèmes** and the **Pratiques de conversation** in **Module 2.**

1.

You are at a party where you want to meet people. Circulate in the room and talk to as many people as possible, through the following steps:
  a. Go up to people; greet them and find out their names.
  b. Ask them if they like the music.
  c. Ask them what kind of music they prefer.
  d. Find out where they study and what the campus is like.
  e. Find out what courses they are taking and how they like them.
  f. Find out where they live.
  g. Excuse yourself by telling them you're looking for something to drink (**Excusez-moi, je vais aller chercher quelque chose à boire.**); then introduce yourself to someone new and start over again.

2.

Make a list of five French celebrities and their birthdates (this information is usually accessible on the Web). Test your partner's knowledge!

Modèle: ÉTUDIANT(E) 1: *Catherine Deneuve a 50 ans.*
ÉTUDIANT(E) 2: *Non, elle n'a pas 50 ans.*
ÉTUDIANT(E) 1: *Correct! Elle a 64 ans.*

Suggestion: Assign the "research" part of this activity as homework.

3.

Make a class calendar. Include major holidays, your classmates' birthdays, and any other special events.

Lecture

■ Anticipation

Tony Parker, c'est français, ça? You might well be surprised to know that a pro basketball player from France plays for the San Antonio Spurs and helped lead them to two NBA championships (2003, 2005). TP, as he is known to his fans, was born in Belgium in 1982 and grew up in France, attending school in Paris at INSEP (**l'Institut National du Sport et de l'Éducation Physique**). On his website, TP lists his likes and dislikes in a form made popular by the film *Amélie*: **j'aime, j'aime pas.** What are some of the things you might expect to find on his list?

J'aime

1 la musique américaine et le rap
la télévision pour le sport, la musique et
les films
5 les restaurants (surtout la cuisine
française)
les macaronis aux fromages
un bon vin français pour les grandes
occasions
wheatgrass juice 10 le jus d'herbe°
les fêtes entre amis
les jeux vidéos
ma famille
Michael Jordan
15 le foot, le hockey, le base-ball
jouer au tennis, faire du roller ou du
karting
voyager
les Bahamas, Bali
20 surfer sur internet
clothes (slang) les fringues° Nike et de Michael Jordan

J'aime pas

l'hypocrisie
la jalousie
25 le racisme
cauliflower / spinach le chou-fleur°, les épinards° et les
endives
le trafic à Paris

Tony Parker, joueur de basket

■ Compréhension et intégration

1. What types of music does Tony Parker prefer?
2. Who do you think might have been a role model for TP?
3. TP credits his mother, a nutritionist, with helping him learn to eat healthy foods. Where on his list can you see her influence?
4. What parts of his list seem particularly "French"? What parts seem very "American"?
5. Does anything on the list surprise you?

■ Maintenant à vous!

1. What likes and dislikes do you have in common with TP?
2. Now create your own **j'aime / j'aime pas** list. When you finish, form groups of five and mix up your lists. Take turns reading the list out loud while group members try to identify who the list belongs to.

Voix en direct (suite)

Go to **iLrn** to view video clips of French students introducing themselves and talking about their interests. You will also see a little girl describing her best friend.

Expression écrite

■ Portrait d'un(e) camarade

In this activity, you will write a descriptive portrait of a classmate.

PREMIÈRE ÉTAPE: Interview a member of the class to find out the following information, which you will include in your portrait. Use **tu** in your interview.

1. Quel âge est-ce qu'il/elle a? C'est quand, son anniversaire?
2. D'où est-il/elle? *(Where is he/she from?)*
3. Où est-ce qu'il/elle habite maintenant?
4. En quelle année d'université est-il/elle?
5. Où est-ce qu'il/elle passe beaucoup de temps sur le campus?
6. Qu'est-ce qu'il/elle aime faire le week-end?
7. Qu'est-ce qu'il/elle n'aime pas?

DEUXIÈME ÉTAPE: Follow the model to write your portrait.

Voici Jennifer. C'est une étudiante de dix-neuf ans aux cheveux bruns et courts. Elle est de Miami mais maintenant, elle étudie à Brandeis. Elle habite sur le campus dans une résidence universitaire. Jennifer est en première année à l'université. Elle étudie la biologie, la psychologie et les statistiques. Pour se reposer le week-end, elle aime aller au cinéma et écouter de la musique. Elle n'aime pas beaucoup regarder la télé. Jennifer est belle et intelligente.

SYSTÈME-D	
Phrases:	describing people
Grammar:	infinitive, adjective agreement
Vocabulary:	leisure, studies, courses, university

Structure 2.1

Use the **iLrn** platform for more grammar and vocabulary practice.

Saying what you like to do *Aimer et les verbes réguliers en -er*

Verbs are classified by their infinitive form. An infinitive is preceded by *to* as in *to like*. The largest group of French verbs has infinitives that end in **-er.** These regular **-er** verbs have the same conjugation pattern. To conjugate the verb **aimer,** remove the infinitive ending **-er** and add the endings shown in bold type in the chart.

aimer *(to like; to love)*	
j'aim**e**	nous aim**ons**
tu aim**es**	vous aim**ez**
il/elle/on aim**e**	ils/elles aim**ent**

The subject pronoun **je** contracts with the verb that follows if it begins with a vowel sound. Drop the **e** in **je** and add an apostrophe. This is called **élision.**

je chante   j'aime   j'écoute   j'habite (mute **h***)

Pronunciation note

- With the exception of the **nous** and **vous** forms, the **-er** verb endings are silent.

  ils parlent   tu danses   elles jouent

- The final **s** of **nous, vous, ils,** and **elles** links with verbs beginning with a vowel sound, producing a **z** sound. This pronunciation linking is an example of **liaison.**

  vous_aimez   nous_écoutons   ils_adorent   elles_insistent   ils_habitent*
  /z/   /z/   /z/   /z/   /z/

Here are some common **-er** verbs.

adorer *to adore*	fumer *to smoke*	préférer *to prefer*
chanter *to sing*	habiter *to live*	regarder *to watch, look at*
danser *to dance*	jouer *to play*	rester *to stay*
détester *to hate*	manger *to eat*	travailler *to work*
écouter *to listen (to)*	parler *to speak*	voyager *to travel*

Stating likes, dislikes, and preferences

Verbs of preference (**aimer, adorer, détester, préférer**) can be followed by a noun (see also Structure 2.3) or an infinitive.

J'aime les films étrangers.   *I like foreign films.*
Nous aimons habiter sur le campus.   *We like to live on campus.*

Note the accents on the verb **préférer.**

préférer *(to prefer)*	
je préfère	nous préférons
tu préfères	vous préférez
il/elle/on préfère	ils/elles préfèrent

Tu préfères les films d'amour.   *You prefer romantic films.*
Nous préférons regarder les comédies.   *We prefer to watch comedies.*

*French distinguishes between mute **h,** where **élision** and **liaison** occur (e.g., **l'homme, l'hôtel, habiter**), and aspirated **h,** where there is no **élision** or **liaison** (e.g., **le héros, le hockey**). Most words beginning with **h** are of the first type. Note, however, that the **h** is never pronounced in French.

To express how much you like something, you can use one of the adverbs shown here. Adverbs generally follow the verb they modify.

beaucoup	*very much, a lot*
bien	*well* (aimer bien = *to like*)
assez bien	*fairly well*
un peu	*a little*
pas du tout	*not at all*

J'aime **beaucoup** la musique brésilienne. — *I like Brazilian music a lot.*
Marc aime **bien** danser. — *Marc likes to dance.*
Paul danse **assez bien.** — *Paul dances fairly well.*
Nous aimons **un peu** regarder la télé. — *We like watching television a little.*
Je n'aime **pas du tout** les films policiers. — *I don't like detective films at all.*

Because **aimer** means both *to like* and *to love*, **aimer bien** is used to clarify that *like* is intended.

— Tu aimes Chantal?   — *Do you like Chantal?*
— Oui, j'aime bien Chantal.   — *Yes, I like Chantal (just fine).*

■ **Exercice 1.** You overhear parts of conversations at a party. Complete the following sentences by conjugating the verbs in parentheses, if necessary.

1. Tu _____ (aimer) cette musique?
2. Tu _____ (préférer) danser ou écouter de la musique?
3. Ce groupe _____ (chanter) très bien.
4. Mes copains _____ (chercher) un bon film. Ils _____ (préférer) les drames psychologiques.
5. Vous _____ (regarder) beaucoup la télévision le week-end?
6. Nous _____ (habiter) près de l'université.

■ **Exercice 2.** Put the adverbs in parentheses in the correct place.

1. Pierre danse beaucoup. Il aime danser. (bien)
2. Je regarde les films avec Katharine Hepburn à la télé. J'aime les films classiques. (beaucoup)
3. Malina n'aime pas aller au concert avec ses copains. Elle n'aime pas la musique classique. (du tout)
4. J'aime la musique brésilienne, mais j'adore la musique africaine! (un peu)
5. Marc aime le cinéma, surtout les comédies. (bien)

■ **Exercice 3.** Two of the three verb forms in each list have the same pronunciation. Which one sounds different?

1. danse   dansent   danser
2. joues   jouons   jouent
3. écoutez   écoute   écoutes
4. adore   adores   adorer

Structure 2.2

Saying what you don't like to do *La négation ne... pas*

To make a verb negative, frame it with the negative markers **ne** and **pas.**

$$\boxed{\textbf{ne} + \text{verb} + \textbf{pas}}$$

Je **ne** chante **pas** dans un groupe.	*I don't sing in a group.*
Nous **ne** parlons **pas** italien.	*We don't speak Italian.*

Verbs that begin with a vowel, such as **aimer** and **étudier,** or a mute **h,** drop the **e** in **ne** and add an apostrophe.

Je **n**'aime **pas...**	*I don't like . . .*
Tu **n**'étudies **pas...**	*You don't study . . .*
Elle **n**'a **pas...**	*She doesn't have . . .*

In casual conversation, French speakers often pronounce the **ne** very briefly and may even drop it. For example, you will often hear **j'aime pas...** This essentially oral form can be found on the Internet in blogs and other types of informal writing that try to imitate speech. This casual usage is illustrated in the reading for this module, where Tony Parker posts a list of his likes and dislikes on his webpage titled **J'aime, J'aime pas**.

■ **Exercice 4.** Contradict the following statements by making the affirmative sentences negative and the negative sentences affirmative.

1. Vous regardez la télévision.
2. Joëlle et Martine n'aiment pas le cinéma.
3. Tu habites à Boston.
4. Nous ne fermons pas la porte.
5. Marc et moi, nous écoutons la radio.
6. Tu étudies l'anglais.
7. Je n'écoute pas le professeur.

Structure 2.3

Talking about specifics *Les articles définis*

The definite article (*the* in English) has the following forms in French:

	singular	plural
masculine	**le** professeur	**les** étudiants
feminine	**la** musique	**les** femmes

Note that **l'** is used with singular nouns (masculine and feminine) beginning with a vowel or a mute **h.**

l'étudiant(e)   l'amour   l'université   l'homme

Definite articles are used to refer to specific people or things.

Regardez **le** professeur.	*Look at the teacher.*
La porte est fermée.	*The door is closed.*

French also uses definite articles for making general statements; this is why they are used with preference verbs. Notice that in the corresponding English sentences, no article is used.

Vous aimez **le** jazz?	*Do you like jazz?*
Je préfère **les** gens sérieux.	*I prefer serious people.*
L'amour est essentiel dans la vie!	*Love is essential in life!*

Note that the definite article remains unchanged in negative sentences.

J'aime **le** jazz, mais je n'aime pas **la** musique classique.	*I like jazz, but I don't like classical music.*

■ **Exercice 5.** Add the appropriate definite article.

1. _____ musique
2. _____ étudiants
3. _____ chaise
4. _____ homme
5. _____ cinéma
6. _____ arbre
7. _____ danse
8. _____ crayon
9. _____ fenêtres
10. _____ film
11. _____ week-end
12. _____ tableau

■ **Exercice 6.** Use the correct definite article to complete the following interview with Léo Hardy, a young Brazilian performing in Paris.

INTERVIEWER: Vous aimez danser?

LÉO HARDY: Oui, j'adore danser! Je danse _____ (1) tango *(m)*, _____ (2) valse *(f)*, _____ (3) samba *(f)* et _____ (4) danses folkloriques.

INTERVIEWER: Et vous êtes sportif aussi?

LÉO HARDY: Oui! J'aime _____ (5) football *(m)*, _____ (6) tennis *(m)*, _____ (7) golf *(m)* et _____ (8) natation *(f, swimming)*, mais pas _____ (9) ski *(m)*.

INTERVIEWER: Pas _____ (10) ski? Pourquoi pas?

LÉO HARDY: _____ (11) Brésiliens n'aiment pas _____ (12) froid *(m, cold)*.

Structure 2.4

Listing what there is and isn't *Il y a / Il n'y a pas de*

Il y a *(There is / There are)* is used to state the existence of people and things. The negative expression **il n'y a pas** is followed by **de** or **d'**.

> Il y a **un**
> Il y a **une** ⎫
> Il y a **des** ⎭ ⟶ Il n'y a pas **de/d'**

Il y a **un** concert aujourd'hui?
Is there a concert today?

Non, il n'y a pas **de** concert.
No, there isn't a concert.

Il y a **des** devoirs ce soir?
Is there homework tonight?

Non, il n'y a pas **de** devoirs.
No, there isn't any homework.

Il y a **une** fête à la résidence?
Is there a party in the dorm?

Non, il n'y a pas **de** fête.
No, there isn't a party.

For nouns that begin with a vowel, such as **ordinateur,** or a mute **h,** drop the **e** in **de** and add an apostrophe.

Il y a **un** ordinateur sur son bureau?
Is there a computer on his desk?

Non, il n'y a pas **d'**ordinateur.
No, there isn't a computer.

■ **Exercice 7.** Complete this passage about an unusual classroom by adding the correct indefinite article: **un, une, des,** or **de.**

Dans la salle de classe, il y a _____ (1) tableau, mais il n'y a pas _____ (2) craie. Il y a _____ (3) bureau pour le professeur, mais il n'y a pas _____ (4) chaise. Il y a _____ (5) porte, mais il n'y a pas _____ (6) fenêtres. Il y a _____ (7) étudiants, mais il n'y a pas _____ (8) professeur.

■ **Exercice 8.** Complete the following exchanges with a definite article (**le, la, les**) or an indefinite article (**un[e], des**, or **de**).

1. — Tu aimes _____ (1) week-end?
   — Oui, j'adore _____ (2) week-end, mais je n'aime pas _____ (3) lundi.
2. — Vous êtes français et vous n'aimez pas _____ (4) pain (*m, bread*)? C'est incroyable!
   — C'est vrai. Et je n'aime pas _____ (5) vin non plus (*either*).
3. — Y a-t-il une piscine à la résidence universitaire?
   — Il n'y a pas _____ (6) piscine, mais il y a _____ (7) courts de tennis.
4. — Est-ce qu'il y a un animal dans votre chambre?
   — Oui, il y a _____ (8) chat. Moi, j'adore _____ (9) chats.
5. — Vous aimez _____ (10) sciences naturelles?
   — Oui, beaucoup, mais je n'aime pas _____ (11) anglais.
6. — Est-ce qu'il y a _____ (12) bon dictionnaire sur Internet?
   — Il y a _____ (13) dictionnaires sur Internet mais je préfère utiliser _____ (14) dictionnaire Larousse à la bibliothèque.

Structure 2.5

Talking about age and things you have *Le verbe* **avoir**

The verb **avoir** *(to have)* is irregular.

avoir (*to have*)	
j'ai	nous avons
tu as	vous avez
il/elle/on a	ils/elles ont

Nous avons beaucoup de devoirs ce soir.   *We have a lot of homework tonight.*
Tu as un nouveau numéro de téléphone?   *Do you have a new phone number?*

In French, the verb **avoir** is used to express age.

Quel âge **as**-tu?   *How old are you?*
J'**ai** 19 ans.   *I'm 19 (years old).*

Avoir is often followed by an indefinite article (**un, une**, or **des**). In negative sentences, these articles become **de**.

Il a **des** CD, mais il **n'**a **pas de** cassettes.   *He has CDs, but he doesn't have any cassettes.*

■ **Exercice 9.** Use the correct form of the verb **avoir** to complete the following mini-dialogues.

1. — Quel âge avez-vous?
   — Moi, j(e) _____ (1) 18 ans et ma camarade de chambre _____ (2) 20 ans.
2. — Est-ce que vous _____ (3) une télé dans votre studio?
   — Oui, nous _____ (4) une petite télé.
3. — Tu _____ (5) un groupe préféré?
   — Oui, j(e) _____ (6) quelques groupes préférés.
4. — Est-ce que vos amis _____ (7) beaucoup de CD?
   — Jean-Claude _____ (8) beaucoup de CD, et Manuel et Hélène _____ (9) des DVD.

Tout ensemble!

Complete this description of Jean-Luc and his friends by selecting the correct words to go in the blanks from the list below. Be sure to conjugate the verbs correctly.

aimer   de   maths   résidence
avoir   être (trois fois) parler   stade
cours   jouer   piscine   une
danser

Jean-Luc _____ (1) 18 ans. Cette année, il commence ses études à l'Université de

Lyon. Jean-Luc a trois _____ (2): biologie, chimie et _____ (3).

Comme *(Since)* Jean-Luc n(e) _____ (4) pas de la région de Lyon, il habite dans

une _____ (5) universitaire près de la faculté des sciences. L'université

_____ (6) excellente, mais elle n'a pas _____ (7) campus «à

l'américaine». Il n'y a pas de _____ (8) pour nager *(to swim)* par exemple ou de

_____ (9) pour les matches de foot et de basket. Jean-Luc et ses copains

_____ (10) contents d'être indépendants. Ils _____ (11) la vie

d'étudiant. Le week-end, ils _____ (12) avec leurs amis au café,

_____ (13) au basket ou _____ (14) la salsa dans un club latin. C'est

_____ (15) danse très populaire cette année.

❋ Vocabulaire

Noms

Les distractions	*Entertainment*
le cinéma	*the movies*
un copain (une copine)	*a friend*
la danse	*dance*
une fête	*a party; a holiday*
un jeu vidéo	*a video game*
un match (de football)	*a (soccer) game*
la musique (classique)	*(classical) music*
la télévision (la télé, *fam*)	*television*
une vidéo	*a video*

Mots apparentés: un concert, un film, le jazz, la radio, le rap, le rock, le swing, la techno

L'identification	*Identification*
l'âge (*m*)	*age*
un anniversaire	*a birthday*
un nom de famille	*a last name*
un prénom	*a first name*

Mots apparentés: une adresse, un numéro de téléphone

Les matières (*f pl*)	*School subjects*
les affaires (*f pl*)	*business*
l'art dramatique (*m*)	*drama*
la chimie	*chemistry*
la comptabilité	*accounting*
un cours	*a course*
le droit	*law*
un examen	*a test, an exam*
le génie civil	*civil engineering*
la gestion	*management*
l'histoire (*f*)	*history*
l'informatique (*f*)	*computer science*
le journalisme	*journalism, media studies*
les langues (*f pl*)	*languages*
l'allemand (*m*)	*German*
l'anglais (*m*)	*English*
l'arabe (*m*)	*Arabic*
l'espagnol (*m*)	*Spanish*
le français	*French*
l'italien (*m*)	*Italian*
le japonais	*Japanese*
les sciences	
économiques (*f pl*)	*economics*
les sciences	
politiques (*f pl*)	*political science*
la spécialisation	*major*
le travail	*work*

Mots apparentés: l'anthropologie (*f*), l'art (*m*), la biologie, la littérature, les mathématiques (*f pl;* les maths, *fam*), la médecine, la philosophie, la physique, la psychologie, la science, le semestre, la sociologie, le trimestre

Le campus	*The campus*
une bibliothèque	*a library*
la fac (*fam*)	*university*
le jardin	*garden*
une librairie	*a bookstore*
un musée	*a museum*
un parc	*a park*
une piscine	*a pool*
une résidence universitaire	*a college dorm*
un restaurant universitaire	
(un resto-U, *fam*)	*a university restaurant*
une salle informatique	*a computer room*
une université	*a university*

Mots apparentés: une cafétéria, un laboratoire, le latin (*Latin*), un théâtre

Le calendrier	*The calendar*
l'année (*f*)	*year*
aujourd'hui	*today*
le jour	*day*
le mois	*month*
la semaine	*week*

Mots apparentés: le week-end, la date

Les jours de la semaine	*Days of the week*
lundi	*Monday*
mardi	*Tuesday*
mercredi	*Wednesday*
jeudi	*Thursday*
vendredi	*Friday*
samedi	*Saturday*
dimanche	*Sunday*

Les mois de l'année	*Months of the year*
janvier	*January*
février	*February*
mars	*March*
avril	*April*
mai	*May*
juin	*June*
juillet	*July*
août	*August*
septembre	*September*
octobre	*October*
novembre	*November*
décembre	*December*

Les saisons	*Seasons*
l'automne (*m*)	*autumn*
l'été (*m*)	*summer*
l'hiver (*m*)	*winter*
le printemps	*spring*

Mots divers

mais	*but*
voici	*here is*

Verbes

adorer	*to adore*
aimer	*to like; to love*
aimer bien	*to like; to really like*
s'amuser	*to have fun*
avoir	*to have*
chanter	*to sing*
commencer	*to begin*
danser	*to dance*
détester	*to hate*
écouter	*to listen (to)*
étudier	*to study*
fumer	*to smoke*
habiter	*to live (in a place)*
jouer	*to play*
manger	*to eat*
parler	*to speak*
préférer	*to prefer*
regarder	*to watch*
rester	*to stay*
surfer	*to surf*
travailler	*to work*
voyager	*to travel*

Adjectifs

bon(ne)	*good*
difficile	*difficult*
ennuyeux (ennuyeuse)	*boring*

facile	*easy*
intéressant(e)	*interesting*
pratique	*practical, useful*

Mot apparenté: excellent(e)

Adverbes

assez bien	*fairly well*
beaucoup	*a lot*
bien	*well*
un peu	*a little*

Expressions utiles
(See page 42 for additional expressions.)

J'ai trois ans.	*I'm three years old.*
J'ai cours le samedi.	*I have classes on Saturday.*
Je suis en première (deuxième, troisième) année.	*I am a first (second, third) year student.*
où	*where*
Quel âge avez-vous?	*How old are you?*

Comment exprimer ses préférences
How to express preferences

(See page 34 for additional expressions.)

J'aime bien (beaucoup) voyager.	*I (really) like to travel.*
Je déteste voyager.	*I hate to travel.*
Vous connaissez/Tu connais (Francis Cabrel)?	*Are you familiar with (Francis Cabrel)?*

■ Vocabulaire supplémentaire

Noms

un amphithéâtre	*an amphitheater, a lecture hall*
un arbre	*a tree*
un banc	*a bench*
un bâtiment	*a building*
le beau temps	*good weather*
le centre-ville	*downtown*
un chat	*a cat*
l'espace *(m)*	*space*
une exposition	*an exhibit*
une fleur	*a flower*
le froid	*cold*
le goût	*taste*
les informations *(f pl)* (les infos, *fam*)	*the news*
les jeux télévisés *(m pl)*	*TV game shows*
la montagne	*mountain*
la neige	*snow*
la plage	*beach*
la rentrée	*back to school or work*
une série	*TV series*

un stade	*a stadium*
un studio	*a studio apartment*
la télé-réalité	*reality TV show*
un terrain de football	*a soccer field*
les vacances *(f pl)*	*vacation*

Mots divers

d'où	*from where*
fou (folle)	*crazy*
parfois	*sometimes*
quel(s), quelle(s)	*which, what*
rarement	*rarely*
souvent	*often*
surtout	*most of all*

Mots apparentés: un animal, une aventure, le camping, un centre culturel, un court de tennis, la danse folklorique, un documentaire, le football (américain), le golf, une interview, le marketing, médiocre, une préférence, régulièrement, le risque, la sculpture, la sécurité, silencieux (silencieuse), le sport, le tango, le tennis, typiquement, la valse

Chez l'étudiant

This chapter expands on the topic of students' lives at home and at school. You will learn how to talk about your

Module 3

family and how to describe your room and your personal belongings. In the **Perspectives culturelles** sections, you will read about attitudes towards families and pets. ❁

Thème: Des nombres à retenir (60 à 1 000 000)

Perspectives culturelles: Les Français et leurs animaux domestiques

Voix en direct: Les chiens dans les lieux publics

Pratique de conversation: Comment louer une chambre ou un appartement

À lire, à découvrir et à écrire

Lecture: *La famille Bellelli,* du *Guide du musée d'Orsay*

iLrn™ Voix en direct (suite)

Expression écrite: Moi et ma chambre

La famille

Structure 3.1

Expressing relationship *Les adjectifs possessifs*

Structure 3.2

Talking about where people are from *Le verbe* **venir**

Structure 3.3

Another way to express relationship and possession *La possession* ***de*** + *nom*

To talk about your family, you will need to use possessive adjectives and the preposition ***de*** + **nom** to express relationships. You will also use the verb **venir** *(to come)* to talk about where relatives are from. For an explanation of possessive adjectives, see page 80. For the verb **venir,** see page 81. See page 81 for ***de*** + **nom.**

Suggestion: Before discussing the family tree, use your own or a well-known family (The Simpsons) to introduce the vocabulary. Bring in pictures if you have them. Say: **Moi, je suis mariée. Voici mon mari. Il s'appelle John. John et moi, nous avons un fils et deux filles. Voici mon fils. Il s'appelle Garrett. Garrett a 7 ans. Il aime... Et vous, est-ce que vous avez une grande famille? Est-ce que vous avez des frères ou des sœurs?** Additional vocabulary: **demi-sœur/demi-frère** *(half-sister/half-brother);* **belle-mère, beau-père** *(stepmother, stepfather).*

Suggestion: Go over the Dubois family tree to give students practice listening to vocabulary for family relationships. Say: **Regardez Pauline. Il y a cinq enfants dans sa famille. C'est une famille nombreuse, n'est-ce pas? Sa mère s'appelle Sandrine. Comment son père s'appelle-t-il? Est-ce que les Dubois sont les parents de son père ou de sa mère? Oui. Ce sont les parents de son père. Ce sont les beaux-parents de sa mère.**

Suggestion: Concentrate on family vocabulary before working with possessive adjectives in the first **Notez et analysez** on page 61. Then ask: **Comment dit-on** *her aunt* **en français,** *her uncle, her cousins?* Write students' answers on the board. **Oui, il y a trois formes. Pourquoi? Oui, parce que «oncle» est masculin, «tante» est féminin et «cousins» est pluriel.** Once students have studied Structure 3.1 on their own, you can elicit all the possessive adjective forms from them and write them on the board to display in a diagram.

■ **Activité 1: La famille Dubois**

Regardez l'arbre généalogique de Pauline et répondez aux questions suivantes.

1. Combien d(e)... a-t-elle?
   a. frères   **d.** cousines
   b. cousins   **e.** enfants
   c. oncles

2. Comment s'appelle(nt)...
  a. la femme de son oncle Serge?
  b. sa tante célibataire *(unmarried)*?
  c. le mari de sa tante Marianne?
  d. son cousin qui est fils unique *(only child)*?
  e. ses cousins jumeaux *(twin)*?
  f. ses grands-parents du côté de sa mère?
  g. ses sœurs?

3. Qui est/sont...
  a. Samuel et Sara?
  b. Gérard et Soline Dubois?
  c. Thierry et Sandrine?
  d. Amélie et Catherine?
  e. Jean-Pierre?
  f. Manuel et Geoffroy?

To lead **Notez et analysez** below, say: **Regardez les définitions dans l'Activité 2. Comment dit-on** *the mother's sister* **en français? Oui, on dit «la sœur de la mère». Comment dit-on** *the father's brother*? **Oui, c'est «le frère du père».** Explain that **de** + **le** contracts to **du.** You might want to include **le père des cousins** to show **de** + **les** = **des.**

■ **Notez et analysez**

Take another look at items a–g in question 2 of **Activité 1.** Find all the words that mean *her.* Can you explain why the forms of this word change?

■ **Notez et analysez**

Take another look at **Activité 2.** How would you say *the mother's sister* or *the father's brother* in French?

■ **Activité 2: Définitions**

Quelle définition correspond à chaque membre de la famille?

1. le grand-père
2. la grand-mère
3. la belle-mère
4. la tante
5. les cousins
6. le neveu
7. le mari
8. l'oncle

a. la mère de la mère ou du père
b. l'époux de la femme
c. le fils du frère ou de la sœur
d. les enfants de l'oncle et de la tante
e. la sœur de la mère ou du père
f. le frère de la mère ou du père
g. la mère de la femme ou du mari
h. le père de la mère ou du père

Activité 2, Réponses: 1. h **2.** a **3.** g **4.** e **5.** d **6.** c **7.** b **8.** f

Activité 3 provides playful, kinesthetic practice with possessive adjectives. Collect items from your students, identifying them in French as they hand them to you. Then display the collected items on your desk, identifying each one. List the words on the board with the appropriate articles. Now it's time to return the items, but you are quite forgetful and need your students' help returning the things: **Alors, c'est mon portable, n'est-ce pas? J'aime bien ce portable.** (Start putting it in your bag.) **Non? Ce n'est pas mon portable? Alors, c'est votre portable, Joe?** (approaching him to hand him the cell phone). **Joe?** [Joe: Non, ce n'est pas mon portable.] **Alors, ce n'est pas son portable. Alors, c'est le portable de qui?** [Classe: De Jenny.] **C'est le portable de Jenny? C'est son portable? Jenny, c'est vrai? C'est votre portable?** [Jenny: Oui, c'est mon portable.] **Très bien. Voici votre portable.** Repeat this with the other items. Include masculine, feminine, and plural items.

■ **Activité 3: C'est votre portable? Un professeur distrait *(absentminded)***

Donnez un objet de votre sac ou de votre sac à dos au professeur. Puis aidez votre professeur à rendre les objets aux étudiants.

Portraits de famille

Tam et ses amis sont étudiants à l'université, mais ils habitent avec leur famille. Ils ont des situations familiales différentes.

TAM: Ma famille est assez nombreuse. Mes parents viennent du Viêt Nam et ils ont un petit restaurant vietnamien dans le Quartier latin. J'ai trois frères et une sœur. Nous travaillons tous ensemble dans le restaurant. Mon frère aîné est marié. Lui et sa femme habitent l'appartement d'à côté *(next door)*.

CAROLE: Mon père et ma mère sont divorcés. Moi, j'habite avec ma mère, mon beau-père et mon demi-frère, Serge. C'est le bébé de la famille. Il est gâté et difficile! Je passe souvent les vacances en Bretagne avec mon père. Il habite seul.

MOUSTAFA: Mes parents viennent d'Algérie, mais je suis de nationalité française. J'ai deux frères et une sœur. Mon frère aîné a 20 ans et mon frère cadet a 16 ans. Ma sœur, Feza, est institutrice. Elle est célibataire mais elle a un nouveau fiancé.

JEAN-CLAUDE: Je n'ai ni frère ni sœur; je suis fils unique. Ma mère est morte *(died)*. J'habite avec mon père et ma belle-mère qui est super.

■ Activité 4: Vrai ou faux?

Indiquez si les phrases suivantes sont vraies ou fausses. Corrigez les phrases fausses.

1. La famille de Tam vient du Viêt Nam.
2. Tam a une belle-sœur.
3. Carole est la demi-sœur de Serge.
4. Les parents de Moustafa viennent d'Afrique du Nord.
5. La belle-mère de Jean-Claude est sympathique.
6. Jean-Claude a une famille nombreuse.

■ Activité 5: La parenté de gens célèbres

Quelles sont les relations entre les personnes suivantes? Posez les questions à un(e) autre étudiant(e) comme dans le modèle.

Modèle: Caroline Kennedy (sœur) / Ted Kennedy
— *Est-ce que Caroline Kennedy est la sœur de Ted Kennedy?*
— *Non, c'est sa nièce.*

1. George H. W. Bush (oncle) / George W. Bush
2. la reine Elizabeth (belle-mère) / le prince William
3. Bart et Maggie Simpson (enfants) / Marge et Homer Simpson
4. Jean-Michel Cousteau (cousin) / Jacques Cousteau
5. Catherine Zeta Jones (fille) / Michael Douglas
6. Chelsea Clinton (nièce) / Hillary Clinton

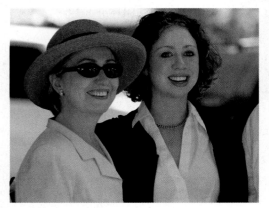

La famille française

Comme la famille américaine, la famille française se transforme: la mère travaille, le père participe plus à l'éducation° de l'enfant et les grands-parents habitent moins souvent° avec leurs enfants. La famille nucléaire traditionnelle—homme, femme et leurs enfants—coexiste maintenant avec d'autres modèles familiaux. Le divorce (42 divorces sur 100 mariages) crée° un grand nombre de familles monoparentales°, et les remariages produisent des familles recomposées°. Un nombre croissant° de couples choisissent de vivre ensemble sans° se marier et il y a de plus en plus d'enfants nés° de ces unions libres. En 2003, 45.2% des bébés sont nés hors° mariage. Le pacte civil de solidarité (PACS), créé en 1999, offre un statut juridique° aux couples non-mariés (homme-femme ou du même sexe).

upbringing
less often

creates
single-parent families
blended families / growing number / without / born
outside of
legal status

Malgré° ces changements, pour les Français, la vie familiale, après la santé°, reste la chose la plus importante dans la vie. Les jeunes Français habitent souvent plus longtemps avec leur famille que les jeunes Américains. En effet, on choisit souvent une université dans une ville près de la maison. Cela se passe surtout dans la région parisienne où le prix des logements est élevé°. À l'âge de 24 ans, presque la moitié des étudiants habitent toujours chez les parents. Ce départ tardif° est en partie le résultat d'une économie précaire°. Les parents, pour leur part, accordent souvent plus d'indépendance ou de liberté à leurs enfants. Beaucoup de jeunes estiment° les relations avec leurs parents excellentes. Dans un monde incertain, le cocon° familial offre protection et stabilité et le foyer° est un lieu sûr° pour développer son identité personnelle.

Despite
health

high

late departure
weak

regard
nest
home
safe place

(Adapté de *Francoscopie*, 2005)

Un nombre croissant de couples français décident de vivre ensemble sans se marier.

Le père joue un rôle plus important dans l'éducation de ses enfants.

■ Avez-vous compris?

Indiquez si les phrases suivantes sont vraies ou fausses. Corrigez les phrases fausses.

1. Les mères françaises ne travaillent pas.
2. Il y a plus d'un *(more than one)* modèle familial en France de nos jours.
3. Dans la famille classique française, il y a un seul *(only one)* parent.
4. La famille recomposée est souvent le résultat d'un divorce et d'un deuxième mariage.
5. Les couples qui vivent en union libre sont mariés.
6. La famille joue un rôle central dans la vie des Français.
7. Les rapports entre les parents et les jeunes Français sont généralement mauvais.
8. Il est rare pour un jeune Français de 24 ans d'habiter chez ses parents.

■ Et vous?

1. Est-ce que pour vous et vos amis, il est préférable de vivre à la maison quand on fait ses études universitaires?
2. Est-ce que c'est un tabou aux États-Unis d'avoir un bébé hors mariage? Expliquez.
3. Quelle institution aux États-Unis est comparable au PACS?

Les caractéristiques personnelles

Structure 3.4

Describing personalities *Les adjectifs (suite)*

This **thème** presents additional adjectives for describing personal characteristics. See pages 82–83 for information on adjective placement and agreement rules.

This expansive list of adjectives gives students lots of choices for describing people. Begin by having students provide adjectives for celebrities. Bring in pictures. Ask questions: **Chris Rock est-il calme et réservé? Non? Comment est-il, alors? Oui, il est dynamique, comique et très sociable. Qui est réservé?**

optimiste, réaliste	pessimiste
sociable	timide, réservé(e)
sympathique, gentil(le), agréable	désagréable, snob, égoïste, méchant(e)
compréhensif (compréhensive) *(understanding)*	strict(e), sévère
heureux (heureuse), content(e)	mécontent(e), triste
intelligent(e)	stupide, bête *(fam)*
calme, décontracté(e) *(relaxed)*	nerveux (nerveuse), stressé(e)
enthousiaste, passionné(e)	indifférent(e)
travailleur (travailleuse)	paresseux (paresseuse)
dynamique, actif (active), sportif (sportive)	sédentaire
raisonnable	déraisonnable
individualiste, indépendant(e)	conformiste
sage, bien élevé(e) *(well-behaved)*	gâté(e) *(spoiled)*, mal élevé(e)

▪ Notez et analysez

In a glossary or vocabulary list, which adjective form is presented first, the masculine form or the feminine form? What feminine endings do you find in this list?

▪ Activité 6: Votre famille

Trouvez un membre de votre famille avec les qualités suivantes. Pour qualifier votre description, utilisez **un peu, assez** ou **très.**

Modèle: pessimiste
ÉTUDIANT(E) 1: *Qui dans ta famille est pessimiste?*
ÉTUDIANT(E) 2: *Ma sœur est très pessimiste. / Personne n'est* (No one is) *pessimiste dans ma famille.*

1. calme
2. raisonnable
3. gâté(e)
4. sportif (sportive)
5. pessimiste
6. égoïste
7. nerveux (nerveuse)
8. désagréable
9. bien élevé(e)
10. dynamique

Est-ce que l'adjectif prononcé par votre professeur décrit Brad Pitt ou Angelina Jolie?

Modèle: Vous entendez *(hear):* blond
                Vous dites *(say): C'est Brad Pitt.*

1.   2.   3.   4.   5.

Un(e) ami(e) parle de votre famille. Vous êtes d'accord, mais vous atténuez *(tone down)* les remarques en suivant les modèles.

Modèles: — Ta mère est pessimiste.
                 — *Oui, elle n'est pas très optimiste.*

                 — Ton oncle est gentil.
                 — *Oui, il est assez sympathique.*

                 — Ton cousin est nerveux.
                 — *Oui, il n'est pas très calme.*

1. Comme tes grands-parents sont sympathiques!
2. Ta cousine est moche!
3. Je trouve tes frères réservés.
4. Ton chien est méchant.
5. Ta mère est très active.
6. Ton oncle est paresseux.

Astérix est un petit homme courageux. Son meilleur ami *(best friend)*, Obélix, est un gros homme fidèle. Et Garfield, le chat, comment est-il ?

■ **Notez et analysez**

Most descriptive adjectives follow the nouns they modify. Which adjectives in the caption describing Astérix and Obélix follow this pattern? Some adjectives precede the nouns they modify. A simple mnemonic device that may help you remember this group of adjectives is BAGS—Beauty, Age, Goodness, and Size. Find the categories that apply to the adjectives that precede the noun in the cartoon caption.

■ Activité 9: Identification

Identifiez les personnes et les choses suivantes.

1. C'est une belle femme célèbre.
2. C'est le joli jardin de Monet.
3. C'est un grand compositeur français.
4. C'est une jeune joueuse de tennis française.
5. C'est une bonne montre *(watch)* suisse.
6. C'est une vieille ville italienne.
7. C'est un bel acteur français.
8. C'est un petit homme important.

a. Napoléon
b. Amélie Mauresmo
c. Romain Duris
d. Catherine Deneuve
e. Rome
f. une Swatch
g. Giverny
h. Claude Debussy

■ Activité 10: Ma grand-mère

Ce portrait n'est pas très descriptif. Ajoutez des adjectifs: **beau (belle); joli(e); jeune; petit(e); grand(e); vieux (vieille); nouveau (nouvelle); sympathique; moderne; bon(ne).**

1. Ma grand-mère est une femme. (deux adjectifs)
2. Elle habite avec ses quatre chats dans une maison avec un jardin. (deux adjectifs)
3. Elle adore la musique. (un adjectif)
4. Elle a aussi beaucoup de CD de jazz. (un adjectif)

■ Activité 11: Devinez!

En groupes de deux ou trois, choisissez une personne célèbre et écrivez cinq ou six phrases qui la décrivent. Utilisez une bonne variété d'adjectifs. Ensuite, présentez votre description à la classe. Vos camarades vont deviner *(guess)* de qui vous parlez. Combien d'adjectifs utilisez-vous avant qu'on devine le nom de votre célébrité? Le groupe qui utilise le maximum d'adjectifs gagne!

■ Activité 12: Interaction

Répondez directement aux questions et élaborez votre réponse en ajoutant une ou deux remarques.

Modèle: — Est-ce que tu viens d'une famille nombreuse?
— *Non, je viens d'une famille moyenne. J'ai une sœur et un frère. Ma sœur a 15 ans et mon frère a 20 ans.*

1. Tu viens d'une famille nombreuse?
2. D'où viennent tes parents? Où habitent-ils maintenant? Comment sont-ils?
3. Est-ce que tu préfères les petites familles ou les grandes familles? Pourquoi?
4. Tu aimes les parents de tes amis? Comment sont-ils?
5. Est-ce que tes grands-parents sont vivants *(living)*? Quel âge ont-ils?

La chambre et les affaires personnelles

Structure 3.5

Describing where things are located *Les prépositions de lieu*

In the following descriptions of two students' rooms, you will learn how to use prepositions to describe how items are arranged in space. For a list of these prepositions, see page 84.

For a list of these prepositions, see page 84.

Goal: Room and furniture vocabulary and prepositions. Begin by talking about the two rooms: **Regardez la chambre de Claudine. Il y a un lit, un bureau,** etc. **Est-ce qu'il y a une chaise?** Present the vocabulary, reviewing **il y a / il n'y a pas de.** Then talk about where things are located to introduce prepositions.

Chez Claudine

Regardez la chambre de Claudine. Il y a un lit **entre** la table de nuit et le bureau. **Derrière** le lit, il y a une fenêtre avec des rideaux. **Sur** la table de nuit, il y a des fleurs dans un vase. **Dans** son placard, il y a des vêtements. **Devant** son bureau, il y a une chaise. Son petit chat blanc est **sous** la chaise. Son ordinateur est **sur** son bureau. **Au-dessus du** bureau, il y a une affiche d'Einstein. Le chapeau préféré de Claudine se trouve **sur** le tapis **près du** lit. Il y a une chaîne stéréo **sur** l'étagère.

■ Activité 13: Vrai ou faux?

Indiquez si les phrases suivantes sont vraies ou fausses. Corrigez les phrases fausses.

1. Dans la chambre de Claudine, il y a...
   a. une chaise devant la fenêtre.
   b. un lit entre la table de nuit et le bureau.
   c. un chat sous la chaise.
   d. une affiche au-dessus du lit.
   e. un tapis entre le placard et le lit.

Chez Christian

Regardez la chambre de Christian. Son miroir est **à côté de** la fenêtre. Il y a un gros chat noir **sur** le lit. **Au-dessus du** lit, il y a une affiche d'Einstein. **En face du** lit, il y a une télévision avec un lecteur DVD. La table de nuit est **entre** le lit et le bureau. **Devant** le bureau, il y a une chaise. **Dans** un aquarium **sur** le bureau, il y a des poissons rouges. **Près de** l'aquarium, il y a des livres et une photo. La casquette préférée de Christian est **sur** la lampe. Il y a une plante **dans** le lavabo.

2. Dans la chambre de Christian, il y a...
   a. un chat sur le tapis.
   b. un lit entre le bureau et la table de nuit.
   c. une affiche au-dessus du lit.
   d. un vase de fleurs sur le bureau.
   e. une plante dans le lavabo.

Activité 14: Begin by modeling the activity: **Regardez la chambre de Françoise. Qu'est-ce qu'elle a dans sa chambre? Comment est Françoise? Pourquoi est-ce que vous pensez qu'elle n'est pas sportive? Est-ce que la chambre est en désordre** (messy)?

■ **Activité 14: Les affaires personnelles et la personnalité**

Donnez vos impressions de Françoise en regardant sa chambre et ses affaires personnelles. Comment est Françoise? Qu'est-ce qu'elle aime faire?

Françoise habite un studio près de la faculté de lettres.

En groupes de trois ou quatre, trouvez quatre objets que tout le monde *(everyone)* possède et un objet qui n'appartient à personne *(no one has)*. Travaillez vite—le groupe qui finit le premier gagne!

Modèle: un livre de Shakespeare
— *Qui a un livre de Shakespeare?*
— *Moi.*
— *Moi aussi.*
— *Et un livre de Dan Brown?*
— *Personne* (No one).

un dictionnaire anglais-français
un lecteur DVD
une raquette de tennis
une montre
un sac à dos
un snowboard
un instrument de musique
un laptop avec wifi
un livre de Flaubert
des plantes
une calculatrice
des livres de Harry Potter
un ballon de foot

un CD de Dave Matthews
des posters
des rollers *(fam)*
un vélo
des CD de Britney Spears
un chapeau de cow-boy
un lecteur MP3
un journal intime *(diary)*
une télé
une chaîne hi-fi
un portable
un petit frigo *(fam) (refrigerator)*
un radio-réveil
un scooter

une montre

un lecteur DVD

un lecteur MP3

une calculatrice

un vélo

un ballon de foot

un laptop avec wifi
(prononcé *weefee*)

un radio-réveil

Vous avez huit occasions pour identifier quatre choses que votre professeur ne possède pas. Utilisez **vous** dans vos questions.

Modèle: ÉTUDIANT(E):   *Vous n'avez pas de rollers, n'est-ce pas?*
PROFESSEUR: Mais si, j'ai des rollers!

Des nombres à retenir (60 à 1 000 000)

Votre numéro de téléphone? — C'est le 04 60 58 85 48.
Votre adresse? — C'est 69, avenue des Lilas.

60 soixante	**70 soixante-dix**	**80 quatre-vingts**
61 soixante et un	71 soixante et onze	81 quatre-vingt-un
62 soixante-deux	72 soixante-douze	82 quatre-vingt-deux
63 soixante-trois	73 soixante-treize	83 quatre-vingt-trois
64 soixante-quatre	74 soixante-quatorze	84 quatre-vingt-quatre
65 soixante-cinq	75 soixante-quinze	85 quatre-vingt-cinq
66 soixante-six	76 soixante-seize	86 quatre-vingt-six
67 soixante-sept	77 soixante-dix-sept	87 quatre-vingt-sept
68 soixante-huit	78 soixante-dix-huit	88 quatre-vingt-huit
69 soixante-neuf	79 soixante-dix-neuf	89 quatre-vingt-neuf
90 quatre-vingt-dix	**100 cent**	**1 000 mille**
91 quatre-vingt-onze	101 cent un	1 001 mille un
92 quatre-vingt-douze	102 cent deux	1 002 mille deux
93 quatre-vingt-treize	103 cent trois	2 000 deux mille
94 quatre-vingt-quatorze	200 deux cents	2 001 deux mille un
95 quatre-vingt-quinze	201 deux cent un	2 002 deux mille deux
96 quatre-vingt-seize	202 deux cent deux	2 500 deux mille cinq cents
97 quatre-vingt-dix-sept		
98 quatre-vingt-dix-huit	1 000 000 un million	
99 quatre-vingt-dix-neuf		

■ **Notez et analysez**

For numbers from 70 to 99, keep these "formulas" in mind: $70 = 60 + 10$ (**soixante-dix**); $80 = 4 \times 20$ (**quatre-vingts**); $81 = 4 \times 20 + 1$ (**quatre-vingt-un**); $90 = 4 \times 20 + 10$ (**quatre-vingt-dix**); $95 = 4 \times 20 + 15$ (**quatre-vingt-quinze**). Try using these formulas to calculate how to say the following numbers, and check your answers against the numbers in the list above: **a.** 78 **b.** 85 **c.** 93

■ **Activité 17: Comptez!**

Suivez les directives.

1. Comptez de 70 jusqu'à 100.

2. Donnez les multiples de 10 de 60 jusqu'à 120.

3. Donnez les multiples de 5 de 50 jusqu'à 80.

4. Donnez les nombres impairs *(odd)* de 71 jusqu'à 101.

5. Lisez: 13, 15, 19, 25, 61, 71, 81, 91, 101, 14, 1 000, 186, 1 000 000.

Activité 18: Ça coûte...

Identifiez l'objet par son prix.

Modèle: Ça coûte 16,75€ (seize euros 75).
C'est la calculatrice.

Ça coûte...

1. 1 876 €
2. 238 €
3. 10 150 €

4. 375 €
5. 197 €
6. 675 €

Activité 18 Goal: Practice with large numbers and review of common objects.

Soldes! *(Sale!)*

une calculatrice

un lecteur CD/DVD

un iPod

un laptop

un vélo

une voiture

un snowboard

Les Français et leurs animaux domestiques

With dogs

pets
homes
United Kingdom / Besides
rodents
mammals / mice / guinea pigs / rabbits
Recently / exceeds

However / two-thirds

full / best

Vous préférez les chiens ou les chats? Chez les chiens°, on apprécie la fidélité et les démonstrations d'affection. Chez les chats, on aime surtout l'esprit d'indépendance. En tout cas, les animaux domestiques° ont une place importante dans les foyers° français. En effet, la France occupe la première position en Europe dans ce domaine, devant le Royaume-Uni°. À part° la population canine et féline, on trouve des poissons, des reptiles et des rongeurs° et petits mammifères° (souris°, hamsters, cochons d'Inde° et lapins°).

Récemment°, le nombre de chats dans les foyers dépasse° celui des chiens, car beaucoup de personnes habitent dans un milieu urbain, avec peu d'espace. Pourtant°, deux-tiers° des Français qui vivent en ville possèdent au moins un chien et la plupart considère le chien comme «un membre de la famille à part entière°». C'est unanime. Pour les Français, le chien, c'est le meilleur° ami de l'homme.

cleanliness
public places

sidewalk
unpleasant surprises

prohibit

happiness

Dans les grandes villes comme à Paris, les chiens posent des problèmes de propreté° et d'hygiène dans les lieux publics°. Une promenade sur un trottoir° en ville peut amener de sales surprises°. Contrairement aux États-Unis, on peut trouver des chiens dans les restaurants français. Un établissement peut choisir d'interdire° les chiens, mais certains restaurateurs pensent que la présence d'un chien sage peut ajouter à la convivialité et au bonheur° dans leurs restaurants.

■ Avez-vous compris?

Indiquez si les phrases suivantes sont vraies ou fausses. Corrigez les phrases fausses.

1. Les Français ont plus d'animaux domestiques que les Anglais.
2. Un rat est un d'exemple d'un rongeur.
3. Chez les Français, les chats sont plus nombreux que les chiens.
5. Dans l'opinion française, le chien est le meilleur ami de l'homme.
6. Les trottoirs de Paris sont très propres *(clean)*.
7. Les chiens sont interdits *(not allowed)* dans les restaurants français.

■ Et vous?

1. Vous aimez plutôt les chats ou les chiens?
2. Parlez des animaux domestiques dans votre famille. Est-ce que vous croyez qu'un animal domestique ajoute *(adds)* au bonheur d'une famille?
3. Est-ce que pour vous les chiens devraient être *(should be)* interdits dans les restaurants? Expliquez.

CD1, Track 8

Voix en direct

Les chiens dans les lieux publics *(public places)*

Patrick Sorbet

42 ans
Restaurateur
Aix-en-Provence

Est-ce que qu'il faut interdire[1] les chiens dans les restaurants?

Euh, de mon expérience, un client qui amène[2] son chien au restaurant sait qu'il doit assumer[3] cette responsabilité, quoi. Si le chien est bien éduqué, je ne vois pas de problème[4] s'il veut accompagner son maître[5]. C'est vrai. Il y a toujours des gens[6] qui abusent de la situation. Mais, euh, pour la plupart[7] je trouve que les chiens ajoutent[8] à la convivialité de mon resto.

[1]*prohibit* [2]*brings* [3]*knows that he must assume* [4]*I don't see any problems* [5]*master/owner* [6]*people* [7]*most part* [8]*add*

Jeanne Lagonnelle

38 ans
Styliste, Nice

Moi, j'ai un yorkshire. Il m'accompagne partout[9]: dans le train, dans l'avion, à l'hôtel et bien sûr dans les restaurants qui n'affichent[10] pas ce panneau discriminatoire[11].

[9]*everywhere* [10]*don't post* [11]*discriminatory notice*

On interdit les chiens «par mesure d'hygiène». Et les clients, alors? Est-ce qu'il faut vérifer si les clients se lavent les mains[12]? On dit souvent: «Nous... on aime bien les chiens, mais cela peut gêner[13] certains clients.» Le chien sage au restaurant se met[14] sous la table et dort[15] tranquillement. Qui est-ce qu'il peut ennuyer[16]?

Marc Varteau

28 ans
Musicien, Marseille

[12]*wash their hands* [13]*disturb* [14]*lies* [15]*sleeps* [16]*bother*

Moi, personnellement, je vois rarement des chiens dans les restaurants. Mais, un animal tout sage, auprès de son maître. Pourquoi pas? Parfois, il vaudrait mieux interdire les enfants braillards[17]!

[17]*noisy*

Jeanne Bernard

35 ans
Femme d'affaires

■ Réfléchissez aux réponses

1. En groupe, sondez *(poll)* vos camarades pour déterminer si on doit permettre *(must allow)* les chiens dans les restaurants ou les cafés.
2. Dans quels lieux publics *(public spaces)* est-ce qu'on doit permettre les animaux domestiques?

Comment louer une chambre ou un appartement

> ### ■ Réfléchissez et considérez
>
> What features would you look for in an apartment? Before looking at the expressions presented here, with a partner, come up with four questions you would ask a prospective landlord. Then look to see if a French equivalent appears below.

Quelques expressions utiles

Est-ce que vous avez une chambre / un studio / un appartement à louer°?	*to rent*
Je cherche° un studio à louer.	*I'm looking for*
C'est combien, le loyer°?	*the rent*
Il y a des charges°?	*utility charges*
Est-ce qu'il y a une caution°?	*a deposit*
Vous avez la climatisation° (la clim, *fam*)?	*air conditioning*
Je peux° fumer?	*Can I . . .*
Je peux avoir un chat?	
Les animaux sont interdits°?	*prohibited*
Il y a un garage / un jardin / une piscine / une salle de musculation°?)	*a workout room*
Je voudrais le prendre°.	*I'd like to take it*
Je voudrais réfléchir un peu°.	*I'd like to think it over*

Cette carte autorise les étudiants, les familles modestes et d'autres personnes gagnant *(earning)* peu d'argent, à recevoir un remboursement *(reimbursement)* de leur loyer par le gouvernement.

Activité 19: L'appartement idéal

Pour vous, quelle est l'importance des caractéristiques suivantes? Dites si chaque aspect est essentiel, important ou pas important et expliquez pourquoi.

Modèle: *Pour moi, un studio meublé (furnished) est essentiel. Je n'ai pas de lit.*

1. un studio meublé
2. un studio près de la fac
3. un studio près du centre-ville *(downtown)*
4. un studio avec un garage
5. un studio dans un quartier calme
6. un studio clair *(light)* et lumineux *(bright)*
7. un loyer bon marché *(inexpensive)*
8. un studio dans un immeuble *(building)* avec d'autres étudiants
9. un studio où on accepte les animaux
10. un grand studio
11. un studio dans un immeuble avec un beau jardin et une piscine
12. d'autres qualités?

Un bel immeuble à 5 étages *(floors)*.

CD1, Track 9

Écoutons ensemble! Jennifer cherche une chambre à louer.

Jennifer parle à la propriétaire d'une chambre à louer. Écoutez leur conversation et complétez le tableau avec les informations appropriées.

Logement	__ appartement	__ studio	__ chambre
Description	__ calme	__ grand	__ près de la fac
Loyer par mois	__ 250 euros	__ 205 euros	__ 502 euros
Autres	__ des charges	__ une caution	__ un immeuble
Animaux acceptés	__ les chats	__ les chiens	__ les autres animaux

■ **Activité 20:** Je cherche un studio.

Écoutez et complétez le dialogue avec un(e) camarade de classe.

Selon cette publicité, quelle sorte de logement est-ce que les étudiants cherchent? Quelles options offre Hestia? Comment est-ce qu'on contacte Hestia?

Activité 20: After students have listened to the dialogue and filled in the blanks, pair them off to practice the dialogue. Have several pairs perform the dialogue for the class.

Réponses: 1. avez **2.** louer **3.** a **4.** sofa **5.** table **6.** chaises **7.** lit **8.** près **9.** C'est combien, le loyer **10.** a-t-il une caution **11.** je peux avoir un chat

LOCATAIRE: Bonjour, madame. Vous _____ (1) un studio à _____ (2)?

PROPRIÉTAIRE: Oui, mademoiselle. Il y _____ (3) le studio numéro 25 en face du jardin.

LOCATAIRE: Est-ce qu'il est meublé?

PROPRIÉTAIRE: Oui, il y a un _____ (4), une _____ (5), des _____ (6) et un _____ (7).

LOCATAIRE: Très bien. Et vous êtes _____ (8) de la fac?

PROPRIÉTAIRE: Oui, ici nous sommes à trois kilomètres de la fac. J'ai beaucoup d'étudiants comme locataires.

LOCATAIRE: _____ (9)?

PROPRIÉTAIRE: 400 euros par mois plus les charges.

LOCATAIRE: Y _____ (10)?

PROPRIÉTAIRE: Oui, la caution est de 100 euros.

LOCATAIRE: Est-ce que _____ (11)?

PROPRIÉTAIRE: Non, les animaux sont strictement interdits.

LOCATAIRE: Je voudrais réfléchir un peu. Merci, madame.

Use **iLrn** voiceboard for individual oral practice with the **Thèmes** and the **Pratique de conversation** in **Module 3**.

1.

As a landlord, you've had bad experiences with renters in the past. Interview a potential renter to decide whether or not you'll accept him/her as a tenant. Find out about what he/she studies, his/her likes and dislikes, whether he/she smokes, if he/she has pets, and so on.

2.

You and several of your friends decide to look for a house to share. Discuss what you will require. Go visit the house and ask the landlord your questions in order to decide whether to rent the house or not.

3.

In groups of 4–5: On a piece of paper, list four of your belongings that reflect something about you. Pass the paper to another person. He/She will write down an impression of you based on your belongings. He/She will then conceal his/her comments by folding back the paper accordion style, and he/she will pass the paper to another person. Continue until each group member has put comments on each paper. Finally, each member of the group will receive a set of comments from the other members.

Lecture

■ Anticipation

Degas, whose painting *La famille Bellelli* is reproduced here, is just one of the famous artists whose works are found in the **musée d'Orsay,** the former Parisian train station that now contains one of the world's finest collections of mid- to late-nineteenth-century art.

The description of Degas's painting below is excerpted from an official museum guide. By looking for cognates and guessing at meaning based on what you would expect to find in this kind of text, try to understand the gist of the reading.

Which of the following topics do you expect the guidebook to mention?

a. subject matter   **d.** color
b. composition and/or style   **e.** identity of painter's spouse
c. price

■ Activité de lecture

Scan the text to find the French equivalents of the following words.

a. was started   **e.** portraits   **i.** refined
b. a sojourn   **f.** interior   **j.** painting
c. baroness   **g.** enriched   **k.** family drama
d. monumental   **h.** sober

La famille Bellelli

La famille Bellelli a été commencé par Degas lors° d'un séjour à Florence chez sa tante, la baronne Bellelli. Ce tableau° monumental de portraits dans un intérieur, à la composition simple mais enrichie à l'aide de perspectives ouvertes par une porte ou un miroir, aux couleurs sobres mais raffinées (jeu des blancs et des noirs), est aussi la peinture d'un drame familial qui se joue° entre Laure Bellelli et son mari, et dans lequel on reconnaît le goût° de Degas pour l'étude psychologique.

during
painting

is taking place

taste

Extrait du *Guide du musée d'Orsay*

■ Compréhension et intégration

1. Look again at the topics proposed in the **Anticipation** section. Were your predictions accurate? Explain.
2. Answer the following questions.
   a. Where was Degas when he began this painting?
   b. With whom was he staying?
   c. Is the painting small or large?
   d. What two possible sources of light in the room are suggested?
   e. What adjectives describe the quality of the color in the painting?
   f. What two colors predominate?
   g. Is Degas interested in capturing the interaction between family members?

■ Maintenant à vous!

1. Qui regarde qui dans le tableau?
2. Comment est l'atmosphère? Choisissez parmi les adjectifs suivants: **animée** *(lively)*, **calme, tranquille, joyeuse, décontractée, tendue** *(tense)*.
3. Quelles sont les qualités universelles de cette famille? Quels aspects de la famille trouvez-vous démodés *(out-of-date)*?

Voix en direct (suite)

Go to **iLrn** to view video clips of young people talking about their living situations. You will also see a French person talking about the two most important things / objects that students need.

Expression écrite

■ Moi et ma chambre

What do our rooms say about us? Imagine that someone had to get to know you, relying exclusively on a photograph of your room in its "normal" state. What would they learn about you: your personality, interests, likes and dislikes? In this composition you will write about your room and how it reflects your personality. Or, if it doesn't, explain why not. Perhaps you don't have the money or time to arrange it as you would like.

PREMIÈRE ÉTAPE: Make a list of all the items in your room, their design and color. Use as much detail as possible. For example, if you have CDs, give their titles or the artists' names. Include information about your room arrangement and whether it is usually neat (**rangée**) or messy (**désordonnée**). If you live with a roommate, mention some of the things that they have and whether or not you have or like the same things.

DEUXIÈME ÉTAPE: Write down what you think your room says (or hides) about you. Here you will use adjectives to describe your personality and you will talk about your likes and dislikes.

TROISIÈME ÉTAPE: Now you are ready to write. Begin your essay with a general introduction about your room and your living situation; i.e., do you live in a dorm, at home, in an apartment? Follow the model below.

Voici ma chambre. Elle est petite pour deux personnes, moi et ma camarade de chambre, Martha. Nous habitons dans la résidence universitaire, Dykstra. Dans ma chambre, le côté droit *(right side)* est à Martha et le côté gauche *(left side)* est à moi. Martha est très organisée et ses affaires sont rangées. Elle aime George Clooney et elle a un grand poster de *O Brother, Where Art Thou?* sur le mur à côté de son lit. Moi, je ne range *(straighten)* pas beaucoup parce que je suis très occupée. Mon lit est à côté de la fenêtre. J'ai un dessus de lit *(bedspread)* vert. J'aime le vert. Sur mon lit il y a des vêtements. Il y a des vêtements par terre sur le tapis aussi. Mon placard est trop *(too)* petit pour tous mes vêtements. À côté de mon lit, il y a une étagère avec beaucoup de livres. J'adore lire! J'ai des livres de Hemingway, de Faulkner et de Fitzgerald. J'étudie la littérature américaine. J'ai aussi un grand livre de chimie parce que j'ai un cours de chimie très difficile!

SYSTÈME-D

Phrases:	describing
Grammar:	adjective agreement, adjective position, possessive adjectives: **mon, ma, mes**; prepositions
Vocabulary:	room / furniture, favorite activities / leisure, personality

Structure 3.1

Use the **iLrn™** platform for more grammar and vocabulary practice.

Expressing relationship *Les adjectifs possessifs*

Possessive adjectives are used to express relationship and possession. In French, they agree with the noun they modify, not with the possessor. The following chart summarizes possessive adjectives.

Subject	Possessive adjectives			
	masculine	feminine	plural	English equivalent
je	mon	ma	mes	*my*
tu	ton	ta	tes	*your*
il/elle/on	son	sa	ses	*his/her/its*
nous	notre		nos	*our*
vous	votre		vos	*your*
ils/elles	leur		leurs	*their*

Regardez M. Leclerc. Il est avec **sa** femme et **ses** enfants.
Look at Mr. Leclerc. He is with his wife and his children.

Ma tante Simone et **mon** oncle Renaud arrivent avec **leur** fille.
My aunt Simone and my uncle Renaud are arriving with their daughter.

Mes parents parlent rarement de **leurs** problèmes.
My parents rarely talk about their problems.

The masculine form (**mon, ton, son**) is used before singular feminine nouns beginning with a vowel or a mute **h.**

Mon oncle et **son** amie Susanne habitent à New York.
My uncle and his friend Susanne live in New York.

■ **Exercice 1.** Chantal is discussing her family reunions with a friend. Choose the correct form of the possessive adjective.

1. Je danse avec (mon, ma, mes) cousins.
2. Charles et (son, sa, ses) sœur regardent souvent la télé.
3. (Mon, Ma, Mes) frère et moi, nous travaillons dans la cuisine *(kitchen)*.
4. (Ton, Ta, Tes) mère prend souvent des photos.
5. (Mon, Ma, Mes) tante et (mon, ma, mes) oncle arrivent avec (leur, leurs) chien.
6. Nous chantons (notre, nos) chansons *(songs)* préférées autour du piano.

■ **Exercice 2.** Monique and Guy have struck up a conversation at the cafeteria. Complete their conversation with the correct possessive adjective (**mon, ma, mes, ton, ta, tes**, etc.).

GUY: Est-ce que tu habites à la résidence universitaire ou avec _____ (1) famille?

MONIQUE: J'habite à la résidence universitaire, mais je rentre chez _____ (2) famille le week-end. J'aime voir _____ (3) mère, _____ (4) père et surtout _____ (5) frère, Manuel.

GUY: Est-ce que _____ (6) grands-parents habitent chez toi?

MONIQUE: Non. _____ (7) grands-parents habitent à la campagne. _____ (8) maison est très vieille et charmante. Et toi, est-ce que tu habites chez _____ (9) parents?

GUY: Non, j'habite avec _____ (10) amis François et Jean-Luc.

Structure 3.2

Talking about where people are from *Le verbe* **venir**

Venir is an irregular verb.

venir *(to come)*	
je viens	nous venons
tu viens	vous venez
il/elle/on vient	il/elles viennent

The verb **venir** can be used when talking about one's place of origin.

Je suis canadienne. Je **viens** de Toronto.
I'm Canadian. I come from Toronto.

Est-ce que vous **venez** des États-Unis?
Do you come from the United States?

■ **Exercice 3.** Ousmane is talking about his friends who live in the international residence hall. Complete his sentences with the verb **venir.**

1. Nous _____ tous de pays *(countries)* différents.

2. Moi, par exemple, je suis sénégalais. Je _____ de Dakar.

3. Mes copains Miguel et Hector _____ de Barcelone; ils ont un léger accent espagnol.

4. Kim, tu _____ de Corée, n'est-ce pas?

5. Jean-Marc et Bernard, vous _____ de Montréal, non?

6. Et il y a Tsien. Il _____ de Chine.

Structure 3.3

Another way to express relationship and possession *La possession* **de** + *nom*

The preposition **de** (or **d'**) *(of)* used with nouns expresses possession and relationship. This structure is used in place of the possessive *'s* in English.

Voici la mère **de** Charles.   *Here is Charles's mother.*
J'adore la maison **d'**Anne.   *I love Anne's house.*
Quel est le numéro de l'appartement **de**   *What is your brother's apartment number?*
   ton frère?

The preposition **de** contracts with the definite articles **le** and **les.**

de + **le** = **du**	C'est le chien **du** petit garçon.
de + **les** = **des**	Je n'ai pas l'adresse **des** parents de Serge.
de + **l'** = unchanged	Nous écoutons les CD **de l'**oncle d'Antoine.
de + **la** = unchanged	Les clés **de la** voiture sont dans son sac.

■ **Exercice 4.** Henriette and Claudine are talking about the people they observe in the park. Complete their conversation with **du, de la, de l', de, des,** or **d'.**

1. Les enfants _____ tante de Sophie s'amusent sur leurs scooters.
2. Regarde le gros chien _____ petits enfants. Il est adorable!
3. J'aime le chapeau _____ jeune homme qui écoute son iPod.
4. Regarde la robe _____ femme africaine. Elle est élégante, non?
5. Regarde la guitare _____ homme qui joue pour ses amis.
6. Montrez-moi la carte _____ Sylvie. Je suis perdue (lost).

Structure 3.4

Describing personalities *Les adjectifs (suite)*

As you saw in **Module 1,** most feminine adjectives are formed by adding an **e** to the masculine ending.

Ton père est assez strict. Ta mère est-elle stric**te** aussi?

Several other common regular endings are shown in the following chart.

masculine ending	feminine ending	examples
-é	-ée	gâté (gâtée); stressé (stressée)
-if	-ive	sportif (sportive), actif (active)
-eux	-euse	nerveux (nerveuse); sérieux (sérieuse)
-eur	-euse	travailleur (travailleuse)
-on	-onne	bon (bonne); mignon (mignonne)
-os	-osse	gros (grosse)

Placement of adjectives in a sentence

As a general rule, adjectives in French follow the nouns they modify.

Elle a les cheveux **blonds** et les yeux **bleus.**
Est-ce que tu aimes les gens **actifs**?

However, there are a small number of adjectives that precede the noun. The mnemonic device BAGS (beauty, age, goodness, size) may help you remember them.

B	A	G	S
beau (belle)	vieux (vieille)	bon (bonne)	petit(e)
joli(e)	jeune	mauvais(e)	grand(e)
	nouveau (nouvelle)		gros (grosse)
			long (longue)

La petite fille arrive avec son **gros** chat **noir.**

The litte girl is coming with her big, black cat.

Adjectives with three forms

The adjectives **beau**, **vieux**, and **nouveau** have a special form used when they precede a masculine singular noun beginning with a vowel or a mute **h.**

un **beau** garçon	un **bel** homme	une **belle** femme
un **vieux** livre	un **vieil** ami	une **vieille** maison
un **nouveau** film	un **nouvel** acteur	une **nouvelle** voiture

■ **Exercice 5.** Armand is in a bad mood. Complete his description of his family with the correct form of the adjective in parentheses.

Je m'appelle Armand et je suis _____ (1) (pessimiste). Ma mère est

_____ (2) (ennuyeux) et peu _____ (3) (compréhensif). Mes parents

ne sont pas assez _____ (4) (enthousiaste). J'ai deux sœurs, Nadine et Claire.

Elles sont _____ (5) (paresseux), _____ (6) (gâté) et

_____ (7) (méchant). Toute ma famille est _____ (8) (désagréable)

sauf (except) nos deux chattes (female cats). Elles sont _____ (9) (mignon).

■ **Exercice 6.** Armand's sister tends to be more optimistic. Complete her family description with the correct form of the adjective in parentheses.

Je m'appelle Nadine et je suis _____ (1) (optimiste). Ma mère est très

_____ (2) (actif) et mon père est _____ (3) (compréhensif). J'ai un

frère, Armand, qui n'est pas _____ (4) (optimiste) comme moi. Ma sœur Claire

est _____ (5) (travailleur) et _____ (6) (intelligent). Elle est très

_____ (7) (bien élevé). Toute la famille est _____ (8) (gentil). Il y a

deux petites exceptions: nos chattes. Elles sont trop _____ (9) (indépendant) et

_____ (10) (indifférent).

■ **Exercice 7.** Expand on the following sentences by inserting the adjectives in parentheses. Be careful with both adjective agreement and placement.

> **Modèle:** Annette est une fille (jeune, sérieux).
> *Annette est une jeune fille sérieuse.*

1. C'est une chambre (lumineux, petit).
2. Je préfère la robe (blanc, joli).
3. Voilà un étudiant (jeune, individualiste).
4. J'aime les films (vieux, américain).
5. Le sénateur est un homme (vieux, ennuyeux).
6. Marc est un homme (beau, riche et charmant).
7. Le Havre est un port (vieux, important).
8. Paris est une ville (grand, magnifique).
9. J'écoute de la musique (beau, doux).

■ **Exercice 8.** Describe Jean-Claude's room using the words in parentheses.

La chambre de Jean-Claude est un désastre! Il y a une _____ (1) (photo / vieux) par terre, et une _____ (2) (plante / petit) dans le lavabo. Sur une chaise, il y a des _____ (3) (tennis / sale [dirty]) et beaucoup de _____ (4) (cassettes / vieux). Près de la photo d'une _____ (5) (fille / joli, blond) sur la table de nuit, il y a une _____ (6) (chemise / bleu) et un _____ (7) (sandwich / gros). La chambre exhale une _____ (8) (odeur / mauvais). Ce n'est pas une _____ (9) (chambre / agréable).

Structure 3.5

Describing where things are located *Les prépositions de lieu*

Prepositions are used to describe the location of people and things. The following is a list of common prepositions.

dans	*in*	loin de	*far from*
devant	*in front of*	près de	*near*
sur	*on*	en face de	*facing*
sous	*under*	au-dessus de	*above*
entre	*between*	au-dessous de	*below*
derrière	*behind*	à côté de	*next to*

Prepositions that end in **de** contract with **le** and **les,** as shown in the following examples.

La table est à côté **du** mur.   *The table is next to the wall.*
La porte est près **des** fenêtres.   *The door is near the windows.*

■ **Exercice 9.** Lucas is a foreign student at Columbus University. Use the picture on page 39 to help him describe the campus to his friends in France. Use the appropriate prepositions plus the articles as needed.

1. La librairie est _____ bibliothèque.
2. _____ la bibliothèque, il y a une fontaine.
3. Le musée d'art est _____ bibliothèque.
4. La résidence est _____ cafétéria.
5. Les courts de tennis sont _____ terrain de sport.
6. Le théâtre est _____ le musée et le cinéma.

■ Tout ensemble!

Complete the following paragraph with the words from the list.

belle	de	française	leurs
nouveau	récents	son	vient
bons	de la	grand	meublé
petit	ses	viennent	

Jean-Marc est étudiant à l'Université de Lyon. Il _____ (1) de Beaune, une ville

pas loin _____ (2) Lyon. Il habite un studio près _____ (3) faculté de

sciences. C'est un _____ (4) studio _____ (5) avec l'essentiel: un lit,

un sofa, un bureau, une chaise. Sur le mur de _____ (6) studio, Jean-Marc a

une _____ (7) affiche de son footballeur préféré, Zidane, ancien

_____ (8) champion de l'équipe _____ (9). Il a aussi un

_____ (10) lecteur de CD et beaucoup de _____ (11) CD

_____ (12). Quand _____ (13) amis _____ (14) le voir

(to see him), ils aiment apporter _____ (15) CD préférés et ils écoutent de la

musique ensemble.

■ Vocabulaire fondamental

Noms

La famille / Family

un bébé	a baby
un(e) chat(te)	a cat
une femme	a wife
un fils	a son
un frère	a brother
un mari	a husband
une mère	a mother
un oncle	an uncle
un père	a father
une sœur	a sister
une tante	an aunt

Mots apparentés: un(e) cousin(e), une grand-mère, un grand-père, des grands-parents

La chambre / Bedroom

une étagère	a bookshelf
une fleur	a flower
un lit	a bed
des meubles (m pl)	furniture
un miroir	a mirror
un placard	a closet
une plante	a plant
des rideaux (m pl)	curtains
une table de nuit	a nightstand
un tapis	a rug
un vase	a vase

Les affaires personnelles / Personal possessions

un ballon (de foot)	a ball (soccer); a balloon
une bicyclette, un vélo	a bicycle
une calculatrice	a calculator
une chose	a thing
un lecteur MP3	MP3 player
une montre	a watch
un sac à dos	a backpack
une voiture	a car

Mots apparentés: une cassette, un disque compact (CD), un instrument de musique, une photo, un poster, un téléphone (portable), un iPod, un laptop, une chaîne stéréo, une télévision (une télé, fam)

Le logement / Housing

un appartement	an apartment unit
une caution	a deposit
les charges (f pl)	utility charges
un(e) colocataire (un[e] coloc, fam)	apartment / house mate
le loyer	rent
une maison	a house
un(e) propriétaire	a landlord / landlady
un studio	a studio apartment

Verbes

You are responsible only for the infinitive form of the verbs marked with an asterisk.

chercher	to look for
coûter	to cost
louer	to rent
passer	to pass (spend) time
*payer	to pay
*prendre	to take
*réfléchir	to think
venir	to come
*voir	to see

Adjectifs

agréable	likeable
bête (fam)	stupid
bon marché	inexpensive
célibataire	unmarried
cher (chère)	dear; expensive
clair(e)	bright
désagréable	unpleasant
désordonné(e)	messy
gros(se)	large
heureux (heureuse)	happy
marié(e)	married
mauvais(e)	bad
nouveau (nouvelle)	new
ordonné(e)	neat, tidy
paresseux (paresseuse)	lazy
réaliste	realistic
réservé(e)	reserved
sportif (sportive)	athletic
travailleur (travailleuse)	hardworking
triste	sad

Mots apparentés: actif (active), calme, content(e), divorcé(e), important(e), indifférent(e), long(ue), marié(e), pessimiste, strict(e), stupide

Prépositions

à côté de	next to
au-dessous de	underneath, below
au-dessus de	above
chez	at the home (place) of
dans	in
derrière	behind
devant	in front of
en face de	facing
entre	between
loin de	far from
près de	near
sous	under
sur	on

Expressions utiles

Comment louer une chambre ou un appartement	***How to rent a room or an apartment***
(See other expressions on page 74.)	
Est-ce que vous avez une chambre à louer?	*Do you have a room to rent?*
C'est combien, le loyer?	*How much is the rent?*
Vous avez la climatisation (la clim, *fam*)?	*Do you have air conditioning?*
Je peux avoir un chien?	*Can I have a dog?*
Non, les animaux sont interdits.	*No, animals are not allowed.*
Je voudrais réfléchir un peu.	*I'd like to think it over.*

■ Vocabulaire supplémentaire

Noms

La famille	***Family***
un beau-frère, un beau-père, une belle-mère, une belle-sœur	*a brother / father / mother / sister-in-law, also a step-father / mother*
le bonheur	*happiness*
un demi-frère, une demi-sœur	*a half-brother / sister*
une famille (moyenne, nombreuse, recomposée)	*an average-sized / large / blended family*
un fils, une fille unique	*an only brother / sister*
un frère (une sœur) aîné(e)	*an older brother / sister*
un petit-fils; des petits-enfants	*a grandson; grandchildren*

La chambre	***Bedroom***
l'aménagement *(m)*	*layout, amenities of room*
un frigo *(fam)*	*a refrigerator (fridge)*
un lavabo	*a sink*
en ordre / en désordre	*neat / messy*

Les animaux domestiques	***Pets***
un chat	*a cat*
un chien	*a dog*
un cochon d'Inde	*a guinea pig*
un hamster	*a hamster*
un lapin	*a rabbit*
un reptile	*a reptile*
une souris	*a mouse*

Les objets personnels	***Personal possessions***
une casquette	*a (baseball) cap*
un journal intime	*diary*
un lecteur de CD / DVD	*a CD / DVD player*
un radio-réveil	*a radio alarm clock*
un répondeur	*an answering machine*
un réveil	*an alarm clock*

Mots apparentés: un aquarium, un dictionnaire (un dico, *fam*), une guitare, une raquette de tennis, des rollerblades *(m pl)* (rollers *[fam] [m pl]*), un scooter, des skis *(m pl)*, un snowboard

Adjectifs

aîné(e)	*older*
bien / mal élevé(e)	*well / bad-mannered*
cadet (cadette)	*younger*
compréhensif (compréhensive)	*understanding*
décontracté(e)	*relaxed*
déraisonnable	*unreasonable*
doux (douce)	*sweet; soft; slow*
jumeau (jumelle)	*twin*
lumineux (lumineuse)	*sunny, bright*
méchant(e)	*mean*
meublé(e)	*furnished*
mignon (mignonne)	*cute*
mort(e)	*dead*
ouvert(e)	*open*
raisonnable	*reasonable*
sage	*well-behaved*
vivant(e)	*lively*

Mots apparentés: conformiste, enthousiaste, essentiel(le), indépendant(e), individualiste, sédentaire, sévère, snob, stressé(e), super *(fam)*, tranquille

Travail et loisirs

In this chapter, you will learn to talk about your work and leisure activities and how to tell time. You will also get a glimpse of how French-speaking young people view work

Thème: Les métiers

Structure 4.1: Talking about jobs and nationalities *Il/Elle est ou C'est + métier / nationalité*

Thème: Les lieux de travail

Structure 4.2: Telling where people go to work *Le verbe aller et la préposition à*

Pratique de conversation: Comment dire l'heure

Perspectives culturelles: Le travail moins traditionnel

Thème: Les loisirs

Structure 4.3: Talking about activities *Les verbes faire et jouer pour parler des activités*

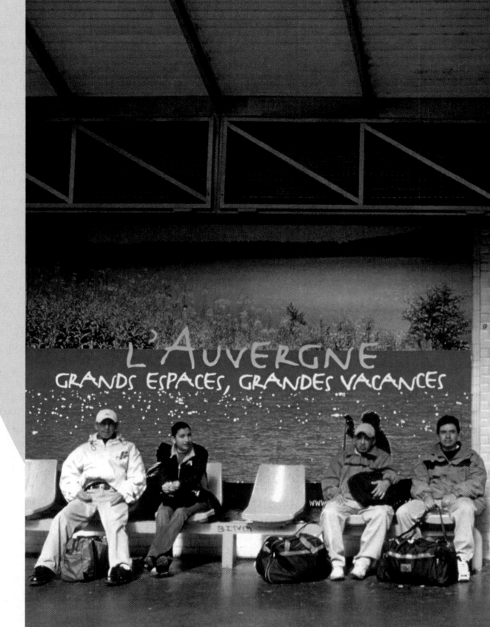

L'AUVERGNE
GRANDS ESPACES, GRANDES VACANCES

and sports and read about France's most famous sporting event, the **Tour de France.** ❧

Perspectives culturelles: Le sport

Voix en direct: Est-ce que vous faites du sport?

Thème: Les projets

Structure 4.4: Making plans *Le futur proche*

Structure 4.5: Asking questions *L'interrogatif*

À lire, à découvrir et à écrire

Lecture: Un coup d'œil sur le Tour de France; Au septième Tour, LANCE se reposa

iLrn™ Voix en direct (suite)

Expression écrite: De bonnes résolutions

Les métiers

un juge

un avocat

un médecin

un patient

une infirmière

une secrétaire

un cadre

une femme d'affaires   un mécanicien

un professeur des écoles

une femme au foyer

une cliente   une vendeuse

25€

42€

un chauffeur de taxi   un agent de police

des ouvriers agricoles   un agriculteur

Structure 4.1

Talking about jobs and nationalities *Il/Elle est* ou *C'est* + *métier / nationalité*

When talking about professions, you will need to know the masculine and feminine forms of job titles. You will also have to choose between the structures **il/elle est** and **c'est** to state someone's profession and nationality. See pages 110–111 for more information.

■ **Activité 1: Classez les métiers.**

Avec un(e) camarade, classez les métiers où...

1. on a besoin d'un diplôme universitaire.

2. on emploie beaucoup de jeunes.

3. on gagne beaucoup d'argent.

4. on emploie traditionnellement beaucoup de femmes.

5. on est très stressé.

Activité 1 Expansion: Additional professions are listed on the vocabulary pages. When students report back, expand on their answers: **Est-ce que les femmes gagnent traditionnellement beaucoup d'argent? Est-ce que ça change? Donnez des exemples.** Supplementary categories: **il y a beaucoup de prestige, on travaille avec ses mains, les conditions de travail sont dangereuses, on porte un uniforme.**

■ **Activité 2: Quel métier?**

Avec un(e) autre étudiant(e), associez chaque activité à un métier.

Activité 2: The verbs used in this activity are for recognition only.

Modèles: Il travaille avec ses mains *(hands)*.
C'est un ouvrier.

Elle travaille avec ses mains.
C'est une ouvrière.

ACTIVITÉ	MÉTIER
1. Il répare les voitures.	secrétaire
2. Il tape à l'ordinateur et il s'occupe du bureau.	agriculteur (agricultrice)
3. Il baptise les bébés.	chanteur (chanteuse)
4. Elle chante dans un groupe.	mécanicien(ne)
5. Il cultive la terre.	informaticien(ne)
6. Elle défend ses clients devant le juge.	homme (femme) au foyer
7. Il reste à la maison pour s'occuper *(take care of)* des enfants.	avocat(e)
	prêtre
8. Elle développe des applications informatiques.	

Notice that in the photo captions, some descriptions begin with **C'est/Ce sont** and others with **Il/Elle est.**

1. Which form is followed by an article and a noun?
2. Find an example of a nationality.
3. Find an example of a profession being used like an adjective.

Suggestion: Go over the photo captions to illustrate the use of **il/elle est** and **c'est/ce sont. PDG (Président Directeur Général),** is the equivalent of CEO. You might wish to bring in additional pictures of famous people. Ask questions such as: **Qui est-ce? Où est-ce qu'elle/il travaille? Quel est son métier? Est-ce que vous aimeriez être... ?** After warming up with these famous people, go on to **Activité 3.**

Goal: Students correctly select **Il/Elle est** or **C'est/Ce sont** to complete the sentences. Some of the people listed may not be familiar to students. You may wish to expand on some of them.

Voici Anne Lauvergeon. **Elle est ingénieur** de formation *(training).* Maintenant **elle est PDG** d'Areva, un groupe de trois entreprises nucléaires et technologiques qui emploie 58 000 personnes. Dans la liste de Forbes, Lauvergeon est classée au onzième rang *(eleventh place)* des femmes les plus puissantes *(powerful)* du monde.

Voici Zinédine Zidane et Thierry Henry. **Ce sont des footballeurs** français.

Patrick Chamoiseau? **Il est martiniquais.** Il écrit en français mais utilise des expressions créoles. Chamoiseau a obtenu le prix Goncourt pour son livre *Texaco* en 1992.

■ **Activité 3: Faisons connaissance.**

Les personnes suivantes sont célèbres dans le monde francophone. Décrivez-les en employant **Il/Elle est, C'est** ou **Ce sont.**

1. Zinédine Zidane et Thierry Henry? _____ des champions de football.
2. Le prince Albert II de Monaco? _____ très riche et élégant.
3. Céline Dion et Avril Lavigne? _____ chanteuses canadiennes.
4. Jean-Michel Jarre? _____ un compositeur de musique électronique.
5. Stephen Harper? _____ premier ministre du Canada.
6. Patrick Chamoiseau? _____ un écrivain martiniquais.

■ **Activité 4: Jouons à *Jeopardy!***

Activité 4: Setting a time limit for *Jeopardy!* will make it more lively. Réponses possibles: **1.** Ruth Bader Ginsberg, Antonin Scalia, John Roberts **2.** John McCain, George W. Bush **3.** Kelly Clarkson, Mariah Carey, Britney Spears **4.** Robert Duvall, Clint Eastwood **5.** Oprah Winfrey, Martha Stewart, Michael Dell, Stephen Jobs **6.** Venus et Serena Williams, Sasha Cohen, Amélie Mauresmo **7.** Dianne Feinstein, Barbara Boxer, Hillary Clinton **8.** Bob Woodward, Diane Sawyer, Katie Couric **9.** Cézanne, Degas, Toulouse-Lautrec **10.** Bono, Mick Jagger, Andrea Bocelli, Pavarotti

Devinez les questions associées aux réponses suivantes.

Modèle: un vieil acteur
— *C'est un vieil acteur.*
— *Qui est Marlon Brando?*

C'est/Ce sont...

1. un juge célèbre
2. des hommes politiques conservateurs
3. des chanteuses populaires
4. un vieil acteur
5. un chef d'entreprise riche

6. une athlète célèbre
7. des femmes politiques
8. des journalistes célèbres
9. un artiste français
10. un musicien européen

Les lieux de travail

Structure 4.2

Telling where people go to work *Le verbe **aller** et la préposition **à***

In the working world, people are in constant movement. In this **thème,** you will learn the verb **aller** *(to go)* followed by the preposition **à** to talk about the active, everyday world of work. See page 112 for an explanation.

■ Activité 5: Où vont-ils?

Où est-ce que les personnes suivantes vont pour travailler? Regardez le plan de la ville et répondez en suivant le modèle.

Modèle: le cuisinier
Il va au restaurant Le Gaulois.

1. le médecin
2. l'agriculteur
3. l'ouvrier
4. l'agent de police
5. le professeur
6. le serveur
7. l'employée de banque
8. le prêtre
9. le pilote
10. la pharmacienne

Demandez à un(e) autre étudiant(e) où il/elle va d'habitude dans les situations indiquées.

Modèle: le samedi soir
— *Où est-ce que tu vas le samedi soir?*
— *D'habitude, je vais au cinéma.*

1. après le cours de français
2. pour travailler
3. le dimanche matin
4. pour étudier
5. pour déjeuner
6. le vendredi soir

■ **Activité 7: C'est quel métier?**

Activité 7: When you read the following descriptions of workplaces, students should be able to identify the profession using the expression **C'est un** or **C'est une. 1. Il travaille au restaurant. 2. Il travaille aux champs. 3. Elle travaille à la maison. 4. Il travaille au commissariat. 5. Elle travaille au bureau. 6. Il travaille à l'église. 7. Elle travaille à l'usine. 8. Il travaille au garage.**

Votre professeur va vous dire où quelqu'un travaille. C'est à vous de deviner (*figure out*) le métier de la personne. Utilisez la forme masculine du métier si vous entendez **il.**

Modèle: Vous entendez: Elle travaille à la boutique Naf-Naf.
Vous écrivez: *C'est une vendeuse.*

1. _____
2. _____
3. _____
4. _____
5. _____
6. _____
7. _____
8. _____

Beaucoup de jeunes aiment faire les vendanges (*to harvest grapes*) pour gagner un peu d'argent de poche.

Comment dire l'heure

— Il est quelle heure?
— Il est midi vingt.
— Déjà? C'est l'heure de manger.

— Tu as l'heure?
— Oui, il est deux heures et demie.
— J'ai cours dans une demi-heure, à trois heures.

— À quelle heure commence le film?
— À vingt heures dix.
— Zut! Nous sommes en retard!

Quelques expressions utiles

Pour demander l'heure

(Excusez-moi,) quelle heure est-il, s'il vous plaît?
Tu as l'heure? *(fam)*
Il est quelle heure? *(fam)*

Pour dire l'heure officielle basée sur 24 heures

— À quelle heure est-ce que la banque ferme?
— La banque ferme à 18h30 (dix-huit heures trente).

— À quelle heure arrive le train?
— Le train arrive à 10h55 (dix heures cinquante-cinq).

Suggestion: Bring a clock face to class or draw clocks on the board to demonstrate the expressions in the **Quelques expressions utiles** section and to practice telling time.

Pour dire l'heure non-officielle

Il est dix heures du matin. Il est dix heures et quart. Il est dix heures vingt-cinq. Il est dix heures et demie.

Il est trois heures de l'après-midi. Il est quatre heures moins le quart. Il est quatre heures moins dix.

Il est neuf heures du soir. Il est midi / minuit. Il est midi / minuit et demi.

■ **Réfléchissez et considérez**

In French, time is often stated according to the 24-hour clock. What American institution uses this system? What are the advantages of using the 24-hour clock? Give the 24-hour equivalent of the following: **1. huit heures du matin, 2. midi, 3. trois heures de l'après-midi, 4. onze heures du soir.**

Pour parler de l'heure

La banque ouvre / ferme dans cinq minutes°.	*in five minutes*
Je vais partir vers° midi.	*about*
Tu es à l'heure°.	*on time*
en avance°.	*early*
en retard°.	*late*
C'est l'heure (de manger).°	*It's time (to eat).*
Qu'est-ce que tu fais le matin°?	*in the morning*
l'après-midi°?	*in the afternoon*
le soir°?	*in the evening*
Où vas-tu avant / après° ton travail?	*before / after*

CD1, Track 11

■ **Écoutons ensemble! L'heure**

Écoutez chaque mini-dialogue et écrivez l'heure que vous entendez.

1. _____12h10_____   3. _____2h00_____   5. _____10h50_____

2. _____21h00_____   4. _____9h15_____   6. _____16h45_____

Une journée avec un sénateur

Suivons le sénateur Dubois pendant tout un mardi.

8h00

Le sénateur Dubois arrive en TGV de l'ouest de la France où il travaille depuis vendredi. Il est maire d'une ville.

8h30

Il arrive à son bureau du Sénat et étudie les rendez-vous (*appointments*) de la journée avec son assistant parlementaire. Aujourd'hui, il a un emploi du temps chargé (*full*).

9h00

Il étudie un projet de loi (*a bill*) avec d'autres sénateurs.

12h30

Il retourne dans son bureau pour préparer un discours (*speech*). Il n'a pas beaucoup de temps alors il déjeune dans son bureau: un sandwich.

13h30

Avant la séance (*session*) publique, le sénateur Dubois répond aux questions d'un journaliste.

15h00

Dans l'hémicycle (*chamber*), il parle aux autres sénateurs et explique l'opinion de son parti politique sur le projet de loi présenté.

16h30

Il retrouve un ami sénateur dans un petit salon du palais du Luxembourg pour parler des prochaines élections.

21h00

Il travaille dans la bibliothèque du Sénat.

22h00

Il rentre à son appartement à Paris.

■ Activité 8: Quelle heure est-il?

Quelle heure est-il quand le sénateur Dubois fait les activités suivantes? Donnez d'abord l'heure officielle et ensuite l'heure non-officielle.

1. Il parle des prochaines élections avec un autre sénateur.
2. Il mange un sandwich.
3. Il arrive à Paris en train.
4. Il va à la bibliothèque du Sénat.
5. Il regarde son emploi du temps avec son assistant.
6. Il présente l'opinion de son parti politique sur le projet de loi aux autres sénateurs.
7. Il rentre (*returns*) à son appartement.
8. Il parle avec un journaliste.

Present the senator's schedule using the overhead if possible. It is helpful to point out that in France senators often report to the Senate on weekdays and return to their homes and to other jobs on the weekend. The TGV makes this especially convenient. Read the text and ask students comprehension questions: **Est-ce que le TGV est un train ou un avion? Un train. Le TGV est un train spécial. Vous savez pourquoi? Oui, il est très rapide. Est-ce que le sénateur Dubois habite Paris toute la semaine? Non. Où est-ce qu'il habite? Est-ce qu'il a aussi un autre métier? Est-il professeur? Ah non, il est maire.**

Activité 8: Divide the class into two groups and have one group do items 1–4 while the other group does 5–8.

Découvrez le Sénat

Le palais du Luxembourg, construit à partir de 1610, est le siège du Sénat, une des deux Chambres du Parlement.

L'hémicycle du Sénat

Le jardin du Luxembourg, le jardin du Sénat

Le Sénat and **l'Assemblée nationale** form the French parliament.

Horaires de l'exposition

lundi, vendredi, samedi de 11 h à 22 h (nocturnes)
mardi, mercredi, jeudi de 11 h à 19 h
dimanche de 9 h à 19 h
le musée est ouvert tous les jours, jours fériés inclus

<u>Fermeture à 21h tous les dimanches du mois de mars</u>

Le musée du Luxembourg accueille des expositions variées.

Goal: Students get acquainted with a museum schedule and answer the question **À quelle heure...** with both official and conversational time.

■ Activité 9: Heures d'ouverture

Vous voulez voir une exposition au musée du Luxembourg. Vérifiez l'horaire ci-dessus pour répondre aux questions. Donnez d'abord l'heure officielle puis l'heure non-officielle.

1. À quelle heure est-ce que le musée ouvre du lundi au samedi?
2. À quelle heure est-ce qu'il ferme le soir?
3. Quelle est l'horaire le dimanche?
4. Est-ce que le musée est ouvert ou fermé les jours fériés?

CD1, Track 12

■ Activité 10: Réponses logiques

Vous entendez chacune des questions de la colonne A. Comment y répondre? Choisissez la réponse logique dans la colonne B. Ensuite, écoutez l'audio pour vérifier vos réponses.

Réponses: 1. c 2. f 3. a
4. g 5. d 6. b 7. e

A
1. Tu as cours à quelle heure?
2. Où est Michel?
3. Il est midi et demi?
4. Tu es libre maintenant?
5. Tu as l'heure?
6. Excusez-moi, monsieur. Quelle heure est-il?
7. À quelle heure ouvre le musée?

B
a. Oui, c'est l'heure de déjeuner.
b. Il est deux heures dix.
c. À onze heures.
d. Non, je n'ai pas de montre.
e. Il est fermé aujourd'hui. C'est un jour férié.
f. Je ne sais pas. Il est en retard.
g. Non, j'ai cours dans un quart d'heure.

Le travail moins traditionnel

Introduction

En France, la conception du travail, surtout chez les jeunes, est en évolution. Un bon salaire° est important, mais on accorde une importance prioritaire aux relations humaines dans le travail et on recherche le développement personnel.

salary

Beaucoup de jeunes envisagent° le travail comme une aventure personnelle. Ils sont ouverts à toutes les nouvelles formes de travail et à l'utilisation des technologies dans l'entreprise. Ils sont aussi généralement plus mobiles et considèrent tout changement de travail, d'entreprise ou de région comme une opportunité.

see

Profils

Voici deux portraits de jeunes qui illustrent cette tendance. Pour eux, profession et passion vont ensemble.

À 30 ans, Alain Ginot fait partie de la nouvelle génération des producteurs de cinéma. Il a rencontré° son associé, Marc Mouger, à l'université. Les deux étudiants sont en première année de fac quand ils créent° Fidélité Productions et produisent° leur premier film. Pendant trois ans, parallèlement à leurs études, les associés produisent des courts métrages°. Aujourd'hui, Alain reçoit° près de vingt propositions par semaine.

met
create
produce
short films / receives

Alain, un producteur nouvelle génération

À 22 ans, Sara Marceau est un «trekker» de choc. Cette accompagnatrice de randonnées touristiques° passe six mois de l'année à Madère ou à Chypre et six mois dans le Sahara. Son agence de voyage° est spécialisée dans les randonnées à pied°. Chef d'expédition, elle organise le trek—d'une ou deux semaines—de A à Z. «Je guide les touristes, je les rassure°.» Une grande responsabilité mais parfaitement adaptée à Sara qui adore les voyages.

excursion guide
travel agency
walking excursions
reassure them

Adapté de «*Ils ont fait de leur passion leur métier*» dans *L'Étudiant*, juillet et août 1999

■ Avez-vous compris?

A. Indiquez si les phrases suivantes sont vraies ou fausses. Corrigez les phrases fausses.

1. Pour les jeunes, un bon salaire est une priorité.
2. Beaucoup de jeunes utilisent les nouvelles technologies dans leur travail.
3. Les jeunes n'aiment pas changer de région pour leur travail.

B. Attribuez les phrases suivantes à la personne appropriée: Alain Ginot ou Sara Marceau.

1. Cette personne préfère travailler en plein air *(fresh air)*.
2. Cette personne travaille avec des clients qui cherchent l'aventure.
3. Cette personne a commencé à travailler dans le cinéma pendant ses études universitaires.
4. Cette personne travaille avec un ami de l'université.

Sara, «trekker» dans le désert

■ Et vous?

1. Quand vous recherchez un emploi, qu'est-ce qui compte le plus *(what matters most)* pour vous: un bon salaire, le développement personnel, les relations humaines, la flexibilité des horaires ou autre chose?
2. Est-ce que vous considérez le travail comme une aventure personnelle?
3. Que comptez-vous faire après vos études, rentrer chez vous ou explorer une autre région?

Les loisirs

Structure 4.3

Talking about activities *Les verbes **faire** et **jouer** pour parler des activités*

In this **thème,** you will use the verbs **faire** and **jouer** to talk about a number of sports and leisure activities. For additional information about these expressions, see page 113.

Present the notion of **loisirs: Vous êtes étudiants, alors vous travaillez beaucoup, n'est-ce pas? Vous allez en cours, vous allez à la bibliothèque, vous étudiez. Vous êtes tous très sérieux, n'est-ce pas? Mais qu'est-ce que vous faites quand vous ne travaillez pas? Quelles activités aimez-vous faire? Ces activités sont vos loisirs...**

Suggestion: To present **faire** expressions, say: **Parlons des loisirs. Qu'est-ce qu'on fait après les cours? Regardez l'image de la fille. Où est-elle? À la maison? Au parc? Oui, elle est au parc. Elle a une moto, n'est-ce pas? Non, ce n'est pas une moto, c'est un vélo. Elle répare son vélo? Non? Elle fait une promenade à vélo. Et le monsieur, il est au parc aussi. Est-ce qu'il fait une promenade à vélo? Que fait-il?** Remind students that the answer to the question **Que fait-il/elle?** does not necessarily require the verb **faire.** As you finish the park options, ask students personal questions such as: **Est-ce qu'il y a un parc près d'ici? Allez-vous souvent au parc? Quelles activités aimez-vous faire au parc?** Then continue with **à la maison** and **en ville.**

Dans le parc

faire une promenade à vélo

faire du jogging

jouer au football

faire du tennis / jouer au tennis

faire du roller

À la maison

faire le ménage

faire la cuisine

faire les devoirs

jouer du piano

faire la grasse matinée

En ville

faire les courses

faire du travail bénévole

faire un voyage

Qu'est-ce que vous faites après les cours ou après le travail? Et le week-end?

Activité 11: Qu'est-ce que vous faites?

Utilisez une expression avec **faire** pour répondre aux questions suivantes.

1. Vous étudiez le français?
2. Vous voyagez ce week-end?
3. Vous jouez au tennis?
4. Vous préparez quelque chose à manger *(something to eat)*?
5. Vous aimez rester au lit tard le dimanche?
6. Vous jouez du piano?
7. Vous aimez vous promener dans le parc?
8. Vous skiez?

Activité 12: Associations

Éliminez le mot qui ne va pas avec les autres et identifiez l'activité que vous associez à chaque liste.

1. la piscine   l'été   la plage   une balle   un maillot de bain
2. le printemps   l'argent   un sac   une liste   le supermarché
3. un match   une équipe   un ballon   un stade   l'église

Réponses: 1. une balle; faire de la natation 2. le printemps; faire les courses 3. l'église; jouer au football

Activité 13: La vie active des célébrités

Que font les personnes suivantes? Formez des phrases avec le verbe **faire**.

Modèle: Tony Parker *Tony Parker fait du basket.*

1. Audrey Tautou
2. le rappeur MC Solaar
3. les Cowboys de Dallas
4. Zinédine Zidane
5. Emeril Lagasse
6. les astronautes
7. le prof de français
8. mes amis et moi

Réponses possibles: 1. des films 2. de la musique 3. du football américain 4. du foot 5. la cuisine 6. des voyages dans l'espace 7. un voyage en France 8. les devoirs

Activité 14: Signez ici.

Qui dans la classe fait les activités suivantes? Préparez une feuille de papier avec les nombres de 1 à 8. Circulez dans la classe en posant les questions appropriées jusqu'à ce que vous ayez trouvé une réponse affirmative à chaque question. La personne qui répond «oui» doit marquer son nom sur votre papier.

Modèle: jouer du piano
— *Est-ce que tu joues du piano?*
— *Oui, je joue du piano.* (Cette personne marque son nom.)
— *Non, je ne joue pas de piano.* (Cette personne ne marque pas son nom.)

1. jouer de la guitare
2. faire du ski sur des pistes *(slopes)* difficiles
3. jouer dans une équipe *(team)* de sport à l'université
4. faire ses devoirs à la bibliothèque
5. faire du jogging régulièrement
6. faire du travail bénévole
7. faire souvent des voyages
8. faire son lit tous les jours

Activité 14: Briefly review how to turn these statements into questions using **est-ce que** and adjusting the pronouns before students begin to circulate. Remind them to ask only one question of a person at a time (this will keep them moving about).

Activité 15: Interaction

Posez les questions suivantes à un(e) camarade de classe.

1. Quel sport est-ce que tu pratiques? Est-ce que tu préfères les sports d'équipe ou les sports individuels?
2. Est-ce que tu fais du travail bénévole? Quand? Où?
3. Chez toi, qui fait le ménage? Qui fait les courses?
4. Est-ce que tu aimes faire la cuisine?
5. Jusqu'à quelle heure est-ce que tu restes au lit quand tu fais la grasse matinée?
6. Est-ce que ton emploi du temps est très chargé cette semaine? Pourquoi?

Le sport

Le sport est important en France. Deux Français sur trois pratiquent un sport. L'éducation physique fait partie de l'enseignement obligatoire° en France (à l'école primaire, au collège et au lycée). Contrairement aux États-Unis, après les cours, les élèves n'ont pas la possibilité de pratiquer un sport à l'école. Pour compenser, ils pratiquent des activités sportives dans des associations sportives municipales ou privées. Ces associations, communément appelées des «clubs», organisent l'entraînement° et les compétitions. Les clubs sont ouverts aux jeunes et aux adultes aussi. Pour devenir° membre, il faut acheter° une licence mais ça ne coûte pas cher du tout°. Le nombre de licenciés° a considérablement augmenté et on compte aujourd'hui près de dix millions de licenciés. Le football, le tennis et le judo sont les sports qui regroupent le plus° de licenciés. Le basket-ball, le handball, la pétanque°, l'équitation°, le badminton et le golf regroupent aussi de plus en plus de° membres.

Un match de tennis

is required in school

training

become / buy / not expensive at all
members

the most
a game similar to bocce ball / horseback
    riding / more and more

do not necessarily join

followers
all terrain / hiking / rock climbing /
    paragliding

events

Le parapente dans les Alpes

Beaucoup de Français ne font pas forcément partie° d'associations mais pratiquent quand même des activités sportives. Les sports de découverte ou d'aventures font de plus en plus d'adeptes° depuis quelques années. Le vélo tout terrain°, la randonnée°, l'escalade°, le parapente° et le canoë-kayak en sont quelques exemples.

N'oublions pas que, comme les Américains, les Français aiment aussi regarder le sport à la télévision. Le football, le rugby et le basket-ball sont les sports les plus regardés à la télé. Des événements° sportifs à noter sont la Coupe du Monde (de football), la Coupe d'Europe (de football), la Coupe du Monde (de rugby) et les jeux Olympiques.

■ **Avez-vous compris?**

Dites si les phrases suivantes sont vraies ou fausses. Corrigez les phrases fausses.

1. Beaucoup de jeunes font du sport à l'école après les cours vers 15h ou 16h.
2. Des matches de foot et de basket entre les équipes de deux lycées sont organisés le week-end.
3. Les jeunes doivent faire partie d'une association s'ils veulent participer à l'entraînement et aux compétitions.
4. Seulement les jeunes peuvent faire partie des associations sportives.
5. De moins en moins (Fewer and fewer) de Français font partie d'un club.
6. Le football et le golf regroupent le plus de licenciés.
7. Ces associations sportives sont gratuites (free).
8. Les sports de découverte sont de plus en plus populaires.
9. Le basket-ball est un des sports les plus regardés à la télévision.
10. Le judo est un sport qui n'est pas très populaire.

Voix en direct

Est-ce que vous faites du sport?

Est-ce que vous faites du sport?
Oui, je fais… J'en faisais beaucoup plus[1] avant d'arriver en France. Mais sinon, j'essaie un maximum[2] quand je peux faire un peu de tennis ou quand je peux courir[3] un peu surtout. Le mieux[4] en France, c'est de courir parce qu'on a plein de[5] parcs, et euh, surtout à Paris, c'est très accessible…

Vanessa DeFrance
25 ans
Étudiante récemment arrivée
à Paris du Sénégal

Vous préférez les sports individuels ou les sports d'équipe?
J'aime les deux. J'aime bien les deux. J'aime beaucoup le volley, je faisais beaucoup de beach volley à Dakar, et euh… voilà, j'aime bien les deux, c'est deux approches différentes du sport.

[1] *I used to do a lot more* [2] *I try hard* [3] *to run* [4] *The best* [5] *a lot of*

Est-ce que vous pratiquez un sport?
Maintenant, le sport que je pratique, c'est la course à pied[6]. Dans les rues de Paris, euh, deux fois par semaine, dans les rues ou quand c'est possible dans les parcs. Donc, au jardin de Luxembourg, puisque j'habite pas très très loin, ou au jardin des Plantes aussi. Ou encore au parc Montsouris, voilà, puisque c'est des endroits qui sont accessibles facilement.

Pierre-Louis Fort
35 ans
Professeur à l'université
de Créteil

[6] *running*

Moi, je fais beaucoup de sport. J'aime beaucoup, beaucoup de sports. Ah, je fais, je joue au rugby. C'est un sport qui n'est pas très populaire aux États-Unis, mais je joue au rugby depuis très longtemps[7]. C'est beaucoup plus populaire en France, surtout dans le sud-ouest[8] près des Pyrénées.

Delphin Ruché
27 ans
Ornithologue français en
séjour à Los Angeles

Quelles sont les différences entre le rugby et le football américain?
J'ai essayé de comprendre[9] les règles[10] du football, mais je comprends pas. C'est un jeu[11] qui est très très différent. Très différent.

[7] *for a very long time* [8] *southwest* [9] *I tried to understand* [10] *the rules* [11] *game*

■ **Réfléchissez aux réponses**

1. Selon Vanessa et Pierre-Louis, quel sport est facile à pratiquer si on habite à Paris? Pourquoi? Donnez deux synonymes de «courir».
2. Jouez-vous au rugby comme Delphin? Dans quelle partie de la France est-ce que le rugby est populaire? Selon Delphin, est-ce que le football américain ressemble au rugby?
3. Selon Vanessa, le beach volley est populaire au Sénégal. Quels sports sont populaires là où vous habitez?

Les projets

Structure 4.4

Making plans *Le futur proche*

In this **thème,** you will learn the **futur proche** to talk about your plans. See page 114 for an explanation.

Luc est un musicien qui joue du saxophone dans un groupe de jazz. Ce vendredi, il va donner un concert et sa femme est en voyage d'affaires; donc *(therefore)* il va s'occuper *(to take care of)* aussi des enfants. Quel emploi du temps chargé! Qu'est-ce qu'il va faire?

vendredi 4 octobre	
6h00	jogging
7h30	petit déjeuner
8h00	emmener les enfants à l'école
11h00	faire les courses
13h00	déjeuner avec Rémy—directeur de production
14h30	salle de sports
16h00	aller chercher les enfants à l'école—les déposer chez la baby-sitter
16h30	partir pour la salle de concert—vérifier l'acoustique
17h30	répéter
20h00	Concert!

■ Activité 16: Les projets de Luc

Étudiez l'agenda de Luc et indiquez si les phrases suivantes sont vraies ou fausses. Corrigez les phrases fausses.

1. Il va faire une promenade dans le parc vendredi matin.
2. À huit heures, il va emmener *(to take)* ses enfants à l'école.
3. Ses enfants vont à l'école jusqu'à *(until)* trois heures de l'après-midi.
4. Il va déjeuner avec le directeur de production de son label à une heure.
5. Il va faire la sieste *(to take a nap)* avant le concert.
6. La baby-sitter va garder les enfants pendant qu'il donne son concert.

Structure 4.5

Asking questions *L'interrogatif*

In order to make plans with others, you must first coordinate your schedules; this involves asking questions. See page 115 for a summary of question forms and an explanation of inversion.

■ Notez et analysez

Look at each question in the conversation on the right and identify the type of question form used: (**1**) intonation, (**2**) est-ce que, (**3**) n'est-ce pas, (**4**) inversion.

PHILIPPE:	On va à la piscine demain matin?
JEAN-PIERRE:	Je ne sais pas... Qu'en penses-tu?
VALÉRIE:	C'est une bonne idée. Est-ce que c'est loin?
PHILIPPE:	Non, pas du tout. Jean-Pierre, tu aimes faire de la natation?
JEAN-PIERRE:	En général, oui... À quelle heure voulez-vous y aller?
PHILIPPE:	À 9h30?
JEAN-PIERRE:	Oh non! C'est trop tôt!
PHILIPPE:	Tu veux y aller l'après-midi?
VALÉRIE:	Oui, on peut faire la grasse matinée, n'est-ce pas?
PHILIPPE:	Alors, on se retrouve *(meet each other)* devant la piscine demain à 14h30?
VALÉRIE:	D'accord. À demain.

Activité 17: Quels sont les projets?

Jean-Pierre n'a pas fait attention pendant la conversation. Il téléphone donc à Philippe pour confirmer leurs projets. Jouez les rôles de Jean-Pierre et de Philippe. Variez la forme des questions.

Modèle: On va au cinéma.

    JEAN-PIERRE: (intonation) *On va au cinéma?*
                        (n'est-ce pas) *On va au cinéma, n'est-ce pas?*
                        (est-ce que) *Est-ce qu'on va au cinéma?*
                        (inversion) *Va-t-on au cinéma?*
    PHILIPPE: *Mais non, on va à la piscine.*

1. On va à la piscine dimanche prochain.
2. La piscine est loin de chez nous.
3. Valérie déteste faire la grasse matinée.
4. On va à la piscine à 15h30.
5. On se retrouve devant la station de métro.

Activité 18: Ce week-end

Demandez à un(e) autre étudiant(e) s'il/si elle va faire les activités suivantes ce week-end. Si la réponse est «non», demandez ce qu'il/elle va faire.

Modèle: aller au match de basket
    — *Tu vas aller au match de basket ce week-end?*
    — *Oui, je vais aller au match.*
  ou — *Non, je ne vais pas aller au match.*
    — *Qu'est-ce que tu vas faire alors?*
    — *Je vais aller à la bibliothèque.*

1. retrouver des amis au café
2. faire la cuisine
3. travailler
4. aller au cinéma
5. faire du sport
6. aller à la salle de sports
7. faire les devoirs
8. regarder un DVD

Activité 19: Organisez-vous!

A. Sur une feuille de papier, faites une liste de ce que vous allez faire aujourd'hui. Écrivez au moins sept phrases.

    Modèle: *Je vais aller au cours de maths.*

B. Ensuite, circulez dans la classe pour trouver quelqu'un qui va faire les mêmes choses.

    Modèle: — *Est-ce que tu vas aller au cours de maths?*
                — *Oui, je vais aller au cours de maths cet après-midi.*
                 — *Signe ici, s'il te plaît.*

■ Situations à jouer!

1. You are in a bank and need to cash a traveler's check in a hurry. Ask the teller for the time and find out when the bank closes.

2. Talk to several classmates to compare what you like to do during your free time. With whom do you have the most in common?

3. Talk to several classmates to find out what profession they would like to practice after college and why they find it interesting.

    Modèle: *J'aimerais être* (I would like to be) _____ *parce que je voudrais* (gagner beaucoup d'argent, aider les gens, voyager, avoir beaucoup de vacances, avoir des horaires flexibles, avoir un travail intéressant).

Goal: Students practice all four question forms. Assign one question form per student for more lively practice. Students should understand that the inversion form would be used infrequently in an authentic conversation between young people.

Activité 19: To wrap up this activity, make a list on the board of all of the activities that students will be doing today. Ask questions like: **Qui est la personne la plus occupée? Qui est la personne la moins occupée? Est-ce qu'il y a des étudiants qui ont les mêmes projets pour aujourd'hui?** etc.

Use **iLrn** voiceboard for individual oral practice with the **Thèmes** and the **Pratique de conversation** in **Module 4**.

Lecture

■ **Anticipation** (Première partie)

1. With your classmates, brainstorm what you know about the **Tour de France,** recording key points on the board. You may want to use the semantic map started below.

date   participants   lieu   vêtements

le Tour de France

2. What else might you like to know about this annual bike race?

Look over the summary below to see if any of your questions are answered. What can you add to your previous notes?

Un coup d'œil sur le Tour de France

- **Origine:** créé en 1903 par le directeur du journal *L'Auto*

- **Date:** mois de juillet pendant 22 jours

- **Nombre de participants:** minimum 60 en 1903; maximum 210 en 1986; 189 en 2005

- **Nombre d'arrivants:** minimum 11 en 1919; maximum 158 en 1991

- **Course:** divisée en une vingtaine° d'étapes journalières; composée d'étapes sur route et d'étapes de montagne

- **Maillot° jaune:** donné après chaque étape au coureur avec le meilleur temps

- **Vainqueur:** le coureur qui a le meilleur temps sur l'ensemble de la course

- **Nationalité des vainqueurs** (jusqu'en 2006): 36 victoires françaises, 18 belges, 11 américaines, 9 italiennes, 8 espagnoles, 4 luxembourgeoises, 2 suisses, 2 néerlandaises, 1 irlandaise, 1 allemande, 1 danoise

- **Position dans le hit-parade du sport:** 3ᵉ place après la Coupe du Monde de foot(ball) et les jeux Olympiques

about 20

Jersey

Lead students in this brainstorming activity, recording the information they provide on the board. Using a semantic map such as the one here helps learners organize the new vocabulary. If students provide input in English, help them with the French equivalents (teams, **équipes;** training, **entraînement;** helmet, **un casque;** race, **une course;** to race, **courir;** time trial, **une épreuve contre la montre;** racing bike, **un vélo de course,** winner, **le vainqueur;** etc.).

In France, **le pays du cyclisme,** both pro and amateur cycling are popular. Although the focus of this reading is the **Tour de France,** a professional bike race, be sure to emphasize that numerous clubs encourage adults and children to participate in this sport.

Lecture

■ **Anticipation** (Deuxième partie)

You are going to read an article about Lance Armstrong, seven-time winner of the **Tour de France,** and how he has affected this sporting event. You will also find out how previous Tour winners, a couple of **grands anciens,** react to the surprise 2006 victory of Floyd Landis, another American. Given what you may know about these American racers and the **Tour,** what might you expect to find in this reading?

Au septième Tour, LANCE se reposa°

1   Il fallut° sept jours pour faire le monde, et sept Tours à Lance Armstrong pour construire un nouvel univers dans le vélo. Le Texan est un dieu pour des milliers° de gens, mais la foi° rejoint le mystère°.

Après sept victoires, Lance Armstrong entre dans le record du Tour de France.

5   Ce Texan dans le maillot jaune a changé le sport cycliste grâce à° sa maladie surmontée° et son parcours° exceptionnel. Oui, pour le grand public Armstrong est devenu° une star. Il va aux Oscars ou aux Music Awards. Il y a aussi bien sûr sa fondation contre le cancer. Cela change l'image du coureur cycliste°. On voit sa photo partout° dans les magazines *Paris Match, Visa et Gala*.

10   Et le Tour après Armstrong? Il est sûr qu'après ce Texan, le Tour ne sera jamais le même°. Avec son départ, on entre dans une période de transition.

rested

required
thousands
faith / mystery

thanks to
illness overcome / (life) journey
has become

bike racer
everywhere

never the same

Adapté de «Au septième Tour, Lance se reposa» par Florian Joyard, *Vélo Magazine,* août 2005

Lance Armstrong, 2005

Floyd Landis, 2006

En fait, pour le Tour de 2006 Post-Armstrong, les participants étaient peu connus°. Quand Landis est tombé en arrière° dans les Alpes, les experts étaient unanimes—pas même° une chance pour l'Américain de gagner. Mais il est
15   revenu pour finir sur le podium de la victoire sur les Champs-Elysées.

Alors, que disent les «grands anciens» de Landis et du Tour? Voici quelques réactions publiées dans *L'Équipe*:

«Magnifique! Il a eu la volonté de revenir tout de suite. À prouver qu'il avait le tempérament du champion.» Bernard Hinault (Vainqueur en 1978, 1979, 1981,
20   1982, 1985)

«C'était un Tour magnifique! Landis est un beau vainqueur.» Charles Mottet (vainqueur de trois étapes)

fairly unknown / fell behind
even

Adapté de *L'Équipe* du 25 juillet 2006

N.B. When this book went to press, Floyd Landis's victory was under a cloud of suspicion and his title in question.

■ Compréhension et intégration

A. Regardez la **Première partie** et la **Deuxième partie** de la **Lecture** pour compléter les phrases suivantes. Choisissez la réponse appropriée.

1. Le pays avec le plus grand nombre de vainqueurs est...
   a. l'Italie
   b. les États-Unis
   c. la France
   d. la Belgique

2. Le Tour de France a lieu (*takes place*) en...
   a. mai
   b. septembre
   c. août
   d. juillet

3. Le coureur le plus rapide porte un maillot...
   a. jaune
   b. bleu
   c. vert
   d. noir

4. Lance Armstrong a le record parce qu'il a gagné le Tour...
   a. cinq fois
   b. sept fois
   c. dix fois
   d. six fois

5. Les experts ont pensé que Landis...
   a. allait gagner
   b. était arrogant
   c. ne méritait pas la victoire
   d. a montré sa volonté de gagner

B. Répondez aux questions suivantes.

1. Pourquoi est-ce que le Tour est en transition après Armstrong?

2. Comment a-t-il changé le sport?

3. Pourquoi est-ce que les experts ont dit que Landis avait peu de chance de gagner?

■ Maintenant à vous!

1. Vous êtes un(e) journaliste qui interviewe Lance Armstrong ou Landis. Écrivez quatre questions à lui poser.

2. Préparez une courte description d'une star que vous admirez sans mentionner son nom. Lisez votre description à la classe pour qu'on devine (*guess*) le nom de la personne que vous décrivez.

Voix en direct (suite)

Go to **iLrn** to view video clips of French speakers talking about their work and their views about work.

Expression écrite

■ De bonnes résolutions

We often begin a new quarter or semester by setting specific goals for ourselves; maybe it's getting more exercise, studying more efficiently, improving our social life, doing something for others, or trying something new and adventurous. In this writing assignment, you will write a fairly detailed journal entry in which you outline your goals and make an action plan for accomplishing these goals. Remember, as in most writing activities, you can choose to write as yourself or take on a fictional identity.

PREMIÈRE ÉTAPE: Make a list of the following:

1. one bad habit you want to change
2. two good habits you plan to adopt
3. two projects you're going to complete
4. one new activity you're going to try
5. two steps you'll take to improve your social life

> **Modèle:** *Je vais réorganiser mes placards, ranger ma chambre et organiser mes affaires* (things).
> *Je vais m'inscrire* (to sign up) *au club de ski.*
> *Je vais dormir moins et étudier plus.*
> *Je vais inviter René à mon match de tennis.*

DEUXIÈME ÉTAPE: Now make a journal entry in which you record your good intentions to check in one year's time. Use the **futur proche** for discussing your plans.

> **Modèle:** *Le 5 octobre 20 _____.*
> *Il y a beaucoup de choses que j'aimerais accomplir* (would like to accomplish) *ce trimestre / ce semestre / cette année, etc.*
> *Tout d'abord, j'ai des mauvaises habitudes à changer. ...*
> *Je vais aussi faire des changements dans ma vie sociale. ...*
> *J'ai tendance à ne pas finir les projets que je commence; alors je vais finir...*
> *Et finalement, j'aimerais essayer* (to try) *quelque chose de nouveau. ...*
> *Voici mes projets. Maintenant à l'action!*

Vocabulaire utile

des mauvaises habitudes *(f pl)*	avoir tendance à
une perte *(waste)* de temps	essayer *(to try)* quelque chose de nouveau
faire des changements	

SYSTÈME-D	
Phrases:	expressing hopes and aspirations
Grammar:	future with **aller**
Vocabulary:	dreams, aspirations, leisure

Structure 4.1

Use the **iLrn**™ platform for more grammar and vocabulary practice.

Talking about jobs and nationalities *Il/Elle est* ou *C'est* + *métier / nationalité*

Masculine and Feminine Job and Nationality Forms

Most professions in French have a masculine and a feminine form. In many cases, they follow the same patterns as adjectives and adjectives of nationality.

ending		profession / nationality		
masculine	feminine	masculine	feminine	
—	-e	un avocat	une avocate	*a lawyer*
		français	française	*French*
-ien	-ienne	un musicien	une musicienne	*a musician*
		italien	italienne	*Italian*
-ier	-ière	un infirmier	une infirmière	*a nurse*
-eur	-euse	un serveur	une serveuse	*a waiter/waitress*
-eur	-rice	un acteur	une actrice	*an actor/actress*

For some professions and nationalities where the masculine form ends in **e,** the article or pronoun indicates the gender.

un secrétaire/une secrétaire	*a secretary*
un architecte/une architecte	*an architect*
Il est suisse. / Elle est suisse.	*He is Swiss. / She is Swiss.*

The word **homme** or **femme** is included in some titles.

| un homme d'affaires/une femme d'affaires | *a businessman/woman* |

In spite of the growing range of work options available to French women, the French language does not always immediately reflect such changes in society. The following traditionally masculine professions only have a masculine form.

Il/Elle est professeur.	*He/She is a professor.*
Il/Elle est médecin.	*He/She is a doctor.*
Il/Elle est cadre.	*He/She is an executive.*

These professions are modified by masculine adjectives.

Mme Vonier est un bon professeur.	*Mrs. Vonier is a good professor.*
Mlle Dulac est un excellent médecin.	*Miss Dulac is an excellent doctor.*
Mme Vivier est un cadre compétent.	*Mrs. Vivier is a competent executive.*

Some nationalities you will encounter in this textbook are: **algérien(ne)** *(Algerian),* **allemand(e)** *(German),* **anglais(e)** *(English),* **belge** *(Belgian),* **canadien(ne)** *(Canadian),* **chinois(e)** *(Chinese),* **espagnol(e)** *(Spanish),* **mexicain(e)** *(Mexican),* **russe** *(Russian),* **sénégalais(e)** *(Senegalese),* and **suisse** *(Swiss).*

Selecting *Il/Elle est* or *C'est*

There are two ways to state a person's profession or nationality in French.

1. Like adjectives, without an article: subject + **être** + job or nationality. Notice that adjectives of nationality are written in lower case.

Marc est très travailleur.	*Marc is very hardworking.*
Il est avocat.	*He is a lawyer.*
Il est canadien.	*He is Canadian.*

Mes sœurs sont intelligentes.	*My sisters are intelligent.*
Elles sont médecins.	*They are doctors.*
Elles sont canadiennes.	*They are Canadian.*

2. As nouns with **c'est** or **ce sont** and the appropriate indefinite article (**un, une, des**). Note that nouns of nationality are capitalized.

C'est un architecte.	*He is an architect.*
C'est une avocate.	*She is a lawyer.*
Ce sont des étudiants.	*They are students.*
C'est une Belge.	*She's Belgian.*

Whenever you modify the profession or nationality with an adjective or a phrase, you must use **c'est** or **ce sont**.

Il est médecin.	*He is a doctor.*
C'est un bon médecin.	*He is a good doctor.*
Ils sont suisses.	*They are Swiss.*
Ce sont des Suisses de Genève.	*They're Swiss from Geneva.*

■ **Exercice 1.** Complete each sentence with the appropriate job title and/or nationality for the female described. Choose from the list, changing the masculine form to the feminine as needed.

> artiste   canadien   cuisinier   employé   homme d'affaires
> instituteur   italien   musicien   serveur   vendeur

1. Francine joue du piano dans un orchestre à Lyon. Elle est _____.
2. Geneviève travaille dans une banque. C'est une _____ de banque.
3. Christine travaille dans un restaurant où elle prépare des repas et fait de bonnes sauces. Elle est _____.
4. Massa travaille dans une boutique de vêtements. Elle est _____.
5. Céline Dion est une chanteuse célèbre. Elle est _____.
6. Simone travaille au Café du Parc. C'est une _____.
7. Colette est directrice du marketing dans une grande entreprise. Elle est _____.
8. Sofia vient de Florence mais elle a son studio à Nice. C'est une _____.

■ **Exercice 2.** Mme Pham is explaining to her granddaughter where different family members and friends work, what they do, and where they're from. Complete her descriptions using **Il/Elle est** and **Ils/Elles sont** or **C'est** and **Ce sont**.

1. Ton oncle Nguyen travaille à l'Université de Montréal. _____ un bon professeur.
2. Ta tante travaille dans une boutique de prêt-à-porter. _____ vendeuse.
3. M. et Mme Tranh travaillent en ville. _____ cadres.
4. Le père de ton cousin Anh est très gentil. _____ un dentiste sympathique.
5. La mère d'Anh adore dessiner des maisons modernes. _____ architecte.
6. Tes parents travaillent au restaurant Apsara. _____ de bons cuisiniers.
7. Ta cousine est mariée à Paul. _____ français.

Structure 4.2

Telling where people go to work *Le verbe* **aller** *et la préposition* **à**

The verb **aller** *(to go)* is irregular.

aller *(to go)*	
je vais	nous allons
tu vas	vous allez
il/elle/on va	ils/elles vont

Je vais en cours.   *I'm going to class.*
Ils vont à Paris.   *They are going to Paris.*

Aller is also used to talk about how someone is feeling.

Comment allez-vous?   *How are you?*
Ça va bien.   *I'm fine.*

The preposition **à** *(to, at,* or *in)* is frequently used after verbs such as **aller** and **être.** When **à** is followed by the definite article **le** or **les,** a contraction is formed as shown in the chart.

à + le → **au**	Mon père travaille **au** commissariat de police.
à + la → **à la**	Vous allez **à la** banque?
à + l' → **à l'**	L'institutrice est **à l'**école.
à + les → **aux**	Nous travaillons **aux** champs.

■ **Exercice 3.** Élisabeth is telling her mother about her afternoon plans. Complete her description with **au, à la, à l',** or **aux.**

D'abord, j'emmène *(take)* les enfants _____ (1) école. Puis, je vais _____ (2) hôpital pour faire du travail bénévole. Avant midi, je passe _____ (3) banque pour déposer un chèque *(make a deposit)* et puis je retrouve des amis _____ (4) gymnase *(m)*. Après notre cours d'aérobic, nous allons déjeuner _____ (5) café ensemble. Jean-Claude et Pierre ne déjeunent pas avec nous parce qu'ils travaillent _____ (6) champs cet après-midi. Finalement, je vais _____ (7) supermarché et je passe chercher les enfants _____ (8) école à cinq heures.

■ **Exercice 4.** Where are the following people likely to go? Complete each sentence logically, using the apppropriate form of **aller** and the preposition **à** as in the model.

Modèle: Vous aimez dîner en ville. Vous...
            Vous allez au restaurant.

1. Vous aimez skier. Vous...
2. Kevin et Christine aiment le tennis. Ils...
3. Nous aimons étudier. Nous...
4. Mon père aime écouter un bon sermon. Il...
5. Ma sœur cherche des aspirines. Elle...
6. Tu aimes acheter des livres. Tu...
7. J'aime retrouver mes amis. Je...

les courts de tennis
la montagne
le café
la librairie
le restaurant
la pharmacie
la bibliothèque
l'église

Structure 4.3

Talking about activities *Les verbes* **faire** *et* **jouer** *pour parler des activités*
The verb *faire*

The irregular verb **faire** (*to do* or *to make*) is one of the most commonly used verbs in French.

faire (*to do, to make*)	
je fais	nous faisons
tu fais	vous faites
il/elle/on fait	ils/elles font

A number of expressions for talking about work and leisure activities use **faire**.

Je fais les courses le vendredi.	*I go shopping on Fridays.*
Mme Lu fait un voyage à Tokyo.	*Mrs. Lu is taking a trip to Tokyo.*
Nous faisons du ski à Noël.	*We go skiing at Christmas.*
Mon père aime faire la cuisine.	*My father likes to cook.*

Note that the question **Qu'est-ce que tu fais?** can be answered with a variety of verbs.

—Qu'est-ce que tu fais cet après-midi?
—J'étudie. Plus tard, je fais une promenade en vélo. Ensuite, je vais faire la sieste.

—*What are you doing this afternoon?*
—*I'm studying. Later on, I'm going for a bike ride. Then I'm going to take a nap.*

The verb *jouer*

Another way to talk about sports activities and games you play is with the regular **-er** verb **jouer** (*to play*). Use the following structure:

> **jouer** + **à** + definite article + sport

Je joue au tennis.	*I play tennis.*
Vous jouez aux cartes.	*You play cards.*

In most cases, either a **faire** expression or **jouer à** can be used. Compare the following:

Zinédine Zidane fait du football.
Zinédine Zidane joue au football. } *Zinédine Zidane plays soccer.*

To talk about playing a musical instrument, use either a **faire** expression or the following construction:

> **jouer** + **de** + definite article + instrument

Il fait de la guitare.
Il joue de la guitare. } *He plays the guitar.*

■ **Exercice 5.** What are the residents of the **cité universitaire** doing today? Use the elements provided to write sentences describing their activities. Make any necessary changes.

1. Vous / faire / la grasse matinée / ce matin.
2. Évelyne / faire / ménage / quand / sa camarade de chambre / être / bureau.
3. Philippe et moi / faire / randonnée / à la campagne.
4. Les frères Thibaut / jouer / football.
5. Tu / jouer / basket-ball.
6. Je / faire / guitare / après mes cours.
7. Anne et toi / jouer / piano / ensemble.

Structures utiles

■ **Exercice 6.** Mme Breton wants to know what everyone in the family is doing. Using the model as a guide, write five questions she might ask with the verb **faire** and five answers using the vocabulary provided.

Modèle: —Jacques et Renée, qu'est-ce qu'ils font?
—Ils font une randonnée.

Jacques et Renée	faire	une promenade
Martine	jouer	de la natation
Jean-Claude et moi		le ménage
Philippe		une randonnée
Tante Hélène		au football
les gosses *(kids) (fam)*		du ski
Papa		aux cartes
		leurs devoirs

Structure 4.4

Making plans *Le futur proche*

Aller + infinitif is used to express a future action. This construction is known as the **futur proche.**

Nous allons faire du ski. — *We're going to go skiing.*
Tu vas étudier. — *You are going to study.*

To negate the **futur proche,** put **ne... pas** around the conjugated form of **aller.**

Il ne va pas travailler. — *He is not going to work.*
Vous n'allez pas jouer au football. — *You are not going to play soccer.*

The following time expressions are often used with the future.

ce soir — *this evening*
la semaine prochaine — *next week*
demain — *tomorrow*
demain matin — *tomorrow morning*

■ **Exercice 7.** What are the following people going to do this weekend, given their particular circumstances? Complete the sentences with the **futur proche,** using the information in parentheses.

1. Paul et Charlotte ont rendez-vous ce week-end. Ils _____ (aller) au cinéma.
2. Nous invitons des amis à dîner. Nous _____ (faire) la cuisine.
3. Maurice a un examen lundi. Il _____ (ne pas sortir) avec ses amis.
4. Tu détestes le football. Tu _____ (ne pas aller) au match.
5. Vous allez en boîte samedi soir. Vous _____ (danser).
6. Le film commence à 22h00. Je _____ (ne pas être) en retard.

■ **Exercice 8.** Pauline describes what she is going to do on her day off from school. Use the **futur proche** of the verbs in the list to tell what is going to happen.

ne pas aller   écouter   étudier   faire (trois fois)
jouer   prendre *(to take)* **rester   retrouver**

Demain, c'est un jour de congé *(holiday)*. Je _____ (1) à l'université. Je _____ (2) au lit jusqu'à 10 heures du matin. À 11 heures, je _____ (3) mes amis chez Michelle et nous _____ (4) une promenade à vélo. On _____ (5) un panier de pique-nique *(picnic basket)* et un lecteur de CD. À midi, nous _____ (6) un pique-nique et nous _____ (7) de la musique. Si nous avons le temps, nous _____ (8) au tennis dans le parc. Et vous, qu'est-ce que vous _____ (9)? Comment?! Vous _____ (10) à la bibliothèque?

114 *cent quatorze* ❖ **Module 4** Travail et loisirs

Structure 4.5

Asking questions *L'interrogatif*

You are already familiar with two basic ways to ask questions in French.

- By using rising intonation:

  Tu parles français?   *You speak French?*

- By adding **est-ce que (qu')** to a sentence:

  Est-ce que tu parles français?   *Do you speak French?*
  Est-ce qu'ils jouent au rugby?   *Do they play rugby?*

If you think you know the answer to a question but you want to get confirmation, add the tag question **n'est-ce pas** at the end of the sentence and use rising intonation. Note how the English equivalent of **n'est-ce pas** varies.

Tu parles français, n'est-ce pas?   *You speak French, don't you?*

On va jouer aux cartes, n'est-ce pas?   *We're going to play cards, aren't we?*

Another way to form a question is by inversion, in which the normal position of the subject and the verb is reversed.

Tu parles français. → Parles-tu français?   *Do you speak French?*

Follow these guidelines for forming inversion questions:

1. When you invert the subject and verb, connect them with a hyphen.

   Allez-vous au bureau?   *Are you going to the office?*

2. When inverting **il, elle,** or **on** with a verb that does not end in **d** or **t,** add a **t** between the verb and the subject.

   Joue-t-elle de la guitare?   *Does she play the guitar?*
   Va-t-on à la banque?   *Are we going to the bank?*

   But:

   Fait-il les courses?   *Is he going shopping?*
   Est-ce ta raquette?   *Is it your tennis racket?*

3. When nouns are used in inversion questions, state the noun and then invert the verb with the corresponding subject pronoun.

   Ton ami fait-il le ménage?   *Does your friend do housework?*
   Véronique va-t-elle en classe?   *Is Véronique going to class?*

4. Inversion is generally not used when the subject is **je.** Use **est-ce que** instead.

   Est-ce que je vais chez Paul ou pas?   *Am I going to Paul's or not?*

Inversion is considered somewhat formal, but it is usually used in the following frequently asked questions:

Quel âge as-tu?   *How old are you?*
Comment t'appelles-tu?   *What is your name?*
Quelle heure est-il?   *What time is it?*
Quel temps fait-il?   *What's the weather like?*
Comment vas-tu?   *How are you?*
D'où es-tu?   *Where are you from?*

■ **Exercice 9.** The following questions are included in a survey about finding a perfect partner. You decide to work some of the questions into a conversation with your boy/girlfriend. Use **est-ce que** in your questions in this casual context.

1. Aimes-tu danser?
2. Es-tu nerveux (nerveuse) quand tu es avec mes parents?
3. Tes parents sont-ils compréhensifs?
4. Aimes-tu lire, passer du temps sur ton ordinateur ou regarder la télévision le soir?
5. Après les cours, préfères-tu faire du sport ou passer du temps avec des amis?
6. Est-il important d'être romantique et affectueux (affectueuse)?

■ **Exercice 10.** You work for the school paper and plan to interview a new professor from France. As you prepare your notes for this formal interview, reformulate your questions with inversion.

1. Vous êtes d'où?
2. Vous enseignez les sciences politiques?
3. C'est votre première visite aux États-Unis?
4. Votre famille est ici avec vous?
5. Vous avez des enfants?
6. Votre mari est professeur aussi?
7. Il parle anglais?
8. Vous pensez rester aux États-Unis?

■ Tout ensemble!

Use the words from the list to complete the following passage about Sébastien.

a	c'est	informatique	randonnées
à l'	cadre	institutrice	sportif
ans	d'entreprise	langues	travail
au tennis	de la	médecin	va
banque	du	métier	voyager
bénévole	est		

Voici Sébastien Sportiche. _____ (1) un étudiant en finance à l'École de

commerce. Il _____ (2) vingt-deux _____ (3). En juin, il

_____ (4) finir ses études et après (after), il va chercher du _____ (5)

aux États-Unis. Sébastien vient d'une famille bourgeoise. Son père est _____ (6).

Il travaille _____ (7) Hôpital Saint-Charles. Sa mère travaille comme chef

_____ (8) chez L'Oréal. Sébastien ne sait pas (doesn't know) exactement quel

_____ (9) il va faire. Avec son diplôme, il peut (can) travailler dans une

_____ (10), mais il trouve ça ennuyeux et il recherche l'aventure. Il a beaucoup

de talents. Il _____ (11) musicien—il joue _____ (12) piano et

_____ (13) guitare (f). Il est aussi très _____ (14). Il aime faire des

_____ (15) à vélo le week-end avec ses copains et il a toujours sa raquette pour

jouer _____ (16). Une fois par semaine, il fait du travail _____ (17)

dans une école primaire. Il aide des enfants d'immigrés avec leurs devoirs. Sébastien adore

les ordinateurs et il est doué (gifted) en _____ (18). Il parle aussi plusieurs

_____ (19). Aux États-Unis, il va _____ (20) à Yellowstone et à

Yosemite avant de s'installer (settle) à San Francisco où il va habiter chez des amis. Sa

copine, Anne, est _____ (21) dans une école bilingue français/anglais, et son

copain Henri a un excellent poste (position) chez Gap où il est _____ (22).

■ Vocabulaire fondamental

Noms

Les métiers — *Professions*

un(e) acteur (actrice)	*an actor (actress)*
un agent de police	*a policeman/woman*
un(e) avocat(e)	*a lawyer*
un cadre	*an executive*
un(e) chanteur (chanteuse)	*a singer*
un(e) commerçant(e)	*a shopkeeper*
un homme (une femme) au foyer	*a homemaker*
un homme (une femme) d'affaires	*a businessman/woman*
un homme (une femme) politique	*a politician*
un(e) infirmier (infirmière)	*a nurse*
un médecin	*a doctor*
un(e) musicien(ne)	*a musician*
un(e) ouvrier (ouvrière)	*a worker*
un professeur des écoles	*a teacher*
un(e) secrétaire	*a secretary*
un(e) serveur (serveuse)	*a waiter (waitress)*
un(e) vendeur (vendeuse)	*a salesperson*

Mots apparentés: un(e) assistant(e), un(e) artiste, un(e) client(e), un(e) employé(e), un(e) journaliste, un(e) patient(e)

Les lieux de travail — *Workplaces*

un aéroport	*an airport*
un bureau	*an office*
un bureau de poste, une poste	*a post office*
le centre-ville	*downtown*
une école	*a school*
une église	*a church*
une entreprise	*a company*
un lycée	*a high school*
une usine	*a factory*
une ville	*a city, town*

Mots apparentés: une banque, une boutique, un hôpital, une pharmacie, un restaurant

Les sports et les instruments de musique — *Sports and musical instruments*

une équipe	*a team*
le football (foot)	*soccer*
le football américain	*football*
la guitare	*guitar*
la natation	*swimming*
une randonnée	*a hike*

Mots apparentés: le badminton, le basket-ball (basket, *fam*), le golf, le handball, le jogging, le judo, le piano, le roller, le rugby, le ski, le tennis, le volley-ball (volley, *fam*)

L'heure et les projets — *Time and plans*

un agenda	*a daily planner*
après	*after*
l'après-midi *(m)*	*afternoon, in the afternoon*
avant	*before*
déjà	*already*
demain	*tomorrow*
un emploi du temps	*a schedule*
en avance	*early*
en retard	*late*
une heure	*an hour*
maintenant	*now*
le matin	*morning, in the morning*
une minute	*minute*
les projets *(m pl)*	*plans*
la semaine prochaine	*next week*
le soir	*evening, in the evening*
(trop) tard	*(too) late*
(trop) tôt	*(too) early*

Verbes

aider	*to help*
aller	*to go*
arriver	*to arrive*
déjeuner	*to eat lunch*
demander	*to ask*
dîner	*to eat dinner*
faire	*to do; to make*
fermer	*to close*
gagner	*to win; to earn*
jouer à	*to play (a sport)*
jouer de	*to play (a musical instrument)*
ouvrir (il ouvre, ils ouvrent)	*to open*
poser une question	*to ask a question*
pratiquer un sport	*to practice (play) a sport*
retrouver	*to meet up with*
skier	*to ski*

Les loisirs — *Leisure activities*

faire du français	*to study French*
faire du jogging / du ski	*to jog / to ski*
faire du piano / du violon	*to play the piano / the violin*
faire du sport	*to play a sport*
faire la cuisine	*to cook*
faire le ménage	*to do housework*
faire les courses	*to go shopping; to do errands*
faire les devoirs	*to do homework*
faire une promenade à pied / à vélo	*to take a walk / a bike ride*
faire une randonnée	*to take a hike, an excursion*
faire un voyage	*to take a trip*
jouer au tennis / au volley	*to play tennis / volleyball*
jouer aux cartes	*to play cards*
jouer de la guitare / du piano	*to play the guitar / piano*

Nationalités — *Nationalities*

algérien(ne)	*Algerian*
allemand(e)	*German*
anglais(e)	*English*
belge	*Belgian*
espagnol(e)	*Spanish*

européen(ne)	*European*
martiniquais(e)	*from Martinique*
sénégalais(e)	*Senegalese*

Mots apparentés: américain(e), canadien(ne), chinois(e), italien(ne), mexicain(e), russe, suisse

Adjectifs

chargé(e)	*full, busy*
Cher (Chère)…	*Dear … (in a letter)*
fermé(e)	*closed*
occupé(e)	*busy*
ouvert(e)	*open*
populaire	*popular*
prochain(e)	*next*

Mots divers

l'argent *(m)*	*money*
parfois	*sometimes*

rarement	*rarely*
un salaire	*a salary*
souvent	*often*

Expressions utiles

Comment dire l'heure	**How to tell time**
(See other expressions on pp. 95–96.)	
Quelle heure est-il?	*What time is it?*
Il est dix heures du matin.	*It's ten o'clock in the morning.*
Il est dix heures et quart.	*It's ten-fifteen.*
Il est dix heures et demie.	*It's ten-thirty.*
Il est onze heures moins le quart.	*It's a quarter to eleven.*
À quelle heure commence…?	*What time does … begin?*

■ Vocabulaire supplémentaire

Noms

Les métiers	**Professions**
un(e) agriculteur (agricultrice)	*an agriculturalist, a farmer*
un chauffeur de taxi	*a taxi driver*
un chef d'entreprise	*a company president*
un(e) cuisinier (cuisinière)	*a cook*
un écrivain	*a writer*
un footballeur	*a soccer player*
un(e) informaticien(ne)	*a computer specialist*
un ingénieur	*an engineer*
un(e) mécanicien(ne)	*a mechanic*
un(e) pharmacien(ne)	*a pharmacist*
un poste	*a position (job)*
un PDG (Président Directeur Général)	*a CEO*
un prêtre	*a priest*

Mots apparentés: un(e) architecte, un(e) artiste, un(e) athlète, un(e) baby-sitter, un(e) champion(ne), un juge, un(e) musicien(ne), un pasteur, un(e) pilote, un producteur, un sénateur

Les lieux de travail et de loisirs	**Work and leisure places**
une boîte (de nuit)	*a (night)club*
un champ	*a field*
un commissariat	*a police station*
une ferme	*a farm*
une mairie	*a town hall*

Les sports	**Sports**
une association sportive	*a sports club*
le canoë-kayak	*canoeing-kayaking*
un club	*a sports club*
un cours d'aérobic	*an aerobics class*
une course	*a race*
le cyclisme	*cycling, bike riding*
l'entraînement *(m)*	*training*
l'équitation *(f)*	*horseback riding*
une licence	*a permit, license*
un maillot	*a jersey*

Verbes

accomplir	*to accomplish*
admirer	*to admire*
avoir tendance à	*to have a tendency to*
baptiser	*to baptize*
commencer	*to begin*
critiquer	*to criticize*
cultiver	*to cultivate; to grow*
défendre	*to defend*
emmener	*to take (a person)*
enseigner	*to teach*
essayer	*to try*
explorer	*to explore*
faire attention	*to pay attention*
faire des changements	*to make changes*
faire du travail bénévole	*to do charity, volunteer work*
faire la grasse matinée	*to sleep in*
faire la sieste	*to take a nap*
organiser	*to organize*
rendre	*to take*
rentrer	*to return (home)*
réparer	*to repair*
répéter	*to rehearse*
se retrouver	*to meet each other (by arrangement)*
taper (à l'ordinateur)	*to type (on a computer)*

Mots divers

une aventure	*an adventure*
le développement personnel	*personal development*
un discours	*a speech*
les élections *(f pl)*	*the election*
une habitude	*a habit*
l'hémicycle *(m)*	*the Senate chamber in France*
un projet de loi	*a bill*
une séance	*a session; a (film) showing*

Adjectifs

avancé(e)	*advanced*
conservateur (conservatrice)	*conservative*

On sort?

The focus of this chapter is going out with friends: phoning, extending invitations, and ordering at a café. You will also learn to talk about the weather and practice some strategies for starting a conversation with someone you do

❋ Module 5

not know. Notes on French cinema and cafés will provide you with some background on these two important aspects of French culture. ❋

Perspectives culturelles: Le café

Voix en direct: Vous allez au café combien de fois par semaine?

Thème: La météo

Pratique de conversation: Comment faire connaissance

Structure 5.5: Asking specific questions
Les mots interrogatifs

À lire, à découvrir et à écrire

Lecture: Vous êtes invités à la soirée de l'année!

iLrn™ Voix en direct (suite)

Expression écrite: Une invitation par courriel

Comment parler au téléphone

Structure 5.1

Talking about what you want to do, what you can do, and what you have to do
Les verbes **vouloir**, **pouvoir** *et* **devoir**

You *want* to go out this weekend but you *aren't able to* because you *have to* work. You can use the verbs **vouloir** *(to want)*, **pouvoir** *(can, to be able to)*, and **devoir** *(to have to)* to talk about your work and leisure plans. To see the present tense forms of these verbs, refer to pages 142–143.

■ Réfléchissez et considérez

Look at the telephone conversation between Philippe and Marie-Josée and find the common expressions used to:

  answer the phone
  ask to speak with someone
  find out who's calling
  identify yourself
  politely ask to leave a message
  respond to that request

PHILIPPE:	Allô?
MARIE-JOSÉE:	Allô, bonjour. Je **peux** parler à Marc, s'il vous plaît?
PHILIPPE:	C'est de la part de qui?
MARIE-JOSÉE:	De Marie-Josée.
PHILIPPE:	Marc n'est pas là pour le moment...
MARIE-JOSÉE:	Est-ce que je **peux** laisser un message?
PHILIPPE:	Ne quittez pas. Je vais chercher un crayon.

■ Activité 1: Au téléphone

Dans cette activité, vous allez jouer deux rôles. D'abord, un(e) étudiant(e) vous téléphone et demande à parler à une personne qui n'est pas là. Ensuite, vous téléphonez à un(e) autre étudiant(e) et vous demandez à parler à quelqu'un. Suivez les modèles.

Modèles:

ÉTUDIANT(E) 1:	*Allô?*
ÉTUDIANT(E) 2:	*Allô, je peux parler à Henri, s'il vous plaît?*
ÉTUDIANT(E) 1:	*C'est de la part de qui?*
ÉTUDIANT(E) 2:	*De Lise.*
ÉTUDIANT(E) 1:	*Henri n'est pas là pour le moment...*
ÉTUDIANT(E) 2:	*Est-ce que je peux laisser un message?*
ÉTUDIANT(E) 3:	*Allô?*
ÉTUDIANT(E) 1:	*Allô, est-ce que je peux parler à Jennifer, s'il vous plaît?*
ÉTUDIANT(E) 3:	*C'est de la part de qui?*
ÉTUDIANT(E) 1:	*De Steve.*
ÉTUDIANT(E) 3:	*Jennifer n'est pas là pour le moment...*
ÉTUDIANT(E) 1:	*D'accord. Je vais rappeler plus tard (call back later). Merci. Au revoir.*

Bring a cell phone to class. Hold it up and ask: **Qu'est-ce que c'est? Oui, c'est un téléphone. En effet, c'est un téléphone portable! Qui dans la classe a un portable? Ça marche très bien en France aussi. Regardez le dialogue entre Philippe et Marie-Josée. Qu'est-ce qu'on dit pour répondre au téléphone? Oui, on dit: Allô.** Divide the class into two groups and have students model the dialogue after you.

In round robin, have students practice answering the phone, asking for someone, and responding that the person is not available. Encourage them to vary the dialog, asking questions with **est-ce que** or intonation, and deciding whether to leave a message or call back later.

CD1, Track 14

■ Écoutons ensemble! Une invitation par téléphone

Listen for the following information in the telephone conversation you're about to hear between Marie-Josée and Henri.

How does Marie-Josée ask Henri if he wants to go with her to the concert?
Does he want to?
Can he go?
Why not?
How do they end the conversation?

HENRI:	Allô?
MARIE-JOSÉE:	Allô, Henri? C'est Marie-Josée.
HENRI:	Salut, Marie-Josée. Ça va?
MARIE-JOSÉE:	Oui, ça va. Dis, Henri, j'ai des billets pour un concert de jazz. Tu **veux** m'accompagner?
HENRI:	Oui, je **veux** bien. C'est quand?
MARIE-JOSÉE:	Demain à 19h00.
HENRI:	Ah, dommage. Je ne **peux** pas. Je suis occupé demain soir. Je **dois** travailler.
MARIE-JOSÉE:	C'est pas grave. Un autre jour alors.
HENRI:	D'accord. Merci quand même *(anyway)*.
MARIE-JOSÉE:	Allez, à plus.

Note de vocabulaire: This casual conversation includes a couple of examples of **le français familier.** Here, **ce n'est pas grave** is shortened to **c'est pas grave** and **à plus tard** becomes **à plus.**

■ Notez et analysez

Look at the boldfaced verbs in the conversation. What is the infinitive form of each?

Talk about **les télécartes** and **la cabine téléphonique** in the photos: **Regardez les télécartes. Elles sont indispensables si vous voulez téléphoner d'une cabine téléphonique ou si vous voulez payer moins cher quand vous téléphonez d'une chambre d'hôtel. En France, on peut les acheter dans un tabac ou à la poste. Au tabac, on peut acheter des cigarettes, du chewing gum, des tickets pour la loterie et des cartes téléphoniques.** (Write **le tabac** and **la poste** on the board followed eventually by the items you explain that are sold there.)

Get student feedback to **Écoutons ensemble** questions in French: **Marie-Josée, comment est-ce qu'elle commence l'invitation?** Explain that **dis** is similar to *hey* in English, a means of getting someone's attention. Play out the invitation "script" with a couple of different students: **Dis, Jake, j'ai des billets pour Noir Désir. Tu veux y aller avec moi? Oui? Cool!**

This informal conversation between friends includes expressions such as **c'est pas grave** and **à plus (the s is pronounced)** for **à plus tard.** You might point them out so students can develop awareness of different registers.

Goal: Review of **faire** and **jouer** expressions; students integrate these expressions into **Activité 3**.

■ Activité 2: À la résidence universitaire on est bien occupé!

Regardez l'image. Tous les résidents sont occupés. Dites ce qu'ils font.

Modèle: ÉTUDIANT(E) 1: *Bernard, qu'est-ce qu'il fait?*
ÉTUDIANT(E) 2: *Bernard, il fait ses devoirs.*

1. Suzanne
2. Étienne
3. Mohammed
4. Maria

5. Didier
6. Marthe
7. Diane
8. Chang

■ Activité 3: Est-ce que Jacques est là?

Vous appelez la résidence universitaire pour demander à vos copains s'ils peuvent sortir. Utilisez l'image pour créer quelques mini-dialogues.

Modèle: ÉTUDIANT(E) 1: *Allô... ici _____. Je peux parler à*
_____?

ÉTUDIANT(E) 2: *Non, il/elle...*

ÉTUDIANT(E) 1: *Bon, alors est-ce que je peux parler à _____?*

ÉTUDIANT(E) 2: *À _____? Non, il/elle...*

ÉTUDIANT(E) 1: *Eh bien, tu es là, toi. Qu'est-ce que tu fais?*

ÉTUDIANT(E) 2: *Moi, je...*

ÉTUDIANT(E) 1: *Tu veux _____?*

ÉTUDIANT(E) 2: *...*

■ Notez et analysez

What is the polite English form for **I like** or **I want**? This "polite conditional" is commonly used in French as well. Look at the photos and their captions. Then give the polite form for the following sentences:

1. What do you want to do this weekend?
2. I want a Coke, please.
3. I like (*J'aime*).

Kaitlyn, ce week-end, qu'est-ce que tu voudrais faire? Ah, tu voudrais aller au restaurant? (Write on board: **Kaitlyn voudrait aller au restaurant.**) Et Shauna, est-ce que tu aimerais l'accompagner? Aller avec elle? Oui? (Write on board: **Shauna aimerait l'accompagner.**). Regardez les verbes soulignés. (Underline **voudrait/aimerait.**) Quel est l'infinitif? Oui, *vouloir* et *aimer*. C'est quelle forme? Le conditionnel de… Oui, le conditionnel de politesse. (Label the sentences on board with **conditionnel de politesse.**)

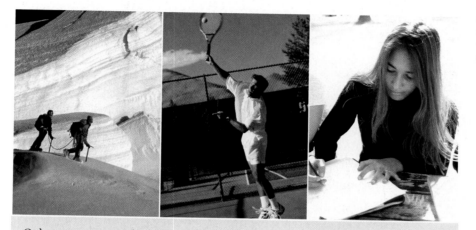

Qu'est-ce que tu **voudrais** faire ce week-end? J'**aimerais** faire de l'alpinisme. Mes amis et moi, nous **voudrions** aussi jouer au tennis mais nous ne pouvons pas. Nous devons faire nos devoirs.

■ Activité 4: Votre agenda

Quels sont vos projets pour demain?

A. Sur une feuille de papier, notez vos projets pour demain en vous inspirant du modèle à droite.

B. Maintenant, vous allez poser des questions à votre partenaire pour trouver une heure de libre *(free)* pour pouvoir travailler sur un projet de français ensemble.

Quelques questions utiles:

1. Tu peux travailler sur le projet à _____ h?
2. Ton premier cours, c'est à quelle heure?
3. Est-ce que tu aimerais travailler pendant le déjeuner?
4. Est-ce que tu dois travailler? (*Si oui*) De quelle heure à quelle heure?
5. Tu dois aller en cours l'après-midi?
6. Ton dernier cours, c'est à quelle heure?
7. Est-ce que tu dois faire quelque chose demain soir?
8. Est-ce que tu aimerais travailler le matin, l'après-midi ou le soir?

C. Finalement annoncez votre heure à la classe en ajoutant d'autres informations.

Modèle: *Moi, je dois travailler l'après-midi. Et Holly, elle doit aller en cours toute la matinée. Alors, nous allons travailler sur notre projet à _____ h, après le dîner.*

Comment inviter

Structure 5.2

Talking about going out with friends *Les verbes comme **sortir***

To talk about dating and going out with friends, you will need to use the verb **sortir** *(to go out, to leave)*. You will find the verb **sortir** as well as other verbs with the same conjugation pattern on page 144.

■ Réfléchissez et considérez

A. To extend an invitation appropriately requires some social skills. What initial inquiry might you make? If you're being invited and you're not sure whether you can accept, what might you say to be polite? What reason might you give to refuse an invitation without hurting someone's feelings? How would you accept with enthusiasm?

B. Look at the mini-dialogues and decide how to express the following in French:

1. Do you want to go out tonight?
2. Is Ryan going out with Elizabeth?
3. Let's get out of here!

C. What other verb do you see that means *to leave*?

— Tiens, tu es libre ce soir? Tu veux **sortir**?

— Est-ce que Juliette **sort** avec quelqu'un?
— Oui, je crois qu'elle **sort** avec Julien.

— Tu vois? L'atmosphère dans ce club est mortelle *(dull, fam)*! Tu veux **partir**?
— Oui, **sortons** d'ici!

Quelques expressions utiles

Pour inviter quelqu'un à faire quelque chose

Tu veux sortir ce soir?
Tu es libre° ce soir?   *free*
Tu aimerais faire quelque chose°?   *something*
Tu aimes...
   danser?
   les films français?
Tu aimerais (voudrais)...
   aller en boîte°?   *to a club*
   voir le nouveau film de Luc Besson?
Ça te dit d'aller prendre un café°?   *How about going for a cup of coffee?*
Qu'est-ce que tu vas faire ce week-end?
Je t'invite°.   *It's my treat.*

Pour accepter

D'accord°.   *OK.*
Oui, j'aimerais (je veux) bien°.   *Sure, I'd like to.*
C'est une bonne / excellente idée.
Oui, à quelle heure?
Oui, cool!

Pour hésiter

Euh... je ne sais pas.
Je dois réfléchir.
Peut-être°, mais je dois regarder mon agenda.   *Maybe*
Euh... pourquoi?

Pour refuser

Non, c'est pas possible samedi. *(fam)*
Tu sais, ça (ne) m'intéresse pas trop°.   *You know, that doesn't interest*
Désolé(e). Je suis occupé(e)°.   *me much. / I'm sorry. I'm busy.*
Non, malheureusement°, je ne peux pas.   *unfortunately*
Je dois...
   travailler.
   étudier.
Je vais partir° pour le week-end.   *to go away, to leave*

Les jeunes de nationalités différentes se rencontrent souvent le soir dans des tavernes.

Dans les grandes villes, on peut toujours trouver des expositions d'art peu chères. Le musée du Sénat se trouve dans le jardin du Luxembourg.

■ Activité 5: Invitations

Invitez un(e) autre étudiant(e) à faire les activités suivantes. Il/Elle accepte, hésite ou refuse.

1. faire une promenade à vélo cet après-midi

2. aller dans un restaurant élégant en ville ce soir

3. regarder un film français demain soir

4. aller à une exposition d'art

5. aller au café ensemble à midi

6. aller écouter de la musique dans (votre boîte préférée)

Optional organization for Activité 5: Assign students numbers from 1 to 3. Number 1 accepts, number 2 hesitates, and number 3 refuses the invitation. Students stand up and circulate around the classroom, each extending and responding to two or three invitations.

☐ Écoutons ensemble! Le dîner de Véro

Véronique fait un dîner chez elle samedi soir. Écoutez les messages sur son répondeur et pour chaque invité(e), indiquez s'il/si elle peut venir, ne peut pas venir ou n'est pas encore sûr(e).

L'invité(e)	OUI	NON	PAS SÛR(E)
1. Jean	_____	X	_____
2. Yvonne	X	_____	_____
3. Henri	_____	_____	X
4. Rachid	X	_____	_____
5. Rose	_____	X	_____
6. Karima	_____	_____	X

Have students complete the dialog in pairs. Follow up by calling on a couple of pairs to perform for the class.

■ Activité 6: Une invitation au cinéma

Henri et Pauline essaient de trouver un moment libre pour aller au cinéma. Complétez leur conversation en vous référant aux expressions utiles à la page 127.

HENRI: Tiens, Pauline. Qu'est-ce que tu _____ ce week-end?

PAULINE: Oh là là, je vais travailler. Je dois beaucoup étudier.

HENRI: Est-ce que tu es _____ samedi soir?

PAULINE: Euh, je ne sais pas. Je dois _____ mon agenda. _____ ?

HENRI: Il y a un très bon film au cinéma, un film avec Emmanuelle Béart.

PAULINE: Ah oui? J'aime bien ses films. Voyons. _____ est le film?

HENRI: À 20h00.

PAULINE: Bon, d'accord, _____ bien y aller.

On fait la queue devant le cinéma.

■ Activité 7: Interactions

Posez les questions suivantes à un(e) autre étudiant(e).

1. Tu sors souvent avec tes amis? Où allez-vous d'habitude?
2. Quel film veux-tu voir en ce moment? À quel concert est-ce que tu aimerais aller?
3. Quand tu sors avec ton/ta petit(e) ami(e), qui paie (*pays*)?
4. Tu vas où d'habitude après un film ou un concert?
5. Est-ce que tu vas bientôt partir en voyage? Où vas-tu aller?

■ Activité 8: Que répondez-vous?

Répondez aux invitations. Acceptez si vous voulez. Si vous refusez, donnez vos raisons.

1. Tu veux faire du ski avec nous ce week-end? On part vendredi.
2. Ça te dit d'aller au concert de (Yann Tiersen) ce week-end?
3. Allons au café. Je t'invite.
4. Tu es libre ce soir?
5. On va au cinéma demain soir?

Le cinéma français

Quand on pense au cinéma, on pense généralement à Hollywood. Mais en fait, la France est le lieu de naissance° du septième art°. En 1895, dans un café de Paris, les frères Lumière ont présenté leur invention, le cinématographe, et les premiers courts métrages°.

Depuis°, Hollywood a pris la relève° comme centre de production cinématographique. Mais en France, où le film est vu comme un art plutôt qu'un simple divertissement, on n'est pas prêt à abandonner cet héritage. Tandis que les Américains ont leurs Oscars, chaque année en mai, le Festival International du Film de Cannes attire° l'attention du monde entier sur les meilleurs films de l'année. Selon Kenneth Turan, critique de film pour le *Los Angeles Times,* Paris est la meilleure ville du monde pour les cinéphiles°. Chaque jour à Paris, plus de films passent à l'écran° qu'à Londres, New York ou même Los Angeles! Beaucoup de Français préfèrent voir un film étranger sous-titré°—c'est une expérience plus pure, plus proche de l'original. Pourtant, généralement, les blockbusters sont doublés°.

Malgré la grande tradition intellectuelle du cinéma français, beaucoup de Français vont au cinéma tout simplement pour se divertir°. La preuve°? Les films comiques, les films d'aventure et les films avec des effets spéciaux—souvent des blockbusters américains—ont vu un grand succès au box office.

birthplace / film is seen as the seventh art in France

short films

Since then

has taken over

attracts

film lovers

are shown in movie theaters

subtitled

dubbed

to escape / proof

Kenneth Turan, *Los Angeles Times* Travel section, Sunday January 30, 2005

■ Avez-vous compris?

Choisissez la meilleure réponse.

1. On a montré les premiers films...
   a. dans un café à Paris.   **b.** à Hollywood.   **c.** à un festival de cinéma.

2. En France, le grand festival du film a lieu *(takes place)*...
   a. en avril.   **b.** à Paris.   **c.** à Cannes.

3. La ville où on passe régulièrement le plus grand nombre de films, c'est...
   a. Los Angeles.   **b.** Londres.   **c.** Paris.

4. En France, les blockbusters américains sont généralement...
   a. doublés.   **b.** sous-titrés.   **c.** appréciés par les puristes.

■ Et vous?

1. Est-ce que vous êtes cinéphile?
2. Vous préférez les blockbusters ou les films indépendants ou étrangers? Préférez-vous les films doublés ou sous-titrés?
3. Est-ce que pour vous le cinéma est un art, un divertissement ou les deux? Expliquez.

Present the café drink and food vocabulary using an overhead transparency or pictures from your picture file. Ask forced choice questions so students hear the new vocabulary several times. For example: **Qu'est-ce que vous prenez à Starbucks? Vous prenez un demi ou un café? Qui prend un expresso? Est-ce que vous prenez un expresso ou un café crème? Ma fille prend toujours un chocolat chaud. Qui aime le chocolat chaud? Est-ce qu'on peut manger quelque chose au café? Naturellement! On peut manger des croissants ou un sandwich. En France, un sandwich typique, c'est un sandwich jambon beurre.**

Rendez-vous au café

Structure 5.3

Using pronouns to give emphasis *Les pronoms accentués*

Structure 5.4

Talking about eating and drinking *Prendre, boire et les verbes réguliers en -re*

You will frequently use stress pronouns, **des pronoms accentués,** when ordering food and drinks. To order, you need the verb **prendre** *(to take, to have something to eat or drink)*, an irregular verb. Several **-re** verbs, such as **boire** *(to drink)* and **attendre** *(to wait)*, are also useful during conversations at the café. To learn more about stress pronouns, see page 145. **Prendre, boire,** and regular **-re** verbs are explained on pages 146–147.

un demi / une eau minérale / un Orangina / une limonade / un coca / un expresso / un rouge / un sandwich jambon beurre / un thé citron / un café crème / un jus d'orange / des croissants / un citron pressé / un chocolat chaud

Moi, je prends / je vais prendre...
Et toi?

■ Activité 9: Catégories

Classez les boissons ci-dessus par catégorie.

1. des boissons chaudes
2. des boissons fraîches
3. des boissons pour enfants
4. des boissons alcoolisées
5. des boissons sucrées

■ Activité 10: Préférences

In **Activité 10,** insist that students use the stress pronoun **moi** in their response. Begin with: **Moi, le matin, je prends toujours un café crème. Et vous, qu'est-ce que vous prenez?**

Demandez à votre camarade de classe ce qu'il/elle prend le matin, à midi, l'après-midi et le soir. Comparez vos réponses avec celles des autres étudiants de la classe. Quelles boissons sont les plus cotées *(popular)*?

Modèle: *Moi, le matin, je prends un thé chaud. Et toi?*

1. le matin
2. à midi
3. l'après-midi
4. le soir

Avec un(e) camarade de classe, dites ce que vous prenez dans les situations suivantes.

Modèle: un après-midi gris de novembre
  — *Je prends un thé au lait. Et toi?*
  — *Moi, je prends une infusion.*

1. à la terrasse d'un café en juillet
2. en février au café d'une station de ski *(ski resort)*
3. à six heures du matin à la gare *(train station)*
4. au cinéma
5. après un film un samedi soir
6. chez des amis

Suggestion: This drawing series provides the basics for ordering in a café. You may act it out with your students.

Commandons!

D'autres expressions utiles

Pour le client

S'il vous plaît!	*Waiter . . . please. (to call the waiter)*
Moi, je vais prendre...	*I'll have . . .*
C'est tout.	*That's all.*

Pour le serveur (la serveuse)

Messieurs-dames.	*Ladies and gentlemen.* *(how waiter addresses group)*
Un instant, s'il vous plaît.	*Just a moment, please.*
Vous voulez autre chose?	*Would you like something else?*
Est-ce que je peux vous encaisser, s'il vous plaît?	*Can I cash you out, please?*

Vous avez invité un groupe d'amis au café. Tout le monde a fait son choix, alors vous passez la commande pour eux.

Goal: Focused practice with **pronoms accentués.**

Modèle: Fabien veut un jus d'orange.
  Commande: *Pour lui, un jus d'orange.*

1. Marie veut une eau minérale.
2. Suzanne et Mélanie prennent des cocas light.
3. David et Jennifer veulent un café crème.
4. Toi et moi, nous voulons des sandwiches au fromage.
5. Je prends aussi une infusion.

■ **Activité 13: Commandons (jeu de rôle en groupes de quatre).**

Vous êtes au Café-tabac de la Sorbonne avec deux amis. Vous regardez la carte et discutez de ce que vous voulez commander. Une personne appelle le serveur (la serveuse) et passe la commande pour le groupe, comme dans le modèle.

Modèle:

Étudiant(e) 1:	*Moi, je prends un thé citron.*
Étudiant(e) 2:	*Un café pour moi.*
Étudiant(e) 3:	*Monsieur, s'il vous plaît...*
Serveur:	*Oui, monsieur / mademoiselle. Un instant, s'il vous plaît... (après une pause) Oui, messieurs-dames. Vous désirez?*
Étudiant(e) 3:	*Un thé citron pour elle (lui), un café pour lui (elle) et un vin chaud pour moi.*
Serveur:	*Alors, un thé citron, un café et un vin chaud.*
Étudiant(e) 1:	*Et un sandwich au jambon pour moi.*
Serveur:	*C'est tout?*
Étudiant(e) 2:	*Oui, c'est tout, merci.*

Maintenant, préparez-vous à présenter votre scène devant la classe.

SANDWICHES

THON *(Tuna fish)*	4,90 €
CLUB *(Jambon, Emmental, tomate, mayonnaise) (Ham, cheese, tomato and mayonnaise)*	4,90 €
CRUDITÉS *(Salade, carottes râpées, tomate, œuf dur, mayonnaise) (Lettuce, carrots, tomato, hard boiled egg, mayonnaise)*	4,30 €
POULET *(Chicken sandwich)*	4,90 €
Mixte *(Jambon, Emmental) (Ham and cheese sandwich)*	3,80 €
Pâté *(Meat plate)*	2,90 €
Rillettes *(Minced potted pork)*	2,90 €
Jambon de Paris *(Parisian ham)*	2,90 €
Saucisson sec *(Cured sausage)*	2,90 €
Saucisson à l'ail *(Cured garlic sausage)*	2,90 €
Camembert *(Camembert cheese)*	2,90 €
Emmental *(Emmental cheese)*	2,90 €
Suppl. cornichons *(Extra for pickles)*	0,30 €
Suppl. ketchup *(Extra for ketchup)*	0,50 €
Suppl. mayonnaise *(Extra for mayonnaise)*	0,80 €

Thé de Ceylan	3,35 €
Thé Yunnan Impérial *(Chine)*	3,50 €
Thé citron ou lait	3,50 €
Thés verts *(Menthe, Jasmin)*	3,50 €
Thés noirs parfumés	3,50 €
(Vanille, Bergamote, Noix de coco, Mûre, Fruits de la passion)	
Infusions *(Verveine, Tilleul, Menthe, Verveine-menthe, Tilleul-menthe)*	3,50 €
Croissant	1,20 €
Tartine beurrée	1,05 €
Pain au chocolat	1,35 €
Confiture	0,95 €

BOISSONS CHAUDES

Café express	2,15 €
Café décaféiné	2,15 €
Café noisette	2,20 €
Café double express	4,30 €
Café au lait *(grande tasse)*	3,55 €
Café au lait *(petite tasse)*	2,80 €
Décaféiné au lait	3,55 €
Chocolat *(grande tasse)*	3,55 €
Chocolat *(petite tasse)*	2,80 €
Chocolat ou Café Viennois	4,30 €
Cappucino	4,30 €
Lait chaud *(grande tasse)*	3,55 €
Lait chaud *(petite tasse)*	2,80 €
Vin chaud	3,35 €
Citron pressé chaud	3,85 €
Viandox	3,35 €
Grog au rhum	4,15 €
Pot de lait	0,50 €

Perspectives culturelles

Le café

Le café fait partie de la vie française depuis le 17ᵉᵐᵉ siècle°. Au café, les gens découvraient° de nouvelles idées et discutaient de nouveaux concepts en politique, en art et en philosophie. Au 20ᵉᵐᵉ siècle, le nombre de cafés diminue. On passe plus de temps devant la télévision et on a moins de temps pour la vie de café. Alors, est-ce que le café va disparaître? Très douteux! Écoutez des jeunes qui parlent du rôle du café dans la vie française aujourd'hui.

century
discovered

Un café et sa terrasse

Voix en direct

CD1, Track 16

Vous allez au café combien de fois par semaine?

Est-ce que vous allez souvent au café?
Oui, je dirais que j'y vais tous les jours¹ en semaine. Le week-end, je n'y vais pas.

Vous allez avec des copains ou seul?
Toujours², oui. Toujours avec des copains. Toujours. Ce qu'on essaie de faire, c'est trouver un café avec une bonne terrasse. C'est quelque chose d'assez agréable, de sympathique.

Nicolas Konisky
24 ans
Étudiant, Paris

Est-ce que vous commandez souvent la même chose?
Ouais. Toujours la même chose. Un café, un espresso avec un jus d'orange pressé.

¹*everyday* ²*Always, all the time*

Et vous, Julien, vous allez souvent au café?
J'y vais beaucoup! [rire] beaucoup! Minimum une fois par jour, parfois deux fois, parfois trois. Ça dépend de la journée. Le matin, on y va pour un petit café et un croissant. On y reste peut-être dix minutes. À midi, on peut rester une demi-heure pour prendre un sandwich. L'après-midi, on peut rester quatre heures en terrasse d'un café avec des amis. On discute avec des amis, on discute des gens qui passent. 90% du temps, je commande un café.

Julien Romanet
23 ans
Étudiant, Paris

Vanessa, vous allez souvent au café?
Moi, je vais au café le plus souvent possible. C'est très parisien. Pendant les vacances³, tous les jours si je peux. Quand j'étais⁴ au lycée⁵, quand j'avais⁶ beaucoup plus de temps, on [y] allait tous les jours, même deux fois par jour.

Vanessa Vudo
20 ans
Étudiante, Paris

Il vous arrive d'y aller seule⁷?
Ouais, ouais pour étudier, seule. Mais on n'est jamais seul dans un café, donc on regarde toujours les gens autour, on contemple, on écoute de la musique, on regarde les gens qui passent quand on est assis à une terrasse. On n'est jamais seul.

³*vacation* ⁴*was* ⁵*high school* ⁶*had* ⁷*alone*

■ Réfléchissez aux réponses

1. Trouvez des similarités et des différences dans les réponses.
2. Est-ce que les habitudes des Américains au café sont semblables *(similar)* aux habitudes de ces Français?
3. Est-ce que vous allez souvent au café? Qu'est-ce que vous commandez?

Perspectives culturelles ❈ *cent trente-trois* **133**

Suggestion: With pictures and realia, review vocabulary for clothes, colors, months, and seasons of the year while presenting weather vocabulary. Ask: **De quelle couleur est la neige? le soleil?** (holding up picture) **Sur cette photo, il pleut, non? Ah, oui, il neige. Et quels vêtements cet homme porte-t-il dans la neige? Quand est-ce qu'il neige à** [your city]**? Et que portez-vous quand il neige?**

La météo

Quel temps fait-il?

Il fait beau.

Il fait mauvais.

—32°/ 90° F
Il fait chaud! Il fait 32°.

—20°/ 68° F
Il fait doux. Il fait 20°.

—5°/41° F
Il fait froid. Il fait 5°.

Il y a du soleil.

Il y a du vent.

Il y a des nuages.

Il pleut.

Il fait lourd.

Il y a des orages.

Il y a des éclaircies.

Il neige.

Il y a du brouillard.

■ **Activité 14**

Demandez à u...de de classe quel temps il fait dans la ville
indiquée. ...fait-il à Paris?

Modèle: ...et il pleut.

4. Lille
5. Perpignan
6. Nantes

MÉTÉO Aujourd'hui

■ **Activité 15: La météo: Vrai ou faux?**

Vous écoutez le météorologue mais malheureusement il fait quelques erreurs!
Indiquez si chaque phrase est vraie ou fausse, et corrigez ses erreurs.

1. _____   5. _____

2. _____   6. _____

3. _____   7. _____

4. _____   8. _____

Activité 15: Read and repeat the following sentences. Give students time to locate the French cities and to process the weather information: **1. Il neige à Strasbourg. 2. Il pleut à Biarritz. 3. À Cherbourg, il fait froid. 4. À Lyon, il fait 10º. 5. Il y a des nuages à Bordeaux. 6. Il y a du brouillard à Nantes. 7. Il fait beau à Perpignan. 8. Il neige à Grenoble. Réponses: 1.** Faux. Il pleut. **2.** Faux. Il y a des éclaircies. **3.** Vrai. **4.** Vrai. **5.** Faux. Il y a du soleil. **6.** Faux. Il y a des nuages. **7.** Vrai. **8.** Vrai.

■ Activité 16: Le temps chez vous

Quel temps fait-il là dans la ville où vous avez gra[...] moments indiqués? Choisissez les vêtements que v[...]

Modèle: en février
En février, il fait froid et il neige. Je porte un[...]habitude.

1. en janvier
2. en mars
3. en mai
4. en août
5. en novembre

un chapeau de paille *(str[...*
un short
un pull
un jean
un maillot de bain *(bathing s[...*
un blouson *(jacket)*
des lunettes de soleil
un manteau
un tee-shirt

■ Activité 17: C'est logique?

Écrivez une phrase logique et une phrase qui n'est pas logique pour d[...] les vêtements que vous portez selon le temps. Ensuite, en groupes de q[...] lisez vos phrases. Les autres membres du groupe doivent décider si ce q[...] vous dites est logique ou pas logique.

Modèles:
— *Quand il fait froid, je porte un pantalon.*
— *C'est logique.*

— *Quand il pleut, je fais une promenade en short.*
— *Ce n'est pas (C'est pas [fam]) logique.*

Fès, Maroc

Québec, Canada

Comment faire connaissance

Structure 5.5

Asking specific questions *Les mots interrogatifs*

What are some strategies for starting a conversation with someone in French? In addition to commenting about the weather or introducing yourself, you could ask a few simple questions. To help you ask specific questions, interrogative expressions are presented on pages 149–150.

■ **Réfléchissez et considérez**

Before learning phrases that might be useful for making a new acquaintance, consider the advice you'd give someone for meeting other young people at a party. With a partner, come up with several suggestions. Then look over the responses given by a couple of young French people and see how your answers compare.

With books closed, ask students to come up with suggestions for meeting people at a party. Whether they give their advice in English or French, write down main points in French on the board. Then have students look at the suggestions provided by the two French students and compare their answers.

Comment faire connaissance entre jeunes à une soirée *(party)*? Voici ce que deux jeunes Français ont dit.

JULIEN: Pour faire connaissance dans la même soirée, on peut demander: «Comment tu es venu *(came)* ici? Qu'est-ce que tu fais dans la vie?» Patati patata *(blah blah blah)*. Les cours, c'est bien pour commencer: «Qu'est-ce que tu étudies?» Mais, rapidement! Puis, on passe à autre chose *(Then you move to another topics):* «Qu'est-ce que tu fais ici?» Puis, il y a la musique, le cinéma. Le football est bien si on parle avec un garçon, ça se passe bien *(that works well)* en général.

NICOLAS: C'est une bonne idée de parler de la soirée et même *(even)* de la personne qui organise la fête. C'est un bon début *(a good start)* car il peut être de la même université, il peut avoir fait les mêmes voyages.

Quelques expressions utiles

Pour commencer la conversation

Pardon, est-ce que cette chaise est libre / prise°?	*free / taken*
Vous attendez (Tu attends) quelqu'un°?	*someone*
Je vous (t')en prie.	*(signaling to chair) Go ahead and*
Oui, oui, allez-y!	*take it. / Go ahead.*
Quel beau / mauvais temps, non?°	*What good / bad weather, isn't it?*
Qu'est-ce qu'il fait froid / chaud!°	*My, it's cold / hot!*
Quelle neige!°	*What snow!*
Je vous (te) connais?°	*Do I know you?*
On se connaît?°	*Do we know each other?*
Vous êtes (Tu es) dans mon cours de philo?	

Pour continuer la conversation

Vous êtes (Tu es) étudiant(e)?	
Vous venez (Tu viens) d'où?	
Qu'est-ce que vous étudiez (tu étudies)?	
Qu'est-ce que vous faites (tu fais)?°	*What do you do?*
Moi, je m'appelle... Moi, je suis...	

Activité 18: Conversations au café

Voici deux couples qui font connaissance. Complétez leurs mini-dialogues avec les expressions utiles que vous venez d'apprendre.

1. UN MONSIEUR: _____, mademoiselle. Est-ce que _____ est libre?

    UNE JEUNE FEMME: Oui, oui, monsieur. Allez-_____!

    UN MONSIEUR: _____ mauvais temps!

    UNE JEUNE FEMME: Oui, il pleut des cordes *(it's pouring)!*

    UN MONSIEUR: Vous êtes _____?

    UNE JEUNE FEMME: Oui, j'étudie les sciences po...

2. ÉTUDIANT(E) 1: Pardon, tu es dans _____ d'anglais?

    ÉTUDIANT(E) 2: Euh, je pense que oui.

    ÉTUDIANT(E) 1: Tu _____ quelqu'un? Cette chaise est prise?

    ÉTUDIANT(E) 2: Non, non. Je _____ prie.

    ÉTUDIANT(E) 1: Moi, je _____ Françoise...

CD1, Track 17

Écoutons ensemble! Au café

Vous entendez des questions dans un café. Écoutez et choisissez la réponse logique à chacune.

_f_ 1.	**a.**	Oui, je t'en prie.
_d_ 2.	**b.**	Ils habitent à San Francisco.
_a_ 3.	**c.**	Les sciences politiques.
_c_ 4.	**d.**	Un chocolat chaud pour moi.
_g_ 5.	**e.**	Oui, j'adore la neige, moi.
_b_ 6.	**f.**	Je suis de Philadelphie.
_e_ 7.	**g.**	Oui, je suis dans ton cours de maths.

Activité 19 is a think-pair-share type of activity. To facilitate pair work in French, provide students with useful expressions such as **Moi, je pense qu'on doit... Je (ne) suis (pas) d'accord.** Pairs can put their lists on the board.

Activité 19: Comment faire de nouvelles connaissances?

Voici quelques suggestions pour faire connaissance avec de nouveaux étudiants.

A. Choisissez les quatre suggestions qui vous semblent les plus utiles, puis ajoutez une autre suggestion.

1. aller au gymnase.
2. assister à *(attend)* des matches de sport
3. passer du temps dans les magasins de disques ou les librairies
4. aller à un cybercafé
5. passer du temps dans un bar
6. utiliser un espace «rencontres» sur Internet
7. Votre suggestion: _____

B. Ensuite, avec un(e) autre étudiant(e), identifiez deux suggestions que vous avez en commun et une qui est différente.

■ Situations à jouer!

Use **iLrn** voiceboard for individual oral practice with the **Thèmes** and the **Pratiques de conversation** in **Module 5.**

1. You try to call a friend but he/she is not home. Leave a message with his/her roommate.

2. You and a friend want to get together to study for the next French test. One of you phones the other to set up a date and time for your study session. Check your schedule to make sure there are no conflicts.

3. You really want to go out with a particular person, but the first time you asked him/her out, the person was busy. Try again, making several suggestions until you finally arrange something.

4. You go to a café after class where you think you see someone who is in your biology lab sitting alone at a table. Go up to that person and strike up a conversation. Then, using the menu on page 132, order something.

Lecture

■ Anticipation

The French Academy-approved term for e-mail is **courriel**. One sees: **e-mail, mail** and **mél**.

Quand on échange des méls, surtout entre amis, l'idée, c'est de dire le plus possible avec le minimum de mots. Alors on utilise des abréviations et des symboles. Avec un(e) partenaire, dressez une liste de cinq abréviations que vous utilisez dans les e-mails. Écrivez vos suggestions au tableau.

■ Activité de lecture

Réponses: **1.** f **2.** g **3.** e **4.** b **5.** c **6.** d **7.** a

Les jeunes Français eux aussi utilisent des symboles et des abréviations dans leurs courriels et chat. Voici des exemples. Associez les éléments des deux colonnes.

1. l'invit
2. le WE
3. gde
4. dispo
5. A+
6. p'tit
7. Aléhabiento!

a. Allez, à bientôt (*good-bye*).
b. disponible (*available*)
c. À plus tard.
d. petit
e. grande
f. l'invitation
g. le week-end

Vous êtes invités à la soirée de l'année!

Mes chers vieux amis!
Le temps est venu pour moi de vous dévoiler° mon âge, et je sais que ça va en surprendre plus d'un... mais je fais 26 ans cette année!!! — *reveal*

Mon plus beau cadeau° serait de tous vous voir lors de° cette occasion à LA soirée de l'année (enfin ma soirée!) et vous aurez° la chance de découvrir mon secret de beauté (un p'tit verre de vin par jour comme dit mémé°!) — *gift / for* / *you will have* / *grandma*

Le SAMEDI 26 MARS sur la péniche° LA BALEINE BLANCHE (www.baleine-blanche.com), métro Quai de la Gare, 75013 Paris — *barge*
OPEN BAR de 22h à 5h. Entrée 20 HEURES

Je prévois une petite animation°, un cours de salsa par deux des plus grands professeurs de la capitale. Hé, si franchement c'est pas top ça°! Voyez plutôt Herminio et Carole sur http://salsanuestra.free.fr. — *am planning live entertainment / really, it's too great*

Le programme: de 22h à 23h, cours, suivi d'heures de practice sur de la musica salsa. Et bien sûr, c'est gratuit° pour vous! Alors soyez à l'heure! — *free*

Vous pouvez dès maintenant° me confirmer par email ou par tél (06.76.53.47.98) et ainsi pré-réserver! — *right away*

Aléhabiento! Votre dévoué libanais° — *your devoted Lebanese friend*
Manuel Azziz (32 Rue Olivier de Serres, 75015 Paris)

RSVP (Les réponses)
Bonsoir,
Je suis toujours prête° pour une bonne péniche. Réserve-moi une place. — *ready*
Cordialement, Dina

Éventuellement, s'il reste des places disponibles°, j'aimerais bien inviter un couple d'amis, peut-être 2, mais si ce n'est pas possible, tant pis°! — *remaining places* / *too bad*

Coucou° Manu, — *Hi*
Dommage!° Ce long week-end de Pâques, je vais en Normandie. — *What a shame!*
Bises. Cath

J' serai avec plaisir mec!!!!° Merci pour l'invit. — *I'll be there, no worries, dude!*
bantos

Je vais quand même voir si j'ai moyen de décaler pour ne pas louper cette gde fête, j'essaye de te tenir le plus rapidement au courant!!!

■ Compréhension et intégration

A. Remplissez le tableau avec les informations trouvées dans l'invitation.

C'est une fête _____

Manu va avoir _____

Date: _____ Heures: _____

Activités: _____

Lieu: _____

B. Répondez aux questions sur les RSVP.
  1. Combien de réponses y a-t-il?
  2. Qui va venir? Qui ne peut pas venir?
  3. Quelles raisons donnent les amis qui ne peuvent pas venir?

■ Maintenant à vous!

  1. Est-ce que vous aimeriez aller à cette fête? Pourquoi ou pourquoi pas?
  2. Imaginez que vous êtes à cette soirée. Décrivez tout ce que vous faites: quand vous arrivez, qui vous rencontrez, avec qui vous y allez...

Voix en direct (suite)

Go to **iLrn** to view video clips of young people talking about going out on a student budget.

Expression écrite

■ Une invitation par courriel

In this activity, you will write an e-mail to your friends inviting them to a party.

PREMIÈRE ÉTAPE: Write down what you are celebrating and where you plan to have the party.

DEUXIÈME ÉTAPE: Jot down the weather that can be expected and three or four activities you would like to suggest to your guests.

TROISIÈME ÉTAPE: Write a sentence or two in which you make your invitation.
Review **Comment inviter** (pp. 126–127) for suggestions.

QUATRIÈME ÉTAPE: What other details would be helpful to the person you are inviting to the party (who else you are inviting, what to wear, what to bring, etc.). Is your invitation appealing?

CINQUIÈME ÉTAPE: Now put together the information in an e-mail using lively language.

SYSTÈME-D

Phrases:	inviting; describing weather; writing a letter (informal)
Grammar:	interrogative; prepositions with times and dates; **faire** expressions
Vocabulary:	leisure; sports; clothing; time expressions

Structure 5.1

Use the **iLrn**™ platform for more grammar and vocabulary practice.

Talking about what you want to do, what you can do, and what you have to do *Les verbes* **vouloir***,* **pouvoir** *et* **devoir**

The verbs **vouloir** *(to want)*, **pouvoir** *(can, to be able to)*, and **devoir** *(must, to have to)* are irregular verbs. They are presented together because they have similar, although not identical, structures and are frequently used in the same context.

vouloir *(to want)*	
je veux	nous voulons
tu veux	vous voulez
il/elle/on veut	ils/elles veulent

pouvoir *(can, to be able to)*	
je peux	nous pouvons
tu peux	vous pouvez
il/elle/on peut	ils/elles peuvent

devoir *(must, to have to)*	
je dois	nous devons
tu dois	vous devez
il/elle/on doit	ils/elles doivent

Tu veux aller au concert?   *You want to go to the concert?*
Ma sœur ne peut pas y aller.   *My sister can't go.*
Je dois travailler.   *I have to work.*

The verb **devoir** can also mean *to owe.*

Je dois dix euros à mon père.   *I owe my father ten euros.*

Conditional forms of the verbs **vouloir** and **pouvoir** are frequently used to soften these verbs, making them sound more polite. This usage is known as the polite conditional, **le conditionnel de politesse.** Compare the following pairs of sentences.

Tu veux sortir ce soir?   *Do you want to go out tonight?*
Tu voudrais sortir ce soir?   *Would you like to go out tonight?*

Vous pouvez aller au cinéma ce soir?   *Can you go to the movies this evening?*
Vous pourriez aller au cinéma ce soir?   *Could you go to the movies this evening?*

The conditional of **aimer** is also used for polite requests.

Je voudrais sortir ce soir.
J'aimerais sortir ce soir.   *I would like to go out this evening.*

You will study the conditional further in **Module 14.** For now, you will use **j'aimerais/tu aimerais** and **je voudrais/tu voudrais.** The other forms are presented here primarily for recognition.

> **vouloir:** je voudrais, tu voudrais, il/elle/on voudrait, nous voudrions, vous voudriez, ils/elles voudraient
>
> **pouvoir:** je pourrais, tu pourrais, il/elle/on pourrait, nous pourrions, vous pourriez, ils/elles pourraient
>
> **aimer:** j'aimerais, tu aimerais, il/elle/on aimerait, nous aimerions, vous aimeriez, ils/elles aimeraient

■ **Exercice 1.** Jean-Marie wants to do something with his friends, but everyone is busy. Complete the conversation with the correct forms of the verbs given in parentheses.

JEAN-MARIE: Dis, Christine, tu (vouloir) _____ (1) aller au cinéma ce soir?

CHRISTINE: Je (vouloir) _____ (2) bien, mais je ne (pouvoir) _____ (3) pas. Je (devoir) _____ (4) travailler.

JEAN-MARIE: Marc, toi et Jean-Claude, vous (vouloir) _____ (5) y aller?

MARC: Non, nous ne (pouvoir) _____ (6) pas. Nous n'avons pas assez de fric *(money, fam)*.

JEAN-MARIE: Mais dites donc... Vous êtes impossibles! Et ta sœur Martine, qu'est-ce qu'elle (faire) _____ (7)? Peut-être qu'elle (pouvoir) _____ (8) y aller avec moi.

MARC: Impossible. Elle (devoir) _____ (9) garder la petite Pauline.

JEAN-MARIE: Mais je ne (vouloir) _____ (10) pas y aller tout seul!

■ **Exercice 2.** You hear the following remarks at the café. Restate each remark, replacing the more polite conditional form of the verb with the more direct present tense form.

1. Nous pourrions aller au cinéma.

2. Tu voudrais voir le nouveau film de Depardieu?

3. Pourriez-vous téléphoner à Martine?

4. Tu ne pourrais pas parler plus lentement?

5. On voudrait faire une promenade.

6. Vous voudriez aller danser ce week-end?

Structure 5.2

Talking about going out with friends *Les verbes comme sortir*

The verb **sortir** means *to leave, to exit an enclosed place*, or *to go out with friends.*

sortir (*to leave; to exit; to go out*)	
je sors	nous sortons
tu sors	vous sortez
il/elle/on sort	ils/elles sortent

Notice that the verb **sortir** has two stems, one for the singular forms (**sor-**) and one for the plural forms (**sort-**).

Tu sors avec Michel et Nicole?
Nous sortons du café à 9h00.

You're going out with Mike and Nicole?
We leave the café at 9 o'clock.

The following verbs are conjugated like **sortir.** Note the different singular and plural stems.

	singulier	pluriel
partir *to leave, depart*	je **par**s	nous **part**ons
servir *to serve*	je **ser**s	nous **serv**ons
dormir *to sleep*	je **dor**s	nous **dorm**ons

Le train part pour Londres.
Les enfants dorment jusqu'à 10h00.

The train is leaving for London.
The children sleep till 10:00.

■ **Exercice 3.** Fill in the blanks with the appropriate forms of the verbs in parentheses.

1. À quelle heure est-ce que vous _____ (partir)?
2. C'est vrai qu'elle _____ (sortir) avec Pierre ce week-end?
3. Tu viens chez nous pour le dîner ce soir? Nous _____ (servir) une fondue suisse.
4. Ne faites pas trop de bruit, les enfants _____ (dormir) toujours.
5. Je _____ (partir) en vacances la semaine prochaine.
6. Tu _____ (sortir) à sept heures ce soir, n'est-ce pas?

■ **Exercice 4.** What are the following people doing this weekend? Fill in the blanks with the correct forms of **dormir, partir, servir,** or **sortir,** according to the context.

1. Nous _____ tard ce week-end. Nous aimons faire la grasse matinée.
2. Vous _____ avec Pierre ce soir? Vous allez au cinéma?
3. Elle _____ pour son bureau à neuf heures samedi matin.
4. Mes copains _____ de la boîte à minuit parce que leur résidence ferme à 1h00.
5. Tu _____ une salade et des sandwiches à tes amis.
6. Faustine et moi, nous _____ du magasin avec beaucoup de sacs.

Structure 5.3

Using pronouns to give emphasis *Les pronoms accentués*

French has a special set of pronouns called **pronoms accentués,** or stress pronouns. The chart that follows summarizes the subject pronouns and their corresponding stress pronouns.

pronom sujet	pronom accentué	pronom sujet	pronom accentué
je	**moi**	nous	**nous**
tu	**toi**	vous	**vous**
il	**lui**	ils	**eux**
elle	**elle**	elles	**elles**

Usage

The primary function of stress pronouns is to highlight or to show emphasis. Since subject pronouns in French cannot be stressed, the stress pronoun is frequently added to the subject pronoun in conversation for emphasis. Sometimes it is added at the end of the sentence.

Moi, j'aime le jus d'orange.
J'aime le jus d'orange, moi. } ***I** like orange juice.*

Lui, il aime le café. ***He** likes coffee.*

— Qui est-ce? *— Who is it?*
— C'est moi. *— It's me.*

Stress pronouns appear in many common expressions without a verb.

J'aime le thé. Et toi? *I like tea. And you?*
Moi aussi. *Me too.*
Et lui? *And him?*

They frequently appear after prepositions.

Pour nous, deux chocolats chauds. *For us, two hot chocolates.*
Tu vas chez toi? *Are you going home?*
Elle vient avec eux? *Is she coming with them?*

They can also be used with **à** to show possession.

Ce livre est à toi? *Is this book yours?*

■ **Exercice 5.** Choose the person that corresponds to the italicized stress pronoun.

1. Philippe sort avec *elle.* (Marie-Josée, Henri)
2. Je vais dîner chez *eux.* (Luc et Jean, Émilie et Hélène)
3. Nous partons en vacances avec *elles.* (Marie-Josée et Henri, Hélène et Monique)
4. Elle travaille chez *lui.* (Max, Monique et Sophie)

■ **Exercice 6.** Max meets his friends at a café. Complete their conversation with the appropriate stress pronouns. Read each group of sentences carefully to determine which pronouns are needed.

CLAIRE: Michel, _____ (1), il aime le chocolat chaud. _____ (2), nous préférons l'eau minérale. Et _____ (3), qu'est-ce que tu préfères?

MAX: J'aime le jus de fruits, alors pour _____ (4), un jus d'orange. Et pour _____ (5), Monique et Serge? Qu'est-ce que vous voulez?

MONIQUE: _____ (6), j'aime bien le thé au lait. Et _____ (7), Serge?

SERGE: Je ne veux rien. Ah! Voilà mes frères. Je dois partir avec _____ (8). Au revoir.

MICHEL: Où sont Nicole et Sandrine? Regarde, ce sont _____ (9) à la terrasse. Mais, qui est avec _____ (10)?

MAX: Je pense que c'est Amadou. Il est très sympa. Je vais chez _____ (11) pour mes leçons de piano. Sa mère est prof de musique.

Structure 5.4

Talking about eating and drinking *Prendre, boire et les verbes réguliers en -re*

The verb *prendre*

The verb **prendre** *(to take)* is irregular. It is used figuratively to mean *to have something to eat or drink*.

prendre *(to take)*	
je prends	nous prenons
tu prends	vous prenez
il/elle/on prend	ils/elles prennent

Elles ne prennent pas l'autobus.
Nous prenons deux chocolats chauds.

They're not taking the bus.
We'll have two hot chocolates.

Two other verbs that are formed like **prendre** are **apprendre** *(to learn)* and **comprendre** *(to understand)*.

Je ne comprends pas.
Nous apprenons le français.

I don't understand.
We are learning French.

The verb *boire*

The verb **boire** (*to drink*) is also irregular.

boire (*to drink*)	
je bois	nous buvons
tu bois	vous buvez
il/elle/on boit	ils/elles boivent

Après mon cours de yoga,
   je bois de l'eau.

After my yoga class,
   I drink water.

Usage

Boire is often replaced by the verb **prendre,** which is used both for eating and drinking. One might ask: **Vous voulez quelque chose à boire** (*something to drink*)? When placing an order, however, it is more common to say: **Moi, je prends un coca.**

Regular *-re* verbs

To conjugate regular **-re** verbs, drop the **-re** ending of the infinitive and add the endings shown in the chart.

attendre (*to wait for*)	
j'attend**s**	nous attend**ons**
tu attend**s**	vous attend**ez**
il/elle/on attend	ils/elles attend**ent**

Ils attendent leurs amis
   au café.
Je n'attends pas le bus.

They are waiting for their friends
   at the café.
I'm not waiting for the bus.

Note that the verb **attendre** means *to wait **for,*** so it is never followed by a preposition. The preposition is included in the meaning of the verb.

Other common regular **-re** verbs are the following:

descendre	*to go downstairs, to get off (a train, bus, etc.)*
entendre	*to hear*
perdre	*to lose*
rendre	*to return (something)*
rendre visite à	*to visit (a person)*
répondre	*to answer*
vendre	*to sell*

Tu vends ton vélo?
Vous descendez de l'autobus.

Are you selling your bike?
You get off the bus.

Usage

Note that the verb **visiter** is used only with places, whereas **rendre visite à** is used with people. You may wish to use **aller voir** (*to go see*) as an alternative.

Nous visitons Montréal.
Nous rendons visite à nos grands-parents.
Nous allons voir nos cousins aussi.

We are visiting Montreal.
We are visiting our grandparents.
We are going to see our cousins too.

■ **Exercice 7.** Paul and his friends are at the café. Complete their dialog with the appropriate forms of the verb **prendre.**

PAUL: Qu'est-ce que vous _____ (1)?

GUY: Je _____ (2) euh... je ne sais pas. Marie, qu'est-ce que tu _____ (3)?

MARIE: Un café.

GUY: Moi, je préfère quelque chose de sucré. Alors, je voudrais un Orangina.

PAUL: Alors, Marie et moi, nous _____ (4) un café. Guy _____ (5) un Orangina.

■ **Exercice 8.** It's 11 o'clock and everyone is busy. Fill in the blanks to describe what people are doing.

1. J'(attendre) _____ ma camarade de chambre au café.
2. L'instituteur (perdre) _____ patience avec les élèves.
3. Nous (boire) _____ du thé avec nos croissants.
4. Tu (descendre) _____ l'escalier *(stairs)*.
5. Les professeurs (rendre) _____ les devoirs aux étudiants.
6. Toi et moi, nous (attendre) _____ l'autobus.
7. Christine (vendre) _____ un livre à un client à la librairie universitaire.
8. Vous (apprendre) _____ le français.

■ **Exercice 9.** Françoise is just leaving the café and sees her friend Lucienne at another table. Complete their conversation by choosing the logical verb for each sentence from the list provided and writing in the appropriate form.

   entendre   attendre (2 fois)   être   comprendre   prendre (2 fois)   descendre

FRANÇOISE: Salut, Lucienne. Ça va?

LUCIENNE: Oui, ça va.

FRANÇOISE: Tu _____ (1) quelqu'un?

LUCIENNE: J(e) _____ (2) mon ami Denis. Et toi?

FRANÇOISE: J'étudie. Écoute... qu'est-ce que c'est? Est-ce que tu _____ (3) de la musique?

LUCIENNE: Oui, ça doit être Denis. Il a toujours son iPod. Le voilà. Il _____ (4) de l'autobus.

DENIS: Salut, vous deux. Vous _____ (5) quelque chose? Moi, je _____ (6) une bière.

FRANÇOISE: Bonjour, Denis. Je vous laisse. Je vais à la bibliothèque pour étudier ma leçon de chimie. Le cours _____ (7) très difficile et mes amis et moi, nous ne _____ (8) rien *(nothing)*.

LUCIENNE: Bon courage, Françoise. Au revoir et étudie bien.

Structure 5.5

Asking specific questions *Les mots interrogatifs*

Learning the basic question words can boost your communication skills in French. These words usually come first in the sentence, and they are an important clue to what the speaker is asking. When asking a question, knowing the appropriate interrogative word to use will help you get the information you want quickly and effectively.

combien (de)	*how much, how many*
comment	*how, what*
où	*where*
pourquoi	*why*
quand	*when*
que (qu')	*what*
quel(le)	*which, what*
qui	*who*
quoi	*what*

Questions are formed using the interrogative word and one of three basic patterns for forming questions: intonation, **est-ce que,** and inversion.

Usage

Here is a general guideline for choosing the appropriate question pattern. **Intonation questions** are common in casual speech. **Est-ce que** questions can be used in either formal or informal speech. **Inversion questions** are generally used in formal speech and in writing.

- **intonation** *(in conversation; fam)*

Où tu habites?	*Where do you live?*
Tu habites où?	*You live where?*

- **est-ce que**

Qui est-ce que tu attends?	*Who are you waiting for?*
Qu'est-ce que tu prends?	*What'll you have?*

- **inversion**

Pourquoi vas-tu au café?	*Why are you going to the café?*
Où va-t-elle?	*Where is she going?*

The following guidelines will help you use interrogative words correctly.

1. **Combien** is used alone, whereas **combien de** is followed by a noun.

C'est combien?	*How much is it?*
Combien de croissants voulez-vous?	*How many croissants do you want?*

2. Depending on the context, **comment** is the equivalent of *how* or *what*.

Comment ça va?	*How are you?*
Comment vous appelez-vous?	*What is your name?*
Comment est ton frère?	*What is your brother like?*
Comment?	*What? Huh?*

3. **Où** becomes **d'où** when asking *where . . . from.*

Où est le Café de Flore?	*Where is the Café de Flore?*
D'où êtes-vous?	*Where are you from?*

4. The question **pourquoi** is usually answered with **parce que.**

— Pourquoi étudies-tu l'anglais?	*— Why are you studying English?*
— Parce que j'aime Shakespeare.	*— Because I like Shakespeare.*

5. **Quel** (*which* or *what*) is an adjective that must agree with the noun it modifies. Its four forms are **quel, quelle, quels, quelles.**

Quel jus préfères-tu?	*What/Which juice do you prefer?*
Quelle heure est-il?	*What time is it?*
Quels films veux-tu voir?	*What movies do you want to see?*
Quelles places sont libres?	*Which seats are free?*

Quel and its forms are also used to make exclamations.

Quel beau temps!	*What beautiful weather!*
Quelle belle robe!	*What a beautiful dress!*

6. **Qu'est-ce que** is followed by normal word order.

7. In casual conversation, you may ask *what* using **quoi,** as in the following examples.

Tu prends quoi?	*You are having what?*
Quoi? Pas possible!	*What? That's not possible!*

■ **Exercice 10.** The following exchanges might be heard in a café as people chat. Based on the information provided in the answers, complete the questions with the appropriate question word(s).

1. — _____ sont tes parents?
   — Mes parents sont attentifs et relax.

2. — _____ habite ta sœur?
   — Elle habite à Atlanta.

3. — _____ est-ce?
   — C'est ma tante.

4. — _____ tu prends un café?
   — Parce que j'ai un examen dans une heure.

5. — _____ tu étudies?
   — J'étudie la biologie.

6. — Ton copain, _____ s'appelle-t-il?
   — Il s'appelle Marc.

7. — _____ es-tu?
   — Je suis de Minneapolis.

8. — _____ chiens as-tu?
   — J'ai deux chiens.

9. — _____ cours as-tu aujourd'hui?
   — J'ai un cours d'histoire et un cours de maths.

10. — _____ bel homme! Il est marié?
    — Oui, hélas, il est marié.

11. — Tu vends _____?
    — Je vends mon ordi *(fam)*.

■ Tout ensemble!

Two friends, Kathy and Isabelle, meet at the café. Complete their conversation by selecting the appropriate words from the list.

à quelle	pourquoi	sortent
dois	prenez	toi
est-ce que	qu'est-ce que	voudrais
moi	quelle	voulez
où	rendons	
pour	sors	

LE GARÇON: Mesdames, qu'est-ce que vous _____ (1)?

ISABELLE: Je _____ (2) un verre de vin rouge, s'il vous plaît.

KATHY: Et _____ (3) moi, un crème. Tiens, voilà ta sœur et son petit ami. Eux, ils _____ (4) ensemble très souvent, n'est-ce pas? _____ (5) vont-ils ce soir?

ISABELLE: Au cinéma. Ils vont voir le nouveau film d'Emmanuelle Béart. C'est mon actrice préférée. Quelle actrice _____ (6) tu préfères?

KATHY: J'aime Audrey Tautou, _____ (7).

ISABELLE: Ah oui? _____ (8)?

KATHY: Mmm, parce qu'elle est belle et puis, elle a du talent.

LE GARÇON: Voilà, mesdames. Un verre de vin rouge et un crème. Vous _____ (9) autre chose?

ISABELLE: Non, c'est tout, merci. Kathy, il est déjà neuf heures. _____ (10) heure est-ce que tu dois partir?

KATHY: Je _____ (11) rentrer chez moi vers dix heures. _____ (12) tu fais ce week-end?

ISABELLE: Ce week-end? Dimanche, nous _____ (13) visite à ma grand-mère. Et _____ (14)?

KATHY: Je travaille. Mais je _____ (15) samedi soir avec des amis. Tu veux venir avec nous?

ISABELLE: Cool! _____ (16) bonne idée!

❀ Vocabulaire

■ Vocabulaire fondamental

Noms

Les boissons (f) — *Drinks*

une bière	*a beer*
un café	*a coffee*
un (café) crème	*a coffee with steamed milk*
un chocolat chaud	*a hot chocolate*
un Coca (light)	*a (diet) Coke*
un demi	*a glass of draft beer*
une eau minérale	*a mineral water*
un café / un expresso	*an espresso*
un jus d'orange	*an orange juice*
un thé au lait	*a hot tea with milk*
un thé citron	*a hot tea with lemon*
un thé nature	*a hot tea (plain)*
un (verre de vin) rouge	*a (glass of) red wine*

Le café — *The café*

une addition	*a (restaurant) check*
une carte	*a menu*
un sandwich jambon beurre	*a ham sandwich with butter*

Mots apparentés: un croissant, un sandwich

Expressions pour parler du temps

Il fait 30° (trente degrés).	*It's thirty degrees.*
Il fait beau.	*It's nice weather.*
Il fait chaud.	*It's hot.*
Il fait froid.	*It's cold.*
Il fait mauvais.	*It's bad weather.*
Il neige.	*It's snowing.*
Il pleut.	*It's raining.*
Il y a des nuages.	*It's cloudy.*
Il y a du soleil.	*It's sunny.*
Il y a du vent.	*It's windy.*
la neige	*snow*
le soleil	*sun*
le vent	*wind*

Verbes

aller en boîte	*to go to a club*
aller voir	*to go see*
apprendre	*to learn*
attendre	*to wait for*
boire	*to drink*
commander	*to order (at a café, restaurant)*
comprendre	*to understand*
descendre	*to go downstairs; to get off (a bus, a plane, etc.)*
désirer	*to want*
devoir	*must, to have to; to owe*
discuter (de)	*to discuss*
dormir	*to sleep*
entendre	*to hear*

faire la connaissance (de)	*to meet, to make someone's acquaintance*
inviter	*to invite*
laisser un message	*to leave a message*
partir	*to leave, to depart*
perdre	*to lose*
pouvoir	*can, to be able to*
prendre	*to take; to have food*
rendre	*to return (something)*
rendre visite à	*to visit (a person)*
répondre	*to answer*
sortir	*to leave, to exit; to go out*
vendre	*to sell*
vouloir	*to want*

Adjectifs

chaud(e)	*hot*
désolé(e)	*sorry*
frais (fraîche)	*cool*
froid(e)	*cold*
impossible	*impossible*
libre	*free, available*
pris(e)	*taken, not available*
seul(e)	*alone*

Pronoms

moi	*me*
toi	*you*
elle(s)	*her (them)*
lui	*him*
nous	*us*
vous	*you*
eux	*them*

Mots interrogatifs

combien (de)	*how much (how many)*
comment	*how (what, huh)*
(d')où	*(from) where*
pourquoi	*why*
quand	*when*
que	*what*
quel(le)	*which, what*
quoi	*what*

Mots divers

allô	*hello (on phone)*
avec	*with*
une boîte (de nuit)	*a club*
un courriel, un e-mail, un mél	*an email message*
d'accord	*okay*
d'habitude	*usually*
ensemble	*together*
parce que	*because*

toujours	*all the time, always*	Oui, je veux bien.	*Sure, I'd like to.*
peut-être	*maybe*		*Yes, please.*
une place	*a seat*	Désolé(e). Je suis	*Sorry. I'm busy.*
pour	*for*	occupé(e).	
quelque chose (à boire)	*something (to drink)*	Malheureusement, je	*Unfortunately, I can't.*
quelqu'un	*someone*	ne peux pas.	
un rendez-vous	*an appointment, a date*		

Mots apparentés: une idée, un instant, un message, un moment

Expressions utiles

Comment inviter	**How to make plans**

(See page 126–127 for additional expressions.)

Tu veux sortir ce soir?	*Do you want to go out tonight?*
Tu aimerais faire quelque chose?	*Would you like to do something?*
Qu'est ce que tu vas faire ce week-end?	*What are you going to do this weekend?*

Comment faire connaissance	**How to get acquainted**

(See page 137 for additional expressions.)

D'où êtes-vous?	*Where are you from?*
Je vous (te) connais?	*Do I know you?*
Pardon, est-ce que cette place est libre?	*Excuse me, is this seat free?*
Quel beau temps, n'est-ce pas?	*What nice weather, isn't it?*
Vous attendez (Tu attends) quelqu'un?	*Are you waiting for someone?*

■ Vocabulaire supplémentaire

Noms

Les boissons	**Drinks**
un citron pressé	*a lemonade*
une infusion	*an herbal tea*
un jus de pomme	*an apple juice*
une limonade	*a lemon-lime soda*
un Orangina	*an orange soda (brand name)*

Expressions pour parler du temps

Il fait doux.	*It's mild.*
Il fait lourd.	*It's humid.*
Il y a des éclaircies.	*It's partly cloudy.*
Il y a des orages.	*It's stormy.*
Il y a du brouillard.	*It's foggy.*

Verbes

appeler	*to call*
continuer	*to continue*
diminuer	*to diminish*
rappeler	*to call back*

Adjectifs

alcoolisé(e)	*containing alcohol*
récent(e)	*recent*
sucré(e)	*sweetened*

Mots divers

un billet	*a ticket*
une cabine téléphonique	*a phone booth*
C'est pas grave. *(fam)*	*It's not important.*
Ne quittez pas.	*Please hold. (on phone)*
quand même	*anyway*
une soirée	*an evening (party)*
une télécarte	*a phone card*
une terrasse	*an outdoor sitting area of a café*

Qu'est-ce qui s'est passé?

In this chapter, you will learn how to talk about past events: what you did over the weekend, where you went on your last vacation, how to recount an anecdote. In the **Perspectives culturelles,** you will see how some

French speakers keep up with the news and you will read about the emperor Napoléon Bonaparte before learning how to talk about the lives of several other historical figures. ❈

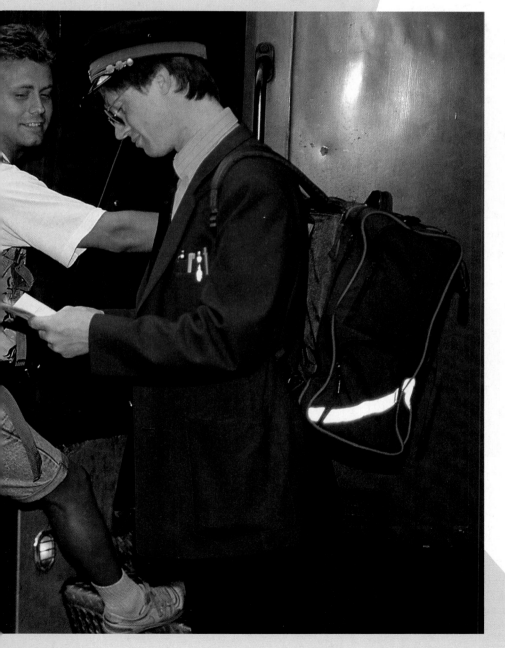

Thème: Les informations

Structure 6.4: Using verbs like *finir* *Les verbes comme* **finir**

Perspectives culturelles: Napoléon Bonaparte, empereur français

Thème: Personnages historiques

Structure 6.5: Using verbs like *venir* and telling what just happened *Les verbes comme* **venir** *et* **venir de** + *infinitif*

À lire, à découvrir et à écrire

Lecture: Jacques Brel: *Chanteur en rébellion*

iLrn™ Voix en direct (suite)

Expression écrite: Échos

Hier

Structure 6.1

Talking about what happened *Le passé composé avec **avoir***

Structure 6.2

Expressing past time *Les expressions de temps au passé*

The theme **Hier** focused on what you did yesterday, highlights the **passé composé**, a verb tense used to tell what happened and to recount past events. See pages 177–178 for a discussion of this tense. Time expressions that explain when an event took place appear on page 179.

Qu'est-ce que vous avez fait hier?

Angèle a étudié pour un examen.

M. et Mme Montaud ont joué aux cartes.

Serge a regardé son émission favorite à la télévision.

Mme Ladoucette a fait une promenade dans le parc avec son chien.

Véronique a pris des photos du coucher de soleil.

Stéphane a perdu ses lunettes.

■ Notez et analysez

In the picture captions, you can see that the **passé composé** form has two parts, first the auxiliary or helping verb, and then a form of the base verb called the past participle. Identify the auxiliary verb. What forms of that verb do you see? Locate the past participles and give their infinitives.

Hier après-midi, Jérôme a joué avec un petit bateau dans le bassin du jardin du Luxembourg. Et vous, qu'est-ce que vous avez fait hier?

■ Activité 1: Les activités d'hier

A. Indiquez si vous avez fait les activités suivantes hier.

	Oui	Non
1. J'ai joué au foot.	_____	_____
2. J'ai regardé les informations *(the news)* à la télé.	_____	_____
3. J'ai pris des photos.	_____	_____
4. J'ai répondu à un courriel.	_____	_____
5. J'ai surfé sur Internet.	_____	_____
6. J'ai perdu mon téléphone portable.	_____	_____
7. J'ai envoyé *(sent)* des SMS (messages instantanés).	_____	_____
8. J'ai fait une promenade dans le parc.	_____	_____

B. Dites au professeur une activité de la liste que vous avez faite hier. Ensuite, répondez à ses questions pour élaborer.

Modèle:

VOTRE PROFESSEUR: *Qu'est-ce que vous avez fait hier?*
VOUS: *J'ai joué au foot.*
VOTRE PROFESSEUR: *Vous êtes dans l'équipe de l'université? Est-ce que vous avez gagné le match?*
VOUS: *Oui, nous avons gagné.*

Give students 1–2 minutes to read the sentences and mark the appropriate column before moving to Part B.

Ask questions in order to elaborate on the student's response. For example: **Ah oui? À quelle heure? Est-ce que vous avez lu les informations en ligne? Quelle page web est-ce que vous préférez? Est-ce que vous avez pris des photos avec un appareil numérique ou avec votre portable? Qui, dans la classe, a passé beaucoup de temps à lire son courriel hier? À qui est-ce que vous avez envoyé des messages instantanés?**

Before students work in pairs, model **Activité 2** with a couple of strong students. Allow short responses. After pair work, follow up by asking students what various classmates did.

■ Activité 2: Interaction

Qu'est-ce que les étudiants de la classe ont fait <u>hier soir</u>? Posez les questions suivantes à un(e) camarade.

1. Tu as regardé la télé? À quelle heure? Où? Quelle(s) émission(s)?
2. Tu as parlé au téléphone? Quand? Avec qui?
3. Est-ce que tu as travaillé? Quand? Où?
4. Est-ce que tu as dîné au restaurant universitaire? Avec qui? À quelle heure?
5. Tu as retrouvé des amis? Qui? Où? Quand?
6. Est-ce que tu as étudié? Pendant combien de temps?

Quelques expressions de temps au passé

■ Notez et analysez

Given the expressions above for *last week* and *last weekend*, how would you indicate something happened last year? **L'année _____**.
And last month? **Le mois _____**.

Avec un(e) partenaire, dites quand vous avez fait les activités suivantes pour la dernière fois *(the last time).*

Modèle: parler anglais en classe
— *Quand est-ce que tu as parlé anglais en classe pour la dernière fois?*
— *J'ai parlé anglais en classe ce matin.*

1. téléphoner à tes parents
2. faire un voyage
3. être en retard à un rendez-vous
4. envoyer un SMS
5. perdre tes clés *(keys)*
6. sécher *(to skip)* un cours

■ **Activité 4: Vous êtes curieux!**

A. Qu'est-ce que votre professeur a fait le week-end dernier? Posez-lui dix questions pour obtenir le plus d'informations possibles. Il/Elle peut répondre seulement par **oui** ou **non**.

Modèle: *Est-ce que vous avez regardé la télévision?*

B. Faites la même activité avec un(e) camarade de classe. Utilisez **tu** avec votre camarade.

Modèle: *Est-ce que tu as regardé la télévision?*

This is a version of the game "20 questions." As in the original game, only yes/no questions may be asked. Students can find out what the teacher or partner did while focusing on forming the **passé composé** of the verbs.

Le monde entier a accès aux programmes de télévision en français grâce à TV5.

Comment raconter une histoire (introduction)

■ Réfléchissez et considérez

1. How do you ask someone to tell you what happened? How do you react if you want to hear more? What do you say if you are surprised? How do you show you are listening?
2. If you are the one telling the story, how do you begin? What words do you use to order the events in your story?
3. Now look at the list of **Expressions utiles** and find the French equivalents to use in reacting to and telling stories.

Nicole a été renvoyée *(was sent out)* de sa classe parce qu'elle a utilisé son portable pour envoyer des textos en classe. Après la classe, ses copines lui ont demandé ce qui s'est passé.

«Nicole, raconte ce qui s'est passé.»
«Eh ben, c'est comme ça… »

Jot down responses to #1 and #2 on the board/overhead. Then students can easily refer to these expressions when finding French equivalents in #3.

Begin by announcing a dramatic event that happened to you recently: **Vous savez, hier, j'ai eu un accident!** The students most likely will not know how to respond appropriately. Repeat the announcement, showing your disappointment in their lack of reaction. Then give them some expressions for responding (see the **Pour réagir** section on the right). Finally have students open the textbook and go over the expressions, working on lively intonation.

Expressions utiles

Si vous écoutez une histoire...

Pour commencer

Qu'est-ce qui s'est passé?	*What happened?*
Racontez-moi ce qui s'est passé.	*Tell me what happened.*

Pour réagir

Ah oui? Qu'est-ce qui s'est passé?	*Really? What happened?*
Et alors?	*And then (what)?*
Ah bon?	*Yes? (Go on . . .)*
Vraiment?	
Dis donc!	*Really?*
Oh là là!	*Wow!*
Zut alors!	*Oh, no!*

Si vous racontez une histoire...

Pour commencer

Voilà ce qui s'est passé.	*Here's what happened.*
Eh ben... je commence. Voilà.	*Um . . . Well . . . I'll begin. Here.*
Euh, c'est comme ça.	*Uh, it's like this.*

Pour continuer

Et puis...	*And then . . .*
Alors... / Ensuite...	*Then . . .*
Euh...	*Uh, um . . .*
Enfin...	*Finally . . .*
Après...	*Then . . .*

CD1, Track 18

▣ Écoutons ensemble! Au restau-U

Vous êtes dans le restaurant universitaire où vous entendez des conversations.

A. Lisez d'abord les commentaires dans la colonne de gauche. Puis, trouvez la réponse appropriée à chacun dans la colonne de droite. Ensuite, écoutez les conversations et vérifiez vos réponses.

1. Tu sais, Marc a eu un accident de moto sur l'autoroute!
2. Dis, Claire, je pense que je vais avoir une promotion!
3. J'ai vu la cousine de Mohammed. Elle dit qu'il est parti pour Paris.
4. Hervé m'a invitée à aller en vacances avec sa famille!
5. Sylvie, tu es toute rouge! Pourquoi?
6. Cet après-midi, nous allons nous balader à vélo.
7. J'ai perdu mon livre de français.

a. Vraiment? Félicitations!
b. Ah oui? Qu'est-ce qu'il va faire à Paris?
c. Eh ben, voilà ce qui s'est passé. Je t'explique...
d. Zut alors. Qu'est-ce que tu vas faire?
e. Ah oui? Qu'est-ce que vous allez faire après?
f. Dis donc! Tu vas y aller?
g. Oh là là! C'est grave? Il est à l'hôpital?

Réponses: 1. g 2. a 3. b 4. f 5. c 6. e 7. d

B. Maintenant, lisez les mini-dialogues avec un(e) partenaire. Puis, inventez votre propre dialogue et jouez-le pour vos camarades.

▣ Activité 5: Routines logiques?

Arrangez les activités dans l'ordre chronologique et ajoutez **d'abord, puis, ensuite, alors** et **enfin**. Lisez votre réponse à la classe; un(e) étudiant(e) doit réagir avec des expressions comme **Vraiment? Oh là là! Ah oui?**

1. **Une soirée entre amis.** Le week-end dernier, j'ai invité des amis chez moi pour une soirée. D'abord, j'ai...
   a. préparé le dîner.
   b. fait les présentations.
   c. téléphoné à mes amis pour les inviter.
   d. fait les courses.

2. **Un examen.** Vendredi dernier, Manuel avait un examen d'histoire. D'abord, il a...
   a. retrouvé un groupe d'amis pour étudier ensemble.
   b. passé l'examen pendant deux heures.
   c. révisé les notes de classe.
   d. beaucoup dormi après l'examen.

3. **Un match de tennis.** Samedi dernier, tu as joué au tennis. D'abord, tu as...
   a. réservé un court au stade municipal.
   b. pris une douche *(shower)* avant de rentrer.
   c. joué deux sets de tennis.
   d. retrouvé ton partenaire au stade.

Activité 5: Begin by modeling number one, and emphasize the use of the linking adverbs **d'abord, puis, ensuite, alors,** and **enfin** to illustrate their function and order. Then put students in pairs or groups of three to arrange the activities in the correct order with a time limit. If short on time, assign one set to each group; then have them read their response to the class.

4. Une soirée au cinéma. Le week-end dernier, nous avons vu un film avec des amis. D'abord, nous avons...

   a. vu le film.
   b. pris le métro jusqu'au cinéma Rex.
   c. dîné dans un restaurant qui reste ouvert jusqu'à minuit.
   d. cherché un bon film dans *Pariscope*.

5. Pour louer un appartement. D'abord, Marianne a...

   a. regardé les petites annonces *(classified ads)* pour trouver un studio pas cher.
   b. décidé de le louer.
   c. téléphoné à la propriétaire pour prendre rendez-vous.
   d. visité le studio.

6. La fin de la journée. D'abord, j'ai...

   a. fait mes devoirs.
   b. décidé d'aller au lit.
   c. commencé à regarder un mauvais film.
   d. regardé les infos à la télé.

■ Activité 6: Étapes importantes

Goal: Use of **il y a** + *time* and controlled practice with the **passé composé.**

En groupes de trois, suivez le modèle pour poser la question, pour répondre et pour réagir de façon appropriée. Note: To avoid giving your age, you may use the indefinite expression **il y a longtemps** *(a long time ago)*.

Modèle: conduire *(to drive)*? (apprendre)
        ÉTUDIANT(E) 1: *Quand est-ce que tu as appris à conduire?*
        ÉTUDIANT(E) 2: *J'ai appris à conduire à l'âge de seize ans, il y a quatre ans.*
        ÉTUDIANT(E) 3: *Moi aussi. / Ah oui? / Vraiment?*

  1. utiliser un ordinateur? (apprendre)
  2. travailler? (commencer)
  3. apprendre le français? (commencer)
  4. boire du café ou du thé? (commencer)
  5. conduire? (commencer)
  6. lire? (apprendre)

Parlons de nos voyages

Structure 6.3

Narrating in the past *Le passé composé avec **être***

You have just learned to form the **passé composé** with the auxiliary verb **avoir**. French also has a small number of verbs conjugated with **être** in the **passé composé**. Many of them involve movement. You will use these verbs to talk about your travels: where you went, when you arrived, when you returned back home, and so forth. For a complete discussion of the **passé composé** with **être**, see page 180.

■ Notez et analysez

The **Auberge Vandertramps** is a mnemonic device to help you remember some of the verbs that form the **passé composé** with **être**. It is important to learn these verbs. Try looking for the verbs that correspond to each letter in the name VANDERTRAMPS. For example, find the verb that the V stands for. The P refers to which verb? Can you see anything these verbs might have in common? Which ones do not fit that pattern?

Similar to the "house of **être**," all the activities pictured here happen in or near **l'Auberge Vandertramps.** Make sure students understand that it is an inn whose name includes the first letters of many of the verbs that are conjugated with **être** in the **passé composé.** The conceptual notion of movement (with exceptions such as **rester, naître,** and **mourir**) is another strategy for helping students learn these verbs. Note that **monter, descendre,** and **sortir** are conjugated with **avoir** in the **passé composé** when they are followed by a direct object: **Il a descendu l'escalier,** but **Il est descendu du taxi.**

Suggestion: Begin by describing the actions depicted in the **Auberge Vandertramps** while students respond by pointing to each. For example: **Le taxi est arrivé à l'auberge. Un homme d'affaires est descendu du taxi. Il est venu de Londres. Une jeune fille est entrée dans l'auberge. Un garçon avec un sac à dos est parti de l'auberge. Une jeune femme avec une bicyclette est retournée à l'auberge. Il y a une femme qui est restée dans la cour pour prendre un café. Regardez dans l'arbre— il y a un nid d'oiseau. Les petits oiseaux sont nés dans ce nid. Oh, le petit oiseau est tombé du nid! Une femme est allée voir ce qui s'est passé. Oh, le pauvre oiseau, il est mort.** Finally, have students take turns with a partner: One points to a character in the drawing and the other describes what the person or animal did.

Lisez la description et indiquez si c'est vrai ou faux.

	Vrai	Faux
1. Le taxi est arrivé devant l'auberge.	_____	_____
2. L'homme d'affaires est monté dans le taxi.	_____	_____
3. Il y a une jeune fille qui est entrée dans l'auberge.	_____	_____
4. Un petit chat est tombé de l'arbre.	_____	_____
5. Un petit oiseau est mort.	_____	_____
6. Un chien est resté sous la table.	_____	_____
7. Une personne est retournée à l'auberge à vélo.	_____	_____
8. Une femme avec un sac à dos est sortie de l'auberge.	_____	_____

■ **Activité 8: Votre week-end**

En utilisant les verbes de l'Auberge Vandertramps, expliquez à votre camarade de classe trois (3) activités que vous avez faites le week-end dernier. Après, racontez à la classe ce que votre partenaire a fait.

Modèle: ÉTUDIANT(E) 1: *Je suis allé(e) à mon travail. Je suis arrivé(e) en retard. Je suis rentré(e) chez moi à deux heures du matin.*
  ÉTUDIANT(E) 2: *Mon/Ma partenaire est allé(e) à son travail samedi. Il/Elle est arrivé(e) en retard. Après son travail, il/elle est rentré(e) chez lui/elle à deux heures du matin.*

■ **Activité 9: L'inquisition d'un parent possessif**

Un parent possessif veut tout savoir sur le voyage que son fils/sa fille a fait le week-end dernier. Avec un(e) camarade, jouez le rôle du parent et de la fille/du fils.

Modèle: — *Avec qui est-ce que tu es parti(e)?*
  — *Je suis parti(e) avec des copains.*

1. Avec qui est-ce que tu es parti(e)?
2. Où est-ce que tu es allé(e)?
3. Combien de copains sont allés avec toi?
4. Tu y es allé(e) comment—en voiture *(car)*? en train?
5. À quelle heure est-ce que tu es arrivé(e)?
6. Pendant combien de temps est-ce que tu y es resté(e)?
7. À quelle heure est-ce que tu es rentré(e)?

CD1, Track 19

■ **Activité 10: Un voyage mal commencé**

Regardez les images et écoutez l'histoire racontée par votre professeur. Ensuite, recomposez l'histoire vous-même.

1.   2.   3.

Expressions utiles: chercher l'équipement de camping, amener le chat, fermer les volets, ranger les bagages dans le coffre, accrocher la caravane, sortir de la maison, chercher les clés, trouver, partir, entendre un bruit, tomber dans la rue

■ Activité 11: Des vacances ratées ou réussies?

Est-ce que vos dernières vacances ont été merveilleuses, médiocres ou désastreuses? Avec un(e) partenaire, dites pourquoi, en utilisant les éléments des deux colonnes. Commencez avec le modèle.

Modèle:
— *Tu as passé de bonnes vacances?*
— *Oui et non.*
— *Comment? Qu'est-ce qui s'est passé?*
— *Bon, voilà, je commence...*

DES VACANCES RATÉES

1. J'ai perdu mon argent/passeport.
2. Il a plu.
3. Les hôtels ont coûté trop cher.
4. Ma voiture est tombée en panne *(broke down)*.
5. J'ai raté *(missed)* mon avion.
6. Je suis tombé(e) malade *(sick)*.
7. ?

DES VACANCES RÉUSSIES

1. J'ai trouvé de bons restaurants.
2. Mes parents ont payé le voyage.
3. Je suis sorti(e) dans des clubs super!
4. Il a fait beau.
5. Je suis toujours arrivé(e) à l'aéroport à l'heure.
6. J'ai trouvé une plage *(beach)* exotique.
7. ?

■ Activité 12: Interaction

Posez les questions suivantes à un(e) camarade. Ensuite, racontez sa réponse la plus intéressante à la classe.

1. Où est-ce que tu as passé tes meilleures *(best)* vacances?
2. Comment est-ce que tu as voyagé?
3. Tu y es allé(e) avec qui?
4. Combien de temps est-ce que tu y es resté(e)?
5. Qu'est-ce que tu as vu d'intéressant?
6. Qu'est-ce que tu as fait pendant la journée? la soirée?
7. Tu aimerais y retourner l'année prochaine?

Activité 10 can be done as TPR storytelling. Narrate the story, having students act out the various roles and answer frequent comprehension questions: **Combien de personnes y a-t-il dans la famille Montaud? Comment s'appelle la jeune fille? Qu'est-ce que Céline a amené chez les voisins, le chat ou le chien?**, etc. Then have students take turns retelling the story. You may eventually use it as a dictation.
Suggested narration:
Monsieur Montaud, Mme Montaud et leur fille Céline vont faire du camping. D'abord, M. Montaud a cherché l'équipement de camping. Puis, Céline a amené le chat chez les voisins. Mme Montaud a fermé les volets. Ensuite, M. Montaud a rangé les bagages dans le coffre et après, il a accroché la caravane. Mme Montaud et Céline sont sorties de la maison. Mme Montaud, inquiète, a cherché les clés de la voiture dans son sac. La petite Céline a trouvé les clés derrière le pot de fleurs et enfin, ils sont partis. Soudain, on a entendu un grand bruit: la caravane est tombée dans la rue!

Expansion: Narrate the story orally or in writing from several perspectives: **nous, je, tu,** etc.

Les infos et nous

by reading
each
Among those with the largest audience

dry

Traditionnellement, les Français s'informent en lisant° un quotidien, un journal publié chaque° jour. Parmi les plus lus° sont *Le Monde* et *Le Figaro*, des journaux au format assez sec° lus par l'élite, *L'Équipe,* un journal sur les sports, et *France-Soir,* un journal du genre tabloid. De plus en plus, on s'informe à travers le journal télévisé qui passe à huit heures du soir—et à travers les sites Internet.

Beaucoup de Français aiment acheter leurs journaux et magazines dans des kiosques à journaux comme ce kiosque-ci à Paris.

newsstands
house projects

general current events

readers

Les Français lisent plus les magazines que les quotidiens. On trouve une grande variété de magazines spécialisés dans les kiosques à journaux°—plus de 3 000 titres! Il y a des revues de loisirs (sport, automobile, bricolage°, télévision, cinéma), des magazines féminins (tels que *Marie-Claire, Elle, Art et Décoration* et *Femme actuelle*), et des publications d'actualité générale°. *Paris-Match,* un magazine avec beaucoup de photos en couleurs de gens célèbres, a le plus grand nombre de lecteurs°. Les magazines d'information *L'Express* et *Le Point,* qui ressemblent à *Time* et *Newsweek,* contiennent toujours des analyses politiques.

Suggestion: Prepare students for this cultural note by bringing in French magazines and/or newspapers. Find out who reads the newspaper regularly and what newspapers and magazines students read: **Comment vous informez-vous? Est-ce que vous lisez régulièrement un journal? des magazines?** Write key words on the board, for example: **les informations, un journal, un magazine,** with examples. Students might like to know that **Agence France-Presse,** the French government's news service, is one of the most important in the world.

■ Avez-vous compris?

Répondez aux questions suivantes.

1. Comment s'appelle un journal qui est publié tous les jours?
2. Quel est l'équivalent français du *six o'clock news*?
3. Quels sont les deux journaux les plus lus par l'élite?
4. Si vous aimez le sport, quel journal est-ce que vous allez lire?
5. Où est-ce qu'on peut acheter *(to buy)* des journaux et des magazines en France?
6. Si vous voulez lire un article sur les acteurs qui ont été à Cannes pour le Festival International du Film, quelle revue est-ce que vous devez acheter?
7. *L'Express* et *Le Point* ressemblent à quels magazines américains?

■ Et vous?

1. Quels sont les journaux les plus lus aux États-Unis? Quel journal est-ce que vous aimez lire?
2. Comment est-ce que vous vous informez: en lisant un journal, en regardant les infos à la télé ou en lisant les infos en ligne?
3. Où allez-vous pour acheter des magazines? Quels magazines est-ce que vous aimez lire?

Voix en direct

Comment est-ce que vous vous informez?

Comment est-ce que vous vous informez?
Beaucoup de jeunes lisent *Le Monde, Libération…*
Bon, chaque journal est engagé[1] plus à droite[2],
plus à gauche[3]. Parfois les gens vont lire plus le
journal que leurs parents achètent. Certains…
préfèrent *Le Métro, Les 20 minutes.* Ce sont des
magazines gratuits[4] qu'on distribue dans le métro,
donc c'est pas très engagé.

Vanessa Vudo

20 ans
Étudiante, Paris

[1]*represents a political position* [2]*on the right* [3]*on the left* [4]*free*

Qu'est ce que vous faites pour rester au courant[5]?
J'ai plusieurs[6] sources d'information. J'écoute la
radio. Toutes les dix minutes, il y a un nouveau
bulletin. C'est France Info. J'aime bien lire le
journal aussi, le matin. Quand je prends le métro
ou le bus pour aller travailler, j'aime lire le journal.
Dans ce cas-là, je choisis soit[7] *Libération,* soit *Le
Monde.* Si je suis en train de travailler chez moi[8],
sur mon ordinateur, je regarde sur euh, par
exemple, «Google actualités[9]» ou la page d'accueil[10] de mon fournisseur
d'accès Internet[11] et j'aime bien aussi regarder les informations à la
télévision, pour avoir des images[12].

Pierre-Louis Fort

35 ans
*Professeur à l'université de
Créteil, France*

[5]*up-to-date* [6]*several* [7]*either . . . or* [8]*if I'm working at home* [9]*news*
[10]*homepage* [11]*Internet provider* [12]*pictures*

■ **Réfléchissez aux réponses**

1. Est-ce que vous vous intéressez aux informations? Quels journaux ou
   magazines est-ce que vous aimez lire?
2. Est-ce que vous aimez lire le même journal que vos parents? les mêmes
   magazines? Pourquoi ou pourquoi pas?
3. Quels journaux mentionnent Vanessa et Pierre-Louis? Est-ce que le journal
   que vous lisez est «engagé», c'est à dire, est-ce qu'il présente une perspective
   politique de droite ou de gauche?
4. Quand est-ce que vous écoutez les infos à la radio? Quand est-ce que vous
   regardez les infos sur Internet? Est-ce que vous aimez regarder les infos à la
   télé? Pourquoi ou pourquoi pas?

Pour ceux qui n'ont pas beaucoup
de temps pour lire les infos, il y a
deux quotidiens gratuits parisiens
qui sont distribués dans le métro.

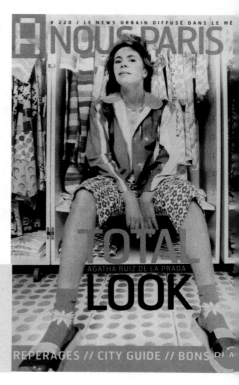

Les informations

Structure 6.4

Using verbs like *finir* *Les verbes comme* **finir**

How do you choose to keep up with the world—via magazines, TV news, newspapers? In this theme, you will use regular **-ir** verbs like **finir** *(to finish)*. To learn about this verb and others conjugated like it, see page 181.

Ask students to read and respond to the questions to acquaint them with these verb forms and to introduce the topic: news.

■ Vous et les infos

1. Quand vous **finissez** vos devoirs, est-ce que vous regardez les infos en ligne?
2. Vos parents, quels journaux **choisissent**-ils?
3. Comment est-ce que tu **réagis** aux tragédies dans le monde (la famine, les désastres naturels, etc.)?

 ■ Activité 13: Le sommaire de *L'Express*

Students might be surprised to see **la Nouvelle-Calédonie** *listed under the category* France. *You may wish to point out that it is an overseas territory,* **un pays d'outre-mer,** *which is scheduled to vote in 2014 whether to become independent or to remain a part of France.* **Alternate activity:** *You may want to bring in a current magazine table of contents and ask questions similar to the ones here. Students may look for current news on the Internet as well.*

Parcourez *(Scan)* le sommaire, à la page 169, avec un(e) partenaire pour trouver les informations suivantes.

1. À quelle page est-ce qu'il y a un article sur: a) le premier ministre français, Dominique de Villepin, b) le dopage chez les sportifs, c) l'importance de l'agriculture, d) comment on célèbre Halloween en France, e) la voiture électrique.
2. Sous quelle rubrique *(heading)* est-ce qu'on trouve un (des) article(s) sur: a) l'iPod, b) la grippe aviaire *(bird flu)*, c) le *Dictionnaire culturel en langue française,* d) la Nouvelle-Calédonie, e) l'Allemagne?
3. Si vous pouviez choisir, quel article est-ce que vous aimeriez lire?

 ■ Activité 14: Interaction

Goal: *Use of* **-ir** *verbs. Have students respond in complete sentences to practice using these forms.*

Quelles sont vos préférences et vos opinions en ce qui concerne les médias? Posez les questions suivantes à un(e) autre étudiant(e).

1. Comment est-ce que tu t'informes: en lisant le journal, en lisant les infos sur Internet ou en regardant la télévision? Pourquoi?
2. Tu réussis à lire *(to read)* le journal tous les jours? Quel journal préfères-tu?
3. Est-ce que tu réagis *(react)* contre la violence à la télévision?
4. Est-ce que la télévision réussit à nous instruire ou seulement à nous amuser?
5. Est-ce qu'il y a une émission de télévision que tu regardes avant de te coucher *(go to bed)*? À quelle heure finit-elle?
6. À ton avis, est-ce que les gens réfléchissent quand ils regardent la télévision ou est-ce qu'ils sont plutôt passifs?

Villepin
54 L'ancien et le nouveau

A. BRUNET/GAMMA

N. HANNES/REPORTERS-REA POUR L'EXPRESS

Le modèle en berne 72

G. ROLLE/REA

98 Voiture électrique L'heure pile ?

J.-M. HURON/EDITING POUR L'EXPRESS

130 Social La loi de Marseille

Ce numéro, toutes éditions confondues, a été tiré à 658 400 exemplaires.
L'Express : cahier n° 1 (édition générale : 164 pages).
Offres d'emploi de la page 143 à la page 155. En central : 12 pages spéciales
Montpellier ; 8 pages spéciales Auxerre, Nice. Encart abonnements broché
entre les pages 34, 35 et les pages 130, 131 sur une diffusion partielle.
L'Expressmag : cahier n° 2 (édition générale : 68 pages).
Sur la Une : cavalier Noos sur Paris intramuros ; encart Milan
sur une diffusion partielle abonnés. Page 23 : collage Marque-page
« Editions Duchêne » sur les abonnés Paris et région parisienne.

■ **Activité 15: Qu'est-ce qui s'est passé ces dernières années?**

Lisez les informations et ensuite, posez des questions à vos camarades de classe sur les événements récents.

Modèle: — *Qu'est-ce qui s'est passé en 2003?*
                — *Arnold Schwarzenegger a été élu gouverneur de la Californie.*

2001 Dans une tragédie qui a choqué le monde, des terroristes liés à l'organisation al-Qaida ont attaqué les deux tours du World Trade Center à New York et le Pentagone à Washington DC. *Shrek,* le film animé des studios DreamWorks, a gagné un Oscar et a été sélectionné en compétition officielle au Festival de Cannes.

2002 L'euro est devenu la seule monnaie utilisée dans l'Union européenne. Jacques Chirac a été réélu président de la République française (2002–2007).

2003 Arnold Schwarzenegger, acteur d'origine autrichienne de 56 ans, a été élu au poste de gouverneur de la Californie. Les États-Unis et la Grande-Bretagne ont lancé l'opération Liberté en Irak contre le régime de Saddam Hussein.

2004 Aux jeux Olympiques d'Athènes, c'est la Belge Justine Henin-Hardenne qui a gagné la médaille d'or en tennis féminin et la Française Amélie Mauresmo qui a gagné la médaille d'argent. Un séisme, magnitude 9, au nord-ouest de Sumatra a provoqué un tsunami (un raz-de-marée) puissant en Indonésie, causant la mort d'environ *(approximately)* 275 000 personnes.

2005 L'Américain Lance Armstrong a gagné le Tour de France une septième et dernière fois.

■ **Activité 16: «Trivial poursuite»**

Avez-vous une bonne mémoire? Répondez aux questions suivantes.

Modèle: — Quand est-ce que Schwarzenegger est devenu gouverneur de la Californie?
                — *Schwarzenegger est devenu gouverneur de la Californie en 2003, il y a… ans.*

1. Quand est-ce que l'euro a remplacé officiellement le franc?
2. Combien de personnes sont mortes à cause d'un raz-de-marée en Indonésie? En quelle année?
3. Quand est-ce que Shrek a eu du succès au box-office?
4. Quand est-ce que Chirac a été réélu président de la France?
5. Qui a gagné le Tour de France en 2005? En quelle année est-ce qu'il l'a gagné la première fois?
6. Quelles jeunes femmes ont gagné la médaille d'or et la médaille d'argent en tennis aux jeux Olympiques d'Athènes? En quelle année?
7. Quand est-ce que les États-Unis ont lancé l'opération Liberté en Irak?

Napoléon Bonaparte, empereur français

Napoléon Bonaparte

Né en 1769, Napoléon Bonaparte **vient** d'une famille corse°. Après une éducation militaire en France, il **devient** soldat°. En 1796, il **obtient** le commandement de l'armée d'Italie où il remporte des victoires. Le gouvernement l'envoie au Moyen-Orient° où il organise l'Égypte et bat° les Turcs en Syrie.

Après ses campagnes militaires, il **revient** en France où les modérés dans le gouvernement° l'aident dans un coup d'état. Napoléon **devient** premier consul et **obtient** de plus en plus de pouvoir° grâce à la constitution autoritaire qu'il impose.

Il gagne beaucoup de territoires pour la France en conquérant des pays voisins et amasse un empire européen. Napoléon **tient à**° la gloire et il se proclame empereur des Français en 1804. Hélas, Napoléon ne réussit pas à **maintenir**° son Grand Empire.

Après plusieurs défaites° militaires qui finissent par l'invasion de la France, Napoléon doit abdiquer et il part en exil sur l'île d'Elbe. En 1815, il **revient** en France, où il reste pendant cent jours. Mais son armée est battue° à Waterloo et il doit abdiquer une seconde fois. Les Anglais l'envoient en exil à l'île de Sainte-Hélène, où il meurt quelques années plus tard en 1821.

from the island of Corsica
soldier

Middle East / defeats

political moderates

power

seeks

to maintain
defeats

beaten

■ Avez-vous compris?

Répondez aux questions suivantes.

1. D'où vient Napoléon?

2. Qu'est-ce qu'il obtient en 1796?

3. Comment devient-il premier consul?

4. Est-ce un homme de paix ou de guerre?

5. Reste-t-il sur l'île d'Elbe après son premier exil?

6. Quel est le lieu célèbre où son armée a été vaincue (*defeated*)?

Suggestion: Find out how much students know about Napoleon: **Quelle est sa nationalité? Comment est-il, grand ou petit? Est-ce qu'il a vécu après ou avant la Révolution française? Qu'est-ce qu'il a fait?**, etc. Have students look at the follow-up questions before doing the reading.

Personnages historiques

Structure 6.5

Using verbs like *venir* and saying what someone just did *Les verbes comme venir et venir de + infinitif*

This **thème** presents a set of irregular **-ir** verbs conjugated like **venir**. You will also be working with **venir de** followed by the infinitive to talk about what has just taken place. See pages 182–183 for further information.

■ Notez et analysez

All of the boldface verbs in the **Perspectives culturelles** about Napoleon on page 171 are conjugated like **venir**. Identify the infinitives of these verbs.

Goal: Semicontrolled past tense narration. **Alternatives:** You might want to assign **Activité 17** as a short writing assignment. Students could also choose their own historical figure to write about for homework.

■ Activité 17: Mini-portraits historiques

Vous allez faire un bref portrait d'un des personnages historiques suivants. Dites où il/elle est né(e) et en quelle année, où il/elle a grandi, sa profession, sa contribution historique et l'année de sa mort.

Modèle: *Napoléon est né en 1769. Il vient de Corse. Il a grandi en France. Il est devenu soldat. Il a amassé un grand empire en Europe et s'est proclamé empereur. Il est mort en 1821.*

1.

Nom: Marie Joseph Gilbert Motier, Marquis de La Fayette
Lieu et date de naissance: 1757, château de Chavaniac
Jeunesse: Auvergne
Profession: général et homme politique
Contribution: Il a aidé dans la guerre d'indépendance en Amérique.
Mort: 1834

2.

Nom: Marie Curie
Date et lieu de naissance: 1867, Varsovie
Jeunesse: Pologne
Profession: savante, chercheuse
Contribution: Avec son mari Pierre Curie, elle a découvert le radium.
Mort: 1934 par exposition au radium

3.

Nom: Charles de Gaulle
Date et lieu de naissance: 1890, Lille
Jeunesse: Lille
Profession: général et président
Contribution: Général et homme d'état français, il a refusé l'armistice pendant la Seconde Guerre mondiale. De Londres, il a lancé un appel à la résistance et a été à la tête de la France Libre *(Free France)*. En 1944, il est devenu président de la République française. Il a démissionné *(left office)* en 1969.
Mort: 1970

4.

Nom: Jean-Paul Sartre
Date et lieu de naissance: 1905, Paris
Jeunesse: Paris
Profession: écrivain, philosophe
Contribution: Il a développé un courant philosophique appelé «existentialisme». Ses livres, *Huis clos* et *La Nausée,* ont beaucoup influencé la pensée intellectuelle de son époque.
Mort: 1980

■ Activité 18: Histoire personnelle

Répondez aux questions suivantes et ensuite, utilisez les mêmes *(same)* questions pour interviewer votre camarade.

1. D'où viennent tes ancêtres?
2. Pourquoi est-ce qu'ils sont venus aux États-Unis?
3. Où est-ce que tes grands-parents sont nés?
4. Ils ont eu combien d'enfants?
5. Où est-ce que tes parents ont grandi?
6. Est-ce que quelqu'un dans ta famille est devenu célèbre? Pourquoi?

■ Activité 19: Qu'est-ce qu'on vient de faire?

A. Lisez les descriptions suivantes et imaginez ce que ces personnages viennent de faire.

> **Modèle:** Jean-Marc est couvert de sueur *(perspiration)*.
> *Il vient de courir dix kilomètres.*

1. Étienne rentre de la bibliothèque.
2. Les Dupuis défont *(unpack)* leurs valises.
3. Nous quittons le cinéma.
4. Tu attends tes boissons au café.
5. Maurice raccroche *(hangs up)* le téléphone.

B. Maintenant, écrivez cinq questions sur ce qui vient de se passer sur votre campus ou dans le monde actuel. En groupes de quatre, posez les questions à vos camarades de classe. Qui est la personne la plus branchée *(up-to-date)*?

> **Modèles:** *Quel groupe vient de donner un concert en ville?*
> *Quels acteurs viennent de se marier (divorcer)?*

Before beginning **Activité 19,** introduce the **passé récent** using TPR: **Jennifer, levez-vous, s'il vous plaît, et dessinez une chaise au tableau. Très bien. Qu'est-ce qu'elle vient de faire? Oui, elle vient de dessiner une chaise au tableau. Regardez Jeff; il est hors d'haleine.** *(Act out.)* **Pourquoi? Il vient de courir.**

■ Situations à jouer!

Use **iLrn** voiceboard for individual oral practice with the **Thèmes** and the **Pratique de conversation** in **Module 6.**

1.
> **"20 questions."** Form two teams and choose two to three names of famous people to assign to members of the opposing team. A name is pinned on someone of the opposing team who must go to the front of the class and can ask up to twenty questions to figure out his/her identity.
>
> **Modèle:** — *Est-ce que je suis mort(e)?*
> — *Non.*

2.
> **L'année passée.** Make a list of five events that have taken place over the last year on your campus or in your town / state. Write what happened on one side of the card and put the date on the other side of the card. Mix up the cards and see if your partner can put the cards in the proper order without looking at the dates. Check by turning over the cards.

3.
> **Action!** Film the newscasts you create in **Expression écrite,** p. 176. Show the videos to another class and have them vote on the best newscast (based on accuracy and comprehensiveness of content and manner of presentation).

Lecture

■ Anticipation

1. En France comme aux États-Unis, les années 60 ont été une période de rébellion des jeunes contre l'autorité. À Paris, les étudiants ont manifesté *(protested)* contre le gouvernement. Quelle université américaine est-ce que vous associez aux manifestations américaines des années 60?

2. D'après le titre, est-ce que Jacques Brel est considéré comme un chanteur conformiste ou anticonformiste?

3. La bourgeoisie est une catégorie sociale de gens relativement aisés *(well off)* qui ne font pas de travail manuel. Certaines valeurs sociales *(social values)* sont traditionnellement associées à la bourgeoisie. Quels adjectifs est-ce que vous associez à la bourgeoisie: riche, pauvre, conservatrice, traditionnelle, confortable, ouverte, fermée, conformiste, anticonformiste, capitaliste, socialiste, hypocrite, scandaleuse?

4. On dit qu'avec sa chanson *(song)* «Les bourgeois», Jacques Brel est devenu le porte-parole *(spokesperson)* de sa génération. Quel chanteur a été le porte-parole des années 60 aux États-Unis? Quel chanteur est le porte-parole de votre génération?

Jacques Brel: *Chanteur en rébellion*

1   Jacques Brel, auteur et compositeur, est né en 1929 en Belgique.

    Il a quitté l'usine° familiale pour aller chanter avec sa guitare dans les cabarets de
5 Paris. Ses chansons les plus célèbres, souvent composées sur le rythme d'une valse, sont «Quand on n'a que l'amour», «Ne me quitte pas», reprise par Nina Simone, «Le port d'Amsterdam» et «Les
10 amants».

    Il parle de la solitude, de la vie quotidienne, de l'amour, de la mort et de la bêtise° des gens. Mais il a surtout décrit et critiqué la classe bourgeoise française et
15 ce qu'elle a représenté dans les années 60: la peur° du changement et de tout risque, l'étroitesse° d'esprit, le conformisme et le désir de maintenir le pouvoir° par l'argent.

    Il a fait beaucoup de portraits satiriques. Avec sa chanson «Les
20 bourgeois», qui dit que la liberté est le contraire de la sécurité, il est devenu le porte-parole de la rébellion de beaucoup de jeunes contre l'autorité et les contraintes de toutes sortes. Contre la guerre°, il a chanté la force et la violence de l'amour, de la jeunesse, de l'espoir.

    En 1966, fatigué de son succès, il a arrêté de faire des concerts° pour vivre
25 ses passions: il a appris à piloter et il a navigué autour du monde. En 1972, l'Amérique l'a invité à fêter° sa carrière. Il a écrit ses dernières chansons sur le thème de la mort et a fini sa vie à Tahiti en 1978, atteint d'un cancer, à l'âge de 49 ans.

factory (1)

stupidity (13)

fear (16)
narrowness (17)
power (18)

war (23)

touring (24)

to celebrate (26)

■ Activités de lecture

1. La chronologie des événements est souvent importante dans une biographie. Parcourez *(Scan)* le texte pour repérer toutes les dates et leur importance.
2. Parcourez le texte pour trouver les chansons les plus célèbres de Jacques Brel.

■ Expansion de vocabulaire

1. Utilisez le contexte et les mots apparentés pour trouver l'équivalent anglais des mots en italique.
   a. Ses chansons célèbres, souvent composées sur le rythme d'une *valse,* sont...
   b. La classe bourgeoise a représenté la peur du changement et de tout *risque...*
   c. Il a critiqué le désir de la classe bourgeoise de *maintenir* le pouvoir par l'argent.
   d. «Les bourgeois» disaient que la liberté était le *contraire* de la sécurité.
   e. Une rébellion contre l'autorité et les *contraintes* de toutes sortes...

2. Dans ce texte, il y a beaucoup de mots, comme **autorité,** qui se terminent en **-ité** ou **-été.** Ces mots représentent souvent une idée abstraite.
   a. Trouvez tous les mots qui se terminent en **-té** et notez leur genre.
   b. Traduisez les mots suivants en français: *society, fraternity, quality, maturity, identity, complexity.*

■ Compréhension et intégration

1. Où est-ce que Jacques Brel est né?
2. Quelle était sa nationalité?
3. Quel a été son premier acte de rébellion?
4. De quoi parlait-il dans ses chansons?
5. Quel groupe est-ce qu'il a critiqué et pourquoi?
6. Qu'est-ce qu'il a fait en 1966?
7. Comment et où est-ce qu'il est mort?

■ Maintenant à vous!

1. Écoutez une chanson de Jacques Brel. Quel aspect de la société est-ce qu'il critique dans cette chanson?

2. Choisissez un(e) étudiant(e) pour jouer le rôle d'un(e) musicien(ne) célèbre. La classe va l'interviewer pour savoir: où il/elle est né(e), où il/elle a grandi, où il/elle est allé(e) au lycée, quand il/elle a commencé à faire de la musique ou à chanter, ce qu'il/elle pense de l'amour, de la vie, de la société, de la musique, etc.

3. D'après ce texte, quel(le) chanteur (chanteuse) contemporain(e) ressemble le plus à Jacques Brel? Faites une liste de chanteurs qui ressemblent à Brel et une autre liste de chanteurs qui ne lui ressemblent pas. Trouvez des adjectifs pour décrire chaque chanteur. Ensuite, en groupes de trois ou quatre, échangez vos idées et présentez vos listes à la classe.

On the French music CD provided by Heinle, there are three songs by Jacques Brel: «**Madeleine**» (theme: **la déception de l'amour**), «**Les bonbons**» (theme: **l'hypocrisie de la bourgeoisie**), and «**On n'oublie rien**» (theme: **la déception de l'amour**). Activities are also provided for these songs.

OUI	ADJECTIFS	NON	ADJECTIFS
Bob Dylan	anticonformiste	Britney Spears	superficielle

Go to **iLrn** to view video clips of young French speakers talking about what they like to do when they are on vacation.

Expression écrite

Suggestion: Plan on doing this **Expression écrite** over a period of several days. For example, Day 1: **Première** and **Deuxième étapes;** Days 2/3: **Troisième étape;** Days 4/5: **Quatrième étape.**

■ Échos

With your classmates you will create a student newspaper, *Échos,* by completing the following steps.

PREMIÈRE ÉTAPE: In a brainstorming session with your class, select the kinds of stories you wish to include in the student paper: **sports, météo, santé, économie, monde, société, célébrités, arts / spectacles,** and so forth. Think together about the events you might want to include in these categories.

DEUXIÈME ÉTAPE: In groups of three, select a topic area. Each member may develop his/her own "slant" to write up for homework.

TROISIÈME ÉTAPE: Read your drafts to your reporting team. They will make suggestions, additions, clarifications, and corrections. Submit the corrected drafts to your instructor. Finally, news teams will present their stories to the class.

QUATRIÈME ÉTAPE: Your instructor will edit your work; your group will retype your column to be included in the student newspaper and published for the class.

SYSTÈME-D	
Phrases:	writing a news item, describing weather, describing people, sequencing events, talking about past events, talking about the recent past, talking about the immediate past
Grammar:	compound past tense, verbs with auxiliary **être**, verbs with auxiliary **avoir** or **être**, adverbs of time, pronouns
Vocabulary:	entertainment, people, print journalism, time expressions, days of the week

Structure 6.1

Use the **iLrn**™ platform for more grammar and vocabulary practice.

Talking about what happened *Le passé composé avec* **avoir**

The **passé composé** *(compound past)* is used to talk about past events. Its English equivalent will depend on the context.

J'ai vu un bon film.
{
I saw a good movie.
I have seen a good movie.
I did see a good movie.

The **passé composé** has two parts: a helping or auxiliary verb, **l'auxiliaire,** and a past participle, **le participe passé.** The verb **avoir** is the most common auxiliary. Here is the verb **voyager** conjugated in the **passé composé.**

j'ai voyagé	nous avons voyagé
tu as voyagé	vous avez voyagé
il/elle/on a voyagé	ils/elles ont voyagé

The past participle is formed by adding an ending to the verb stem.

Regular verbs take the following endings:

regular past participles		
-er verbs take **-é:** parler	→	parlé
-ir verbs take **-i:** finir	→	fini
choisir	→	choisi
-re verbs take **-u:** perdre	→	perdu
répondre	→	répondu

Many verbs have irregular past participles that you'll need to memorize.

irregular past participles	
infinitive	**past participle**
avoir	eu
boire	bu
devoir	dû
être	été
faire	fait
lire	lu
pleuvoir	plu
prendre	pris
recevoir	reçu
voir	vu

For negative sentences, place the **ne... pas** around the auxiliary verb; then add the past participle.

Je **n**'ai **pas** trouvé la clé.

To form a question, use intonation, **est-ce que,** or inversion. In the case of inversion questions, invert the pronoun and the auxiliary.

Tu as trouvé la clé?
Est-ce que tu as trouvé la clé?   *Did you find the key?*
As-tu trouvé la clé?

■ **Exercice 1.** Écrivez le participe passé des verbes suivants.

1. parler
2. voyager
3. faire
4. voir
5. jouer
6. avoir

7. prendre
8. dormir
9. recevoir
10. choisir
11. finir
12. être

■ **Exercice 2.** Complétez les phrases suivantes avec le participe passé du verbe approprié: **prendre, perdre, finir, téléphoner, trouver, parler, recevoir, voir, faire, répondre.**

1. Tu as _____ le dernier film de Johnny Depp?
2. J'ai _____ mes clés; tu as _____ des clés?
3. Est-ce que vous avez _____ vos devoirs?
4. Hélène a _____ la lettre, mais elle n'y a pas encore _____.
5. J'ai _____ à ma famille et nous avons _____ pendant une heure.

■ **Exercice 3.** Racontez le voyage en Amérique d'Arnaud et de son copain Renaud en mettant les verbes en italique au passé composé.

1. Arnaud et Renaud *saluent* leurs copains à l'aéroport.
2. Ils *voyagent* pendant huit heures.
3. Dans l'avion, Renaud *regarde* deux films, mais Arnaud *écoute* de la musique, puis il *dort.*
4. Arnaud *appelle* un taxi pour aller à l'hôtel.
5. Renaud *prend* beaucoup de mauvaises photos en route pour l'hôtel.
6. Après un peu de repos, ils *boivent* une bière au restaurant de l'hôtel et *regardent* les gens.

Structure 6.2

Expressing past time *Les expressions de temps au passé*

The adverbial expressions in the following list often accompany the **passé composé**. They generally appear at the beginning or end of sentences.

hier matin / soir	*yesterday morning / evening*
ce matin / ce soir	*this morning / this evening*
le week-end dernier / le mois dernier	*last weekend / last month*
la semaine dernière	*last week*

il y a + *time expression*

il y a un an	*a year ago*
il y a deux jours	*two days ago*

La semaine dernière, j'ai vu un vieil ami.	*Last week I saw an old friend.*
J'ai commencé mes études **il y a un an.**	*I started studying a year ago.*

Note that the preposition **pendant** in the following examples expresses duration and can be used with any verb tense. Use **pendant** and not **pour** when you are talking about a length of time.

Pendant combien de temps avez-vous regardé le film?	*How long did you watch the film?*
Hier soir, j'ai travaillé **pendant** deux heures.	*Last night I studied for two hours.*

Most one- and two-syllable adverbs precede the past participle in the **passé composé**.

beaucoup	*a lot*	mal	*badly, poorly*
bien	*well*	pas encore	*not yet*
déjà	*already*	peu	*little*

—Avez-vous **déjà** fini?	*Have you finished already?*
—Non, je n'ai **pas encore** commencé.	*No, I haven't started yet.*

■ **Exercice 4.** Complétez chaque phrase avec l'adverbe approprié (**mal, bien, beaucoup, déjà, encore**) et le verbe entre parenthèses conjugué au passé composé.

1. Amélie Mauresmo a perdu le match parce qu'elle (jouer) _____.

2. Répétez, s'il vous plaît, je (ne pas comprendre) _____.

3. Le candidat (voyager) _____ pendant la campagne électorale.

4. Elles (visiter) _____ Paris; maintenant, elles veulent voir Londres.

5. Dis, tu veux aller au cinéma? Je (ne pas voir) _____ ce film.

6. Tu as dix-huit ans; est-ce que tu (apprendre) _____ à conduire?

Structure 6.3

Narrating in the past *Le passé composé avec **être***

A small group of verbs is conjugated in the **passé composé** with the auxiliary **être** instead of **avoir.** Here is a list of the most common verbs conjugated with **être.** (Most of these verbs are included in the mnemonic device you saw on page 163: VANDERTRAMPS.) Irregular past participles are indicated in parentheses.

aller *to go*	rentrer *to go back, to go home*
arriver *to arrive*	rester *to stay*
descendre *to go down; to get off*	retourner *to return (somewhere)*
entrer *to enter*	sortir *to go out; to leave*
monter *to go up; to get in / on (a vehicle)*	tomber *to fall*
mourir *(p.p. mort) to die*	tomber en panne *to break down*
naître *(p.p. né) to be born*	venir *(p.p. venu) to come*
partir *to leave*	revenir *(p.p. revenu) to come back*
passer *to pass (by)*	devenir *(p.p. devenu) to become*

The past participle of verbs conjugated with **être** agrees in gender and number with the subject.

feminine singular: add **-e**
masculine plural: add **-s**
feminine plural: add **-es**

Mon père est resté à la maison. — *My father stayed home.*
La voiture est tombée en panne. — *The car broke down.*
Éric et Claudine sont sortis ensemble. — *Éric and Claudine went out together.*
Ma sœur et sa copine sont parties à l'heure. — *My sister and her friend left on time.*

When **on** has the plural meaning *we,* the past participle often ends in **-s.**

On est arrivés en taxi. — *We arrived by taxi.*

■ **Exercice 5.** Nicolas écrit une composition sur la visite d'un château avec des copains le week-end dernier. Mettez les verbes entre parenthèses au passé composé avec **être.** Attention à l'accord du participe passé.

Dimanche, on (aller) _____ (1) visiter un château. D'abord, nous (arriver) _____ (2) dans un parc magnifique. Puis, nous (entrer) _____ (3) dans le hall du château. Des guides (venir) _____ (4) nous chercher pour la visite. On (monter) _____ (5) dans la tour *(tower)* par un escalier étroit *(a narrow staircase).* Céline (rester) _____ (6) au premier étage à admirer les tapisseries. Son frère, Jean-Guillaume, (tomber) _____ (7) dans l'escalier. Ensuite, Céline (descendre) _____ (8) aux oubliettes *(dungeon).* Beaucoup de prisonniers y (mourir) _____ (9)! Céline avait peur *(was afraid)* et elle (remonter) _____ (10) très vite! Nous (ressortir, *to go back out*) _____ (11) par une grande porte. À la fin de la visite, nous (remonter) _____ (12) dans l'autocar et je (repartir) _____ (13) chez nous.

■ **Exercice 6.** Complétez cette description d'une randonnée en montagne au passé composé. Choisissez entre l'auxiliaire **avoir** ou **être.**

La semaine dernière, nous (aller) _____ (1) en montagne. On (prendre) _____ (2) les sacs à dos et on (emprunter *[to borrow]*) _____ (3) la tente aux voisins. Nous (quitter) _____ (4) la ville très tôt le matin. En route, nous (passer) _____ (5) par un magasin où Jean (sortir) _____ (6) pour acheter des boissons. Nous (rouler *[to drive]*) _____ (7) toute la journée. Enfin, quand nous (arriver) _____ (8) au camping, Jean et moi, nous (installer) _____ (9) la tente tout de suite et on (dormir) _____ (10). Nous (partir) _____ (11) en randonnée le matin.

Structure 6.4

Using verbs like *finir* Les verbes comme *finir*

You have already learned a type of irregular **-ir** verb (**dormir, sortir…**).

Finir *(to finish)* follows a slightly different pattern.

finir *(to finish)*	
je finis	nous finissons
tu finis	vous finissez
il/elle/on finit	ils/elles finissent

passé composé: j'ai **fini**

Mon cours de français **finit** à onze heures.	My French class finishes at 11.

Other regular **-ir** verbs of this type include **réfléchir** *(to think)*, **obéir** *(to obey)*, **agir** *(to act)*, **réagir** *(to react)*, **choisir** *(to choose)*, and **réussir** *(to succeed)*.

Je ne réussis pas à faire obéir mon chien. Quand je dis «assieds-toi», il finit par faire exactement ce qu'il veut.	I'm not successful at making my dog obey. When I say, "sit down," he ends up doing exactly what he wants.

A number of regular **-ir** verbs conjugated like **finir** are derived from adjectives, as in the examples shown here.

ADJECTIVE	VERB	MEANING
grand(e)	grandir	*to grow (up)*
rouge	rougir	*to redden; to blush*
maigre	maigrir	*to lose weight*
gros(se)	grossir	*to gain weight*

Tu ne manges pas assez, tu maigris!	You aren't eating enough, you're losing weight!
Est-ce que vous rougissez de gêne?	Do you blush from embarrassment?

■ **Exercice 7.** Complétez les phrases suivantes avec la forme correcte des verbes entre parenthèses.

1. Est-ce que vous (maigrir) _____ ou bien est-ce que vous (grossir) _____ quand vous êtes stressé(e)?

2. Je suis impulsive. Je ne (réfléchir) _____ pas assez avant d'agir.

3. Vous (choisir) _____ de rester ici, n'est-ce pas?

4. Nous (finir) _____ nos devoirs et puis nous sortons.

5. Les enfants (grandir) _____ trop vite!

6. Nous, les roux, nous (rougir) _____ au soleil.

7. Est-ce que tu (obéir) _____ toujours à tes parents?

8. Ma sœur (réussir) _____ toujours à ses examens.

■ **Exercice 8.** Monique, à table chez elle, se plaint de *(is complaining about)* M. Éluard, son professeur d'anglais. Complétez le passage avec les verbes suivants: **agir, rougir, réussir, finir, choisir, obéir.**

Je ne comprends pas pourquoi M. Éluard _____ (1) (passé composé) d'être professeur. Il n(e) _____ (2) pas à maintenir l'ordre en classe parce qu'il n(e) _____ (3) pas avec autorité. Ses étudiants n(e) _____ (4) pas à ses ordres. Ils n(e) _____ (5) jamais *(never)* leurs devoirs et ils n(e) _____ (6) pas à leurs examens. Le pauvre professeur est timide, et il _____ (7) quand il parle à la classe.

Structure 6.5

Using verbs like *venir* and telling what just happened *Les verbes comme venir et venir de + infinitif*

You learned the verb **venir** in **Module 3.** Here are some other useful verbs conjugated like **venir.** Derivations of **venir** are conjugated with **être** in the **passé composé.** Derivations of **tenir** are conjugated with **avoir.**

venir *(to come)*	
je viens	nous venons
tu viens	vous venez
il/elle/on vient	ils/elles viennent

passé composé: je suis **venu(e)**

être *auxiliary*	avoir *auxiliary*
devenir *(to become)*	tenir *(to hold; to keep)*
revenir *(to come back)*	tenir à *(to want to)*
	maintenir *(to maintain)*
	obtenir *(to obtain)*

Après huit ans d'études universitaires, Paul **est devenu** professeur de chimie.	*After eight years of university studies, Paul became a chemistry professor.*
Elle **est revenue** en train?	*Did she come back by train?*
Les enfants **tiennent** la main de leur mère.	*The children are holding their mother's hand.*

Tiens and **tenez** can be used idiomatically in conversation to attract the listener's attention.

—**Tiens,** Jacques est à l'heure!	*—Well (Hey), Jacques is on time!*
—Tu n'as pas de nouvelles de Claude? **Tiens,** je te donne son adresse e-mail.	*—You don't have any news from Claude? Here, I'll give you his email address.*

Expressing what just happened with *venir de + infinitif*

In French, the **passé récent,** which indicates that an action has just happened, is formed by using the present tense of **venir** followed by **de** and the infinitive.

—Avez-vous faim?

—Non, je **viens de** manger.

—*Are you hungry?*

—*No, I just ate.*

Nous sommes fatigués. Nous **venons de** courir cinq kilomètres.

We're tired. We just ran five kilometers.

■ **Exercice 9.** Regardez les images à la page 156. Dites ce que les gens suivants viennent de faire.

> **Modèle:** Angèle
> *Angèle vient d'étudier pour un examen.*

1. M. et Mme Montaud
2. Yvette
3. Mme Ladoucette
4. Véronique
5. Stéphane

■ **Exercice 10.** Complétez ce profil de Marjan. Choisissez les verbes appropriés et mettez-les au **présent** ou au **passé composé** selon le contexte.

> **devenir obtenir revenir tenir venir**

Marjan _____ (1) de finir ses études universitaires à Aix-en-Provence. Il y a un mois, elle _____ (2) son diplôme universitaire. Maintenant, elle cherche un bon poste dans le gouvernement. Elle n'a rien trouvé à Aix, donc Marjan _____ (3) habiter chez ses parents. Elle _____ (4) à trouver du travail rapidement. Elle _____ (5) anxieuse à l'idée de ne pas pouvoir être indépendante.

■ Tout ensemble!

Marie-Josée parle de son premier jour à son poste de juge. Choisissez un mot de la liste pour compléter son histoire. Mettez les verbes à l'infinitif au passé composé.

apprendre	dernière	il y a	rentrer
arriver	devenir	ne pas pouvoir	tomber
avoir	entrer	partir	venir de (d')(présent)
commencer	être		

J(e) _____ (1) être nommée *(named)* à mon poste de juge _____ (2) un mois. J'ai commencé ce nouveau travail la semaine _____ (3)—et ma première journée a été inoubliable *(unforgettable)* pour beaucoup de raisons. D'abord, mon radio-réveil n'a pas sonné et je _____ (4) de chez moi vingt minutes en retard. En sortant de mon appartement, j(e) _____ (5) dans l'escalier! Ensuite, en route, je pensais à mes nouvelles responsabilités sans faire trop attention à ma vitesse *(speed)*—et voilà, un agent de police m'a arrêtée *(stopped me)*! Il _____ (6) gentil avec moi et j(e) _____ (7) de la chance: pas de contravention *(ticket)*. Puis, quand je _____ (8) à mon bureau, j(e) _____ (9) trouver la clé. Finalement, à dix heures, je _____ (10) dans la salle du tribunal *(courtroom)*. Tout le monde *(Everyone)* _____ (11) silencieux. J'ai donné l'impression d'être calme, mais à l'intérieur, j'étais très nerveuse. Une fois que le procès *(trial)* _____ (12), j'ai oublié *(forgot)* mes difficultés. Après ça, tout s'est bien passé. J'(e) _____ (13) une bonne leçon: ce qui commence mal peut bien finir. Quand je _____ (14) chez moi le soir, j'étais fatiguée mais contente.

✿ Vocabulaire

■ Vocabulaire fondamental

Noms
Les informations | The news
un article	an article
une émission	a TV program
un événement	an event
les informations (les infos, *fam*) (*f pl*)	the news
un journal (télévisé)	a newspaper (TV news)
un magazine	a magazine
un personnage historique	a historical figure
une photo (en couleurs)	a (color) photo
une revue	a magazine

Mots apparentés: un portrait, un site Internet

Les voyages | Travels
un accident	an accident
un arbre	a tree
une auberge	an inn
un avion	an airplane
une clé	a key
une histoire	a story
un nid	a nest
un oiseau	a bird
un taxi	a taxi
les vacances (*f pl*)	vacation

Verbes conjugués avec l'auxiliaire *avoir*
choisir	to choose
contribuer	to contribute
décider	to decide
devoir (*p.p.* dû)	should, ought to
envoyer (un SMS)	to send (to IM)
expliquer	to explain
finir	to finish
grandir	to grow; to grow up
grossir	to gain weight
informer	to inform
maigrir	to lose weight
obéir	to obey
raconter	to tell
réagir	to react
réfléchir	to think; to consider
retrouver	to meet up with; to find
réussir	to succeed
rougir	to blush; to turn red
trouver	to find
vivre (*p.p.* vécu)	to live

Verbes conjugués avec l'auxiliaire *être*
devenir (*p.p.* devenu)	to become
entrer (dans)	to enter
monter	to go up
mourir (*p.p.* mort)	to die
naître (*p.p.* né)	to be born
passer	to pass (by)
se passer	to happen
rentrer	to return (home)
retourner	to return
revenir (*p.p.* revenu)	to come back
tomber	to fall

Expressions de temps au passé | Expressing the past
la dernière fois	the last time
hier (matin)	yesterday (morning)
hier soir	last night, yesterday evening
il y a six ans (mois, jours)	six years (months, days) ago
longtemps	a long time
le mois (week-end) dernier	last month (weekend)
pas encore	not yet
pendant	during, for
la semaine dernière	last week

Mots divers
élu(e)	elected
mal	badly
même	same
peu	little

Expressions utiles
Comment raconter une histoire | How to tell a story
(See additional expressions on page 160.)
après	then
d'abord	first
enfin	finally
ensuite	then
Et alors?	And then?
puis	then
Qu'est-ce qui se passe?	What's happening?, What's going on?
Qu'est-ce qui s'est passé?	What happened?
Racontez-moi ce qui s'est passé.	Tell me what happened.
Vraiment?	Really?

Noms

un ancêtre	*ancestor*
une autoroute	*a highway*
un bruit	*a sound*
une caravane	*a trailer*
un château	*a castle*
un(e) chercheur (chercheuse)	*a scientist*
un coffre	*a car trunk*
le coucher de soleil	*the sunset*
une émission	*a (TV, radio) program*
l'équipement de camping	*camping equipment*
une guerre	*a war*
un kiosque à journaux	*a newsstand*
une médaille d'or (d'argent)	*a gold (silver) medal*
la paix	*peace*
une plage	*a beach*
les provisions (*f pl*)	*food*
un quotidien	*a daily (publication)*
un rendez-vous	*an appointment; a date*
une rubrique	*a heading, a news column*
une rue	*a street*
un(e) savant(e)	*a scientist; a scholar*
un séisme	*an earthquake*
une valise	*a suitcase*
un(e) voisin(e)	*a neighbor*

Verbes

accrocher	*to hook; to hitch on*
agir	*to act*
amener	*to bring*
conduire	*to drive*
courir (*p.p.* couru)	*to run*
découvrir (*p.p.* découvert)	*to discover*
lire	*to read*
obtenir	*to obtain*
ouvrir (*p.p.* ouvert)	*to open*
ranger	*to put, to arrange*
rater	*to miss*
recevoir (*p.p.* reçu)	*to receive*
réserver	*to reserve*
réviser	*to review*
sécher un cours	*to skip class*
s'informer	*to keep up with the news*
tenir	*to hold*
tenir à	*to want*
tomber en panne	*to break down*

Mot divers

jusqu'à	*until*

On mange bien

ood plays an important role in French culture. In this chapter you will learn about French meals, specialty food shops, purchasing food, and how to order in a

Module 7

restaurant. You will also learn about popular dishes associated with various countries in the francophone world. ❈

Thème: L'art de la table

Structure 7.4: Giving commands
L'impératif

Thème: Les plats des pays francophones

Structure 7.5: Referring to people and things that have already been mentioned
Les pronoms d'objet direct: **me, te, le, la, nous, vous** *et* **les**

Pratique de conversation: Comment se débrouiller au restaurant

À lire, à découvrir et à écrire

Lecture: *Déjeuner du matin* par Jacques Prévert

iLrn™ Voix en direct (suite)

Expression écrite: Un scénario: une scène au restaurant

Manger pour vivre

First, present food vocabulary without focusing on article use. Show colorful pictures from gourmet magazines and ads. Begin by using the verbs **aimer** and **regarder** that take the definite article: **Regardez les belles pommes. De quelle couleur sont les pommes?** Write food categories on the board and ask students to classify the items you introduce: **Regardez les fromages! Qui aime le fromage? On met le fromage dans quelle catégorie? Oui, c'est un produit laitier.** Model the items most difficult to pronounce: **les haricots** (no liaison), **un ananas, le yaourt** (the final **s** and **t** are optionally pronounced; both pronunciations are accepted), **des œufs** (the final **f** and **s** are silent).

Structure 7.1

Writing verbs with minor spelling changes *Les verbes avec changements orthographiques*

Structure 7.2

Talking about indefinite quantities (some) *Le partitif*

To express your eating habits and food preferences in French, you'll need to use **-er** verbs such as **manger** and **acheter,** which have a slight spelling change in their conjugations. You will also need to use the partitive article to discuss what you eat and drink. Verbs that require spelling changes are presented on page 208. See page 210 for an explanation of partitive articles.

Les fruits et les légumes

Les céréales

Les produits laitiers

La viande, le poisson et les œufs

■ Notez et analysez

Skim the dialog, making note of the words in bold. Then with a partner decide what determines the form of the boldfaced articles.

On parle des repas

JEAN-PIERRE: Moi, au petit déjeuner, je mange souvent **du** pain avec **du** beurre et **de la** confiture—une tartine—et avec ça, je prends un café crème.

ANNE: Moi, je mange **des** céréales le matin. Puis, pour le déjeuner, je vais au resto-U. On commence par une salade et puis on prend **de la** viande avec **du** riz ou **des** pommes de terre comme plat principal. Parfois, ils nous servent **du** yaourt ou **de la** glace comme dessert.

JEAN-PIERRE: Moi, je ne mange pas **de** viande. Qu'est-ce qu'il y a pour les végétariens au resto-U?

ANNE: Alors là! Pas grand-chose *(Not much)*!

■ Activité 1: Goûts personnels

A. Pour chaque catégorie, indiquez les aliments a) que vous aimez beaucoup, b) que vous aimez assez et c) que vous n'aimez pas du tout.

Goal A: Students use definite article with verb **aimer.**

> **Modèle:** les fruits et les légumes
> *J'aime beaucoup les pommes mais je n'aime pas du tout les bananes. J'aime assez les fraises.*

1. les fruits et les légumes
2. les céréales
3. les produits laitiers
4. la viande

B. Maintenant, pour chaque catégorie, dites a) ce que vous mangez souvent, b) ce que vous mangez rarement et c) ce que vous ne mangez pas.

Goal B: Students use partitive with **manger.**

> **Modèle:** les fruits et les légumes
> *Je mange souvent des oranges mais je mange rarement des cerises. Je ne mange pas de bananes.*

1. les fruits et les légumes
2. les céréales
3. les produits laitiers
4. le porc

■ Activité 2: Liste d'achats

Qu'est-ce qu'on achète pour préparer les choses suivantes?

Modèle: un sandwich
Pour préparer un sandwich, on achète du pain, du fromage, de la salade et de la moutarde.

un sandwich

une salade mixte   une omelette

une soupe   une salade de fruits   une tarte aux fraises

■ Activité 3: Les régimes

Pour chaque personne, décrivez une chose qu'elle peut manger ou boire et une autre chose qu'elle ne peut pas manger ou boire.

Modèle: une personne qui est allergique au lait
Elle ne peut pas manger de glace ou boire de milk shake. Elle peut boire du lait de soja.

1. un(e) végétarien(ne)

2. une personne au régime *(on a diet)*

3. une personne qui ne mange pas certaines choses pour des raisons religieuses

4. une personne qui est allergique aux fruits de mer *(shellfish)*

5. un(e) végétalien(ne) *(vegan)*

6. une personne qui fait le régime Atkins

Les Français à table

This culture note introduces vocabulary to discuss French meals. Personalize with: **Est-ce que vous prenez le petit déjeuner d'habitude? À quelle heure? Où est-ce que vous déjeunez? Sur le campus?...**

La cuisine est une passion chez les Français et les repas organisent le rythme de la vie. Pendant la semaine, ils sont assez simples. Le matin, on prend le **petit déjeuner,** un repas léger° composé de pain, de confiture et de café au lait. Les enfants aiment de plus en plus manger des céréales. Entre midi et deux heures, c'est l'heure du **déjeuner.** On mange souvent une entrée, un plat principal (bifteck ou poulet frites) avec un petit dessert ou du fromage et un café. On prend le déjeuner à la maison, au restaurant ou à la cafétéria du lieu de travail. Les enfants déjeunent souvent à la cantine de l'école.

light

En France, le dîner, pris vers huit heures du soir, est l'occasion de se retrouver en famille. On mange à table et non sur un plateau devant la télévision. Les repas de fêtes familiales ou amicales sont plus élaborés! Le dimanche, le jour où tous les magasins sont fermés, ce n'est pas rare pour toute la famille (oncles, tantes, cousins) de se retrouver chez les grands-parents. On passe la journée à préparer quelque chose de plus copieux. Bien sûr, il faut arroser° les plats variés avec du vin. On profite de° ce moment agréable de détente° pour discuter de la bonne cuisine, du bon vin, des événements de l'actualité° et des nouvelles° de la famille. Contrairement° aux Américains, les Français ne mangent pas entre les repas. On grignote° très peu. Mais on peut prendre le thé (du thé, un café ou un chocolat chaud) ou pour les enfants, le goûter, vers quatre heures de l'après midi.

wash down
takes advantage of / relaxation
news events / news
Unlike
snacks

Le repas de famille est un moment de convivialité.

Un petit déjeuner typique

Le déjeuner à la cafétéria du travail

■ Avez-vous compris?

Indiquez si les phrases suivantes sont vraies ou fausses. Corrigez les phrases fausses.

1. Les Français mangent des œufs le matin.
2. Si on travaille ou si on va à l'école, on ne prend pas le déjeuner à la maison.
3. Un déjeuner typiquement français est composé d'un sandwich, d'une salade et d'un fruit.
4. En général, toute la famille prend le dîner ensemble.
5. Pour beaucoup de familles, le repas de dimanche est une tradition importante.

■ **Et vous?**

1. Pensez à votre famille ou aux familles de vos amis. Est-ce que toute la famille prend le dîner ensemble? Qu'est-ce qui peut perturber *(interfere with)* un dîner: un match de sport, un coup de téléphone, les devoirs, du travail, les amis, une émission de télé?
2. Le week-end, vous mangez souvent avec toute votre famille: grands-parents, cousins, tantes et oncles?
3. Combien de temps passez-vous à table typiquement?
4. Est-ce que vous grignotez entre les repas?

CD1, Track 21

Voix en direct

Est-ce que vous mangez avec votre famille?

Pierre Paquot
Étudiant, 24 ans
Paris, France

Quand vous habitiez[1] chez vos parents, est-ce qu'il y avait[2] un moment pendant la journée où toute la famille se rassemblait[3]?
Chez moi c'est simple; c'était[4] le repas du soir, le dîner. C'était le seul moment de la journée où je voyais[5] mes parents. On passait une heure et demie tous ensemble à table, sans[6] télé, sans musique, sans perturbation extérieure et on discutait tous ensemble de 9h à 10h30. C'était comme ça tous les soirs. C'était le moment familial le plus important. Sans ça, il n'y a pas de cohésion familiale.

[1]*lived* [2]*was* [3]*got together* [4]*was* [5]*saw* [6]*without*

Julien Romanet
Étudiant, 24 ans
Paris, France

Pour moi, c'était essentiellement le soir pour le dîner. Je passais[7] toute la journée en cours. On dînait ensemble entre 8h et 9h tous les soirs.

Est-ce que vous regardiez la télé?
Non, non. Parfois, ça arrivait[8]. S'il y avait un événement très important à la télé. C'est rare, quand même, c'est rare.

Est-ce que le repas du soir est un moment agréable?
Oui, c'est un moment super agréable. C'est le plaisir d'être avec les gens qu'on aime et on discute de la journée, de ce qui va bien, de ce qui ne va pas bien, des projets, de ce qu'on va faire. C'est une heure de break.

[7]*spent* [8]*happened*

Nicolas Konisky
26 ans
Étudiant
Paris, d'origine libanaise

Est-ce que toute votre famille se rassemblait pour manger ensemble?
Euh, moi, c'était plutôt le matin parce que mes parents rentraient[9] tard le soir après le travail du soir. Je devais[10] dormir. C'était plutôt le matin. Je passais du temps au petit déj[11] avec mon père et ma mère pour discuter un peu avant de partir à l'école.

[9]*got home* [10]*had to* [11]*petit déjeuner (fam)*

Est-ce que vous preniez le repas du soir avec votre famille?

Non, parce que c'est très spécial chez moi. Personne n'avait les mêmes horaires. Donc, euh, non. C'est très très rare qu'on se voie[12] tous en même temps, à part[13] le dimanche, peut-être. Souvent dans les familles françaises, c'est à 19h ou à 20h, on mange. C'est l'heure de dîner. Tout le monde va être là. Mais moi, chez moi c'était pas comme ça, et donc, chacun dînait un peu... je suis fille unique. Donc chacun dînait un peu à l'heure qu'il voulait, qu'il pouvait, et donc voilà. On ne se voyait pas tous en même temps.

Vanessa Vudo

20 ans
Étudiante
Paris, d'origine vietnamienne

[12]*saw each other* [13]*except*

■ Réfléchissez aux réponses

1. Selon Pierre et Julien, pourquoi est-ce que le dîner est un moment important dans le rythme de la journée?
2. Pourquoi est-ce que Vanessa et Nicolas ne prennent pas le dîner avec leur famille? Est-ce qu'ils essaient *(try)* d'expliquer pourquoi? Est-ce que cela *(this)* indique qu'ils trouvent leur situation différente de la norme?
3. Comparez les repas dans votre famille avec les repas chez Julien, Pierre, Nicolas et Vanessa.

■ Activité 4: Interaction

Posez les questions suivantes à un(e) camarade de classe.

1. Le matin, est-ce que tu prends le petit déjeuner? Tu préfères quel jus de fruit: le jus d'orange, le jus de pomme, le jus d'ananas... ?
2. Où est-ce que tu déjeunes d'habitude? Qu'est-ce que tu manges au déjeuner?
3. À quelle heure est-ce que tu prends le dîner?
4. Tu aimes grignoter *(to snack)*? Qu'est-ce que tu manges quand tu as faim entre les repas?
5. Où est-ce que tu as dîné hier soir? À quelle heure? Qu'est-ce que tu as mangé?
6. Et ton repas favori, qu'est-ce que c'est?

■ Activité 5: Sondage sur les goûts alimentaires de vos camarades de classe. Faites signer!

Trouvez quelqu'un qui...

1. déteste le broccoli.
2. ne mange pas de chocolat.
3. a horreur de *(can't stand)* la mayonnaise.
4. aime la cuisine thaïlandaise.
5. ne boit pas de café.
6. mange des légumes frais tous les jours.
7. aime les escargots.
8. sait préparer les crêpes.
9. n'a pas faim.

Où faire les courses?

town square

honey

supermarkets

better

to save time

local products

Faire les courses tous les jours chez les commerçants du quartier fait partie du rythme de la vie française. On va acheter du pain à **la boulangerie,** des légumes frais à **l'épicerie,** de la viande chez **le boucher** et du porc à **la charcuterie.**

Ces petits commerces offrent plusieurs avantages: des produits frais locaux, un service personnalisé et aussi l'occasion de parler avec les voisins.

Les consommateurs français ont aussi d'autres possibilités. Il y a **le marché en plein air,** un véritable spectacle qui a lieu une ou deux fois par semaine sur une place° ou dans une rue spécifique. Là, les agriculteurs de la région vendent leurs produits: miel°, confiture maison, fromage, charcuterie, fruits et légumes, fleurs, olives, viande et poissons frais... Ces marchés, très pittoresques, offrent l'occasion d'admirer et de profiter de l'abondance et de la qualité des produits français.

Comme aux États-Unis, les Français font aussi leurs achats au supermarché. Grâce à la quantité de produits vendus en grandes surfaces°, les prix sont généralement meilleurs° que dans les petits commerces. La variété de produits permet aux clients de gagner du temps°; il n'est pas nécessaire d'aller d'un petit magasin à un autre pour trouver ce qu'on cherche. Mais les Français restent attachés aux petits commerces et aux aliments du terroir° qui font le charme des petits magasins.

L'étiquette chez les petits commerçants: Quand on entre dans un petit commerce, on dit «Bonjour, monsieur/madame». Quand on part, on dit «Merci, monsieur/madame, au revoir».

■ Avez-vous compris?

Quelle(s) option(s) pour faire les courses associez-vous aux descriptions suivantes? Complétez les phrases en choisissant entre **à la boulangerie, à la boucherie, à l'épicerie, à la charcuterie, au marché** et **au supermarché.**

1. On trouve des produits régionaux...
2. On peut faire les courses tous les jours...
3. On fait les courses à l'extérieur...
4. On trouve du pain frais trois à quatre fois par jour...
5. Le service est impersonnel, mais les prix sont bons...
6. On trouve des saucissons...

■ Et vous?

1. Vous préférez acheter vos provisions *(food)* dans un supermarché ou dans des petits commerces? Pourquoi?
2. Est-ce qu'il y a un marché où l'on vend des produits gourmets et internationaux près de chez vous?
3. Qu'est-ce qui détermine votre choix: la qualité des produits, la variété des produits, les prix?

Les courses: un éloge aux petits commerçants

Structure 7.3

Talking about food measured in specific quantities and avoiding repetition
Les expressions de quantité et le pronom **en**

Food is bought, sold, and prepared in measured amounts or specific containers: a liter, a can, a teaspoonful, and so on. In this **thème,** you will learn these expressions. In addition you will learn how to use the pronoun **en.**

    J'*en* voudrais un kilo.   *I would like a kilo **of them.***

For further explanation, see pages 211–212.

■ Activité 6: Les petits commerçants

Où est-ce qu'on va pour acheter ces produits?

Modèle: *On achète du fromage à l'épicerie ou à la fromagerie.*

Petits commerces:

le marché en plein air	la boucherie / la charcuterie
l'épicerie	la poissonnerie
la boulangerie / la pâtisserie	la crèmerie / la fromagerie

du fromage

Goal: Students integrate new vocabulary with cultural information. Consider using picture cues for food items in **Activité 6.**

1. une baguette

2. des moules *(f)*

3. du pâté de campagne

4. des asperges *(f)*

5. de la confiture

6. des tartelettes *(f)* au citron

7. des côtelettes *(f)* de porc

8. de la glace

■ **Activité 7: Au supermarché**

Suggestion: Bring in actual containers or photos from a shopping ad. Focus first on naming and identifying containers and typical food measures. Students have learned to use **de** in negative expressions. It is recycled here with quantity expressions.

Qu'est-ce que vous allez mettre dans votre caddie *(shopping cart)*?

Modèle: *Je vais acheter une tranche de jambon.*

■ **Notez et analysez**

Look at the cartoon drawings to accompany **Activité 8.** What produce do you think the pronoun **en** replaces in the third and fourth bubbles?

1. une tranche d(e)

2. un kilo d(e)

3. 250 grammes d(e)

4. une bouteille d(e)

5. une douzaine d(e)

6. une boîte d(e)

7. un pot d(e)

8. un litre d(e)

eau minérale

café

pommes

œufs

moutarde

vin

petits pois

pâté

■ **Activité 8: Faisons les courses!**

CD1, Track 22

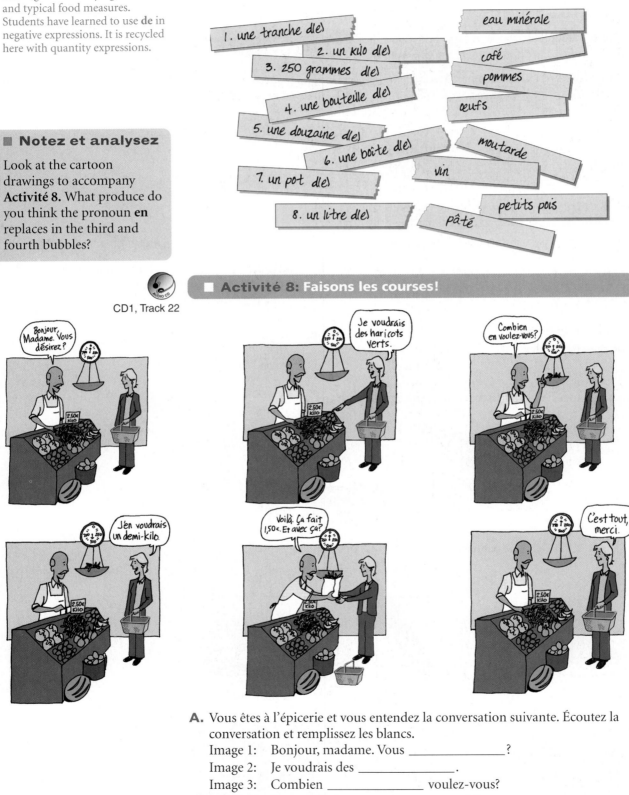

A. Vous êtes à l'épicerie et vous entendez la conversation suivante. Écoutez la conversation et remplissez les blancs.

Image 1: Bonjour, madame. Vous _____?

Image 2: Je voudrais des _____.

Image 3: Combien _____ voulez-vous?

Image 4: J'en voudrais un _____ kilo.

Image 5: Voilà. Ça _____ 1,50€. Et avec _____?

Image 6: C'est _____. Merci.

B. Maintenant, c'est votre tour! Avec un(e) camarade de classe, jouez la scène entre l'épicier et le/la client(e) qui veut acheter les produits indiqués.

Suggestion: Act out the model with a strong student before students begin pair work.

Modèle: pommes, un demi-kilo (1,50€)
— *Bonjour, mademoiselle. Vous désirez?*
— *Je voudrais des pommes, s'il vous plaît.*
— *Combien en voulez-vous?*
— *J'en voudrais un demi-kilo.*
— *Voilà. Ça fait un euro cinquante.*

1. spaghettis, un paquet (0,70€)
2. confiture de fraises, un pot (1,47€)
3. Orangina, une bouteille (1,39€)
4. camembert, 250 g (2,21€)
5. tomates, 1/2 kilo (2,50€)
6. beurre, 250 g (1,59€)

Activité 9: Au marché en plein air

Vous achetez des provisions avec un(e) ami(e) au marché en plein air. Votre ami(e) remarque la qualité des produits. Il/Elle vous demande combien vous voulez en acheter. Répondez selon les indications en utilisant le pronom **en**.

Personalized drill: Before beginning **Activité 9** which introduces **en**, do the following drill: **Combien de cours avez-vous aujourd'hui? Vous avez trois cours? Denise a combien de cours? Elle en a trois.** Continue with several students and write the model on the board.

Goal: Automatic use of **en** in formulaic expressions.

Modèle: Ces tomates sont bien rouges! (un kilo)
— *Ces tomates sont bien rouges! Combien de kilos en veux-tu?*
— *J'en veux un.*

1. Quelles belles cerises! (un demi-kilo)
2. Ces carottes ont l'air (*seem*) délicieuses. (un kilo)
3. Regarde les fraises! (deux barquettes)
4. J'adore la confiture maison. (un pot)
5. Voici du fromage fait à la ferme. (250 grammes)

Activité 10: Vos habitudes alimentaires

Quelles sont vos habitudes alimentaires? Posez des questions à un(e) camarade de classe en utilisant les éléments suivants. Faites une liste des habitudes alimentaires que vous avez en commun.

Modèle: verres de lait par jour
— *Combien de verres de lait est-ce que tu bois par jour?*
— *J'en bois deux. / Je n'en bois pas.*

1. tasses de café le matin
2. pizzas / hamburgers / tacos par semaine
3. verres d'eau par jour
4. bols (*bowls*) de glace chaque semaine
5. tranches de pain par jour

Coupe glacée aux fruits rouges

Le parfait dessert d'été

Savez-vous manger pour vivre? Répondez aux questions suivantes.

1. On doit consommer au moins _____ portions de fruits et de légumes par jour.
   a. deux
   b. trois
   c. cinq
   d. sept

2. Les légumes à feuilles vert foncé _____ le risque de certains cancers.
   a. diminuent
   b. augmentent
   c. n'affectent pas
   d. éliminent

3. Une alimentation équilibrée doit être _____ en matières grasses et en calories mais _____ en fibres.
   a. pauvre, pauvre
   b. pauvre, riche
   c. riche, pauvre
   d. riche, riche

4. N'oubliez pas de boire _____ chaque jour.
   a. un litre d'eau
   b. un litre de lait
   c. deux verres de vin
   d. deux tasses de café

5. Un adulte a besoin de _____ calories par jour.
   a. 1 000 à 1 500
   b. 1 500 à 2 000
   c. 2 000 à 2 500
   d. 2 500 à 3 000

Que contient une galette complète (160 g)?

353 kcal

● 23,1 g de protéines
● 21,1 g de lipides
● 16,9 g de glucides

Une galette est une sorte de crêpe, mais elle est salée et on la mange en plat principal.

L'art de la table

Structure 7.4

Giving commands *L'impératif*

When giving directions, commands or making suggestions, the imperative can be used. The formation of the imperative (**l'impératif**) is explained on pages 213–214.

Suggestion: Use tableware to present this vocabulary. Ask forced-choice questions, moving into more open-ended questions: **Est-ce qu'on mange de la soupe avec une fourchette ou avec une cuillère? Avec quoi mangez-vous des spaghettis?** Have students identify the obvious differences between American place settings and French ones (placement of the tablespoon, the direction of the tines of the forks, etc.).

■ Activité 12: Comment mettre la table à la française

Votre ami américain explique comment mettre la table mais il fait des erreurs. Corrigez ses instructions.

Nouveau vocabulaire:

à gauche (de)   *to the left (of)*
à droite (de)   *to the right (of)*

1. D'abord, couvrez la table avec la serviette.
2. Ensuite, placez une assiette par personne sur la table.
3. Placez les fourchettes au-dessus de l'assiette.
4. Mettez le couteau à côté de la petite cuillère.
5. Mettez la cuillère à soupe à droite du couteau.
6. N'oubliez pas les verres; ils vont à gauche, au-dessus de la fourchette.
7. Placez la serviette au milieu de l'assiette.
8. Finalement, mettez de l'eau dans l'assiette.

Activité 12: Bring in plastic flatware, dishes, etc. Have a student come to the front of the class to set the table. The rest of the class gives instructions using the imperative and referring to the drawing above. When the volunteer makes a mistake, encourage the class to use the imperative: **Non, ne mets pas la serviette à côté de la cuillère. Il faut mettre la serviette dans l'assiette.**

The infinitive and the **vous** command form of the verb **mettre** are used here in the context of table settings. Other forms of the verb **mettre** are presented in **Module 10.**

Activité 13: This is a think-pair-share activity. Give students three to five minutes to make judgments individually, according to their background knowledge and logic. Then allow them to compare their responses with a partner and to adjust their responses as they wish. Finally, go over the responses with the whole class. The answers provided reflect formal etiquette; in informal situations, people often behave differently.

Réponses: 1. françaises et américaines **2.** françaises et américaines **3.** françaises **4.** françaises **5.** françaises et américaines **6.** françaises **7.** françaises **8.** françaises et américaines

■ Activité 13: Les bonnes manières

Lesquelles de ces bonnes manières sont françaises, lesquelles sont américaines et lesquelles sont partagées par les deux cultures? Classez-les.

BONNES MANIÈRES	FRANÇAISES	AMÉRICAINES	TOUTES LES DEUX
1. Quand on vous invite à la maison, apportez un petit cadeau (fleurs, bonbons...) pour l'hôtesse.			
2. Ne posez pas les coudes *(elbows)* sur la table.			
3. Tenez la fourchette dans la main gauche.			
4. Ne demandez pas de ketchup.			
5. Ne parlez pas la bouche pleine *(full)*.			
6. Ne buvez pas de coca avec le repas.			
7. Posez les mains sur la table, pas sur les genoux *(lap)*.			
8. Ne commencez pas à manger avant l'hôtesse.			

■ Activité 14: Un nouveau régime

Votre petit(e) ami(e) veut commencer un nouveau régime. Regardez les suggestions suivantes et utilisez l'impératif pour lui expliquer ce qu'il/elle doit et ne doit pas faire.

1. faire les courses dans un magasin diététique
2. marcher une demi-heure avant de manger
3. boire huit verres d'eau par jour
4. manger de la pizza
5. boire de la bière
6. manger beaucoup de légumes frais
7. grignoter entre les repas si vous avez faim

Thème

Les plats des pays francophones

Structure 7.5

Referring to people and things that have already been mentioned *Les pronoms d'objet direct: me, te, le, la, nous, vous et les*

In this **thème,** you will use the direct object pronouns **me, te, nous, vous, le, la,** and **les** to refer to people and things that have already been mentioned. For more information about these pronouns, see pages 214–216.

Here, students are introduced to the basic forms and use of direct object pronouns. The use of pronouns with the imperative is in **Module 10.** Agreement of the past participle with a preceding direct object is presented later as well, in **Module 11.**

En Suisse, la fondue est un plat traditionnel. On **la** prépare avec du fromage Emmental ou du Gruyère, du vin blanc et un peu de Kirsch *(cherry liqueur).*

En Algérie, en Tunisie et au Maroc, le couscous est un plat typique. On doit **le** servir dans un grand plat au centre de la table.

Voici des accras de morue *(codfish fritters),* une sorte de beignets antillais. On **les** trouve dans les restaurants martiniquais.

Activité 15: Voulez-vous goûter *(taste)*?

Vous êtes à un festival francophone. Quels plats voulez-vous goûter? Travaillez avec un(e) partenaire.

Modèle: la fondue suisse
 ÉTUDIANT(E) 1: *On va la goûter, la fondue suisse?*
 ÉTUDIANT(E) 2: *Pas, moi. Je ne veux pas la goûter.*
 ÉTUDIANT(E) 1: *Moi, j'aimerais la goûter. / Moi non plus. Je ne veux pas la goûter.*

1. la fondue suisse
2. la choucroute alsacienne *(sauerkraut)*
3. le jambalaya acadien *(cajun)*
4. le couscous algérien
5. les accras de morue
6. la tarte canadienne au sirop d'érable *(maple syrup)*
7. la salade niçoise

■ Notez et analysez

First, read the photo captions to learn about these traditional dishes from the francophone world. Then study them again, paying attention to the pronouns in bold. For each pronoun, find its antecedent—the noun that it replaces. Where does the pronoun go in relation to the verb? Why is the pronoun different in each caption?

Activité 16: Un nouveau colocataire: Interview

Vous voulez vous installer dans un appartement avec d'autres étudiants. Répondez à leurs questions en remplaçant les mots soulignés par un pronom.

Modèle: Tu gardes *(keep)* la cuisine propre *(clean)*?
 *Oui, je **la** garde très propre.*
1. Tu aimes les conversations animées à table?
2. Tu fais ta vaisselle *(dishes)* tout de suite après le repas?
3. Tu fais les courses une fois par semaine?
4. Et l'appartement, tu le trouves bien?

Comment se débrouiller au restaurant

■ Réfléchissez et considérez

Think about the typical "script" that accompanies going out to a restaurant. What is the first exchange between the waiter or host and guests as they enter the restaurant? What kinds of questions might one ask the waiter? What kinds of comments might be made about the food? Before looking at the expressions presented here, with a partner come up with three typical exchanges between a waiter and guests. Then look to see if they appear below. Be prepared to discuss any differences you notice with the class.

Quelques expressions utiles au restaurant

Pour réserver ou demander une table
(au téléphone) Je voudrais réserver une table pour six à 20h00 ce soir.
(au restaurant) Une table pour six, s'il vous plaît.
Vous avez une table pour deux personnes?

■ Note de vocabulaire

In France, restaurants frequently offer **un menu à prix fixe** that consists of a limited set of options among three or four courses. The typical menu includes **une entrée** or **un hors-d'œuvre, un plat principal,** and **un dessert.** This is considerably less expensive than ordering **à la carte.** Menus are differentiated by price: **le menu à 18 euros, à 25 euros,** and so on.

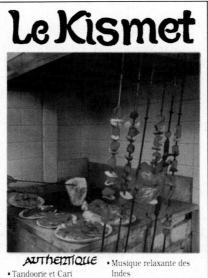

Quelle est la spécialité du Kismet? C'est de la cuisine de quel pays? Dans quel pays se trouve le restaurant? Qu'est-ce qui indique qu'on y sert de l'alcool?

Serveur / hôtesse

Il faut patienter vingt minutes. — *You'll need to wait twenty minutes.*
Suivez-moi. — *Follow me.*

Pour appeler le serveur ou la serveuse

S'il vous plaît...
La carte, s'il vous plaît. — *The menu, please.*

Pour prendre la commande, le serveur dit...

Que désirez (voulez)-vous comme... — *What would you like for a (an)/the . . .*
  hors-d'œuvre? — *appetizer?*
  entrée? — *small first course?*
  plat principal? — *main course?*
  dessert?
  boisson? — *drink*
Vous êtes prêt(e) à commander? — *Are you ready to order?*
Votre steak, vous le voulez — *Do you want your steak rare,*
  saignant, à point ou bien cuit? — *medium, or well-done?*

Pour commander

Qu'est-ce que vous nous conseillez? — *What do you recommend?*
Moi, je vais prendre le menu
  à 15 euros.
Pour commencer, je vais prendre...
Ensuite, je voudrais...
C'est tout. — *That's all.*

Pour parler de son appétit

J'ai (très) faim. — *I'm (very) hungry.*
J'ai soif. — *I'm thirsty.*
J'ai bien mangé. Je n'ai plus faim. — *That was good. I'm full.*

Pour parler de la cuisine

C'est...
  chaud / froid.
  délicieux / sans goût. — *delicious / bland.*
  parfait.
  piquant / salé / sucré. — *spicy / salty / sweet.*
  tendre / dur. — *tender / tough.*
Ça a un goût bizarre. — *This has a strange taste.*

Pour régler l'addition

L'addition, s'il vous plaît. — *The check, please.*
Je crois qu'il y a une erreur. — *I think there is a mistake.*
Le service est compris? — *Is the tip included?*
Vous acceptez les cartes de crédit?
On laisse un petit pourboire? — *Should we leave a tip?*
Le service est compris. — *The tip is included.*

Ces brasseries offrent aux clients un choix de menus. Expliquez ces choix. Combien y a-t-il de ces brasseries à Paris?

■ Écoutons ensemble! Rendez-vous au restaurant

Marie-Claire et son copain Charles ont rendez-vous au restaurant. D'abord, écoutez la scène jouée en regardant les images. Puis mettez-vous en groupes de trois (deux clients et un serveur) et inventez votre propre dialogue.

Suggestion: First act out with a few students. Then have them make up their own skits. Supplementary questions: **Allez-vous souvent au restaurant? Combien de fois par mois? Quel est votre restaurant préféré? Aimez-vous la cuisine indienne? française? italienne? chinoise? Quelle sorte de cuisine préférez-vous? Avez-vous faim ou soif maintenant? Que voudriez-vous manger ou boire?**

Regardez le menu de ce restaurant canadien et identifiez les plats offerts. Quels plats ou ingrédients vous semblent typiquement canadiens? Quels plats sont typiquement français?

Typical Canadian items on this menu that you might not find in France include **des fèves au lard** *(pork and beans)*, **de la tourtière** *(meat pie dish)*, **du caribou,** and **de la tarte au sirop d'érable** *(maple syrup tart)*. The **escargots à l'ail** are typically French.

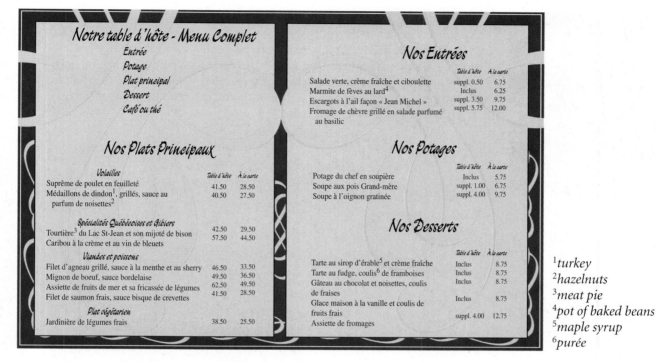

Notre table d'hôte - Menu Complet

Entrée
Potage
Plat principal
Dessert
Café ou thé

Nos Plats Principaux

Volailles	Table d'hôte	À la carte
Suprême de poulet en feuilleté	41.50	28.50
Médaillons de dindon[1], grillés, sauce au parfum de noisettes[2]	40.50	27.50

Spécialités Québécoises et Gibiers		
Tourtière[3] du Lac St-Jean et son mijoté de bison	42.50	29.50
Caribou à la crème et au vin de bleuets	57.50	44.50

Viandes et poissons		
Filet d'agneau grillé, sauce à la menthe et au sherry	46.50	33.50
Mignon de boeuf, sauce bordelaise	49.50	36.50
Assiette de fruits de mer et sa fricassée de légumes	62.50	49.50
Filet de saumon frais, sauce bisque de crevettes	41.50	28.50

Plat végétarien		
Jardinière de légumes frais	38.50	25.50

Nos Entrées

	Table d'hôte	À la carte
Salade verte, crème fraîche et ciboulette	suppl. 0.50	6.75
Marmite de fèves au lard[4]	Inclus	6.25
Escargots à l'ail façon « Jean Michel »	suppl. 3.50	9.75
Fromage de chèvre grillé en salade parfumé au basilic	suppl. 5.75	12.00

Nos Potages

	Table d'hôte	À la carte
Potage du chef en soupière	Inclus	5.75
Soupe aux pois Grand-mère	suppl. 1.00	6.75
Soupe à l'oignon gratinée	suppl. 4.00	9.75

Nos Desserts

	Table d'hôte	À la carte
Tarte au sirop d'érable[5] et crème fraîche	Inclus	8.75
Tarte au fudge, coulis[6] de framboises	Inclus	8.75
Gâteau au chocolat et noisettes, coulis de fraises	Inclus	8.75
Glace maison à la vanille et coulis de fruits frais	Inclus	8.75
Assiette de fromages	suppl. 4.00	12.75

[1]*turkey*
[2]*hazelnuts*
[3]*meat pie*
[4]*pot of baked beans*
[5]*maple syrup*
[6]*purée*

Have students check the exchange rate for the Canadian dollar.

A. Les personnnes suivantes sont au restaurant Aux Anciens Canadiens. Étudiez la carte et puis choisissez des plats appropriés pour chaque personne.

1. une femme qui est végétarienne
2. un homme qui a très faim
3. une touriste qui aime goûter les spécialités régionales
4. un enfant qui aime les plats sucrés
5. un homme / une femme qui ne veut pas grossir
6. vous-même

B. Maintenant, avec un(e) camarade de classe, jouez le rôle des personnages au restaurant.

■ **Situation à jouer!**

Use **iLrn** voiceboard for individual oral practice with the **Thèmes** and the **Pratique de conversation** in **Module 7**

Au restaurant

Block out a dialogue and discuss vocabulary you will need with your group before you try acting it out. Be prepared to perform for the class.

Step 1: You're on a diet (**au régime**) and your dinner companion tries to tempt you with suggestions from the menu that are fattening.

Step 2: You can't make up your mind about what to order. Ask the waiter for a suggestion and then order.

Step 3: The waiter mixes up the orders. Once you have tasted your meal, comment on the food to your dinner companion.

Step 4: The bill arrives and you think there has been a mistake in the calculations. Clear up the matter. Also, find out if the service was included or if you need to leave a tip.

Lecture

■ Anticipation

The following poem was written by Jacques Prévert, a famous French surrealist poet and screenwriter. Here, Prévert reveals his genius for treating universal subjects in simple, everyday language. Before you read this poem, imagine how the final breakup of a relationship might be revealed over a morning cup of coffee, without a word being spoken. Then, as you listen to the poem, visualize each gesture as if you were to stage it.

Jacques Prévert

Déjeuner du matin

par Jacques Prévert

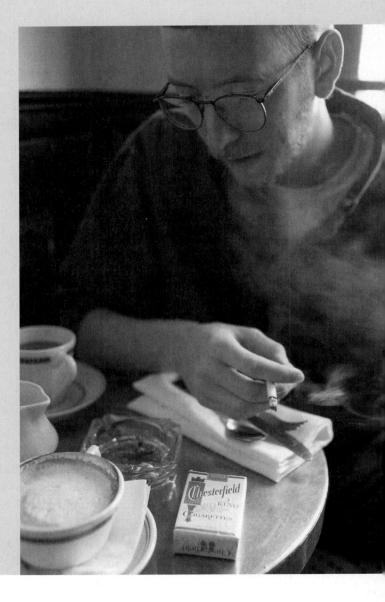

	1 Il a mis le café
	Dans la tasse
	Il a mis le lait
	Dans la tasse de café
	5 Il a mis le sucre
	Dans le café au lait
	Avec la petite cuiller
	Il a tourné
	Il a bu le café au lait
set down	10 Et il a reposé° la tasse
	Sans me parler
	Il a allumé
	Une cigarette
smoke rings	Il a fait des ronds°
	15 Avec la fumée
ashes	Il a mis les cendres°
ashtray	Dans le cendrier°
	Sans me parler
	Sans me regarder
stood up	20 Il s'est levé°
	Il a mis
	Son chapeau sur sa tête
	Il a mis
	Son manteau de pluie
was raining	25 Parce qu'il pleuvait°
	Et il est parti
	Sous la pluie
	Sans une parole
	Sans me regarder
	30 Et moi j'ai pris
	Ma tête dans ma main
cried	Et j'ai pleuré°.

■ Activité de lecture

Deux étudiants (un homme et une femme) jouent les deux rôles du poème pendant que le professeur (ou la classe) le lit à haute voix.

■ Compréhension et intégration

1. Qui sont les deux personnages du poème?
2. Qui quitte qui? Comment le savez-vous?
3. Pourquoi la voix *(voice)* du narrateur est-elle si triste?
4. Quelle est la première indication que l'homme va partir?
5. Expliquez le rapport entre le temps et le ton *(tone)* du poème.

■ Maintenant à vous!

1. Lisez le poème plusieurs fois.
2. Avec un(e) partenaire, imaginez la raison de la rupture *(breakup)*. Partagez votre explication avec vos camarades de classe.

Voix en direct (suite)

Go to **iLrn** to view video clips of French people talking about family meals and their eating habits.

Expression écrite

■ Un scénario: une scène au restaurant

You are going to write a script for a restaurant scene with three characters: two dining companions and a waiter.

PREMIÈRE ÉTAPE: Look over the four steps of the restaurant scene in the **Situation à jouer!** on page 205. This is your basic outline. Supplement Step 3 with a conversation about a topic of interest to you. Make a list of expressions you might need.

DEUXIÈME ÉTAPE: Write out the dialogue. Make sure to include several object pronouns (**le, la, les...**) and **en.**

SYSTÈME-D

Phrases:	asking the price, expressing indecision, refusing or declining, requesting or ordering, stating a preference
Grammar:	adjective position, adjective agreement, formal forms, indefinite articles, partitive articles, **prendre, manger**
Vocabulary:	bread, cheese, drinks, food, numbers, seafood, seasonings, table setting, taste (dishes), vegetables

Structure 7.1

Use the **iLrn**™ platform for more grammar and vocabulary practice.

Writing verbs with minor spelling changes *Les verbes avec changements orthographiques*

Some **-er** verbs in French have regular endings but require slight spelling changes in the present tense to reflect their pronunciation.

The verbs **préférer** *(to prefer)*, **espérer** *(to hope for)*, and **répéter** *(to repeat)* follow this pattern:

è → é when followed by a pronounced ending		
je préfère	BUT	nous préférons
ils préfèrent	BUT	vous préférez

Verbs such as **acheter** have a slightly different change:

è → mute e when followed by a pronounced ending		
ils achètent	BUT	nous achetons
tu achètes	BUT	vous achetez

For the verb **appeler** and most verbs ending in **e + consonant + er,** such as **jeter** *(to throw),* the final consonant doubles when preceded by a pronounced **e.**

nous appelons	BUT	j'appelle
vous appelez	BUT	tu appelles

Verbs ending in **-ger,** such as **manger** and **nager,** have the following change:

g → ge before **-ons** to maintain the soft **g** sound		
je mange	BUT	nous mangeons

Verbs ending in **-cer,** such as **commencer,** have the following change:

c → ç before **-ons** to maintain the soft **c** sound		
je commence	BUT	nous commençons

Note: The **nous** and **vous** forms of these verbs always have the same stem as the infinitive.

The **passé composé** of these verbs with spelling changes is formed regularly:

appeler → j'ai appelé	acheter → j'ai acheté
espérer → j'ai espéré	mangé → j'ai mangé
répéter → j'ai répété	commencer → j'ai commencé

■ **Exercice 1.** On fait une enquête *(poll)* sur les habitudes des consommateurs au supermarché. Complétez les questions et les réponses avec la forme qui convient du verbe indiqué.

1. préférer

ENQUÊTEUR: Madame, qu'est-ce que vous _____ comme légume?

CLIENTE: Moi, je _____ la salade; mon mari _____ les haricots verts et nos enfants _____ les pommes de terre.

2. acheter

ENQUÊTEUR: Et vous _____ des aliments surgelés *(frozen)*?

CLIENTE: Pas très souvent. Nos voisins _____ souvent des produits surgelés mais nous, nous _____ surtout des légumes frais. Euh, parfois quand je n'ai pas le temps de cuisiner, j(e) _____ un paquet d'épinards surgelés ou un sac de pommes frites surgelées.

3. manger

ENQUÊTEUR: Qu'est-ce que vous _____ quand vous êtes pressés *(in a hurry)*?

CLIENTE: Oh, je ne sais pas. Nous _____ un peu de tout. Les enfants aiment _____ des tartines. Mon mari, lui, il _____ un sandwich au fromage. Et moi, euh, je _____ des fruits.

4. commencer, espérer

ENQUÊTEUR: Et pour _____ un dîner typique, que prenez-vous?

CLIENTE: Nous _____ avec une soupe ou un peu de charcuterie.

ENQUÊTEUR: Eh bien, j(e) _____ que vous allez trouver tout ce qu'il vous faut ici au supermarché Champion. Merci, madame, de votre collaboration.

CLIENTE: Je vous en prie.

■ **Exercice 2.** Fabienne parle de ses projets pour un repas de fête. Complétez ses remarques avec la forme qui convient du verbe entre parenthèses. Choisissez entre le présent et le passé composé.

Aujourd'hui, c'est l'anniversaire de mon ami et il _____ (1) (préférer) dîner à la maison qu'aller au restaurant. Alors, je prépare un repas de fête délicieux. Hier j(e) _____ (2) (commencer) les préparatifs. J(e) _____ (3) (appeler) des copains pour les inviter. Il va donc y avoir six personnes. J(e) _____ (4) (espérer) que tout le monde aime le bœuf parce que j(e) _____ (5) (acheter) un bon filet à la boucherie ce matin. La dernière fois que nous _____ (6) (manger) ensemble, nous avons apporté le vin, alors cette fois-ci, Richard et Jules _____ (7) (acheter) deux bouteilles de vin rouge. Et quoi d'autre? Ah oui, le dessert! Nicole _____ (8) (acheter) un beau gâteau d'anniversaire. On va bien manger!

Structure 7.2

Talking about indefinite quantities (some) *Le partitif*

By their nature, some nouns cannot be counted. For example, we can count grains of rice but we can't count rice. We can count a glass of water, but we can't count water. In French, the partitive article is used to refer to *some* or a *part* of such noncount nouns.

de la viande	*some meat*
de l'eau	*some water*
du temps	*some time*
des légumes	*some vegetables*

The partitive is also used with abstract nouns.

Il a du courage.	*He is brave (has some courage).*

Although the English equivalent for the partitive (*some* or *any*) can be omitted, the partitive article is necessary in French. Here are the forms of the partitive article.

de + le → **du**	Vous prenez du vin.	*You're having some wine.*
de + la → **de la**	Il y a de la soupe à l'oignon.	*There is (some) onion soup.*
de + l' → **de l'**	Je bois de l'eau minérale.	*I drink mineral water.*
de + le → **des**	Je mange des céréales.	*I eat cereal.*

In negative sentences, the partitive article becomes **de** (or **d'** before a vowel sound).

Il n'y a pas d**e** tarte.	*There isn't any pie.*
Elle ne mange pas **d**'ail.	*She doesn't eat garlic.*

Choosing between the *article défini, indéfini* and *partitif*

The following guidelines will help you choose the appropriate article.

1. Verbs that frequently require the partitive article are **prendre, manger, boire, avoir,** and **acheter.**

Vous prenez **du** café?	*Are you having coffee?*
Mon père ne boit pas **de** café.	*My father doesn't drink (any) coffee.*
Est-ce qu'il y a **de la** confiture?	*Is there any jam?*

2. Some nouns can be preceded by an indefinite article or the partitive with a slight change in meaning.

Je voudrais **une** salade.	*I'd like a salad.*
Je voudrais **de la** salade.	*I'd like some salad.*
Je voudrais **un** café.	*I'd like a (cup of) coffee.*
Je voudrais **du** café.	*I'd like coffee.*

3. Preference verbs such as **aimer, préférer, adorer,** and **détester** take the definite article (**le, la, les**).

J'adore **la** viande mais je n'aime pas **le** poisson.	*I love meat but I don't like fish.*

4. Use the definite article when referring to a specific item visible by all at the table, previously mentioned in the conversation, or when ordering a particular dish on a menu.

Passez-moi **le** sel, s'il vous plaît.	*Pass me the salt, please.*
Je voudrais **le** saumon.	*I'd like the salmon.*

■ **Exercice 3.** Anaïs explique ses habitudes culinaires. Complétez les phrases avec l'article partitif ou indéfini approprié.

1. Je suis toujours pressée *(in a hurry)* le matin, donc je mange peu pour le petit déjeuner. Je prends _____ pain grillé avec _____ beurre et _____ confiture. Avec ça, je prends _____ chocolat chaud ou _____ café au lait; je ne bois pas _____ jus de fruits.

2. Normalement, à midi, je retrouve mes amis au resto-U et nous déjeunons ensemble. Parfois, je mange _____ soupe avec _____ poulet et _____ haricots verts. Généralement, je prends _____ eau minérale avec mes repas.

3. Le soir, je n'ai pas très faim et je n'ai pas _____ talent pour la cuisine. J'aime préparer _____ salade. Ma salade préférée est la salade composée. On utilise _____ salade, _____ tomates, _____ olives, _____ champignons, _____ jambon et _____ fromage. Et pour moi, pas _____ «French dressing» à l'américaine. Je prends _____ vinaigrette *(f)*.

■ **Exercice 4.** Émilie décrit sa routine du matin. Complétez le paragraphe avec la forme de l'article défini, indéfini ou partitif qui convient.

Alors, voici ma routine du matin pendant la semaine. D'abord, à 8h00, si j'ai _____ (1) énergie, je fais du jogging. Vers 8h30, je fais ma toilette et je prépare le petit déjeuner. D'abord, je prends _____ (2) jus de fruit; je préfère _____ (3) jus d'orange. Ensuite, je me prépare _____ (4) café. Je ne prends pas _____ (5) sucre dans mon café mais j'aime ajouter _____ (6) lait. Puis je mange _____ (7) tartines de pain complet—je n'aime pas _____ (8) baguette—avec _____ (9) beurre et _____ (10) confiture d'abricots. S'il n'est pas trop tard, je prépare _____ (11) salade pour midi. À 9h00, je pars pour mon bureau en métro car je n'ai pas _____ (12) voiture. C'est une matinée bien remplie!

Structure 7.3

Talking about food measured in specific quantities and avoiding repetition
Les expressions de quantité et le pronom **en**

Quantity expressions have the following structure:

	Quantité + *de* + nom		
	beaucoup	de	beurre.
Elle achète...	une bouteille	d'	eau minérale.
	un morceau	de	chocolat.

Note that **d(e)** is used alone rather than with an article.

Il y a trop **d'**huile dans la salade.　　*There is too much oil in the salad.*
Elle a peu **de** patience.　　*She has little patience.*

In the metric system, liquids are usually measured in **litres** *(liters)* and solids in **grammes** *(grams)* or **kilos** *(kilograms)*. Sometimes the packaging determines the quantity. In France milk comes in bottles **(bouteilles)** or cartons **(boîtes)**, and jam and mustard come in jars **(pots)**.

un demi-litre d'huile　　*a half liter of oil*
un kilo de pommes de terre　　*a kilo of potatoes*

■ **Exercice 5.** Anne veut préparer un gâteau. Elle examine ce qu'elle a dans sa cuisine. Complétez ses pensées en choisissant la réponse parmi les options données entre parenthèses.

Bon, dans le réfrigérateur il y a _____ (1) (un kilo de, assez de, un sac de) lait. Mais je n'ai pas _____ (2) (d', des, les) œufs. Que faire alors? Peut-être que je peux emprunter (*to borrow*) _____ (3) (d', des, un) œufs à la voisine. Et, dans le placard... il y a _____ (4) (de, de la, un litre de) farine (*flour*) et _____ (5) (des, un paquet de, du) sucre. Il y a encore _____ (6) (la, de la, de) vanille (*f*) dans la bouteille. Selon la recette, il faut aussi _____ (7) (de, le, 100 g de) chocolat. Où est mon chocolat? Zut! Il n'y en a pas! Je dois donc aller au supermarché. Je vais acheter _____ (8) (une douzaine d', une boîte d', un pot d') œufs et _____ (9) (de, du, un) chocolat. Je vais me dépêcher (*to hurry*). Je n'ai pas beaucoup _____ (10) (du, des, de) temps!

■ **Exercice 6.** C'est mercredi, le jour du marché. Composez des phrases avec les éléments donnés pour indiquer ce que chaque personne achète. Ensuite, devinez le plat qu'on va préparer avec ces ingrédients.

1. M. Laurent: paquet/beurre; douzaine/œufs; et 200 g/fromage
2. Paulette: litre/huile d'olive; bouteille/vinaigre; 500 g/tomates; et salade
3. Jacques: trois tranches/pâté; un morceau/fromage; baguette; et bouteille/vin
4. Mme Pelletier: un peu/ail; 250 g/beurre; et douzaine/escargots
5. Nathalie: 1 melon; 1 ananas; 3 bananes; et barquette/fraises

The pronoun *en*

Pronouns are often used to replace nouns that have already been mentioned in order to avoid repetition. In French, the pronoun **en** is used to replace noncount nouns, i.e., nouns preceded by the partitive (**du, de la, de l', des**) or an indefinite article (**un, une, des**).

—Y a-t-il **des fraises**?
—Oui, il y **en** a.

—*Are there any strawberries?*
—*Yes, there are (some).*

—Tu veux un coca?
—Non, je n'**en** veux pas.

—*Do you want a Coke?*
—*No, I don't want one (any).*

Notice that in the following sentences **en** replaces the noun but the quantity still needs to be stated.

—Combien de baguettes voulez-vous?
—J'**en** veux **deux.**

—*How many baguettes do you want?*
—*I want two (of them).*

—Achètes-tu beaucoup de bananes?
—Non, je n'**en** achète pas **beaucoup.**

—*Do you buy a lot of bananas?*
—*No, I don't buy a lot (of them).*

The order of *en* in a sentence
En precedes the conjugated verb and the expressions **voilà** and **voici**. This means that **en** precedes the auxiliary **avoir** or **être** in the **passé composé**.

Il y **en** a cinq.
J'**en** ai beaucoup mangé.
En voilà une!

There are five (of them).
I ate a lot (of it). (**passé composé**)
There's one!

In sentences with a conjugated verb followed by an infinitive, **en** precedes the infinitive. This means that **en** precedes the infinitive in the **futur proche**.

Je vais **en** prendre.
Nous voulons **en** acheter.

I'll have some. (**futur proche**)
We want to buy some.

■ **Exercice 7.** Trouvez la question illogique pour les réponses suivantes.

1. J'en veux un kilo.
   a. Tu veux du beurre?
   b. Tu veux du jambon?
   c. Tu veux des carottes?
   d. Tu veux un coca?

2. Nous en avons deux.
   a. Vous avez combien de voitures?
   b. Vous avez des enfants?
   c. Vous achetez combien de riz?
   d. Vous avez une maison?

3. J'en ai acheté une boîte.
   a. Tu as trouvé du thon *(tuna)*?
   b. Tu as acheté des raviolis?
   c. Tu as acheté du vin?
   d. Tu as pris de la sauce tomate?

4. J'en ai trois.
   a. Tu as combien de cours maintenant?
   b. Tu as une camarade de chambre?
   c. Tu as beaucoup de cours ce trimestre?
   d. Tu as du lait?

5. Oui, elle en a beaucoup.
   a. Marthe a beaucoup de travail?
   b. Marthe a des amis?
   c. Marthe a un mari?
   d. Marthe a des problèmes?

■ **Exercice 8.** Voici des morceaux d'une conversation à table. Répondez selon les indications. Employez le pronom **en** pour éviter la répétition.

1. Voulez-vous des pommes de terre gratinées? (oui)
2. Vous allez prendre du pâté? (non)
3. Prennent-ils du vin? (oui)
4. Vous prenez de la salade verte? (non)
5. Moi, je prends des escargots. Et toi? (oui)
6. Mangez-vous souvent du pain complet? (oui)

Structure 7.4

Giving commands *L'impératif*

The imperative verb form is used to give commands and directions and to make suggestions. The three forms of the imperative, **tu, nous,** and **vous,** are similar to the present tense, but the subject pronoun is omitted.

Présent	Impératif	
tu achètes	Achète du pain.	*Buy some bread.*
nous achetons	Achetons du fromage.	*Let's buy some cheese.*
vous achetez	Achetez des crevettes.	*Buy some shrimp.*

For the **tu** command form of **-er** verbs, including **aller,** drop the **s** from the **tu** form of the present tense verb.

Mange tes légumes.　　　　　　　*Eat your vegetables.*
Va à la boulangerie.　　　　　　*Go to the bakery.*

With **-ir** and **-re** verbs, the **s** remains.

Finis ton dîner.　　　　　　　　*Finish your dinner.*
Prends du sucre.　　　　　　　　*Have some sugar.*

Avoir and **être** have irregular imperative forms.

avoir	aie, ayons, ayez
	Ayez de la patience.　　*Have patience.*
être	sois, soyons, soyez
	Sois sage.　　*Be good.*

In negative commands, the **ne** precedes the verb and the **pas** follows it.

Ne bois pas de café après 16h00.   *Don't drink coffee after 4 o'clock.*
N'allons pas au restaurant.   *Let's not go to the restaurant.*

The imperative form can sound harsh. A common way to avoid the imperative is by using **on** + verb.

On prend un café?   *Shall we get a cup of coffee?*

■ **Exercice 9.** La famille Gilbert est à table et Mme Gilbert donne des ordres à tout le monde. Complétez ce qu'elle dit avec la forme du verbe qui convient.

aider   aller   attendre   boire   être   ne pas manger   passer   prendre

1. _____ votre père. Il arrive dans un instant.
2. _____-moi le sel, s'il te plaît.
3. Jeannot, _____ avec les doigts.
4. Chéri, _____ encore des haricots.
5. _____ chercher du pain dans la cuisine, Alexia.
6. _____ patiente avec ton petit frère.
7. Les enfants, _____-moi avec les assiettes.
8. _____ton eau minérale.

■ **Exercice 10.** C'est l'anniversaire de votre amie Carole. Faites des projets avec vos amis en acceptant ou en refusant leurs suggestions selon l'indication entre parenthèses.

Modèle: On célèbre l'anniversaire de Carole? (oui)
          Oui, célébrons l'anniversaire de Carole.

1. On invite Jérôme? (oui)
2. On fait un pique-nique? (non)
3. On va dîner dans un restaurant? (oui)
4. On rentre chez nous après? (oui)
5. On achète un gros gâteau au chocolat? (oui)
6. On achète aussi de la glace? (non)
7. On prend du champagne? (oui)

Structure 7.5

Referring to people and things that have already been mentioned
Les pronoms d'objet direct: **me, te, la, nous, vous** *et* **les**

A direct object receives the direct action of a verb. In French, as in English, it commonly follows the verb.

Suzanne aime **les haricots verts.**   *Suzanne likes green beans.*

     sujet   verbe   objet direct

Nous retrouvons **Paul** au restaurant.   *We are meeting Paul at the restaurant.*

Direct objects can be replaced with pronouns to avoid repeating the noun. In French, the direct object pronoun generally precedes the verb.

Les haricots verts? Elle **les** aime.   *Green beans? She likes **them.***
Paul? Nous **le** retrouvons au café.   *Paul? We are meeting **him** at the café.*
Toi et moi? Oui, papa **nous**   *You and me? Yes, Dad loves **us***
   aime beaucoup.   *very much.*

Here are the French direct object pronouns:

singular	plural
me, m' (before vowel)	nous
te, t' (before vowel)	vous
le, la, l' (before vowel)	les

Je t'invite à prendre un verre. / *I'm inviting you to have a drink.*
Tu ne l'as pas acheté. / *You didn't buy it.*

Placement of direct object pronouns

The pronoun precedes the conjugated verb.

Le couscous? Oui, je l'aime. / *Couscous? Yes, I like it.*
Serge? Je l'ai vu au café. / *Serge? I saw him at the café.* (**passé composé**)

When there is a conjugated verb followed by an infinitive such as in the **futur proche,** the pronoun is placed immediately before the infinitive:

Le pourboire? Je vais **le** laisser sur la table. / *The tip? I'm going to leave it on the table.*

—Elle veut voir Paul? / *—Does she want to see Paul?*
—Oui, elle veut **le** voir. / *—Yes, she wants to see him.*

Common verbs that take direct objects

The following verbs take direct objects both in French and English. It is not a complete list: **aimer, appeler, chanter, connaître** *(to be acquainted with)*, **faire, inviter, mettre** *(to put, to place)*, **porter, prendre, regarder, savoir** *(to know)*, **vendre, visiter, voir.**

— Tu aimes les boissons sucrées?
— Non, je ne **les** aime pas beaucoup.

The following verbs take direct objects in French, whereas they take indirect objects in English. Note that in French the preposition is included in the meaning of the verb. Memorizing these verbs can help you avoid mistakes.

attendre *(to wait for)*	Je **l'**attends.	*I'm waiting **for** him/her.*
chercher *(to look for)*	On **l'**a cherché.	*We looked **for** it (him).*
écouter *(to listen to)*	Tu ne **m'**écoutes pas.	*You're not listening **to** me.*
regarder *(to look at)*	Il va **les** regarder.	*He is going to look **at** them.*

Choosing between the direct object pronoun and *en*

In French, when a direct object is a proper name, a pronoun, or a noun preceded by a definite article (**le, la, les**), it can be replaced by a direct object pronoun (**me, te, le, la, l', nous, vous, les**).

Objects that are preceded by an indefinite article (**un, une, des**) or a partitive article (**du, de la, de l', des**) are replaced by **en.**

— Je **te** connais? / —*Do I know you?*
— Oui, tu **me** connais. Je suis dans ta classe de biologie. / — *Yes, you know me. I am in your biology class.*

— Tu aimes **la** glace au chocolat? / — *Do you like chocolate ice cream?*
— Oui, je **l'**aime beaucoup. / — *Yes, I like it a lot.*

— Y a-t-il **des** oranges dans le frigo? / —*Are there any oranges in the fridge?*
— Oui, il y **en** a. / —*Yes, there are (some).*

— Vous prenez **du** café? / —*Are you having coffee?*
— Non, merci. Je n'**en** prends pas. / —*No, thank you. I'm not having any.*

■ **Exercice 11.** Dans les phrases suivantes, les pronoms en italique peuvent représenter plusieurs noms. Trouvez l'élément (ou les éléments) que le pronom **ne peut pas** représenter.

1. Je *les* aime beaucoup.
   - **a.** les bonbons
   - **b.** du sucre
   - **c.** la confiture
   - **d.** mes cousins

2. Ma mère va *la* préparer ce soir.
   - **a.** le bœuf bourguignon
   - **b.** la fondue suisse
   - **c.** la salade niçoise
   - **d.** le steak au poivre

3. On ne *l'*a pas vu depuis une semaine.
   - **a.** mon oncle
   - **b.** mon oncle et ma tante
   - **c.** le livre de recettes
   - **d.** le CD de Ricky Martin

4. Stéphanie *m'*a invité au cinéma.
   - **a.** toi et moi
   - **b.** moi
   - **c.** moi et mes amis
   - **d.** nous

5. Cédric *en* boit beaucoup.
   - **a.** le vin
   - **b.** de la bière
   - **c.** l'autobus
   - **d.** du lait

6. Tu vas *le* mettre sur la table.
   - **a.** la pomme
   - **b.** le verre
   - **c.** le plat
   - **d.** les tartelettes

7. J'*en* ai acheté.
   - **a.** des crevettes
   - **b.** du pain
   - **c.** la viande
   - **d.** de la glace

8. Vous *nous* avez invités au restaurant.
   - **a.** moi
   - **b.** toi et ton copain
   - **c.** elle et moi
   - **d.** Marc et moi

■ **Exercice 12.** François aide sa mère à préparer le dîner. Complétez ce que sa mère lui dit avec le pronom d'objet direct qui convient.

1. Voici les tomates. Pourrais-tu _____ ajouter à la salade?

2. Je viens d'acheter cette baguette. Maintenant nous devons _____ couper en tranches.

3. N'oublie pas la charcuterie. Tu devrais _____ apporter à table.

4. Voici les fourchettes. On _____ met à gauche des assiettes.

5. Et le sel? Où est-ce que je _____ ai laissé?

6. J'ai acheté ce raisin. Tu veux _____ laver?

7. Où est ta sœur? Tu vas _____ appeler? C'est l'heure de nous mettre à table.

8. Enfin, voilà ton père qui arrive. On _____ attend depuis une demi-heure!

■ **Exercice 13.** Julie et Daniel sont des jeunes mariés *(newlyweds)*. Julie pose beaucoup de questions à Daniel. Répondez à ses questions en employant un pronom d'objet direct ou **en** pour éviter la répétition des mots en italique.

1. Je trouve tes parents très gentils. Comment est-ce qu'ils *me* trouvent?
2. Est-ce que je peux voir *les photos de ton enfance*?
3. Tu voudrais *une tasse de café*?
4. Est-ce que nous allons inviter *tes parents* à dîner bientôt?
5. J'utilise les recettes de ma mère quand je fais la cuisine. Aimes-tu *ses recettes*?
6. Nous mangeons toujours *de la dinde* à Noël. Et ta famille?

■ Tout ensemble!

Thomas et sa femme, Janine, font les courses ensemble à Casino. Complétez leur conversation en utilisant les verbes entre parenthèses et les mots de la liste.

belles	du	d'	les
côtelettes	la	de l'	te
de	pain	des	
de la	boucherie	en	

THOMAS: Tu as la liste d'achats que nous avons préparée?

JANINE: _____ (1) voilà. _____ (2) (commencer) par les légumes et les fruits.

THOMAS: Voici de _____ (3) salades. Tu _____ (4) veux?

JANINE: Absolument! Si nous allons suivre notre régime *(diet)*, nous devons manger beaucoup _____ (5) salades. Nous allons en acheter deux.

THOMAS: Avec ça, prenons _____ (6) tomates.

JANINE: Thomas, _____ (7) (choisir) trois belles tomates bien rouges. Je vais chercher les poivrons—un rouge et un vert.

THOMAS: Avons-nous assez _____ (8) oignons?

JANINE: Oui, mais nous devons acheter _____ (9) ail.

THOMAS: Qu'est-ce qu'on va manger demain pour le déjeuner?

JANINE: Euh... peut-être des _____ (10) de porc avec _____ (11) riz.

THOMAS: Pas de pommes de terre?

JANINE: Si, si tu _____ (12) (préférer)...

THOMAS: Et au dessert?

JANINE: Thomas, n'oublie pas que nous sommes au régime. _____ (13) (prendre) des fruits avec un fromage maigre. Ces pommes ont l'air délicieuses.

THOMAS: Nous _____ (14) (manger) trop de pommes. _____ (15) (acheter) plutôt des poires. En voici deux qui sont belles.

JANINE: D'accord. Veux-tu _____ (16) mettre dans le caddie *(shopping cart)*?

THOMAS: Est-ce que nous avons fini?

JANINE: Non, il nous faut *(we need)* aussi _____ (17) viande, du lait et du _____ (18). _____ (19) (aller) chercher le pain et le lait pendant que je vais à la _____ (20).

THOMAS: _____ (21) (ne pas acheter) de bœuf—c'est trop gras.

JANINE: Bien. J(e) _____ (22) (espérer) trouver des côtelettes bien maigres...

THOMAS: Je _____ (23) retrouve à la boucherie alors.

■ Vocabulaire fondamental

Noms

La nourriture	*Food*
des asperges *(f pl)*	*asparagus*
une baguette	*a loaf of French bread*
le beurre	*butter*
le bœuf	*beef*
des céréales *(f pl)*	*cereals, grains*
la charcuterie	*deli; cold cuts*
la confiture	*jam*
une côtelette	*a meat cutlet*
des fraises *(f pl)*	*strawberries*
le fromage	*cheese*
la glace	*ice cream*
des haricots (verts) *(m pl)*	*(green) beans*
le jambon	*ham*
le lait	*milk*
un légume	*a vegetable*
la moutarde	*mustard*
une nappe	*a tablecloth*
un œuf	*an egg*
un oignon	*an onion*
le pain	*bread*
le pâté (de campagne)	*(country style) meat spread*
les pâtes *(f pl)*	*pasta*
le poisson	*fish*
le poivre	*pepper*
une pomme	*an apple*
une pomme de terre	*a potato*
des pommes frites *(f pl)* (frites, *fam*)	*French fries*
le porc	*pork*
le poulet	*chicken*
du raisin	*grapes*
le riz	*rice*
la salade	*salad; lettuce*
un saucisson	*a dry sausage*
le sel	*salt*
une tarte(lette)	*a tart(let), a pie*
la viande	*meat*
le yaourt	*yogurt*

Mots apparentés: une banane, une carotte, le dessert, un fruit, la mayonnaise, une orange, une soupe, une tomate

Les repas	*Meals*
la cuisine	*food; cooking*
une entrée	*hot or cold dish served before the main course*
un goût	*a taste*
les hors-d'œuvre *(m pl)*	*appetizers*
le menu (à prix fixe)	*menu (fixed price)*
le petit déjeuner	*breakfast*

un plat (principal)	*a (main) course, dish*
un pourboire	*a tip*
le service	*service*
le service (non) compris	*tip (not) included*
un(e) végetarien(ne)	*a vegetarian*

Les petits commerces	*Shops*
une boucherie	*a butcher shop*
une boulangerie/pâtisserie	*a bread and pastry shop*
une charcuterie	*a delicatessen*
une épicerie	*a neighborhood grocery store*
un marché (en plein air)	*a(n) (open-air) market*
une pâtisserie	*a pastry shop*
un supermarché	*a supermarket*

Les ustensiles de cuisine	*Kitchen utensils*
une assiette	*a plate*
un bol	*a bowl*
un couteau	*a knife*
une cuiller (à soupe)	*a (soup) spoon*
une fourchette	*a fork*
une serviette	*a napkin*
une tasse	*a cup*
un verre	*a glass*

Les quantités	*Quantities*
assez (de)	*enough (of)*
beaucoup (de)	*a lot (of)*
une boîte (de)	*a box, can (of)*
une bouteille (de)	*a bottle (of)*
une douzaine (de)	*a dozen (of)*
un gramme (de)	*a gram (of)*
un (demi-)kilo (de)	*(half) a kilogram (of)*
un (demi-)litre (de)	*a (half) liter (of)*
un morceau (de)	*a piece (of)*
un paquet (de)	*a packet (of)*
(un) peu (de)	*(a) little (of)*
un pot (de)	*a jar (of)*
un sac (de)	*a sack, bag (of)*
une tranche (de)	*a slice (of)*
trop (de)	*too many, too much (of)*

Verbes

acheter	*to buy*
appeler	*to call*
s'appeler	*to be named*
avoir faim	*to be hungry*
avoir soif	*to be thirsty*
commander	*to order*
espérer	*to hope (for)*
être au régime	*to be on a diet*
mettre (la table)	*to put; to set (the table)*
oublier	*to forget*
réserver	*to reserve*

Adjectifs

à point	*medium*
bien cuit(e)	*well-done*
délicieux (délicieuse)	*delicious*
dur(e)	*tough*
frais (fraîche)	*fresh*
saignant(e)	*rare*
sucré(e)	*sweetened*
tendre	*tender*

Mots divers

un ingrédient	*an ingredient*
par jour / semaine	*per day / week*
un pays francophone	*a country where French is spoken*
une recette	*a recipe*
un régime	*a diet*

Expressions utiles

Comment se débrouiller au restaurant   *How to get along at a restaurant*

(See pages 202–203 for additional expressions.)

Une table pour six, s'il vous plaît.	*A table for six, please.*
Que désirez-vous comme plat principal?	*What do you want for your main course?*
Pour commencer, je vais prendre...	*To start with, I'll have . . .*
J'ai faim / soif.	*I'm hungry / thirsty.*
C'est délicieux / tendre.	*It's delicious / tender.*
Le service est compris?	*Is the tip included?*

■ Vocabulaire supplémentaire

Noms

La nourriture   *Food*

l'ail *(m)*	*garlic*
l'alimentation *(f)*	*food*
un ananas	*a pineapple*
un biscuit	*a cookie; a cracker*
une cerise	*a cherry*
un champignon	*a mushroom*
une crêpe	*a crepe (thin pancake)*
les crevettes *(f pl)*	*shrimp*
une épice	*a spice*
les fruits de mer *(m pl)*	*seafood*
un gâteau	*a cake*
un goûter	*an afternoon snack*
l'huile *(f)* (d'olive)	*(olive) oil*
le pain complet	*whole-wheat bread*
un pamplemousse	*a grapefruit*
les petits pois *(m pl)*	*peas*
une poissonnerie	*a fish shop*
un poivron	*a bell pepper*
un produit laitier	*a dairy product*
le saumon	*salmon*
une tartine	*bread with butter*
le thon	*tuna*
la vinaigrette	*salad dressing made with oil and vinegar*

Les ustensiles de cuisine   *Kitchen utensils*

une cuiller à café (à soupe)	*a teaspoon (tablespoon)*

Verbes

ajouter	*to add*
conseiller	*to recommend, to advise*
couper	*to cut*
se débrouiller	*to manage, to make do*
éviter	*to avoid*
goûter	*to taste*
grignoter	*to snack*
jeter	*to throw (away)*
mélanger	*to mix*

Adjectifs

allergique	*allergic*
culinaire	*culinary*
dégoûtant(e)	*disgusting*
fondu(e)	*melted*
garni(e)	*garnished*
gratiné(e)	*with melted cheese*
grillé(e)	*grilled*
léger (légère)	*light*
végétalien(ne)	*vegan*

Souvenirs

I n this chapter, you will read and talk about childhood memories and recall important events from the past. You will make the acquaintance of several characters familiar to

French young people: cartoon characters Titeuf, Tintin and Astérix, and Alceste, from the classic stories of *Petit Nicolas.* ❁

Pratique de conversation: Comment comparer (introduction)

Structure 8.4: Making comparisons
Le comparatif (introduction)

Perspectives culturelles: Les BD

Thème: Souvenirs d'une époque

Structure 8.5: Narrating in the past
Le passé composé et l'imparfait (introduction)

À lire, à découvrir et à écrire

Lecture: *Alceste a été renvoyé* de Sempé et Goscinny

ⒾLrn **Voix en direct (suite)**

Expression écrite: L'arrivée au campus

Souvenirs d'enfance

Structure 8.1

Talking about how things used to be *L'imparfait*

The **thème "Souvenirs d'enfance"** highlights the imperfect, **l'imparfait.** This past tense verb form is suited for talking about memories because it describes how things were. Whereas the **passé composé** tells what happened, the **imparfait** is descriptive. For further information on the **imparfait,** see pages 241–242.

CD2, Track 2

Quand j'étais petit(e)...

Voici Marie Leclerc. Comment était sa vie quand elle était petite?

Ma mère ne **travaillait** pas à l'extérieur. Elle **restait** à la maison avec nous, les enfants.

Nous **habitions** une petite maison à la campagne.

Je **dormais** dans une chambre avec ma sœur.

Mes parents n'**avaient** pas de télévision. Ils **écoutaient** la radio.

Nous **avions** une vieille Renault.

Les hommes **jouaient** aux boules sur la place.

Après l'école, je **jouais** à la poupée ou je **chassais** les papillons avec mon frère.

L'été, nous **allions** à la mer.

■ Notez et analysez

The boldfaced verbs in the picture captions on page 222 and above are in the imperfect tense. Look at the endings for the following forms: **je, il/elle, ils/elles.** Circle them. Now listen to the recorded description and focus on the pronunciation of these endings. What conclusion do you draw? Is the ending of the **nous** form in the imperfect tense the same as its present tense ending?

☐ Activité 1: La première année au lycée...

A. Cochez toutes les options qui décrivent votre vie pendant votre première année au lycée.

To provide additional oral input, read the list out loud as students mark whether they did the activity or not.

____ J'avais un chien / chat.

____ Je jouais dans une équipe de sport.

____ J'allais voir les matches de football américain.

____ Je rendais souvent visite à mes grands-parents.

____ Je mangeais souvent de la pizza.

____ J'avais des leçons de gymnastique.

____ J'étais très studieux(-euse).

____ J'allais au centre commercial avec mes amis le week-end.

____ En été, j'allais à la mer avec mes parents.

____ Je dormais dans une chambre avec mon frère / ma sœur.

____ Je jouais au Game Boy.

____ Je regardais *Newport Beach (The O.C.)* à la télé.

____ J'achetais de la musique en ligne pour mon iPod.

B. Maintenant, avec un(e) autre camarade de classe, comparez vos listes et dites ce que vous avez en commun.

Model one or two of these with a strong student before having students work in pairs.

> **Modèle:** *Nous deux, nous avions un chien.*
> Ou: *Moi, j'avais un chien et Patrick avait un chat.*

Demandez à un(e) camarade de classe comment on célébrait les fêtes suivantes dans sa famille quand il/elle était petit(e). Suivez le modèle. Utilisez la liste d'expressions utiles pour élaborer vos réponses.

Expressions utiles:

acheter un cadeau *(gift)*
aller à la mer / chez mes grands-parents
aller voir les feux d'artifices *(fireworks)*
allumer une bougie *(to light a candle)*
décorer la maison
donner une carte de vœux *(card)*

préparer un grand repas de fête
inviter des amis
manger du gâteau / des bonbons...
porter des déguisements *(costumes)*
faire un voyage / un pique-nique
rester à la maison

Fêtes:

la fête des mères   Ramadan
un anniversaire   le 4 juillet
Noël   Halloween
Hanoukka

Modèle: ÉTUDIANT(E) 1: *Dans ta famille, est-ce qu'on célébrait la fête des mères?*

ÉTUDIANT(E) 2: *Oui, on célébrait la fête des mères.*

ÉTUDIANT(E) 1: *Comment?*

ÉTUDIANT(E) 2: *On invitait ma mère au restaurant. On lui donnait une carte de vœux et un cadeau.*

■ **Activité 3: Interaction. Quand tu étais petit(e)...**

Posez les questions suivantes à un(e) camarade de classe.

1. Où est-ce que tu habitais?
2. Est-ce que tu avais un ordinateur? À quels jeux est-ce que tu jouais?
3. Qu'est-ce que tu faisais après l'école? Avec qui?
4. Est-ce que tu allais en vacances avec ta famille? Où?
5. Qu'est-ce que tu n'aimais pas manger?
6. Est-ce que tu avais beaucoup de copains dans ton quartier *(neighborhood)*?

Les enfants et l'école

Selon les valeurs° républicaines françaises, c'est la responsabilité de l'école de former les citoyens°. Tous les enfants devraient bénéficier de l'égalité des chances°. C'est pourquoi en France, l'enseignement° public et privé est centralisé. C'est le Ministère de l'Éducation Nationale qui établit° et dirige° les programmes d'études.

Tout commence avec l'école maternelle. Elle accueille actuellement° la quasi-totalité des enfants de 3 à 6 ans. C'est à la maternelle que l'enfant apprend à vivre en communauté, à agir° suivant certaines règles° établies et à respecter les autres. À l'école primaire (de 6 à 10 ans), les enfants continuent à développer leurs aptitudes et leurs connaissances°. Le programme comprend des cours de langue française, langue étrangère ou régionale, mathématiques, sciences, arts et éducation physique et civique. Ainsi, les années passées à l'école primaire sont très importantes. Une certaine nostalgie pour cette étape de la vie est souvent traitée° dans les films. C'est le cas d'*Au Revoir les enfants* et d'*Être et avoir*.

Cependant°, la réalité n'est pas toujours en accord avec cette image idéalisée. On trouve des inégalités, surtout dans les milieux° défavorisés en raison de leur environnement social, économique et culturel. Ces dernières années, le gouvernement a établi des zones d'éducation prioritaire (ZEP) dans ces secteurs difficiles pour consacrer plus de ressources pour réduire les inégalités et améliorer la réussite scolaire° des élèves.

values

citizens

equal opportunity / education
establishes / directs

serves today

to act / rules

knowledge

treated
However
areas

academic success

L'information scolaire de Doisneau

■ Avez-vous compris?

Dites si les phrases suivantes sont vraies ou fausses.

1. Selon les principes de la République française, l'école doit offrir les mêmes opportunités à tous les jeunes en France.
2. Presque cinquante pour cent (50%) des enfants vont à l'école maternelle.
3. L'enseignement privé est dirigé par le Ministère de l'Éducation Nationale.
4. À l'école maternelle, on apprend à jouer avec les autres.
5. Les enfants de 6 à 12 ans vont à l'école primaire.
6. On étudie une langue étrangère ou une langue régionale à l'école primaire.
7. Les ZEP ont été établies pour donner plus de soutien *(support)* aux écoles dans des quartiers riches.

Voix en direct

Vous vous souvenez de votre école primaire?

Décrivez votre école primaire.
Quand j'**étais** jeune, il y **avait** une école pour les filles et une autre école pour les garçons. Il n'y **avait** pas d'école mixte. Les filles **portaient** un tablier[1] rose pour protéger leurs vêtements, et les garçons, une blouse[2] noire ou grise.

Mon école **était** dans un vieux bâtiment[3] autour d'une cour[4]; il n'y **avait** pas de pelouse[5], pas de terrain de sport. À l'intérieur, il y **avait** des pupitres en rang[6]. Sur le mur, il y **avait** une carte de la France. La première leçon du matin **était** l'instruction civique, ce qu'on **appelait** «la leçon de morale». L'instituteur **écrivait** un proverbe au tableau que nous **copiions** dans nos cahiers. En France, les élèves **copiaient** beaucoup dans leurs cahiers.

Régine Montaut

56 ans
Institutrice, à Montpellier

Et comment était la discipline?
La discipline **était** sévère. Il **fallait** lever le doigt[7] pour parler. Et comme punition, il y **avait** le châtiment corporel[8]. La maîtresse **tirait** les oreilles[9], elle **tapait** sur les doigts[10] avec une règle, on **allait** au coin[11]; et souvent elle **envoyait** les élèves chez la directrice.

[1]pinafore [2]smock [3]building [4]courtyard [5]grass [6]in a row [7]raise your finger [8]corporal punishment [9]pulled our ears [10]snapped our fingers [11]we had to stand in the corner

Vous vous souvenez de votre école primaire?
Oui, bien sûr, et j'en garde un excellent souvenir. C'**était** à Nantes. Et je me rappelle de mes classes, des camarades de classe, des instituteurs et des institutrices qui **étaient** formidables. J'ai un bon souvenir de toutes mes classes de primaire en fait. Dans l'ensemble, c'**était** sympa, l'école primaire.

Gwenaëlle Maciel

30 ans
Institutrice d'anglais au collège dans la région de Paris

Est-ce que l'école primaire d'aujourd'hui est différente d'il y a vingt ans?
Oui, je pense. C'était assez différent dans le relationnel[12] avec les enfants. Je pense qu'aujourd'hui le comportement[13] des enfants est plus spontané et... l'ambiance[14] moins rigide qu'elle ne l'était à l'époque quand j'étais enfant en primaire. Peut-être le contenu[15] de l'enseignement est plus ludique[16], moins rigoureux[17], peut-être, mais en dehors de ça, je n'ai pas constaté[18] d'énormes différences.

[12]interaction [13]behavior [14]atmosphere [15]content [16]playful [17]rigorous [18]noted

One of the results of the student protests of **Mai 68** was to make the French school system less authoritarian and rigid. Note that Régine Montaut went to school before the reforms and Gwenaëlle Maciel afterward. Since this reading is somewhat long, you may wish to divide the class in half and assign Régine Montaut to one group and Gwenaëlle Maciel to the other.

Point out that the boldfaced verbs are in the **imparfait**. Have students give the English equivalents of some of these verbs. Ask why there are two i's in **copiions**.

■ Réfléchissez aux réponses

1. Comment était votre première école? Décrivez la salle de classe. Il y avait un terrain de sport? Est-ce que les filles et les garçons jouaient ensemble?
2. Comment étaient les rapports entre les instituteurs et les élèves— plutôt positifs ou plutôt négatifs? Les instituteurs étaient stricts ou relaxes?
3. Est-ce que la discipline était sévère? Est-ce que vous vous souvenez d'une punition que quelqu'un a eue?

■ Avez-vous compris?

Selon les souvenirs de Régine et de Gwenaëlle, indiquez si les phrases suivantes sont vraies ou fausses. Corrigez les phrases fausses.

Régine:
1. Quand Régine était jeune, elle étudiait dans une école mixte.
2. Pendant la récréation, les enfants jouaient au terrain de sport.
3. Il y avait une carte de la France dans la salle de classe.
4. Les instituteurs étaient très gentils avec les élèves.
5. L'humiliation était une forme de punition.

Gwenaëlle:
6. Gwenaëlle se souvient surtout de ses difficultés à l'école primaire.
7. Aujourd'hui, les instituteurs sont plus autoritaires que quand elle était jeune.
8. Les leçons sont plus difficiles aujourd'hui.
9. L'enseignement est moins strict aujourd'hui.

L'album de photos

Structure 8.2

Linking ideas *Les pronoms relatifs* **qui, que** *et* **où**

The following activities introduce relative pronouns, **les pronoms relatifs,** which are used for joining clauses to form complex sentences. To read more about relative pronouns, see page 243.

C'est moi avec mon ballon de foot **qui** était presque mon meilleur ami.

Et voilà notre vieille 2CV Citroën **que** nous avons achetée d'occasion *(used).*

C'est l'endroit **où** ma grand-mère aimait danser.

■ Notez et analysez

Look at the caption for each photo. What words are the relative pronouns **qui, que,** and **où** replacing? The words they replace are called their antecedents, **antécédents.**

Suggestion: Although students generally understand sentences with relative pronouns, to produce them accurately the notion of subject and object antecedents will need to be explicitly taught. After focusing on comprehension of these sentences, guide students through the **Notez et analysez** questions. For example, ask: **Le «qui» représente quels mots? Oui, «mon ballon de foot». Est-ce que «mon ballon de foot» est le sujet ou l'objet de la phrase? Oui, c'est le sujet. Donc, «mon ballon de foot» est remplacé par le pronom relatif «qui». Ça veut dire que «mon ballon de foot» est l'antécédent du pronom relatif «qui».** The past participle **achetée** is for comprehension only; agreement of past participles is presented in **Module 11.**

It is important to clarify for students that the choice between **qui** and **que** is not related to whether the antecedent is a person or a thing. Instead, the determining factor is the grammatical function, subject or object.

Posez des questions à un(e) camarade en suivant le modèle. Ensuite, mettez-vous en groupes de six pour trouver les souvenirs que vous avez en commun. Présentez-les à la classe.

Modèle: un chanteur que tu écoutais?
—*Est-ce qu'il y avait un chanteur que tu écoutais?*
—*Oui, Charles Trenet.*

1. un lieu où tu aimais aller?
2. un film qui était populaire?
3. une chanson qui passait toujours à la radio?
4. une émission de télévision que tu regardais?
5. une activité que tu n'aimais pas faire?
6. une marque *(brand)* de vêtements que tout le monde portait?

■ **Activité 5: L'album de photos**

Goal: Students focus on selecting the appropriate relative pronoun. Give the students several minutes working in pairs so they can help each other analyze the sentences and select the correct option.

Marc montre son album de photos à un ami qui lui pose des questions. Complétez avec **qui, que** ou **où.**

UN AMI: Qui est ce petit garçon en short?

MARC: C'est Serge, le voisin _____ chassait les papillons *(butterflies)* avec moi.

UN AMI: Et le jeune homme à côté de lui?

MARC: C'est un garçon _____ sortait avec ma sœur. L'homme _____ tu vois à côté de lui, c'est mon grand-père.

UN AMI: Où est-ce qu'on a pris cette photo?

MARC: Sur la place du village _____ les hommes âgés jouaient aux boules et les vieilles femmes bavardaient.

UN AMI: Et le vieux bâtiment? Qu'est-ce que c'est?

MARC: C'est la mairie _____ il y avait une salle de cinéma. J'adorais tous les films _____ sortaient au village. L'autre bâtiment est l'église.

■ **Notez et analysez**

Notice that there is a pronoun after the subject and before the verb. In the **tu** form, the pronoun is **te.** What is the pronoun used with the **je** form? You will learn more about pronominal verbs in **Module 10.**

—Est-ce que **tu te souviens** de ton premier jour à l'école?
—Oui, **je me souviens** très bien de ce jour-là. J'avais quatre ans...

■ **Activité 6: Est-ce que tu te souviens de...**
   (Do you remember . . .)?

A. D'abord, utilisez les éléments suivants pour former six à huit questions que vous voulez poser à vos camarades de classe. Ensuite, écoutez et vérifiez la forme de vos questions.

Modèle: *Est-ce que tu te souviens d'une activité qui était interdite?*

une activité		était interdite *(forbidden)*
un président		tu admirais
un pays		tu voulais aller
un(e) musicien(ne)	qui	tes parents écoutaient
un film	que	tout le monde critiquait / adorait
un lieu	où	tu ne pouvais pas aller
un(e) acteur (actrice)		a influencé ta vie
une chose		tes parents répétaient
une personne		était toujours très gentille envers *(towards)* toi

B. Maintenant mettez-vous en groupes de quatre et posez vos questions aux autres membres du groupe. Qu'est-ce que vous avez en commun? Expliquez à la classe deux des réponses les plus fréquentes.

Modèle: —*Est-ce que tu te souviens d'une activité qui était interdite?*
   —*Oui, je ne pouvais pas sortir pendant la semaine.*

■ **Activité 7: Vos souvenirs**

Travaillez en petits groupes pour apprendre autant que possible sur les souvenirs de vos camarades.

Modèle: *Parle-moi un peu de tes copains. Est-ce que tu te souviens de ton premier meilleur copain? Comment s'appelait-il? Est-ce qu'il habitait près de chez toi? Comment est-ce qu'il était? Qu'est-ce que vous faisiez ensemble?*

1. copains
2. anniversaires
3. vacances
4. animaux domestiques
5. passe-temps

Activité 7 is open-ended. Encourage students to ask each other follow-up questions by modeling elaborations: **Est-ce que tu avais un chat ou un chien quand tu étais petit(e)? De quoi est-ce que tu te souviens à propos de ton chien? Est-ce que tu te souviens de son nom?**

Un enfant avec ses animaux domestiques

Thème

Communiquer en famille

Structure 8.3

Have students identify what each boldfaced pronoun replaces: **Il leur écrit. À qui est-ce que Jules écrit? Oui, à ses parents. Il leur écrit.** Write on the board **leur = à ses parents.** After going over three or four examples, explain that most of these pronouns are indirect object pronouns. Ask students to find a cue for the indirect object (cue = **à**). The last example, **me,** is used both as a direct object (review from **Module 7**) and as an indirect object.

Reading, speaking, and writing to others *Les verbes* **lire, dire** *et* **écrire** *avec les pronoms d'objet indirect*

Because they involve transferring information from one source to another, communication verbs are commonly used with an indirect object. Here, you will learn to use some common verbs associated with communication, **lire, dire** and **écrire,** and indirect object pronouns (**me, te, lui, nous, vous,** and **leur**). For the verbs, see pages 244. For a full explanation of the use of indirect object pronouns, see page 245.

Jules écrit à ses parents. Il **leur** écrit pour **leur** demander de l'argent.

Jacquot est déçu *(disappointed)* car son père **lui** a dit de ne pas sortir.

Mon père **nous** lisait des BD (bandes dessinées) d'Astérix et de Tintin.

■ Notez et analysez

In the picture captions, the boldfaced words are pronouns. What words do these pronouns replace? Look at the pronouns **me** and **m'** in the last caption. Which one represents an indirect object? a direct object? The pronouns **me, te, nous,** and **vous** replace both direct and indirect objects.

Est-ce que ta grand-mère **t'**a donné ce joli vélo tout neuf *(brand-new)*?

Est-ce que Charles va **me** téléphoner? Il **m'**a dit qu'il allait **m'**inviter au cinéma...

■ Activité 8: Associations rapides

Avec un(e) partenaire, répondez aussi vite que possible.

Modèle: écrire des e-mails
—Qui t'écrit des e-mails?
—Ma mère m'écrit des messages tous les jours.

1. parler de ses problèmes
2. rendre visite
3. écouter
4. téléphoner souvent
5. écrire des messages électroniques
6. donner de l'argent

Activités 8 and 9 include both indirect and direct objects.

Activité 9: Un père inquiet

Le jeune Nicolas, qui part en colonie de vacances *(summer camp)*, doit rassurer son père que tout va bien se passer. Utilisez un pronom d'objet direct ou indirect dans chaque réponse.

Modèle: —Tu vas me téléphoner demain?
—*Oui, je vais te téléphoner en arrivant* (upon arrival).

1. Tu vas nous écrire souvent?
2. Tu vas prendre tes vitamines le matin?
3. Tu vas obéir aux moniteurs *(counselors)*?
4. Tu vas suivre tous les règlements *(rules)*?
5. Tu as ton billet de train et ta carte d'identité?
6. Est-ce que tu as dit au revoir à tante Irène?
7. Tu as donné mon numéro de téléphone au directeur?

Activité 10: À qui est-ce que vous écrivez?

Quand est-ce que vous écrivez aux personnes suivantes? Et quand est-ce qu'elles vous écrivent? En groupes de deux, posez les questions et répondez comme dans le modèle. Utilisez le pronom d'objet indirect approprié dans votre réponse.

Modèle: ta tante et ton oncle
—*Quand est-ce que tu écris à ta tante et à ton oncle?*
—*Je leur écris une carte de vœux à Noël.*
—*Quand est-ce qu'ils t'écrivent?*
—*Ils m'écrivent pour mon anniversaire.*

1. ta grand-mère
2. ton (ta) meilleur(e) ami(e)
3. tes amis
4. ta mère
5. ton père
6. tes frères ou tes sœurs
7. tes cousins
8. ta tante ou ton oncle

Activité 11 requires comprehension of conversational speech. Give students some time to match the questions and responses. Then have students take turns acting out the interview.

Activité 11: Interview avec Jean-Luc Moncourtois, metteur en scène

Avec un(e) camarade, associez les questions et les réponses pour reconstruire l'interview.

1. Vous aimiez beaucoup regarder des films quand vous étiez jeune?
2. Et vous alliez souvent au cinéma?
3. Vos parents comprenaient votre passion pour le cinéma?
4. Donc, vous ne leur parliez pas de votre fascination?
5. Est-ce que vous aviez une idole?
6. Êtes-vous content de votre nouveau film?
7. Qu'est-ce que vous dites aux jeunes qui veulent faire du cinéma?
8. Je peux vous parler de votre nouvelle copine Brigitte?
9. Pourquoi avez-vous choisi de quitter Hollywood et de revenir en France?
10. Merci, M. Moncourtois, de nous avoir accordé cette interview.

a. Je leur dis de ne jamais abandonner.
b. Non, ils ne me comprenaient pas. Ils étaient trop occupés par leurs propres affaires.
c. Oui, c'était Belmondo. Je l'adorais.
d. Non. Je ne veux pas vous parler de ma vie privée.
e. J'y allais tous les samedis.
f. Oui, j'adorais ça! C'était une affaire de cœur. J'étais un vrai fana!
g. Comment répondre? C'est mon meilleur travail jusqu'ici, mais je ne suis jamais satisfait. Je suis perfectionniste.
h. Non, je ne pouvais pas leur en parler. De toute façon, on se parlait peu chez moi.
i. Je vous en prie. C'était un plaisir.
j. Ce retour, j'y ai réfléchi pendant des années. Après tout, je suis un metteur en scène français!

Comment comparer (introduction)

Structure 8.4

Making comparisons *Le comparatif (introduction)*

When we think about the past, we frequently compare our present situation with "the good old days" or **le bon vieux temps.** We make lots of other comparisons as well—age, abilities, qualities, and so on. For a full explanation of the comparative, see pages 246–247.

Quelques expressions utiles

Pour comparer

Quand j'étais jeune, j'étais **moins grand que** mon frère Frédéric, mais j'étais **plus sportif que** lui.

Nous étions **moins riches que** nos voisins, les Lefèvre. Ils avaient une **meilleure voiture que** notre vieille Citroën.

Septembre–Octobre 1996	DEVOIRS		LEÇONS			OBSERVATIONS DU PROFESSEUR	Nom: Jean-Pierre
Philosophie							
Français (grammaire et orthographe)	4	7	8	2	4	Ne travaille pas régulièrement à la maison. M. Tremblay	
Français (composition et dissertation)						Faible participation M. Tremblay	
Récitation						Mauvais travail–Doit améliorer la participation en classe Mlle Blanchard	
Cinéma	8	9	7	9	6		
Anglais (littérature)							
Thème Anglais							
Version Anglaise							
Histoire	8	5				Un travail plus intensif doit pouvoir améliorer les résultats M. Legrand	
Algèbre	5	7	6	5	7		
Géométrie		6	6			Doit travailler plus M. Sequin	
Économie							

Voici un de mes anciens bulletins scolaires *(report cards)*. Hélas, mes notes étaient souvent **pires que** les notes de mon frère. En fait, elles étaient lamentables!

Pour demander une comparaison

Est-ce que tu es très différent(e) de ta sœur?
Est-ce que tu ressembles plutôt à ta mère ou à ton père?
Est-ce que tu es comme ton (ta) meilleur(e) ami(e)?
Est-ce que ta mère est plus compréhensive que ton père?
Est-ce que tu es aussi sérieux(-euse) que ton frère?

CD2, Track 5

■ Écoutons ensemble! Alceste se compare à Jérôme

Écoutez Alceste qui se compare à son cousin Jérôme. Pour chaque chose indiquée, cochez (check) la colonne appropriée, d'après la description d'Alceste.

		+ PLUS	− MOINS	= AUSSI
1.	maison (près de l'école)	X		
2a.	voiture (vieille)	X		
2b.	voiture (grande)			X
3a.	maths (fort)	X		
3b.	langues (fort)		X	
4.	parents (ouverts)			X

■ Activité 12: Comparaisons

Quand vous étiez petit(e), comment s'appelait votre meilleur(e) ami(e)? Comparez-vous en utilisant **plus, moins, aussi, meilleur(e)** et **pire.**

1. âge: jeune / âgé(e)
2. côté personnalité: sociable / timide, sympathique / désagréable, idéaliste / réaliste / pessimiste
3. côté physique: grand(e) / petit(e), mince / gros(se)
4. à l'école: studieux(-euse), sérieux(-euse), meilleur(e), fort(e) en maths (langues, sciences...)
5. autres: sportif(-ive), actif(-ive), passionné(e) par la politique (le shopping, le cinéma, les jeux vidéo...)

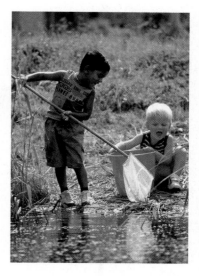

Activité 12: You may wish to have students write a summary for homework.

■ Activité 13: Comparez les époques.

Que pensez-vous des phrases suivantes? Selon vous, sont-elles vraies ou fausses? Corrigez celles qui sont fausses.

1. La France des années 50 était plus homogène que la France d'aujourd'hui.
2. Les années 60 en France et aux États-Unis étaient moins turbulentes que les années 2000.
3. Les ordinateurs sont meilleurs aujourd'hui qu'il y a dix ans.
4. Les jeunes filles de notre époque sont généralement aussi indépendantes que leurs mères.
5. La génération de nos parents était moins conservatrice que notre génération.
6. La violence dans les écoles américaines devient pire.
7. Un Français avec son béret et sa baguette est une image plus stéréotypée que correcte.
8. Aujourd'hui, les films d'action sont moins bons que dans les années 90.

Answers will vary depending on students' point of view.

Les BD

character
survey
at the top
cartoonist

Quel est le personnage° de BD (bande dessinée) que vous préférez? Voici la question posée dans un sondage° récent de Ifop (2005). Pour les adultes comme pour les jeunes Français, deux classiques arrivent en tête°: *Tintin* et *Astérix*. Tintin, créé par le dessinateur° belge Hergé (1907–1983), est un jeune reporter qui voyage partout dans le monde avec son chien Milou. Ses vingt-quatre aventures ont été publiées en 40 langues différentes.

work

Astérix, un Gaulois de petite taille avec une moustache et un gros nez, protège son village des invasions romaines. Avec l'aide de son grand ami Obélix, ils triomphent de leurs adversaires. Cette œuvre° de René Goscinny et Albert Uderzo, publiée en 70 langues, est surtout connue pour son humour, son esprit de résistance et la qualité des dessins.

lock of hair
share

Chez les jeunes de 15–24 ans, une autre BD est très appréciée: *Titeuf*. Créé par le dessinateur suisse Zep, Titeuf représente sa génération. Avec sa mèche° blonde toujours dans l'air et ses rollers, lui et ses copains partagent° les difficultés de la vie adolescente avec humour. Les jeunes s'identifient facilement à cette bande: Titeuf qui collectionne des zéros en maths, Nadia son grand amour, Manu avec ses grosses lunettes, Jean-Claude avec son appareil dentaire°, Hugo qui ne pense qu'aux filles et au chocolat, Vomito qui, comme son nom l'indique, réagit à tout en vomissant. Titeuf et sa bande d'amis font passer le message: il faut être heureux malgré tout°; on peut s'adapter au monde si° on a des amis.

braces

in spite of everything / if
animated cartoons

On a aussi adapté ces BD en dessins animés° à la télé et au cinéma, ce qui augmente la popularité de cet art qui n'est pas uniquement pour les jeunes. En effet, les BD, c'est un loisir transgénérationnel.

Tintin   Astérix   Titeuf

■ Avez-vous compris?

Répondez aux questions suivantes.

1. Associez ces mots et les descriptions avec Tintin, Astérix ou Titeuf.

_____ **a.** un garçon et son chien   _____ **e.** Hergé
_____ **b.** un guerrier *(warrior)*   _____ **f.** Zep
          gaulois   _____ **g.** 70 langues
_____ **c.** une bande de jeunes   _____ **h.** un jeune garçon qui n'est
          amis   pas très fort en maths
_____ **d.** des voyages dans des   _____ **i.** une histoire qui se passe
          pays différents   pendant l'Empire romain

2. Quelle est la morale de Titeuf?

■ Et vous?

1. Est-ce que vous connaissez une bande dessinée ou un dessin animé qui ressemble à *Titeuf*? Comparez Titeuf au héros de cette BD.
2. Quelles bandes dessinées lisiez-vous quand vous étiez plus jeune? Laquelle est-ce que vous préfériez? Quel(le) était le message (la morale) de cette BD?
3. Quelle BD est-ce que vous préférez maintenant? Pourquoi l'aimez-vous?
4. Est-ce que vous considérez les bandes dessinées comme un loisir transgénérationnel?

Souvenirs d'une époque

Structure 8.5

Narrating in the past *Le passé composé et l'imparfait (introduction)*

In the following activities, you will begin to use the **imparfait** and the **passé composé** together. Remember to use the **imparfait** for description and background information and the **passé composé** to talk about specific events. For further comparison of these two tenses, see pages 247–248.

■ **Activité 14: À chaque génération, ses goûts!**

Comparez ce qui était à la mode quand vos parents étaient jeunes avec vos préférences à vous.

LA MUSIQUE

1. Quand mes parents étaient au lycée, ils écoutaient _____.
   - **a.** Santana
   - **b.** Bob Dylan
   - **c.** Mick Jagger
   - **d.** Stevie Wonder
   - **e.** Elvis Presley

2. Moi, au lycée, j'écoutais _____.

LA MODE

3. Quand ma mère était au lycée, les _____ étaient très à la mode pour les filles.
   - **a.** mini-jupes
   - **b.** vêtements hippies
   - **c.** socquettes *(bobby socks)*
   - **d.** polos
   - **e.** tennis Adidas

4. Quand mon père avait dix-huit ans, les _____ étaient à la mode pour les garçons.
   - **a.** barbes
   - **b.** moustaches
   - **c.** cheveux longs
   - **d.** cheveux courts
   - **e.** boucles d'oreille *(earrings)*

5. Moi, quand j'étais au lycée, les _____ étaient très à la mode.

LA TÉLÉ

6. Quand mes parents étaient à l'école primaire, ils regardaient _____ à la télévision.
   - **a.** *Captain Kangaroo*
   - **b.** *Sesame Street*
   - **c.** *Mister Rogers' Neighborhood*
   - **d.** *Leave It to Beaver*
   - **e.** *Saved by the Bell*

7. Quand j'étais à l'école primaire, je regardais _____ à la télévision.

LES CÉLÉBRITÉS

8. Quand ma mère avait dix-huit ans, _____ était le mythe *(legend)* le plus connu.
   - **a.** Marilyn Monroe
   - **b.** Madonna
   - **c.** Brigitte Bardot
   - **d.** Tina Turner
   - **e.** Claudia Schiffer

9. Quand j'avais 18 ans, _____ était le mythe le plus connu.

Quand j'étais au collège, mes meilleurs amis avaient un portable mais moi, je n'en avais pas. Quelle bonne surprise quand mes parents m'ont offert un portable pour mon quinzième anniversaire!

■ **Notez et analysez**

Which verbs in the photo caption above describe what was going on? Which verb tells what happened?

Un couple des années 60

Useful dates: Modèle: 1997
1. 2003 **3.** 2001 **5.** 2001 **6.** 2005
7. 2000 **8.** 2005

■ **Activité 15: Quel âge avais-tu quand...?**

Posez la question à un(e) autre étudiant(e). Vous pouvez répondre en donnant votre âge ou en disant que vous étiez à l'école primaire, au collège (*middle school*) ou au lycée. Suivez le modèle.

Modèle: —*Quel âge est-ce que tu avais quand la princesse Diana est morte?*
—*J'avais huit ans. / J'étais à l'école primaire.*

1. la navette spatiale Columbia s'est désintégrée en rentrant dans l'atmosphère
2. tu as conduit pour la première fois
3. George W. Bush est devenu président des États-Unis
4. tu as commencé tes études universitaires
5. le film *Shrek* est sorti
6. un ouragan a ravagé La Nouvelle-Orléans
7. le troisième millénaire a commencé
8. le Pape Jean-Paul II est mort

■ **Activité 16: L'arrivée à la fac**

Lisez le passage suivant et faites une liste des verbes qui décrivent (*describe*) et de ceux qui racontent (*say what happened*).

—Vous souvenez-vous de votre premier jour à la fac ici aux États-Unis?
—Oui, **c'était** le mois de septembre et il **faisait** très chaud. Je **portais** une robe d'été. J'**avais** peur parce que mon anglais n'**était** pas très bon et je me **sentais** très seule. Quand je **suis arrivée** dans ma chambre, j'**ai vu** une blonde assise sur le lit qui **remplissait** (*was filling in*) une fiche (*a form*). Elle m'**a dit** «bonjour» avec un bel accent texan. Nous **sommes parties** ensemble à la cafétéria où j'**ai rencontré** ses amis.

Décrire (liste)	Raconter ce qui s'est passé (liste)
C'était	

■ **Activité 17: Une anecdote**

Lead the class in writing this "group composition" on the board. Focus students on the strategy of recognizing the tense of the question and responding in that tense. Ask students to "think aloud" and explain why the **passé composé** or the **imparfait** is used in each sentence. As a follow-up, students may be asked to write their own version for homework.

Créez une anecdote en répondant aux questions. Vous pouvez ainsi collaborer à une composition avec la classe.

VOTRE DERNIÈRE SORTIE AU CINÉMA

1. C'était quel jour de la semaine?
2. Quel temps faisait-il?
3. Est-ce que vous étiez seul(e)?
4. Où était le cinéma?
5. Comment est-ce que vous y êtes allé(e)(s)?
6. Vous êtes arrivé(e)(s) à l'heure, en avance ou en retard?
7. Combien est-ce que vous avez payé votre billet?
8. Vous avez acheté du popcorn ou une boisson?
9. Comment était le film?
10. Qu'est-ce que vous avez fait après le film?

■ **Situations à jouer!**

Use **iLrn** voiceboard for individual oral practice with the **Thèmes** and the **Pratiques de conversation** in **Module 8.**

1.
Bring an old photograph to class and describe an earlier period of your life. Who/What is in the picture? What year was it? How old were you? Where were you living? What were you wearing? What were you (or the people in the picture) like? Compare the people in the picture to each other or to yourself. If it is a picture of you, compare yourself at the time the picture was taken to how you are today.

2.
You run into an old friend whom you haven't seen since high school. Find out about each other's lives: **Ah, bonjour, Robert. Ça fait longtemps qu'on ne s'est pas vus! Qu'est-ce que tu fais maintenant? Tu travailles? Quand est-ce que tu as fini tes études?,** etc. Feel free to embellish your experiences.

3.
Write down three childhood memories, two true and one imagined, on a sheet of paper. Try to be as creative as you can so your classmates will not know which statements are true and which is false. After you read your sentences out loud, the class will vote on each statement. Keep a tally to determine how many students mistakenly believe the false statement. The student who tricks the most students wins.

Modèle: *J'avais une collection de papillons.*
J'ai dansé le rôle de Clara dans le ballet Casse-Noisette (The Nutcracker).
J'avais neuf chiens et trois chats.

Give students 4–5 minutes to come up with creative statements. After each student reads his/her memories, ask the class to vote. For example: **Qui croit que Caitlyn avait une collection de papillons?** Record the number of votes on the board. Caitlyn then reveals which statement is false. Her score is the number of students who mistakenly believed that false statement. Continue with other students in a similar fashion. The winner is the person who tricks the most people.

Lecture

Goscinny (1926–1977), creator of the comic series *Astérix* and *Lucky Luke*, is one of the most widely read French authors. With fellow humorist and illustrator Sempé, he wrote *Le Petit Nicolas*, heart-warming, humorous stories describing the daily life of a young boy in the 1950's.

■ Anticipation

1. Un élève qui se comporte *(behaves)* mal à l'école est parfois renvoyé *(suspended)* de l'école pendant quelques jours. Imaginez les raisons possibles pour renvoyer un élève de l'école.
2. Dans ce texte, les enfants appellent le surveillant, la personne responsable de la discipline, «le Bouillon». Quand vous étiez jeune, aviez-vous un nom spécial pour les adultes que vous n'aimiez pas? Expliquez.

Alceste a été renvoyé

Jean-Jacques Sempé et René Goscinny

1   Il est arrivé une chose terrible à l'école: Alceste a été renvoyé!
    Ça s'est passé pendant la deuxième récré du matin. Nous étions tous là à jouer à la balle au chasseur, vous savez comment on y joue: celui qui a la balle, c'est le chasseur; alors, avec la balle il essaie de taper° sur un copain et puis le
5 copain pleure° et devient chasseur à son tour. C'est très chouette°. Les seuls qui ne jouaient pas, c'étaient Geoffroy, qui est absent; Agnan, qui repasse toujours ses leçons pendant la récré; et Alceste, qui mangeait sa dernière tartine à la confiture du matin. Alceste garde toujours sa plus grande tartine pour la deuxième récré, qui est un peu plus longue que les autres. Le chasseur, c'était
10 Eudes, et ça n'arrive pas souvent: comme il est très fort, on essaie toujours de ne pas l'attraper avec la balle, parce que quand c'est lui qui chasse, il fait drôlement mal°. Et là, Eudes a visé° Clotaire, qui s'est jeté par terre avec les mains sur la tête; la balle est passée au-dessus de lui, et bing! elle est venue taper dans le dos d'Alceste qui a lâché° sa tartine, qui est tombée du côté de la confiture. Alceste,
15 ça ne lui a pas plu°; il est devenu tout rouge et il s'est mis à pousser des cris; alors, le Bouillon—c'est notre surveillant—il est venu en courant pour voir ce qui s'est passé, ce qu'il n'a pas vu, c'est la tartine, et il a marché dessus, il a glissé et il y est presque° tombé. Il a été étonné°, le Bouillon, il avait tout plein de confiture sur sa chaussure. Alceste, ça a été terrible, il a agité les bras et il a crié:

20   —*Nom d'un chien, zut! Pouvez pas faire attention où vous mettez les pieds? C'est vrai, quoi, sans blague°!*

Marginal glosses:
- tries to hit
- cries / cool
- it really hurts / aimed at
- let go of
- he didn't like it
- almost / surprised
- no kidding

Il était drôlement en colère, Alceste; il faut dire qu'il ne faut jamais faire le guignol° avec sa nourriture, surtout quand c'est la tartine de la deuxième récré. Le Bouillon, il n'était pas content non plus.

to play around

—*Regardez-moi bien dans les yeux, il a dit à Alceste: qu'est-ce que vous avez dit?* 25

—*J'ai dit que nom d'un chien, zut, vous n'avez pas le droit de marcher sur mes tartines!* a crié Alceste.

Alors, le Bouillon a pris Alceste par le bras et il l'a emmené avec lui. Ça faisait chouic°, chouic, quand il marchait, le Bouillon, à cause de la confiture qu'il avait au pied. 30 *squish*

Et puis le directeur a dit à Alceste de prendre ses affaires. Alceste y est allé en pleurant°, et puis il est parti, avec le directeur et le Bouillon.

crying

Nous, on a tous été très tristes. La maîtresse aussi.

Adapté de Sempé et Goscinny: «Alceste a été renvoyé», *Les récrés du petit Nicolas.* © Éditions Denoël.

■ **Expansion de vocabulaire**

1. **La balle au chasseur** ressemble au jeu de...
   a. *hide and seek.*
   b. *freeze tag.*
   c. *dodge ball.*
   d. *keep away.*

2. En anglais, le mot **chasseur** se dit...
   a. *it.*
   b. *out.*
   c. *referee.*
   d. *hunter.*

3. L'occupation favorite d'Alceste, c'est...
   a. manger.
   b. jouer avec ses copains.
   c. repasser ses devoirs.
   d. aller à l'école.

4. Quelle action ne se fait pas avec une balle?
   a. jouer
   b. pleurer
   c. attraper
   d. lâcher

5. On ne vise pas avec...
   a. un revolver.
   b. une balle.
   c. un ballon.
   d. une télévision.

6. Agnan doit toujours **repasser** ses leçons pendant la récré parce qu(e)...
   a. il ne prépare pas assez ses leçons.
   b. il n'aime pas jouer avec ses amis.
   c. il est trop sérieux.
   d. son instituteur ne l'aime pas.

7. Alceste était **drôlement** en colère. Un synonyme de **drôlement** est...
   a. un peu.
   b. souvent.
   c. très.
   d. jamais.

8. Ce que le Bouillon n'a pas vu, c'est la tartine. Il a marché dessus, il a **glissé** et il y est presque tombé. On peut **glisser** sur...
   a. une banane.
   b. la glace *(ice).*
   c. une voiture.
   d. du chewing gum.

■ Compréhension et intégration

1. Geoffroy, Agnan et Alceste ne jouaient pas pendant la récréation. Que faisaient-ils?
2. Pourquoi est-ce qu'on a peur quand Eudes est chasseur?
3. Pour quelle raison est-ce qu'Alceste a laissé tomber sa tartine?
4. Qui a marché sur la tartine d'Alceste?
5. Qu'a dit Alceste au surveillant?
6. Quelles sont les indications qui montrent que c'est un enfant qui raconte l'histoire? Parlez du langage, du point de vue, etc.

■ Maintenant à vous!

Racontez une anecdote au sujet d'un enfant qui a eu des ennuis (got into trouble) à l'école. Inspirez-vous de votre propre expérience.

Voix en direct (suite)

Go to **iLrn** to view video clips of two French speakers recounting a childhood memory.

Expression écrite

■ L'arrivée au campus

In this assignment, you will write about your arrival as a new student on campus.

*To verify the appropriate use of the imperfect verb forms in the first section and the **passé composé** in the second, you may wish to follow up by asking students to read some of their sentences out loud. Classmates may suggest corrections if necessary.*

PREMIÈRE ÉTAPE: Using the **imparfait,** answer the following questions, elaborating whenever possible.

1. What time of year was it?
2. What was the weather like?
3. Who were you with?
4. What were you wearing?
5. What were your first impressions of the campus?
6. How did you feel?

DEUXIÈME ÉTAPE: Answer the following questions in detail using the **passé composé.**

1. What is the first thing you did upon your arrival? Whom did you meet?
2. What happened after your arrival? (What did you see? Where did you go? What did you do?)
3. How did you feel at the end of the day? What meaning does this experience have for you?

TROISIÈME ÉTAPE: Now using the material above, develop your composition. You may want to share your work in groups of three by reading it out loud and asking for feedback.

SYSTÈME-D	
Phrases:	describing the past, expressing time relationships, sequencing events, talking about past events
Grammar:	imperfect, compound past tense, adverbs of time, verbs with auxiliary **avoir** or **être**
Vocabulary:	clothing, days of the week, people, studies / courses, seasons, time of day, time expressions, university

Structure 8.1

Use the **iLrn** platform for more grammar and vocabulary practice.

Talking about how things used to be *L'imparfait*

In **Module 6** you studied the **passé composé,** a verb tense used for discussing what happened in the past. The **imparfait** is another past tense, but it serves a different function. It is used in the following situations.

Using the *imparfait*

The **imparfait** is used in the following situations:

- to describe how things were in the past:

  J'habitais en ville avec ma mère et mon père. Mes parents **étaient** très indulgents envers moi, leur fille unique.

  I lived in town with my mother and father. My parents were very indulgent toward me, their only daughter.

- to describe what people used to do:

  Quand je **rentrais** de l'école, je **prenais** mon goûter devant la télé et puis je **faisais** mes devoirs.

  When I returned from school, I would have my snack in front of the TV and then I would do my homework.

- to describe feelings and attitudes:

  J'étais triste parce que je **savais** que ma meilleure amie **allait** déménager.

  I felt sad because I knew that my best friend was going to move.

Forming the *imparfait*

To form the **imparfait,** remove the **-ons** ending from the **nous** form of the present tense and add the following endings to this stem:

-ais	-ions
-ais	-iez
-ait	-aient

parler	
je parlais	nous parlions
tu parlais	vous parliez
il/elle/on parlait	ils/elles parlaient

finir	
je finissais	nous finissions
tu finissais	vous finissiez
il/elle/on finissait	ils/elles finissaient

vendre	
je vendais	nous vendions
tu vendais	vous vendiez
il/elle/on vendait	ils/elles vendaient

The verb **être** has an irregular stem in the imperfect.

être	
j'étais	nous étions
tu étais	vous étiez
il/elle/on était	ils/elles étaient

Quand j'avais quinze ans, je voulais conduire, mais j'**étais** trop jeune.

When I was fifteen, I wanted to drive, but I was too young.

To form the **imparfait** of verbs whose infinitives end in **-cer,** you must add a cedilla (**cédille**) to the **c** before an **a.**

commencer (imparfait)	
je commençais	nous commencions
tu commençais	vous commenciez
il/elle/on commençait	ils/elles commençaient

For infinitives ending in **-ger,** you add an **e** before an **a.**

manger (imparfait)	
je mangeais	nous mangions
tu mangeais	vous mangiez
il/elle/on mangeait	ils/elles mangeaient

The verb **devoir** *(must, to have to)* changes its meaning slightly in the **imparfait.** It means *was supposed to.*

Il **devait** arriver avant minuit.
Est-ce que nous **devions** lui téléphoner?

He was supposed to arrive before midnight.
Were we supposed to phone her/him?

The expression **il faut** becomes **il fallait** in the imperfect.

Il fallait marcher jusqu'à l'école.

It was necessary to walk to school.

Note de prononciation

Except for the **nous** and **vous** forms, all the imperfect endings sound alike.

■ **Exercice 1.** Aurélie raconte les souvenirs qu'elle a de sa grand-mère. Mettez les verbes entre parenthèses à l'imparfait.

Quand j'étais jeune, je passais les week-ends chez ma grand-mère qui (habiter) _____ (1) une petite maison entourée de fleurs. La maison (être) _____ (2) blanche avec des volets bleus. Mamie y (vivre) ——————— (3) seule avec ses chats et ses oiseaux. Elle avait une passion pour son jardin. Quand elle y (travailler) _____ (4), elle (porter) _____ (5) toujours un grand chapeau de paille. Je (rester) _____ (6) toujours à côté d'elle et j'(enlever *[to pull]*) _____ (7) les mauvaises herbes *(weeds)*.

Mes parents (arriver) _____ (8) le dimanche. Ils l'(aider) _____ (9) à préparer le repas du dimanche pendant que nous, les enfants, nous (jouer) _____ (10) dehors. Et puis on (manger) _____ (11) tous ensemble autour d'une grande table. Nous (devoir) _____ (12) partir de bonne heure *(early)* pour nous préparer pour l'école.

Structure 8.2

Linking ideas *Les pronoms relatifs* **qui, que** *et* **où**

Relative pronouns enable you to create complex sentences and avoid repetition by combining two sentences, or clauses. The noun referred to by a relative pronoun is called its antecedent (**antécédent**).

Qui

Qui is used to replace the subject of a sentence—a person, thing, or idea. The English equivalent of **qui** is *who*, *which*, or *that*. Note that **qui** is immediately followed by a verb.

J'ai un chien. Le chien adore jouer. → J'ai un chien **qui** adore jouer.

J'ai une voiture. Elle roule très vite. → J'ai une voiture **qui** roule très vite.

Que (Qu')

Que (Qu') refers to the direct object of a sentence—a person, thing, or idea. The English equivalent of **que** is *who*, *whom*, *which*, or *that*. Note that **que** is immediately followed by a subject and a verb.

La maison était dans ce village. Elle aimait <u>la maison</u>. → La maison **qu'**elle aimait était dans ce village.

L'étudiant est ici. Tu connais <u>cet étudiant</u>. → L'étudiant **que** tu connais est ici.

Où

Où refers to places or expressions of time. Its English equivalent is *where*, *that*, or *when*. Although it can sometimes be omitted in English, it is obligatory in French.

Voilà le café **où** j'ai rencontré Serge.   *There's the café where I met Serge.*
C'était l'année **où** il a commencé l'école.   *It was the year (that) he started school.*

■ **Exercice 2.** Complétez ces phrases à propos des événements français avec **qui, que** ou **où**.

1. 1974 est l'année _____ la crise économique a commencé en France.

2. Édith Piaf était une chanteuse française _____ a séduit le monde entier.

3. La télévision est un appareil _____ a changé la vie de famille.

4. La 4CV était la voiture _____ on préférait pendant les années 60.

5. Le café «Les Deux Magots» est un lieu _____ les jeunes intellectuels se rencontraient.

6. La tour Eiffel est un monument _____ on vend beaucoup de souvenirs touristiques.

7. St. Tropez était l'endroit _____ Brigitte Bardot passait ses vacances.

8. C'étaient les Bleus _____ ont gagné le championnat du monde en 1998.

9. La dernière fois _____ la France a reçu les jeux Olympiques d'hiver, c'était en 1992.

Structure 8.3

Reading, speaking, and writing to others *Les verbes **lire**, **dire** et **écrire** avec les pronoms d'objet indirect*

The verbs *lire*, *dire*, and *écrire*

The verbs **lire**, **dire**, and **écrire** have similar conjugations.

lire *(to read)*	
je lis	nous lisons
tu lis	vous lisez
il/elle/on lit	ils/elles lisent

passé composé: j'ai **lu**   imparfait: je **lisais**

dire *(to say; to tell)*	
je dis	nous disons
tu dis	vous **dites**
il/elle/on dit	ils/elles disent

passé composé: j'**ai dit**   imparfait: je **disais**

écrire *(to write)*	
j'écris	nous écrivons
tu écris	vous écrivez
il/elle/on écrit	ils/elles écrivent

passé composé: j'**ai écrit**   imparfait: j'**écrivais**

Vous **lisez** le journal le matin.	*You read the paper in the morning.*
Qu'est-ce que vous **avez dit**?	*What did you say?*
Comment **dit**-on «I'm sorry» en français?	*How do you say "I'm sorry" in French?*
Elle **écrit** régulièrement à son petit ami.	*She writes regularly to her boyfriend.*

The verb **décrire** *(to describe)* is conjugated like its base verb **écrire,** and **relire** *(to reread)* follows the pattern of **lire.**

■ **Exercice 3.** Le jeune Marc reste en contact avec les membres de sa famille par courrier électronique, et il adore recevoir des nouvelles des autres. Complétez ce qu'il dit à propos du courrier avec les formes qui conviennent de **dire, lire** ou **écrire** au présent.

1. Ma cousine Fatima _____ qu'elle va nous rendre visite à Paris.

2. Nous _____ une lettre à notre grand-père une fois par mois. Il faut l'envoyer par la poste. Grand-père n'utilise pas le courrier électronique.

3. Tante Marie-Anne explique qu'elle vient d(e) _____ le nouveau roman de Le Clézio.

4. Et oncle Patrice, qu'est-ce qu'il _____? Un autre récit historique!

5. Pour son anniversaire, j(e) _____ un poème pour Sophie.

6. Nous _____ immédiatement tous les e-mails que nous recevons.

7. Mes parents m(e) _____ au moins une fois par semaine.

8. _____-vous du courrier électronique à vos parents?

9. Tu _____ que tu as une nouvelle adresse électronique?

Indirect object pronouns

In **Module 7,** you learned how to use direct object pronouns.

—Tu aimes **cette musique?**
—Oui, je **l'**aime beaucoup!

—*You like this music?*
—*Yes, I like it a lot!*

Communication verbs like **dire** and **écrire** generally include the notion of transferring information from one source to another. They are, therefore, commonly used with an indirect object, or an object preceded by a preposition.

Nous écrivons **au professeur.**

*We're writing **to the professor.***

Indirect objects can be replaced by indirect object pronouns to avoid repeating the noun.

—Tu vas parler **à ton prof de sciences po?**
—Oui, je vais **lui** parler demain après-midi.

—*Are you going to talk to your poli-sci professor?*
—*Yes, I'm going to talk to him (her) tomorrow afternoon.*

—Je veux savoir si ton train arrive à l'heure.
—Je **te** téléphone tout de suite.

—*I want to know if your train is arriving on time.*
—*I'll call you right away.*

Indirect object pronouns are presented in the following chart along with direct object pronouns for comparison. Note that only the third person pronouns (in boldface) are different.

direct object pronouns		indirect object pronouns	
singular	**plural**	**singular**	**plural**
me (m')	nous	me (m')	nous
te (t')	vous	te (t')	vous
le, la (l')	les	**lui**	**leur**

Verbs involving any kind of transfer from one person to another take indirect objects.

Verbs involving communication

parler à	to talk to
dire à	to say to
écrire à	to write to
expliquer à	to explain to
poser (une question) à	to ask (a question)
téléphoner à	to phone
demander à	to ask

Verbs involving other kinds of transfer

donner à	to give to
emprunter à	to borrow from
envoyer à	to send to
montrer à	to show to
offrir à	to offer to
payer à	to pay to
prêter à	to lend to
rendre (quelque chose) à	to return (something) to

Word order with pronouns

Direct and indirect object pronouns precede the main verb of a sentence.

Elle **vous** donne son opinion.

She's giving you her opinion.

In the **passé composé,** they precede the auxiliary verb **avoir** or **être.**

Le journaliste **t'**a posé des questions?
Il **nous** a parlé de ses ambitions.

Did the journalist ask you questions?
He spoke to us about his ambitions.

In the **futur proche** or any other two-verb sentence, the pronoun precedes the infinitive.

Je vais **te** téléphoner ce soir.
J'aimerais **lui** raconter l'histoire.

I'm going to phone you this evening.
I'd like to tell him the story.

■ **Exercice 4.** Indiquez si les pronoms représentent des pronoms d'objet direct ou indirect en écrivant **D** ou **I**.

1. Vous **m'**irritez avec vos histoires!
2. Tu **nous** as déjà posé cette question.
3. Elle **m'**a répondu tout de suite.
4. Est-ce que tu **me** comprends?
5. Quand je **te** dis non, c'est non!
6. J'arrive. Je ne **t'**ai pas oublié.
7. Je devais **lui** dire la vérité.
8. Est-ce que la fumée *(smoke)* **vous** ennuie?
9. Je **le** voyais souvent au travail.
10. Peux-tu **nous** prêter vingt euros?

■ **Exercice 5.** Camille quitte la Martinique pour aller en France. Ses meilleures amies lui parlent à l'aéroport. Associez les questions et les réponses.

_____ 1. Est-ce que tu vas nous écrire?

_____ 2. Tu vas nous donner ton adresse courriel?

_____ 3. Quand est-ce qu'on peut te téléphoner?

_____ 4. Est-ce que nous t'ennuyons avec toutes ces questions?

_____ 5. Nous pouvons te rendre visite à Noël?

a. J'aimerais vous voir à Noël, mais je serai chez des amis en Espagne.
b. Non, avec vous, c'est toujours l'interrogatoire. J'ai l'habitude.
c. Je vous l'ai déjà donné.
d. Oui, je vous écrirai toutes les semaines. C'est promis.
e. Vous pouvez me téléphoner chez ma tante ce week-end.

■ **Exercice 6.** Bénédicte essaie d'avoir de très bonnes relations avec les différents membres de sa famille. Répondez logiquement aux questions en employant le pronom d'objet indirect **lui** ou **leur.**

1. Est-ce qu'elle offre un cadeau d'anniversaire à son père?
2. Est-ce qu'elle prête ses vêtements à ses sœurs?
3. Est-ce qu'elle téléphone régulièrement à sa grand-mère?
4. Est-ce qu'elle dit à sa mère de nettoyer *(to clean)* sa chambre?
5. Est-ce qu'elle a emprunté de l'argent à son cousin?
6. Est-ce qu'elle va envoyer une carte de Noël à sa tante et à son oncle?
7. Est-ce qu'elle va demander des conseils *(advice)* à son frère?
8. Est-ce qu'elle a expliqué à ses parents pourquoi elle a eu une mauvaise note en chimie?

Structure 8.4

Making comparisons *Le comparatif (introduction)*

The following structures are used in descriptions that compare people and things.

+	plus (adjectif) que
–	moins (adjectif) que
=	aussi (adjectif) que

Ma classe de sciences économiques est **plus grande que** ma classe d'italien.	*My economics class is bigger than my Italian class.*
J'étais toujours **moins prudent que** mon frère.	*I was always less careful than my brother.*
Est-ce que ta mère était **aussi stricte que** ton père?	*Was your mother as strict as your father?*

The irregular adjective **bon** has three comparative forms:

+	meilleur(e)(s) que		*better than*
−	moins bon(ne)(s) que / pire que		*worse than*
=	aussi bon(ne)(s) que		*as good as*

Je suis **meilleur** en lettres **qu'**en science.

Ce film n'était pas **aussi bon que** le dernier.

Est-ce que tu es **pire que** Pierre en anglais?

I'm better in the humanities than in science.

That film wasn't as good as the last one.

Are you worse than Peter in English?

■ **Exercice 7.** Comparez les éléments suivants en utilisant les adjectifs entre parenthèses. Attention à la forme de l'adjectif.

1. Mon frère aîné / mon frère cadet (+ fort)
2. Brad Pitt / en France / aux États-Unis (= populaire)
3. le rap français / le rap américain (− violent)
4. les robes des couturiers comme Christian Lacroix / les robes de prêt-à-porter (+ cher)
5. le casino de Monte Carlo / les casinos de Las Vegas (+ classique)
6. une Porsche / une Ferrari (= rapide)

■ **Exercice 8.** Comparez les éléments suivants en utilisant la forme appropriée de **bon** ou de **mauvais**.

1. le pain au supermarché / le pain à la boulangerie (− bon)
2. la bière allemande / la bière américaine (+ bon)
3. l'hiver à Paris / l'hiver à Nice (− bon)
4. les pâtisseries françaises / les beignets *(donuts)* au supermarché (+ bon)
5. le vin anglais / le vin français (− bon)
6. la circulation *(traffic)* à Paris / la circulation hors de la ville (− bon)
7. le chocolat belge / le chocolat suisse (= bon)

Structure 8.5

Narrating in the past *Le passé composé et l'imparfait (introduction)*

As you have seen, the **passé composé** and the **imparfait** are both used for talking about the past, but they serve different functions. The **imparfait** sets the scene by describing what things and people were like, as in a stage setting before the action has begun. The **passé composé** moves the story forward; it recounts events. The guidelines here will help you decide which tense to use.

Passé composé

In general, you will use the **passé composé** to

• tell what happened:

Hier, j'**ai eu** un accident de voiture.
Les États-Unis **ont déclaré** leur indépendance en 1776.

• narrate a sequence of events:

Ce matin, j'**ai préparé** le petit déjeuner pour la famille. Nous **avons mangé** ensemble, puis nous **sommes partis** pour l'école.

Imparfait

In general, you will use the **imparfait** to describe

- feelings and thoughts:

  J'**étais** triste parce que mon meilleur copain n'était pas à l'école.
  Paul **avait** froid *(was cold)* parce qu'il ne portait pas de chapeau.

- what was going on or what used to happen

  Les jeunes filles ne **portaient** pas de pantalons à l'école.

- age:

  Jean-Luc **avait** seize ans quand il a appris à conduire.

- weather:

  Il **faisait** beau quand nous sommes sortis pour faire une promenade.

- time:

  Il **était** déjà six heures quand le train est arrivé.

■ **Exercice 9.** Read the following passage, paying careful attention to the verb tenses used. Then retell the story in English in response to the prompts provided. Identify the French verb tense associated with each prompt.

C'était une nuit d'hiver à Grenoble; il faisait très froid et la neige tombait à gros flocons *(flakes)*. Dans la maison, j'écoutais du Beethoven et j'écrivais une lettre à Maurice, mon copain qui étudiait à Cambridge. Soudain, j'ai entendu du bruit. C'était comme si quelque chose tapait contre le mur de la maison. J'ai ouvert la porte mais il n'y avait rien. J'ai recommencé ma lettre. Quelques minutes plus tard, boum! une boule de neige a explosé contre la fenêtre. J'ai regardé à travers les rideaux et là, dans le jardin, j'ai aperçu un homme. J'allais téléphoner à la police mais, quand il s'est tourné vers moi, j'ai reconnu le visage de Maurice! Il était de retour.

1. What kind of night was it?
2. What was going on inside the house?
3. What happened to break up the activity that was taking place?
4. How did the narrator respond?
5. What happened next?
6. What did the narrator do? What did she see?
7. What was she thinking of doing when she saw the man?
8. Then what happened?

■ **Exercice 10**

A. Read the following sentences in English, and identify which tense you would use to write these same sentences in French. Use **PC** for **passé composé,** and **I** for **imparfait.**

1. It was September first.
2. The weather was warm and sunny.
3. I was walking to the library to work on some homework.
4. I was thinking about what I needed to do at the library.
5. Suddenly, I heard someone.
6. I turned to see who it was.
7. It was my friend Michel.
8. Michel invited me to go have some pizza with him.
9. I thought about the work I needed to do, and I knew I couldn't go out.
10. I told Michel that I would go to the library now, and maybe we could get pizza later.

B. Now, write the sentences above in French.

2. _____

5. _____

7. _____

8. _____

▪ Tout ensemble!

Mathieu a trouvé un vieil album dans son grenier *(attic)* avec des photos d'un été qu'il a passé dans une colonie de vacances dans le sud de la France. Il écrit à son copain Jeff pour lui raconter ses souvenirs. Conjuguez les verbes entre parenthèses à l'imparfait ou au passé composé et utilisez les éléments suivants:

qui	où	moins (deux fois)	me
que (deux fois)	plus	aussi	te

Cher Jeff,

Hier, je regardais un ancien album de photos _____ (1) j'ai trouvé chez mes parents. Il y avait une photo de toi dans le lac à Menton _____ (2) nous _____ (3) (aller) à pied avec toute la colonie. Tu _____ (4) (être) si fier, car tu _____ (5) (pouvoir) faire de la planche à voile *(to windsurf)* sans tomber dans l'eau. Moi, je _____ (6) (vouloir) être _____ (7) fort que toi, mais j'_____ (8) (être) tout maigre et maladroit *(clumsy)*!

Tu te souviens de Georges? C'_____ (9) (être) le garçon _____ (10) _____ (11) (manger) toujours des bonbons _____ (12) sa mère lui _____ (13) (envoyer). Il a un bon poste chez France Télécom maintenant, et heureusement, il est _____ (14) gros!

J(e) _____ (15) (trouver) une photo de Marie-Laure aussi, notre idole, tu t'en souviens? Nous l'_____ (16) (espionner, *to spy on*) dans sa cabane. Maintenant, elle est étudiante à la fac de Bordeaux, et elle _____ (17) téléphone de temps en temps. Elle est _____ (18) belle qu'avant, mais elle est _____ (19) gentille!

Et toi, tu vas bien? Est-ce que Pierre _____ (20) _____ (21) (écrire [*présent*])? Donne-moi de tes nouvelles!

Amitiés,
Mathieu

❋ Vocabulaire

■ Vocabulaire fondamental

Noms

Le monde de l'école — *School*

un album (de photos)	*a (photo) album*
un ballon (de foot)	*a (soccer) ball*
un bâtiment	*a building*
une carte	*a map*
une cour	*a courtyard*
un(e) directeur (directrice)	*a principal*
la discipline	*discipline*
une école maternelle	*a kindergarten*
une école primaire	*an elementary school*
un(e) élève *(m, f)*	*a pupil (pre-university)*
l'enfance *(f)*	*childhood*
un(e) instituteur (institutrice)	*former name for an elementary school teacher*
un lycée	*a high school*
la récréation (la récré, *fam*)	*recess*
un souvenir	*a memory*

Verbes

chasser	*to chase*
comparer	*to compare*
copier	*to copy*
critiquer	*to criticize*
dire	*to say; to tell*
donner	*to give*
écrire	*to write*
emprunter	*to borrow*
ennuyer	*to bother*
expliquer	*to explain*
irriter	*to irritate*
lire	*to read*
partager	*to share*
poser (une question)	*to ask (a question)*
prêter	*to loan; to lend*
ressembler	*to resemble*
se souvenir de	*to remember (conjugated like venir)*

Expressions utiles

Comment comparer — *How to make comparisons*

(See pages 232 for additional expressions.)

aussi bon que	*as good as*
moins prospère que	*less prosperous than*
plus sportif que	*more athletic than*
Quelles sont les différences entre...	*What are the differences between. . .*

Adjectifs

différent(e)	*different*
élégant(e)	*elegant*
inquiet (inquiète)	*worried*
meilleur(e)	*better*
pire	*worse*
sage	*well-behaved*
semblable	*similar*

Mots divers

une adresse (électronique)	*an (e-mail) address*
à l'extérieur	*outside (the house)*
aussi... que	*as . . . as*
une bande dessinée (une BD, *fam*)	*a cartoon*
une chanson	*a song*
comme	*like, as*
couramment	*fluently*
le courrier (électronique)	*(e-)mail*
un dessin animé	*an animated cartoon*
envers	*toward*
une époque	*an era*
à l'époque	*at that time*
un lieu	*a place*
moins... que	*less . . . than*
plus... que	*more . . . than*
plutôt	*rather*
vite	*fast*

Noms

un bulletin scolaire	*a report card*
le châtiment corporel	*corporal punishment*
le conformisme	*conformity*
un mythe	*a legend*
un papillon	*a butterfly*
une pelouse	*a lawn*
une punition	*a punishment*
un quartier	*a neighborhood*
une règle	*a ruler; a rule*
un(e) surveillant(e)	*a person in charge of discipline*

Adjectifs

privé(e)	*private*
satisfait(e)	*satisfied*
seul(e)	*alone*

Mots apparentés: homogène, lamentable, perfectionniste, turbulent(e)

Mot divers

en rang	*in a row*

Verbes

avoir peur	*to be afraid*
se comporter	*to behave*
conduire (*p.p.* conduit)	*to drive*
décrire	*to describe*
emmener	*to take*
envoyer	*to send*
être à la mode	*to be in fashion*
gâter	*to spoil*
glisser	*to slide*
gronder	*to scold*
influencer	*to influence*
jouer à la poupée	*to play with dolls*
jouer aux boules	*to play* **boules**
lâcher	*to release*
offrir	*to offer*
pousser un cri	*to shout*
protéger	*to protect*
renvoyer	*to suspend (from school)*
rire	*to laugh*
suivre	*to follow*

À la découverte du monde francophone

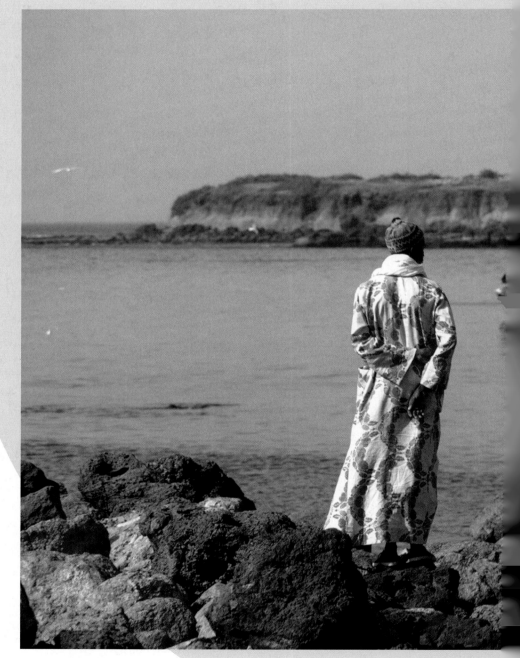

n this module you will explore the rich geographic and cultural diversity of the French-speaking world. You will learn how to talk about geography, to explore travel destinations, and to make travel plans. You will also be introduced to French world music and its variety of voices. ❈

Perspectives culturelles: Un aperçu du monde francophone

Thème: Les vacances de vos rêves

Structure 9.5: Talking about what you know or what you know how to do as opposed to your familiarity with places and people *Savoir et* **connaître**

Pratique de conversation: Comment demander des renseignements de voyages

À lire, à découvrir et à écrire

Lecture: *Le pays va mal,* chanson de Tiken Jah Fakoly

iLrn **Voix en direct (suite)**

Expression écrite: Une brochure / affiche touristique sur un pays francophone

Les pays francophones

Images des peuples francophones

Le vieux Québec est pittoresque et animé. Comme les Français, les Québécois prennent plaisir à fréquenter les cafés en ville.

Au Sénégal, l'agriculture fait vivre 80% de la population. Selon la tradition africaine, c'est surtout la femme qui travaille dans les champs et vend ses produits au marché.

This chapter is intended to expand students' awareness of the francophone world. First, introduce the chapter by tying in countries with famous French people students have studied: **Nous avons parlé de beaucoup de personnages francophones dans ce cours: Jacques Brel, Napoléon, Céline Dion. Vous vous souvenez où est-ce que Brel est né? Et Napoléon? Et Céline Dion?** Write their answers on the blackboard using the correct prepositions: **en Belgique, en France (en Corse), au Canada. On parle français dans ces pays et régions. Vous connaissez d'autres pays ou régions francophones? Oui.** Now have students turn to the maps in the front of the book, beginning with Europe: **Regardez la carte de l'Europe au début de *Motifs*. Regardez les pays où on parle français. Ce sont des pays francophones. Combien de pays francophones y a-t-il en Europe? Oui, il y a la Suisse, la Belgique, le Luxembourg, Monaco et bien sûr, la France. La Corse, c'est une île. Elle fait partie de la France. Napoléon vient de Corse.**

One can say **à la Guadeloupe** or **en Guadeloupe.** Islands don't always follow the rules for preposition use. To avoid confusion, we suggest you follow the general rule for countries when talking about islands.

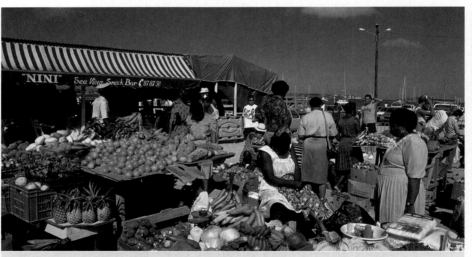

Le marché en Guadeloupe est un centre d'activités et de convivialité: couleurs et odeurs intenses, conversations animées; il faut savoir marchander *(to bargain)*.

■ Activité 1: Vos impressions

Regardez les images et répondez aux questions suivantes.

1. La première femme sénégalaise sur la photo porte un pagne *(wrapped printed skirt)* et un chemisier. Comment est-ce que ces femmes transportent leurs produits?
2. Est-ce que Québec ressemble à une autre ville que vous connaissez? Nommez une autre ville francophone du Canada.
3. Qu'est-ce qu'on vend au marché en Guadeloupe? Qu'est-ce que vous pouvez dire sur la géographie et le climat de la Guadeloupe en regardant la photo?
4. Quel endroit *(place)* aimeriez-vous mieux visiter? Pourquoi?

La géographie

Structure 9.1

Using prepositions with geographical names *Les prépositions et la géographie*

In this **thème,** you will be talking about cities, countries, and continents. You will need to learn how to use articles and prepositions with these geographical names. Explanations and examples are found on pages 272–273.

■ Notez et analysez

First study the information about the language situation in several francophone countries. Then read these points again, paying particular attention to the articles and prepositions in bold. With a partner find the following:

- the final letter of all the countries or regions which are feminine
- the preposition that precedes city names
- the French way to say *in Senegal* and *in Guadeloupe* and why the preposition is different

La situation linguistique de quelques pays francophones

Le Sénégal est un pays francophone. Mais **à** Dakar, sa capitale, comme partout **au** Sénégal, on entend aussi le wolof, une langue africaine.

La Guadeloupe n'est pas un pays. C'est une région d'outre-mer *(overseas)* de **la** France. **En** Guadeloupe, on entend le français mélangé *(mixed)* avec le créole.

Le Canada a deux langues officielles: l'anglais et le français. **Au** Québec, la région francophone **du** Canada, on parle surtout français. **À** Montréal, une ville importante **du** Québec, il y a des universités anglophones et francophones.

■ Activité 2: Devinez!

Identifiez les pays suivants. Consultez les cartes au début du livre.

1. C'est un petit pays francophone au nord de la France.
2. C'est un pays au nord-ouest de l'Algérie.
3. C'est une région francophone au nord du Vermont.
4. C'est un grand pays francophone au sud de la République centrafricaine.
5. C'est une petite île dans l'océan Indien à l'est de Madagascar.

■ Activité 3: Villes et pays

Dans quels pays se trouvent les villes suivantes?

Pays: la Belgique, le Canada, le Luxembourg, le Sénégal, le Burkina-Faso, le Maroc, la Suisse, les États-Unis

Modèle: Alger
Alger se trouve en Algérie.

1. Dakar
2. Montréal
3. Luxembourg
4. Casablanca
5. Bruxelles
6. La Nouvelle-Orléans
7. Ouagadougou
8. Genève

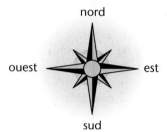

nord

ouest — est

sud

Give students a couple of minutes to find the answers to the **Notez et analysez** questions. Then, with student responses, write sample sentences on the board, such as the following: **Regardez ce pays, Luxembourg. Est-ce que c'est masculin ou féminin? La capitale du Luxembourg est Luxembourg. Alors, faisons une phrase... Le Luxembourg est un pays francophone. Au Luxembourg, on parle français, luxembourgeois et allemand. À Luxembourg, sa capitale, on parle surtout français.**

Suggestion: For **Activités 2** and **3** divide the list in half and assign them to two groups. See which half finishes first; give them 2 or 3 minutes.

Réponses: 1. la Belgique **2.** le Maroc **3.** le Québec **4.** la République Démocratique du Congo **5.** La Réunion

Réponses: 1. Dakar se trouve au Sénégal. **2.** Montréal se trouve au Canada. **3.** Luxembourg se trouve au Luxembourg. **4.** Casablanca se trouve au Maroc. **5.** Bruxelles se trouve en Belgique. **6.** La Nouvelle-Orléans se trouve aux États-Unis. **7.** Ouagadougou se trouve au Burkina-Faso. **8.** Genève se trouve en Suisse.

Après un stage *(internship)* d'informatique à Paris, les étudiants suivants rentrent chez eux. Vous êtes l'agent de voyages chargé(e) des réservations. Avec un(e) camarade de classe, trouvez la destination de chaque étudiant.

Villes: Alger, Montréal, Rome, Abidjan, Dakar, Conakry, Madrid

Pays: le Canada, l'Algérie, la Côte d'Ivoire, l'Italie, la Guinée, le Sénégal, l'Espagne

Modèle: Ousmane est sénégalais.
Il vient du Sénégal? Alors, il va à Dakar au Sénégal.

1. Fatima est algérienne.
2. Franco et Silvia sont italiens.
3. Lupinde est ivoirien.
4. Tierno est guinéen.
5. Jean-Paul et Claire sont québécois.
6. Guadalupe est espagnole.

■ Notez et analysez

Look over the comments about Féza and her friends, paying particular attention to the prepositions in bold that follow **venir.** Locate the prepositions or contractions that precede the countries, and the preposition used before the city. What pattern do you find?

Voici Féza qui vient **du** Maroc pour faire un stage *(internship)* d'informatique à Paris. Féza vient **de** Rabat, une ville au bord de la Méditerranée. Son amie Mouna est maghrébine aussi, mais elle vient **d'**Algérie, et son ami Djamel vient **de** Tunisie.

Structure 9.2

Avoiding the repetition of place names *Le pronom y*

As you refer to locations in this **thème,** you will use the pronoun **y** to avoid repeating place names. For a more detailed explanation of this pronoun and its uses, see pages 274–275.

The Democratic Republic of the Congo, formerly Zaire, contains rich mineral wealth including gold, diamonds, and copper. Currently it is a center of African conflict. Among other crises, perpetrators of the Rwandan genocide in 1994 fled to Eastern Congo fomenting further instability there. Joseph Kabila is the current president.

— *Parlez-nous de votre pays, la République Démocratique du Congo.*

— C'est un pays immense au centre de l'Afrique. On **y** trouve des forêts vierges, des vastes savanes, des montagnes volcaniques et bien sûr le Congo, le plus grand fleuve de l'Afrique.

— *Est-ce qu'on y parle français?*

— Oui, on **y** parle français parce que dans le passé, c'était une colonie belge, appelée le Congo belge. On **y** parle aussi plusieurs langues africaines.

■ **Notez et analysez**

First look over the conversation about the Democratic Republic of the Congo for comprehension. Then find the pronoun **y** in bold. What words does this pronoun replace? Where does y occur in relation to the verb?

■ Activité 5: On y trouve...

Répondez aux questions suivantes. Dites ce qu'on trouve dans les lieux suivants en vous référant à la carte de la RDC à la page 256 et aux mots utiles. Utilisez le pronom **y**.

Modèle: Quelle ville est-ce qu'on trouve dans le sud-est de ce pays?
On y trouve la ville de Lubumbashi.

Mots utiles: Lubumbashi, le lac Kivu, des animaux en liberté, les chutes Tembo, Matadi, des pygmées, des gorilles, des bâtiments modernes et de la musique afro-pop, des diamants, le Mont Ruwenzori

1. Qu'est-ce qu'on trouve dans le Parc National de l'Upemba?
2. Qu'est-ce qu'on trouve à Kananga?
3. Quel peuple est-ce qu'on trouve dans la forêt de l'Ituri?
4. Quelles chutes est-ce qu'on trouve sur le fleuve qui s'appelle le Congo?
5. Quelle sorte d'animal est-ce qu'on trouve dans le Parc National de Kahuzi-Biega?

■ Activité 6: Je te propose d'aller...

Votre partenaire va vous proposer de visiter un des pays suivants. Dites si vous aimeriez y aller et si oui, ce que vous aimeriez y faire. Attention, il y a une activité illogique: ne la choisissez pas!

Modèle: Tahiti (faire de la plongée sous-marine / faire du ski / lire sur la plage)
— *Je te propose d'aller à Tahiti. Est-ce que tu aimerais y aller?*
— *Oui, j'aimerais y aller.*
— *Qu'est-ce que tu voudrais y faire?*
— *J'aimerais lire sur la plage et faire de la plongée sous-marine.*

1. Le Québec (faire de la plongée sous-marine / aller à un match de hockey / faire du shopping)

2. La Tunisie (manger du couscous / admirer les Alpes / visiter les ruines romaines)

3. La Guadeloupe (nager / visiter le Louvre / aller au marché en plein air)

4. La Suisse (faire du ski / faire une randonnée en montagne / dormir sur la plage)

5. La Belgique (acheter du bon chocolat / visiter le parlement européen / faire du ski)

6. Le Sénégal (faire de l'alpinisme / acheter des épices (spices) au marché / visiter l'île de Gorée, l'ancien point de débarquement des esclaves [slaves])

Activité 5 is designed to present geographic vocabulary while students practice using the pronoun y in the expression **on y trouve.** Follow up with questions such as: **Le Sahara, qu'est-ce que c'est? Oui, c'est un désert. Connaissez-vous le nom d'un autre désert? (le Mojave) Quel climat est-ce qu'on y trouve? Quel type de végétation est-ce qu'on y trouve? Le Mont Ruwenzori est une montagne. Connaissez-vous une autre montagne en Afrique? (le Kilimandjaro) Est-ce qu'on trouve une montagne importante en Europe? Oui, on y trouve le Mont-Blanc. Est-ce qu'on trouve un fleuve important à Paris? Oui, on y trouve la Seine.**

Réponses: **1.** On y trouve des animaux en liberté. **2.** On y trouve des diamants. **3.** On y trouve des pygmées. **4.** On y trouve les chutes Tembo. **5.** On y trouve des gorilles.

Réponses illogiques: **1.** faire de la plongée sous-marine **2.** admirer les Alpes **3.** visiter le Louvre **4.** dormir sur la plage **5.** faire du ski **6.** faire de l'alpinisme

La Francophonie: une source des musiques du monde

mixing / transcends

spirit

cultural exchange / mixing

La création artistique s'inspire du métissage° culturel. Elle surpasse° les frontières nationales et les genres catégoriques. On peut mieux comprendre l'esprit° des pays francophones à travers leur contribution aux musiques du monde. Le brassage culturel° se voit dans le mélange° de paroles en français et de paroles en langues régionales. L'inspiration rythmique, mélodique et instrumentale de ces chanteurs vient de tous les coins du monde. Laissons quelques artistes parler pour eux-mêmes.

Voix en direct

CD2, Track 6

Écoutez parler quelques artistes du monde francophone

Tiken Jah Fakoly

Artiste: Tiken* Jah Fakoly
Chanson: «Le pays va mal»
Pays: Côte d'Ivoire
Genre: Reggae

«Le reggae, c'est comme le battement du cœur[1].
On le sent[2] avant de l'entendre... Mon message est plutôt international, j'informe les gens, j'éveille[3] les consciences, j'éduque, j'explique ici pourquoi l'Afrique va mal.»

[1]*heartbeat* [2]*feels* [3]*awaken*

*«Tiken» est une déformation d'un mot malinké qui signifie «petit garçon» et Jah c'est le mot reggae pour Dieu. Tiken se prononce «chicken».

Jean-François Pauzé

Artiste: Jean-François Pauzé (paroles, guitare) du groupe Les Cowboys fringuants
Chanson / Album: Les Cowboys fringuants
Pays: Québec, Canada
Genre: Rock alternatif québécois

«Le social, la politique et l'histoire sont des sujets importants auxquels les gens devraient s'intéresser d'avantage[4]. C'est la raison pour laquelle nos chansons tournent autour de ces thèmes.»

[4]*more*

Faudel Belloua

Artiste: Faudel* Belloua
Chanson / Album: Samra
Pays: France (d'origine algérienne)
Genre: Raï métissé[6] avec d'autres influences: funk, reggae, hip-hop. Le mot «raï» signifie point de vue, avis, façon de voir.

«Aujourd'hui, il y a forcément[7] un quart d'heure de raï dans les boîtes[8], c'est nouveau, une victoire, car moi, j'en aurais à raconter des histoires de boîtes[9].»

*Faudel veut dire «bienvenue[5]» en arabe.

[5]*welcome* [6]*mixed* [7]*bound to be* [8]*clubs* [9]*I could tell you stories about nightclubs*

Jocelyne Béroard et Jacob Desvarieux

Groupe: Kassav'
Album: Magestik Zouk
Pays: France, Guadeloupe
Genre: Zouk

Artiste: Jocelyne Béroard

«Le zouk est une musique antillaise, caribéenne. Étant donné que[10] *the world is a village,* chacun peut se l'approprier[11].»

Artiste: Jacob Desvarieux

«Les jeunes d'aujourd'hui revendiquent[12] musicalement leurs origines. Ils cherchent des références qui sont autres que la musique américaine.»

[10]*Given that* [11]*make it their own* [12]*are claiming*

The choice of musical genres played in nightclubs reflects social attitudes. French youth of North African heritage often complain that their cultural heritage is ignored or marginalized. Faudel is a break-through artist, in that a wide spectrum of French youth listen to his music.

■ **Réfléchissez aux réponses**

1. Est-ce que vous écoutez des musiques du monde *(world music)*? Pouvez-vous citer quelques artistes de ce genre? Est-ce que les paroles sont toujours en anglais?

2. D'après ses origines, Faudel chante en français et en quelle autre langue?

3. Est-ce qu'on a toujours joué le raï dans les boîtes en France? Est-ce qu'il y a un genre de musique aux États-Unis qui n'a pas été accepté au début?

4. Est-ce que Tiken Jah parle seulement de l'amour et des sentiments dans ses chansons?

5. Pourquoi est-ce que les musiciens américains ont parfois plus de succès dans les pays francophones que les chanteurs locaux? Est-ce un problème?

Pratique de conversation

Comment comparer (suite)

Structure 9.3

Comparing quantities and performance and singling out exceptional features
Le comparatif (suite) et le superlatif

In **Module 8,** you learned how to compare the qualities of people, places, and things. Here you will learn how to compare quantities and performance, and to use the superlative for singling out the best, the biggest, the least populated, and so forth. See pages 276–277 for further discussion of the superlative.

Suggestion: To work through comparisons more quickly, assign student pairs to translate one sentence each.

■ **Notez et analysez**

Look over the following comments about music. Then, with a partner decide how you would say:
1. Cold Play has as many hits as Madonna.
2. You can't compare the music of Britney Spears and Bjork. It's not at all alike!
3. Faudel sings the best!
4. 98 Degrees sells fewer albums than the Backstreet Boys.

"À la radio française, on ne passe pas **autant de** chansons en français qu'en anglais."

"On ne peut pas comparer la musique populaire américaine avec les musiques du monde. **Ça n'a rien à voir!** (They're not at all the same.)"

"L'Amérique produit **le plus grand** nombre de tubes *(hits)* du monde."

"Céline Dion? C'est peut-être la chanteuse francophone **la plus connue** du monde! Elle aime chanter en français, mais ses albums français rapportent **moins** d'argent."

"Quel chanteur aimes-tu **le mieux?** Quel est **le meilleur** groupe à ton avis?"

"Les fanas de musiques du monde aiment **mieux** la musique plus authentique, moins commerciale."

Des fanas de rock alternatif se rencontrent à un concert international au Québec. Créez leur conversation en associant les questions avec les réponses appropriées.

1. Tu sais, je trouve Britney Spears et Jessica Simpson très similaires, on dirait «Made in the USA».
2. Est-ce que Céline Dion vend beaucoup d'albums en France?
3. Est-ce que le rock alternatif québécois est populaire au Canada?
4. Est-ce que Tiken Jah Fakoly a autant de fanas que Faudel en France?
5. Je trouve le Québec formidable, et toi?
6. Est-ce que le pop est semblable au rock alternatif?

a. Moi aussi! C'est une des plus belles régions du monde!
b. Non, il est moins connu que Faudel en France.
c. Oui, tu as raison. Elles sont très semblables.
d. Oui, beaucoup. Mais pas autant qu'aux États-Unis.
e. Oui, mais on n'en passe: pas beaucoup à la radio.
f. Non, pas du tout. Ça n'a rien à voir.

Réponses: 1. c 2. d 3. e 4. b 5. a 6. f

CD2, Track 7

■ **Écoutons ensemble! Comparez des villes francophones.**

Voici des informations sur trois villes francophones: Dakar, Bruxelles et Québec. Dites si les comparaisons que vous entendez sont vraies ou fausses.

Réponses: 1. faux 2. vrai 3. vrai 4. vrai 5. vrai 6. vrai

Villes	Nombre d'habitants	Langues principales	Moyens de transport	Température moyenne
Dakar	2 476 500	français, wolof	taxi, autobus, avion	25°
Bruxelles	981 200	français, néerlandais ou flamand	métro, tramway, autobus, avion, taxi	11,2°
Québec	670 000	français, anglais	autobus, taxi	4°

_____ 1. _____ 2. _____ 3. _____ 4. _____ 5. _____ 6.

Parlez des pratiques culturelles en choisissant l'élément de comparaison approprié.

1. J'écoute _____ souvent les artistes américains que les artistes étrangers. (moins / plus / aussi)

2. Les artistes américains vendent _____ CD que les artistes du monde francophone (plus de / moins de / autant de)

3. Dans la musique française les paroles (*words*) sont souvent l'élément _____ important. (le plus / le moins / le pire)

4. J'aimerais _____ découvrir de nouvelles cultures que d'aller dans des lieux que je connais. (moins bien / mieux / aussi bien)

5. Les Africains en général parlent _____ langues que les Européens. (plus de / moins de / autant de)

6. Le français est la langue européenne _____ importante en Afrique de l'Ouest. (la plus / la moins / aussi)

Les moyens de transport

Structure 9.4

Making recommendations *Il faut, il vaut mieux* + *infinitif*

The structure **il faut** + *infinitif* is used to say what one must do. **Il vaut mieux** + *infinitif* is used for giving advice about what one should do or what is preferable. For more information on these impersonal expressions, see page 278.

▪ Notez et analysez

Read the description about modes of transportation and find:

1. the most frequent preposition used with various modes of transportation
2. the preposition used with going on foot and by bicycle

Pour un voyage Paris-Marseille, **il vaut mieux** aller **en TGV** (train à grande vitesse). Vous y arriverez en moins de trois heures. En Europe, les transports en commun (*public transportation*) sont excellents.

 La Suisse est réputée pour la ponctualité de ses trains. **Il faut arriver** à la gare à l'heure si vous ne voulez pas manquer votre train.

 Le bateau est beaucoup moins rapide que l'avion, mais la vie en mer est agréable. Si vous avez de l'argent et du temps, faites une croisière **en bateau** dans la Méditerranée.

 L'été, à Paris, les cyclistes ont la priorité dans certaines rues le dimanche. Alors, on peut y faire un tour **à vélo** ou **à pied.**

 Beaucoup d'Européens qui visitent les États-Unis font un tour du pays **en autocar** *Greyhound.* Mais dans certaines villes, comme à Los Angeles, **il faut avoir** une voiture. Les autres moyens de transport ne sont pas très pratiques.

Complétez les phrases suivantes avec les moyens de transport appropriés et **il (ne) faut (pas)** ou **il vaut mieux (ne pas)** + *infinitif* en fonction de la situation.

Réponses: 1. en bus, il faut **2.** il vaut mieux, en métro **3.** il vaut mieux, en bateau **4.** il faut, en taxi, en bus **5.** En avion, il ne faut pas **6.** il ne faut pas, il vaut mieux, à pied, à vélo

Modèle: Quand on voyage *en train, il vaut mieux* réserver son billet à l'avance pour avoir une place.

1. Pour pouvoir voyager _____, _____ d'abord payer son billet au conducteur *(driver)*.

2. Quand on est dans une grande ville comme Paris ou New York, _____ voyager _____: c'est plus rapide et plus pratique.

3. Si vous n'êtes pas pressé(e) et si vous n'avez pas le mal de mer *(seasickness)*, _____ voyager _____ pour aller de Douvres, en Angleterre, à Calais, en France: c'est plus agréable et plus relaxant.

4. Si vous devez aller à l'aéroport mais vous n'avez pas de voiture, _____ y aller _____ ou _____.

5. _____, _____ utiliser son téléphone portable parce qu'il peut interférer avec la tour de contrôle *(tower)*.

6. Quand on habite près de l'université, _____ prendre sa voiture parce que le parking coûte en général très cher. À la place, _____ se déplacer _____ ou _____.

■ **Activité 10: Les moyens de transport et vous**

D'abord, trouvez une réponse logique et puis discutez de votre réponse avec un(e) partenaire.

1. Quel moyen de transport est le plus pratique pour...
   a. une famille nombreuse en France?
   b. un(e) touriste qui visite Venise?
   c. un représentant de ventes régional *(regional sales representative)*?
   d. un(e) étudiant(e) avec peu d'argent?
   f. un(e) sportif (sportive) qui aime être en plein air?

2. Dans la ville où vous étudiez,...
   a. est-ce que la plupart *(the majority)* des étudiants ont une voiture?
   b. est-ce qu'il y a de bons transports en commun?

Des piétons,
des autos,
des bus,
des taxis,
des motos,
des vélos,
des rollers
des camions,
des RER,
des métros,
des trains,
des poussettes...
et vous
et vous ...
      et vous !

Un aperçu du monde francophone

Le français se parle sur tous les continents du monde. On compte plus de 169 millions de francophones. En **Europe,** hors° de la France, on trouve des francophones essentiellement en Belgique (45% de la population), en Suisse (20% de la population), à Monaco et au Luxembourg, où le français reste la langue dominante au travail, dans les relations professionnelles et à l'école secondaire. En **Amérique du Nord,** 82% de la population du Québec, au Canada, parle français. En Amérique du Sud et aux Antilles°, on trouve des départements d'outre-mer° français—la Martinique, la Guadeloupe et la Guyane—où les habitants sont citoyens de la République française. Dans ces départements, le français est la langue officielle, la seule langue de l'instruction et celle du gouvernement, même° s'il se mélange dans la vie quotidienne avec le créole.

L' héritage linguistique de **l'Afrique subsaharienne** est le résultat° du colonialisme français et belge en Afrique de l'Ouest et en Afrique Centrale. Le français y demeure la langue officielle. Pourtant, dans la vie de tous les jours, les langues africaines rivalisent avec la langue de Molière. Les îles de l'Océan indien, au large du continent africain—La Réunion et Madagascar—sont aussi francophones. Depuis l'indépendance algérienne en 1962, l'arabe est la langue officielle au **Maghreb** (la Tunisie, l'Algérie et le Maroc). Pourtant, le français y est toujours très présent. Le Liban demeure le cœur de la Francophonie au **Moyen-Orient.** Enfin, en **Asie,** c'est dans la péninsule indochinoise que les francophones sont les plus nombreux.

outside of

the West Indies

overseas

even

result

■ Avez-vous compris?

Étudiez les cartes au début du livre ainsi que la section **Perspectives culturelles** pour répondre aux questions suivantes.

1. Quels sont les pays francophones de l'Europe?
2. Quel est le plus grand pays francophone de l'Afrique? (Regardez la carte.)
3. Dans quels pays africains est-ce qu'on parle le français et l'arabe?
4. Les habitants de la Martinique et de la Guadeloupe sont de quelle nationalité?
5. Où se trouve la Martinique? La Réunion?

■ Et vous?

1. Pour vous, est-ce que le français est plus intéressant à étudier du fait (*because*) qu'il est parlé dans tous les continents du monde?
2. Étant (*As an*) américain(e), est-ce que vous ressentez (*feel*) une fraternité avec les habitants des pays anglophones: l'Angleterre, le Canada, l'Australie...?
3. Dans quel mesure (*To what extent*) une langue en commun unifie les gens?
4. Donnez un exemple d'un pays où les habitants sont divisés parce qu'ils ne partagent (*share*) pas la même langue.

Réponses: 1. la France, la Suisse, la Belgique, le Luxembourg, Monaco (*une petite principauté entre la France et l'Italie—le chef d'État est un prince*) **2.** La République Démocratique du Congo (RDC) **3.** la Tunisie, le Maroc et l'Algérie (le Maghreb) et aussi le Liban **4.** Ils sont français (citoyens de la République française). **5.** La Martinique se trouve aux Antilles. La Réunion se trouve dans l'Océan indien au sud-est de l'Afrique.

Pays membres de l'Union européenne en 2006

✿ Thème

Les vacances de vos rêves

Structure 9.5

Talking about what you know or what you know how to do as opposed to your familiarity with places and people *Savoir et connaître*

In French you need to distinguish between the verb **savoir**—to know information and to know how to do something—and the verb **connaître**—to know or to be acquainted with places or people. These two verbs are presented on page 279.

ANNE:	Les vacances de mes rêves? C'est simple—faire le tour du monde pour ma lune de miel *(honeymoon)*. En bateau, peut-être, ou en avion... Je veux me dépayser *(have a change of scenery)*. **Je sais** que ce n'est pas très pratique mais c'est un rêve, non?
BOURAMA:	Les vacances de luxe, ce n'est pas mon style. Moi, je préfère l'aventure. J'aimerais aller à la montagne faire du rafting, du canoë et de la marche avec mes copains. **Nous ne savons pas** faire du ski, alors nous y allons en été.
BÉATRICE:	Moi, je rêve de passer mes vacances en famille à la plage. **Je connais** l'endroit idéal: Èze. C'est un petit village où on n'a pas besoin de voiture; on peut aller partout à pied, à vélo ou en moto.
JULIEN:	Euh... **Je ne sais pas.** L'été prochain, je vais prendre le train jusqu'à Barcelone avec mon meilleur ami. **Nous connaissons** un étudiant qui y habite et nous pouvons loger chez lui. Ce n'est pas cher et puis en plus, on peut faire la connaissance de jeunes Espagnols.

■ Notez et analysez

In the remarks about travel, note when the verb **savoir** is used to express (a) knowing how to do something or (b) knowing a fact. Find the verb **connaître** used for (a) knowing a person and (b) being familiar with a place.

■ Activité 11: Compréhension

En vous référant aux remarques sur les voyages, complétez ce tableau avec les informations qui manquent.

Nom	Destination	Transport	Compagnon(s)	Objectif
Anne	tour du monde			découvrir le monde
Bourama	à la montagne		des copains	
Béatrice		à pied		s'amuser
Julien		le train		

Activité 12: Give students a few minutes to select between **savoir** and **connaître**, then put them in pairs to ask the questions to a partner.

■ Activité 12: Une introduction au monde francophone

Posez ces questions à un(e) camarade de classe en utilisant **tu sais** ou **tu connais.**

Modèle: — *Tu connais Ouagadougou?*
— *Non, je ne connais pas.*

1. ... quelle est la capitale du Canada?
2. ... un bon restaurant marocain?
3. ... La Nouvelle-Orléans?
4. ... si Kinshasa est la capitale de la République Démocratique du Congo?
5. ... s'il y a un métro à Montréal?
6. ... qui est le président de la France?

le Club Med

Activité 13 is a group task-based activity designed for students to practice using **savoir** and **connaître** in a controlled environment, as well as to speak more spontaneously about their ideal vacation.

■ **Activité 13: Destination Club Med.** Trouvez un(e) partenaire de voyages compatible.

Vous voulez vous dépayser *(have a change of scenery)*? Le Club Med a des villages de vacances dans le monde entier qui offrent des activités pour tous les goûts. En groupes de quatre, suivez le modèle. Qui, dans votre groupe, partage le mieux vos goûts de voyages?

Destinations		
la Suisse	la Martinique	le Québec
le Maroc	le Sénégal	Tahiti

Les sports au soleil: l'équitation, le tir à l'arc *(archery)*, le tennis, le golf, le vélo, l'escalade

Les sports nautiques: la plongée sous-marine, la plongée avec tuba *(snorkeling)*, la planche à voile, le surf, la voile, le ski nautique, la natation

La détente et la relaxation: le yoga, l'aérobic, le massage, la thalasso *(spa treatments)*, les balades *(walks)* en ville ou sur la plage

A. D'abord, choisissez la destination que vous préférez.

Modèle:
— *Tu préfères la mer ou la montagne?*
— *Moi, je préfère la mer.*
— *Tu connais la Martinique?*
— *Non, mais j'aimerais la connaître (la découvrir). Et toi?*
— *Moi aussi, j'aimerais y aller. / Moi, je préfère la montagne. J'aimerais mieux aller en Suisse, dans les Alpes.*

B. Maintenant choisissez vos activités.

Modèle:
— *Tu préfères quelles sortes d'activités?*
— *C'est difficile de décider. Moi, j'aimerais être actif(-ive) et faire un peu de tout. Je ne sais pas faire de plongée sous-marine, mais j'aimerais apprendre. J'aimerais aussi faire du surf. Et vous* (to group), *quelles activités est-ce que vous aimeriez faire?*
— *Moi, je sais faire du golf. J'aimerais y jouer. Et vous* (to group)?
— *Je ne sais pas jouer au golf. Ça ne m'intéresse pas beaucoup.*

■ **Activité 14: Interaction**

Posez les questions suivantes à votre partenaire. Quand il/elle répond, posez au moins une autre question pour obtenir plus de détails.

1. D'habitude, est-ce que tu passes tes vacances en famille ou avec des amis?
2. Est-ce que tu préfères les vacances d'été ou les vacances d'hiver? Pourquoi?
3. Qu'est-ce que tu aimes faire quand tu es en vacances?
4. Est-ce que tu connais un endroit idéal pour passer les vacances? Où?
5. Quelles sont les vacances de tes rêves? À ton avis, est-ce qu'il vaut mieux aller dans un endroit que tu connais ou découvrir un nouvel endroit?

Comment demander des renseignements de voyages

Je voudrais	aller à Grenoble.
	faire des réservations pour Dakar.
	réserver une place sur un vol° pour Tahiti.	*flight*
	acheter un billet Québec–Paris.
	partir le 10 décembre et revenir le 30.

Est-ce qu'il y a un autre vol (train) plus tard (tôt)?
Vous avez quelque chose de moins cher?
Merci, je vais réfléchir un peu.

Quelques questions posées par l'agent de voyages ou au guichet

Bonjour. Est-ce que je peux vous renseigner°?   *help you*
Comment voulez-vous voyager, en train ou en avion?

| Quand voulez-vous | partir? |
| | revenir? |

Préférez-vous voyager	en première classe?
	en classe affaires?
	en classe économique?

| Voulez-vous être | en section fumeurs°? | *smoking section* |
| | en section non fumeurs°?[1] | *non-smoking section* |

Vous préférez une place côté couloir° ou côté fenêtre°?   *aisle seat / window seat*

| Voulez-vous | un (billet) aller-retour°? | *round-trip ticket* |
| | un (billet) aller simple°? | *one-way ticket* |

Voulez-vous faire une réservation?
Voici votre carte d'embarquement°.   *boarding pass*

[1] Tous les vols sont non fumeurs. Mais il y a des wagons fumeurs dans les trains.

CD2, Track 8

■ Écoutons ensemble! À l'agence de voyages

Vous travaillez comme agent de voyages. Prenez des notes sur ce que vos clients demandent.

Client(e)	Destination	Moyen de transport	Jour / date	Heure	Autres détails
#1					
#2					

Réponses: Client #1: Paris, train, aujourd'hui, 17h, en seconde classe non fumeurs; Client #2: Bruxelles, avion, lundi 15 janvier, 10h30, départ de Marseille

Réponses: 1. Bonjour
2. renseigner **3.** réserver **4.** le vol
5. partir **6.** plus tard **7.** un aller simple **8.** Un aller-retour
9. revenir **10.** quelle **11.** s'il vous plaît

■ Activité 15: Chez l'agent de voyages

Complétez le dialogue avec les expressions de la liste.

un aller-retour	bonjour	quelle	s'il vous plaît
un aller simple	partir	réserver	le vol
renseigner	plus tard	revenir	

AGENT: _____ (1), monsieur. Est-ce que je peux vous _____ (2)?

CLIENT: Euh, oui, madame. Je voudrais _____ (3) une place sur _____ (4) Paris–Dakar.

AGENT: Quand désirez-vous _____ (5)?

CLIENT: Le 15 novembre.

AGENT: Il y a un vol direct Air France Paris–Dakar qui part d'Orly sud à 13h30.

CLIENT: Il y a un autre vol _____ (6)?

AGENT: Non, monsieur. Désirez-vous _____ (7) ou un aller-retour?

CLIENT: _____ (8). Je voudrais _____ (9) le 29 novembre.

AGENT: À _____ (10) heure voulez-vous revenir?

CLIENT: Le matin, _____ (11).

AGENT: Le vol de 10h10? Bien. Et voilà, la réservation est faite.

Grand Hôtel des Mascareignes

Services : salon, salle de bridge, coiffeur, 1 bar près de la piscine, et 2 restaurants : le Souimanga, snack au bord de la piscine et les Longanes, restaurant gastronomique. Galerie marchande à proximité.

Repas : petit déjeuner proposé sous forme de buffet. Dîner servi à table au restaurant. Animation chaque soir : jazz et variétés.

Loisirs gratuits : très grande piscine (la plus grande de l'île), ping-pong, billard, jeux de société, tennis éclairé, à proximité plage de sable.

Loisirs payants : à proximité, casino et night-club, pêche au gros.

Enfants : bassin pour enfants, aire de jeux, baby-sitting sur demande.

Cartes de crédits acceptées : American Express - Visa - Diners - Mastercard.

Notre avis : fleuron de l'hôtellerie réunionnaise, son emplacement, le confort luxueux et la décoration de ses chambres, satisferont les plus exigeants.

RENSEIGNEMENTS PRATIQUES

Langue : La langue officielle est le français.

Heure : heure française + 3 en hiver et + 2 en été.

Climat : Tropical tempéré par les vents venant de l'Océan et l'altitude qui déterminent une multitude de microclimats. Il y a deux saisons : de mai à novembre, la saison fraîche est synonyme de beau temps pour les Réunionais. Saison chaude et humide de décembre au mois d'avril.

Formalités : Pour les Français, carte nationale d'identité en cours de validité. Les ressortissants étrangers sont invités à se renseigner pour connaître les dispositions particulières propres à leur entrée dans le pays.

Change : Monnaie locale : l'euro.
Les chèques de voyages sont acceptés partout, de même que certaines cartes de crédit. La carte de paiement de dépannage des chèques postaux permet d'effectuer des retraits dans tous les bureaux de poste.

■ Activité 16: Au Grand Hôtel des Mascareignes: Jeu de rôles

Un agent de voyages propose à un(e) client(e) des vacances à La Réunion, au Grand Hôtel des Mascareignes. Le/La client(e) est très difficile. Il/Elle veut tout savoir sur l'île et sur l'hôtel avant de prendre sa décision. En utilisant les renseignements donnés ci-dessus, jouez la scène avec un(e) autre étudiant(e).

Modèle: AGENT: *Bonjour, monsieur (madame, mademoiselle). Est-ce que je peux vous renseigner?*

CLIENT(E): *Je voudrais passer mes vacances dans une île tropicale.*

AGENT: *La Réunion est une île exceptionnelle. Et je recommande le Grand Hôtel des Mascareignes, pas très loin de la capitale, St-Denis.*

CLIENT(E): *Est-ce qu'on y parle français? Est-ce qu'il faut un passeport? Quel temps fait-il en août?...*

■ Situations à jouer!

Use **iLrn** voiceboard for individual oral practice with the **Thèmes** and the **Pratiques de conversation** in Module 9.

1.

Jeu des capitales. Divide into teams and quiz each other on capitals of francophone countries.

ÉQUIPE A: Quelle est la capitale du Maroc?

ÉQUIPE B: La capitale du Maroc, c'est Rabat. D'autres pays et régions francophones: la Belgique, la Côte d'Ivoire, la Martinique, la Suisse, le Canada...

2.

With a partner, act out the following scenes.

a. You and a friend have decided to plan a vacation together. Discuss what you would like to do on vacation and settle on a destination. Decide how and when you will travel.

b. You need reservations for a flight to the destination of your choice. The travel agent finds a seat available for the day and time you requested, but the ticket costs too much. Adjust your plans to get a less expensive ticket.

Lecture

■ Anticipation

In the following song, written by the popular singer / songwriter from the Ivory Coast Tiken Jah Fakoly, Tiken Jah speaks about the problems facing his country. Before reading the song's lyrics, think about the kinds of social problems that are most likely to be mentioned and check them off.

- poverty
- religious intolerance
- polygamy

- AIDS (*SIDA*)
- violence and war
- materialism

- fear of outsiders
- corruption
- social division

Tiken Jah Fakoly

■ Activité de lecture

As you read the lyrics, look for the themes you predicted. Find the equivalent French expression.

Le pays va mal

1 [Refrain]
Le pays va mal
Mon pays va mal
Mon pays va mal
From bad to bad 5 De mal en mal°
Mon pays va mal

Avant on ne parlait pas de
  nordistes ni de sudistes
ruined Mais aujourd'hui tout est gâté°
10 L'armée est divisée
Les étudiants sont divisés
La société est divisée
Même nos mères au marché sont
  divisées
15 [Refrain]

Avant on ne parlait pas de
  chrétiens ni de musulmans
Mais aujourd'hui ils ont tout gâté
L'armée est divisée
20 Les étudiants sont divisés
La société est divisée
Même nos mères au marché sont
  divisées

We lack / solutions Nous manquons° de remèdes°
25 Contre l'injustice, le tribalisme, la
  xénophobie
Ivory Coast identity, recently used Après l'ivoirité°
to exclude others Ils ont créé les ou les é o les é
[Refrain]

30 Djamana gnagamou'na[1]
Obafé kan'gnan djamana gnagamou he
Djamana gnagami'na lou ho
Obafé kan'gnan djamana gnagamou
Magô mi ba'fé kagnan djamana
35 gnagamou
Allah ma'ho kili tchi'la
Djamana gnagamou'la lou ho
Djamana gnagamou'la
[Refrain]

[1]Le pays est dans la
  confusion
Ils veulent foutre le
  bordel° chez nous   *cause chaos*
Que tous ceux° qui   *those*
  veulent la perte de
  notre patrie
Soient châtiés par
  Dieu°   *Be punished by God*
La confusion règne°   *reigns*
C'est le sauve-qui-
  peut° général   *every man for himself*

Compréhension et intégration

1. Tiken Jah parle principalement de quel problème social?
2. Quels deux groupes religieux ne peuvent pas vivre ensemble?
3. Est-ce qu'il pense trouver une solution?
4. Quels mots indiquent que les conditions dans son pays se dégradent?
5. Xénophobie veut dire *xenophobia* en anglais. Cela veut dire qu'on a peur de qui?
6. Pourquoi les dernières paroles de la chanson sont-elles dans la langue maternelle du chanteur?

Maintenant à vous!

1. Pensez à un autre chanteur «engagé» qui parle des problèmes dans son pays ou dans le monde. Qui est-ce? Qu'est-ce qu'il dit?
2. Est-ce que vous pensez que c'est le rôle des artistes d'exposer l'injustice? de dire la vérité?

Voix en direct (suite)

Go to **iLrn** to view a West African speaking about his linguistic and cultural identity.

Expression écrite

Une brochure / affiche touristique sur un pays francophone

The following activity is designed for you to complete in groups of two or three. It's time to make an oral presentation on a francophone country of your choice. Fortunately, with the Internet, all the information you need is available. Find several sites that will help you with your research. Two excellent search engines are google.fr and yahoo.fr.

PREMIÈRE ÉTAPE: Write down three facts about the country that you did not know before reading about it.

DEUXIÈME ÉTAPE: Write out three reasons why you would like to visit this country.

TROISIÈME ÉTAPE: What activities would you like to take part in? Write down three that sound interesting to you. Find out what is culturally interesting about the country and include this information.

QUATRIÈME ÉTAPE: Describe what the weather is like during various touristic seasons.

CINQUIÈME ÉTAPE: You now need to promote your country to the class. Using your preparatory research, produce a brochure, a poster, or a PowerPoint presentation recommending this country to your classmates.

SYSTÈME-D	
Phrases:	describing weather, planning a vacation, making travel reservations
Grammar:	prepositions à, en with places, prepositions of location, direct object, talking about the near future
Vocabulary:	countries, geography, leisure, sports, time expressions, traveling

Structure 9.1

Use the (**iLrn**™) platform for more grammar and vocabulary practice.

Using prepositions with geographical names *Les prépositions et la géographie*

Talking about cities

The names of most cities are considered proper nouns and do not require definite articles.

J'adore Genève.   *I love Geneva.*
Où se trouve Bruxelles?   *Where is Brussels?*

A few cities have the definite article as a part of their name. Note that the articles are capitalized.

La Nouvelle-Orléans, Le Havre

If you wish to describe a city, it is preferable to use **la ville de...** with feminine adjectives.

La ville de Genève est très belle.   *Geneva is very pretty.*

Determining the gender of states, countries, and continents

Names of states, countries, and continents are, with a few exceptions, feminine if they end in **-e** and masculine if they end otherwise. Use the article **le (l')** with masculine names, **la (l')** with feminine names, and **les** for plural.

masculin	féminin	pluriel
le Texas	la Californie	les Antilles (*f*)
le Sénégal	la France	les États-Unis (*m*)
l'Irak	l'Europe	les Pays-Bas (*m*)

La France est le centre du monde francophone.

Le Canada et les États-Unis sont en Amérique du Nord.

France is the center of the French-speaking world.

Canada and the United States are in North America.

Note the following exceptions: **le Mexique, le Maine.**

Expressing movement *to* or *from* cities, countries, and states

When you wish to express movement *to, at,* or *in a place,* or *from a place,* the choice of the preposition varies as shown in the following chart.

	Cities	Countries, States, and Regions		
		• Feminine or masculine beginning with a vowel	• Masculine beginning with a consonant	Plural
to / at / in	à Paris à Londres à Bruxelles	**en** Californie **en** Oregon **en** France **en** Israël **en** Amérique du Sud **en** Provence	**au** Texas **au** Canada	**aux** États-Unis
from	**de** Los Angeles **de** Madrid **de** Montréal	**de** Californie **d'**Oregon **de** France **d'**Israël **d'**Amérique du Sud **de** Provence	**du** Portugal **du** Chili **du** Kansas	**des** Pays-Bas

- **to, at, in**

Nous arrivons à Montréal.   *We're arriving in (at) Montreal.*
Nous allons en Allemagne   *We are going to Germany at*
  à Noël.   *Christmas(time).*
Marc voyage aux Pays-Bas.   *Marc is traveling in the Netherlands.*

- **from**

Il arrive d'Athènes.   *He is arriving from Athens.*
Nous partons du Canada.   *We are leaving Canada.*
Ses parents sont des Antilles.   *Her/His parents are from the Antilles.*

The pattern for states is less fixed. Feminine names follow the preceding pattern (**en, de**). However, for masculine names, **dans le** is generally preferred in place of **au**.

Il travaille **dans le** Maryland.   *He works in Maryland.*
Nous habitons **en** Californie.   *We live in California.*

Using cardinal directions: north, south, east, and west

In locating places on a map, it is often useful to refer to the compass directions.

Il habite dans le nord.   *He lives in the North.*
Le sud de la France a un climat doux.   *Southern France has a mild climate.*

Lubumbashi est au sud-est **de** Kinshasa.   *Lubumbashi is southeast of Kinshasa.*
Andorre est au sud **de la** France.   *Andorra is south of France.*
Le Laos est à l'ouest **du** Viêt Nam.   *Laos is west of Vietnam.*
Le Canada est au nord **des** États-Unis.   *Canada is north of the United States.*

■ **Exercice 1.** Vous donnez une petite leçon de géographie à votre classe de français. Complétez les phrases avec les informations appropriées.

1. _____ est la capitale du Canada.
2. _____ se trouvent au sud du Canada.
3. La province francophone qui se trouve dans l'est du Canada s'appelle
   _____.
4. _____ est une île à l'est du Canada qui appartient à la France.
5. _____ est la province qui se trouve entre le Saskatchewan et l'Ontario.
6. L'Alaska se trouve _____ Canada.

■ **Exercice 2.** Vous travaillez comme réceptionniste dans une agence internationale qui donne des renseignements aux jeunes qui désirent étudier à l'étranger. Expliquez d'où les étudiants viennent et où ils voudraient faire leurs études. Complétez les phrases suivantes avec les prépositions et les articles qui conviennent.

1. Maïmouna vient _____ Côte d'Ivoire. Elle veut faire ses études _____ France.

2. Heinrich vient _____ Allemagne. Il veut faire ses études _____ Genève.

3. José vient _____ Brésil. Il veut faire ses études _____ Mexique.

4. Mishiku vient _____ Japon. Elle veut faire ses études _____ États-Unis.

5. Ilke vient _____ Amsterdam. Elle veut faire ses études _____ Bruxelles.

6. Paolo vient _____ Italie. Il veut faire ses études _____ Canada.

■ **Exercice 3.** Vous êtes avec un groupe d'étudiants internationaux qui parlent de leurs situations. Complétez les phrases avec les prépositions et les articles qui conviennent.

1. Je m'appelle Tran. Je suis vietnamien. J'habite _____ Chicago avec mes parents depuis dix ans. Mes grands-parents sont toujours _____ Viêt Nam. Ils habitent dans un petit village au nord _____ Hô Chi Minh-Ville. Nous, nous aimons beaucoup _____ États-Unis mais je voudrais aller voir mes grands-parents.

2. Je suis Abadou et je viens _____ Sénégal. Je fais mes études ici _____ Caroline du Nord mais je compte retourner _____ Dakar pour travailler. Avant de partir, j'aimerais aller _____ Canada parce que là, comme _____ Sénégal, le français est une langue officielle.

3. Je m'appelle Sophie et je suis _____ Luxembourg, la capitale _____ Luxembourg, un petit pays juste au nord _____ France, entre _____ France et _____ Belgique. _____ Luxembourg, on parle français.

Structure 9.2

Avoiding the repetition of place names *Le pronom* **y**

Pronouns are used to avoid repeating nouns. The pronoun **y** is used to replace phrases that begin with a variety of prepositions such as **à, chez, dans, sur,** and **en** (but *not* **de**). When the prepositional phrase names a location, **y** is roughly the equivalent of the English *there*.

— Mousassa est **en Afrique**?	— *Is Mousassa in Africa?*
— Oui, il **y** est.	— *Yes, he is **there**.*
— Ton ami arrive **à l'aéroport Orly-Ouest**?	— *Is your friend arriving at Orly-West?*
— Oui, il **y** arrive.	— *Yes, he is arriving **there**.*
— Tu vas **chez tes parents** pour Noël?	— *Are you going to your parents' house for Christmas?*
— Non, je n'**y** vais pas.	— *No, I'm not going (**there**).*

Y can also replace prepositional phrases if these do not include a person.

— Est-ce que Pascal pense **à son voyage**? — *Is Pascal thinking about his trip?*
— Oui, il **y** pense. — *Yes, he is thinking about **it**.*

— L'agent de voyages répond — *Is the travel agent answering the*
à la question? *question?*
— Oui, il **y** répond. — *Yes, he's answering **it**.*

BUT

— Est-ce que tu penses **à ta mère**? — *Are you thinking about your mother?*
— Oui, je pense **à elle**. — *Yes, I'm thinking about her (a person).*

Placing *y* in sentences

Place the pronoun **y** in sentences according to these guidelines:

1. In **simple tenses, y** goes before the conjugated verb.

   J'**y** vais. *I'm going (there).*
   Tu n'**y** vas pas. *You are not going there.*

2. In the **futur proche** and two-verb sentences, **y** goes between the conjugated verb and the infinitive.

   Nous allons **y** aller. *We are going to go there.*
   Je voudrais **y** aller. *I would like to go there.*

3. In the **passé composé, y** goes before the auxiliary.

   Nous **y** sommes allés. *We went there.*
   Elle **y** a répondu. *She answered it.*

■ **Exercice 4.** Choisissez pour chaque phrase un antécédent logique du pronom **y.** Il y a plusieurs réponses possibles.

   Modèle: J'**y** vais.   réponses possibles: **y** = *a, b, d*

   Phrases: **Antécédents possibles:**
   1. Elle y est.   **a.** dans le train
   2. Vous n'y habitez pas.   **b.** en Louisiane
   3. Tu vas y réfléchir.   **c.** à la situation économique
   4. Nous y allons à pied.   **d.** chez Nambé
                                    e. à la possibilité de voyager en train

■ **Exercice 5.** Cette conversation n'est pas très naturelle parce qu'il y a beaucoup de répétitions. Récrivez les phrases numérotées en utilisant le pronom **y** pour éviter la répétition des mots en italique.

CHRISTOPHE: Je vais au parc. (1) Tu veux aller *au parc* avec moi?

SERGE: (2) Euh, je ne peux pas aller *au parc* parce que je dois aller à l'université.

CHRISTOPHE: À l'université? (3) Pourquoi est-ce que tu vas *à l'université* aujourd'hui? C'est samedi après-midi.

SERGE: (4) Eh bien, normalement je ne vais pas *à l'université* le samedi après-midi, mais j'ai un examen important lundi. Je préfère étudier à la bibliothèque.

CHRISTOPHE: (5) À quelle heure est-ce que tu vas *à la bibliothèque*?

SERGE: Vers deux heures.

CHRISTOPHE: Oh là là, tu penses trop à tes notes.

SERGE: (6) Non, je ne pense pas trop à mes notes. (7) Il faut que je pense *à mes notes* si je veux devenir médecin.

CHRISTOPHE: D'accord. Étudie bien alors.

SERGE: Merci. Et toi, amuse-toi bien *(have fun)* au parc.

Structure 9.3

Comparing quantities and performance and singling out exceptional features *Le comparatif (suite) et le superlatif*

Comparing performance

When you compare how well, slowly, or quietly two actions take place, you are comparing adverbs. Adverb comparisons are patterned after those you learned for adjectives.

$$
\text{verbe} + \begin{cases} \text{plus} \\ \text{moins} \\ \text{aussi} \end{cases} + \text{adverbe} + \text{que}
$$

Les gorilles du Congo disparaissent **plus rapidement qu'**avant à cause des braconniers.	The gorillas of the Congo are disappearing more rapidly now because of poachers.
Ma sœur parle **moins vite que** moi.	My sister speaks less quickly than I do.
Céline Dion chante **aussi fort que** Barbara Streisand.	Céline Dion sings as loudly as Barbara Streisand.

Making comparisons with irregular adverbs

The adverb **bien** has the following irregular comparative forms.

$$
\begin{aligned}
+\ \text{bien} &\rightarrow \text{mieux} \\
=\ \text{bien} &\rightarrow \text{aussi bien} \\
-\ \text{bien} &\rightarrow \text{moins bien (pire)}
\end{aligned}
$$

Michel joue **moins bien** que les autres.	Michel plays less well than the others.
Il ne sait pas lire **aussi bien** que sa sœur.	He can't read as well as his sister.
Ce groupe chante **mieux** que l'autre.	This group sings better than the other one.

Comparing quantities

To compare quantities, use the following pattern:

$$
\begin{cases} \text{plus} \\ \text{moins} \\ \text{autant} \end{cases} \text{de} + \text{nom} + \text{que}
$$

Le Canada a **moins d'habitants que** les États-Unis.	Canada has fewer inhabitants than the United States.
Le Sénégal n'a pas **autant de flore et de faune que** dans le passé.	Senegal doesn't have as much flora and fauna as in the past.

Speaking in superlatives: the biggest, the most, the least . . .

The superlative is used for expressing extremes and for singling out an item in a group. Superlatives are formed using the following pattern:

$$
\begin{cases} \text{le} \\ \text{la} \\ \text{les} \end{cases} + \begin{cases} \text{plus} \\ \text{moins} \end{cases} + \text{adjectif} + \text{(de)}
$$

Le Congo est **le plus grand** fleuve d'Afrique.	The Congo is the biggest river in Africa.

Note that **de** after a superlative in French may be translated as *in* or *of* in English.

Using irregular superlatives

Bon and **mauvais** have irregular superlative forms similar to their forms in the comparative.

C'est une bonne idée. En effet,
c'est **la meilleure** idée.

It's a good idea. Actually, it's
the best idea.

Tu as choisi **le pire** moment pour
me dire cela.

You picked the worst moment to
tell me that.

C'est **son meilleur** album.

It's his best album.

Placing superlatives in sentences

Remember that a small group of adjectives precede the noun (**bon, mauvais, petit, grand...**) and all others follow. Adjectives in superlative sentences follow the same placement patterns.

- Adjectives that normally precede the noun require only one article in the superlative.

C'est **la plus longue route** pour
aller à la capitale.

It's the longest route to the capital.

Le Kilimandjaro, c'est **la plus grande**
montagne **d'**Afrique.

Kilimanjaro is the tallest mountain
in Africa.

- Adjectives that normally follow the noun maintain this position in the superlative. In this case, the definite article is repeated in the superlative construction.

C'est **la** décision **la plus importante**
de ma vie.

It's the most important decision of
my life.

Elle a choisi **la** solution **la moins difficile**.

She chose the least difficult solution.

- Before adverbs, the definite article **le** is invariable.

Parmi les membres de son groupe,
Amina chante **le moins bien** mais
elle joue **le mieux.**

Among the members of her group,
Amina sings the worst, but she
plays the best.

■ **Exercice 6.** Testez votre connaissance des pays francophones en complétant les phrases suivantes. Utilisez le comparatif et le superlatif.

1. Les Belges mangent _____ pommes de terre que les Algériens, mais les Français en mangent _____ que les Belges.

2. Un Marocain typique parle _____ bien le français que l'arabe.

3. Dans beaucoup de pays africains, la famille étendue (*extended*) est très importante. En effet, c'est la valeur _____ importante de toutes. Dans les pays industrialisés, il y a _____ familles nucléaires et de familles recomposées.

4. Le Mont Kenya, à 5 200 mètres, est moins élevé que le Kilimandjaro, qui est la montagne _____ élevée d'Afrique.

5. Un Québécois typique aime _____ parler le français que l'anglais.

6. Il y a _____ musulmans que de catholiques au Sénégal.

7. Les Québécois aiment les cafés _____ que les Français.

Structure 9.4

Making recommendations *Il faut, il vaut mieux* + *infinitif*

The impersonal expression **il faut** followed by the infinitive expresses necessity or obligation, and is generally interchangeable with the expression **il est nécessaire de. Il vaut mieux,** which expresses what one should do, is frequently used for giving advice.

Il faut acheter les billets d'avion deux semaines à l'avance pour avoir un bon prix.	*You have to buy airplane tickets two weeks in advance to get a good price.*
Il vaut mieux réserver une chambre d'hôtel.	*It's better (a good idea) to reserve a hotel room.*

To express what one shouldn't or mustn't do, use **il ne faut pas.**

Il ne faut pas fumer dans l'avion.	*You mustn't smoke on the plane.*

To advise what not to do, use **il vaut mieux ne pas** + *infinitif.*

Il vaut mieux ne pas visiter ce pays pendant la saison des pluies.	*It's better not to visit that country during the rainy season.*

■ **Exercice 7.** Complétez les phrases avec **il faut, il ne faut pas** ou **il vaut mieux** et un des verbes de la liste. Attention, quelques phrases sont négatives.

> **porter   faire   prendre   aller   montrer   s'habiller   réserver   parler**

1. Si vous voulez aller de Paris à Marseille en train, _____ le TGV (train à grande vitesse).

2. Pour trouver les meilleurs prix pour les billets d'avion ou de train, _____ votre réservation en ligne.

3. Si les cigarettes vous ennuient *(disturb)*, _____ de place dans la section fumeurs.

4. Pour bien connaître un pays et ses habitants, _____ leur langue.

5. Si vous allez au Canada de France, _____ votre passeport.

6. _____ un casque *(helmet)* quand on roule en motocyclette.

Structure 9.5

Talking about what you know or what you know how to do as opposed to your familiarity with places and people *Savoir et connaître*

In French, *to know* is expressed by either the verb **savoir** or the verb **connaître,** depending on the context.

Using *savoir*

The verb **savoir** is used for knowing information, facts, or how to do something.

savoir *(to know facts, to know how to)*	
je **sais**	nous **savons**
tu **sais**	vous **savez**
il/elle/on **sait**	ils/elles **savent**

passé composé: j'**ai su**

Nous savons que le Sénégal est un pays francophone.	We know that Senegal is a francophone country.
Il sait faire du ski.	He knows how to ski.
Il savait la réponse.	He knew the answer.

Using *savoir* as a conversation filler

The **tu** and **vous** forms of **savoir** can be used as conversational fillers similar to *you (ya) know* in English.

Il aime voyager, tu sais.	He likes to travel, you know.
Mais, vous savez, il déteste prendre l'avion.	But, you know, he hates to take planes.

Using *connaître*

Connaître means *to know,* in the sense of being acquainted or familiar with something or someone.

Nous connaissons Montréal.	We're familiar with Montreal.
Vous connaissez les Dubois.	You're acquainted with the Dubois family.
Je ne connaissais pas ce parc.	I wasn't familiar with that park.

J'ai connu means *I met* or *I made the acquaintance of.*

Il a connu sa femme en 1999.	He met his wife in 1999.

Structural hint for determining whether to use *connaître* or *savoir*

Savoir can be followed by a clause introduced by **si, que, quel(le), comment,** and so forth. **Connaître** cannot. It can only be followed by a noun or a pronoun.

Je sais que tu m'attends.	I know that you're waiting for me.
Tu connais cette chanson?	Do you know (Are you familiar with) this song?

■ **Exercice 8. Suites logiques.** Écrivez trois phrases pour chaque numéro en combinant les éléments donnés.

Modèle: Le Club Med propose un village superbe à la Martinique!

Tu sais	où ça se trouve, non?
Tu connais	la Martinique?
	s'il fait beau à la Martinique en hiver?

Tu sais où ça se trouve, non?
Tu connais la Martinique?
Tu sais s'il fait beau à la Martinique en hiver?

1. Je viens de recevoir une carte postale de mon cousin Paul.

Tu sais	Paul, n'est-ce pas?
Tu connais	que Paul est en Égypte, n'est-ce pas?
	quand il pense revenir?

2. L'agent de voyages va téléphoner.

Elle sait	que nous préférons un billet moins cher.
Elle connaît	bien la Suisse.
	trouver les meilleurs prix.

3. Les vacances arrivent bientôt.

Vous savez	moi, je suis très impatiente.
Vous connaissez	les meilleurs centres de vacances.
	la date de mon départ?

4. Nous cherchons un bon hôtel pas cher.

Nous savons	le numéro de téléphone de l'Hôtel d'Or.
Nous connaissons	où se trouve l'Hôtel Roc.
	tous les hôtels de la région.

5. Rome. Quelle ville magnifique!

Sais-tu	les catacombes?
Connais-tu	parler italien?
	une bonne pizzeria?

■ **Exercice 9.** Tout le monde aime parler des vacances. Complétez ces bribes de conversation avec les formes appropriées de **savoir** ou de **connaître.**

1. Je _____ bien ma tante. Elle ne va pas passer ses vacances à la plage parce qu'elle ne _____ pas nager.

2. — _____-vous le Louvre?

   — Oui, c'est un musée d'art.

   — _____-vous exactement comment y aller?

   — Pas exactement, mais je _____ que vous pouvez vous renseigner avec un guide.

3. Pendant les vacances, nous allons en Suisse. _____-tu Neuchâtel?

   C'est une petite ville adorable sur un lac magnifique. Tu _____, nous préférons les petites villes... Nos amis y _____ un hôtel qui est extraordinaire. Et c'est là que nous allons passer deux semaines.

4. Tu _____ Brian? Je l'_____ quand j'étais au lycée.

   À cette époque-là, il ne _____ pas jouer de la guitare. Maintenant il est dans un groupe de rock que tout le monde (*everyone*) _____.

■ Tout ensemble!

Complétez le passage suivant sur les projets de voyage de Rémi. Choisissez des mots dans la liste. Conjuguez les verbes si nécessaire.

océan	en	plus	sèche
au	désert	aussi	il faut
à	francophone	agence de voyages	vol
de	classe touriste	projets	connaître
tour	frontières	savoir	climat

Cet hiver, il fait très froid _____ (1) Montréal et Rémi rêve de soleil. En effet, il fait des _____ (2) pour un voyage d'été, un _____ (3) du monde! Ce week-end, il va à l'_____ (4) appelée «À l'aventure» pour se renseigner *(to get information)*. D'abord, il veut réserver un _____ (5) Montréal–Paris. Il préfère voyager en _____ (6), car il n'a pas beaucoup d'argent. _____ (7) Paris, il va aller en Land Rover _____ (8) Maroc où il veut visiter Fès et Marrakech. Rémi a déjà visité l'Europe plusieurs fois, mais il ne _____ (9) pas l'Afrique, et il ne _____ (10) pas parler arabe. Mais il peut toujours utiliser son français, car c'est un pays _____ (11). Il doit acheter beaucoup de provisions car il va traverser le Sahara. C'est le _____ (12) grand _____ (13) du monde!

Le _____ (14) du Sahara est si chaud qu'il faut prendre beaucoup de précautions. Ce n'est pas _____ (15) facile d'aller d'un pays à un autre en Afrique qu(e) _____ (16) Europe. _____ (17) avoir des visas pour traverser les _____ (18). Rémi espère arriver en Afrique équatoriale avant la fin de la saison _____ (19), car les routes deviennent impraticables sous la pluie. D'Afrique du Sud, Rémi va traverser l'_____ (20) en bateau pour aller au Brésil. Quel voyage!

❈ Vocabulaire

■ **Vocabulaire fondamental**

Noms

La géographie — **Geography**

la campagne	the country(side)
une côte	a coast
un désert	a desert
un endroit	a place
l'est (m)	east
un état	a state
un fleuve	a river (major)
une forêt (vierge)	a (virgin) forest
une frontière	a border
une île	an island
un lac	a lake
une mer	a sea
le monde	the world
une montagne	a mountain
le nord	north
un océan	an ocean
l'ouest (m)	west
un pays	a country
une plage	a beach
le sud	south

Mots apparentés: une capitale, un centre, un continent, un port, une région, un village

Les moyens de transport — **Modes of transportation**

un autobus, un autocar	a bus
un avion	an airplane
un bateau	a boat
une gare	a train station
un métro	a subway
une motocyclette (une moto, fam)	a motorcycle
un TGV (train à grande vitesse)	a high-speed train
les transports en commun	public transportation

Mots apparentés: un taxi, un train

Le tourisme — **Tourism**

une agence de voyages	a travel agency
un agent de voyages	a travel agent
une aventure	an adventure
un billet	a ticket
un (billet) aller simple	a one-way ticket
un (billet) aller-retour	a round-trip ticket
une carte postale	a postcard
des renseignements (m pl)	information
une réservation	a reservation
une section (non) fumeurs	a (non)smoking section
les (grandes) vacances (f pl)	(summer) vacation
une valise	a suitcase
un vol	a flight

Verbes

connaître	to know, to be acquainted (familiar) with
continuer	to continue
faire des projets	to make plans
faire le tour du monde	to travel around the world
nager	to swim
penser à	to think about
renseigner	to give information to
savoir	to know (information); to know how
se trouver	to be located
visiter	to visit (a place)

Adjectifs

ancien(ne)	former, old
autre	other
haut(e)	high

Mots apparentés: exceptionnel(le), extraordinaire, historique, idéal(e), magnifique, rapide, tropical(e), varié(e)

Mots divers

autant	as many
authentique	authentic
commercial(e)	commercial
commercialisé(e)	commercialized
grosses bises	hugs and kisses (in a letter)
il faut	it is necessary, one must
il vaut mieux	it is better to, you should
mieux	better
les musiques du monde	world music
pire	worse

Expressions utiles

Comment comparer — **How to compare**

(See p. 260 for additional expressions.)

Le Canada a plus d'écoles bilingues que la Belgique.	Canada has more bilingual schools than Belgium.
Est-ce que Paris a autant de diversité ethnique que New York?	Does Paris have as much ethnic diversity as New York?
Ça n'a rien à voir. (expression idiomatique)	They're nothing alike.

Comment demander des renseignements de voyages — **How to ask for tourist information**

(See p. 268 for additional expressions.)

Je voudrais réserver une place sur un vol pour Grenoble.	I would like to reserve a seat on a flight to Grenoble.

Voulez-vous un billet aller-retour ou un aller simple?	*Do you want a round-trip ticket or a one-way ticket?*
Préférez-vous voyager en (classe touriste, classe affaires, première classe)?	*Do you prefer to travel in (tourist class, business class, first class)?*
Préférez-vous une place côté couloir ou côté fenêtre?	*Do you prefer an aisle or a window seat?*

■ Vocabulaire supplémentaire

Noms

La géographie — **Geography**

une chute d'eau	*a waterfall*
un département	*a political unit within the French republic*
un(e) habitant(e)	*an inhabitant*
un(e) maghrébin(e)	*North African or individual of North African heritage*
une principauté	*a principality*
la savane	*the savannah*

Mots apparentés: une colonie, une destination, la diversité, l'équateur *(m),* une province, un volcan

Verbes

faire sa valise	*to pack one's bag*
faire un tour	*to go on a ride*
rêver (de)	*to dream (about)*
se dépayser	*to have a change of scenery*

Mots divers

une croisière	*a cruise*
le dépaysement	*change of scenery*
un rêve	*a dream*

Mots apparentés: une brochure, un casino, un éléphant, une girafe, un gorille, un lion, la population, la religion

Les activités de vacances — **Vacation activities**

l'aérobic *(f)*	*aerobics*
une balade	*a stroll, casual walk*
la détente	*relaxation*
l'équitation *(f)*	*horseback riding*
(faire de) la plongée avec un tuba	*(to go) snorkeling*
la plongée sous-marine	*scuba diving*

le ski nautique	*water skiing*
le tir à l'arc	*archery*
la voile	*sailing*

Mots apparentés: le canoë, le golf, le rafting, le surf

Les musiques du monde et la francophonie — **World music and the francophone world**

le mélange	*mixing*
le métissage (culturel)	*cultural mixing*
le raï	*raï music (popular musical genre from North Africa)*
un tube *(fam)*	*a hit (popular song)*
le zouk	*zouk (popular musical genre from the French West Indies)*

Adjectifs

animé(e)	*lively*
élevé(e)	*high*
francophone	*French-speaking*
incertain(e)	*variable (weather); uncertain*
vaste	*vast, big*

Mots apparentés: authentique, fréquent(e), officiel(le), pittoresque

La maison et la routine quotidienne

In this chapter, you will focus on everyday life within the context of the home: your house, daily routine, and household chores. You will explore different types of housing in France

Thème: La vie de tous les jours

Structure 10.1: Describing your daily routine *Les verbes pronominaux (introduction)*

Thème: La maison, les pièces et les meubles

Structure 10.2: Organizing your house and your time *Les verbes comme **mettre***

Perspectives culturelles: Les habitations françaises

Thème: Les tâches domestiques

Structure 10.3: Making requests *L'impératif (suite)*

Perspectives culturelles: Le travail de la maison

Voix en direct: À la maison, quelles étaient vos tâches ménagères?

and how some families share household chores. You will also learn some common expressions for congratulating, wishing people well, making requests of others, and complaining. ❈

Pratique de conversation: Comment trouver le mot juste

Pratique de conversation: Comment se plaindre

Structure 10.4: Using negative expressions *Les expressions négatives*

À lire, à découvrir et à écrire

Lecture: *Premier conte pour enfants de moins de trois ans* d'Eugène Ionesco

iLrn Voix en direct (suite)

Expression écrite: Les camarades de chambre: côté positif, côté négatif

La vie de tous les jours

Structure 10.1

Describing your daily routine *Les verbes pronominaux (introduction)*

In this **thème,** you will be talking about your daily routine, a topic that requires the use of reflexive verbs. To learn more about these **verbes pronominaux,** see pages 305–306.

The first picture sequence and narration on page 287 introduces the present tense of pronominal verbs in the context of daily routine. The second picture sequence and narration on page 288 about an unusual day introduces the past tense of pronominal verbs.

Suggestion: Use gestures and TPR to acquaint students with the daily routine verbs: **Je me lave les cheveux. Classe, lavez-vous les cheveux!**, etc. Read through the captions for Chantal's routine with appropriate intonation. Then read out loud the **vrai/faux** statements in **Activité 1.**

Réponses: 1. faux; Elle se réveille à huit heures. **2.** vrai **3.** faux; Elle va au café avec des amis. **4.** vrai **5.** faux; Elle dîne chez elle. **6.** faux; Elle se couche à minuit.

À Paris, l'expression «métro, boulot (travail, *fam*), dodo (sommeil, *fam*)» décrit la nature parfois monotone de la routine de tous les jours. Est-ce que cette expression décrit la réalité de nombreuses personnes là où vous habitez? Et votre vie quotidienne? Connaissez-vous une expression similaire en anglais?

Ask: **Comment dit-on** *I wash my hair?* **Oui, on utilise un article défini. Trouvez un autre exemple. Alors devinez comment on dit** *I wash my hands.*

■ Activité 1: Une journée typique

A. Votre professeur va décrire la journée typique de Chantal. Suivez la description en regardant les images à la page 287. Ensuite, indiquez si la phrase est vraie ou fausse. Corrigez les phrases fausses.

1. Chantal se réveille à six heures du matin.
2. Elle s'habille avant de se brosser les dents.
3. Après les cours, elle étudie à la bibliothèque.
4. Elle rentre chez elle vers 6h30.
5. Elle dîne au restaurant universitaire.
6. Elle se couche à 1h.

■ Notez et analysez

The boldfaced forms on page 287 are examples of pronominal verbs. What pronoun is used with **je?** What is the French equivalent for *I wash my hair?*

La routine quotidienne en images

Eh ben, d'habitude le matin, **je me réveille** à huit heures et j'écoute la radio pendant quelques minutes.

Finalement, **je me lève** et je fais du café.

Je me douche—je me lave toujours **les cheveux—**

et **je m'habille.**

Après avoir mangé, **je me brosse les dents, je me maquille**

et je pars pour la fac.

J'ai cours toute la journée.

L'après-midi, je retrouve souvent mes amis au café et nous bavardons en général jusqu'à six heures.

Je rentre chez moi vers six heures et demie.

Le soir, je prépare quelque chose à manger et je regarde les informations à la télé ou je lis un magazine.

Vers minuit, **je me lave la figure**

et **je me couche.** Quelle vie tranquille, n'est-ce pas?

B. Répondez aux questions suivantes.

1. À quelle heure est-ce que Chantal se réveille?
2. Est-ce qu'elle se lève immédiatement?
3. Qu'est-ce qu'elle fait avant de prendre le petit déjeuner?
4. Qu'est-ce qu'elle fait avant de partir?
5. Où va-t-elle l'après-midi?
6. Comment est-ce qu'elle passe ses soirées?

■ Activité 2: Et l'étudiant typique?

Cochez les activités qui font partie de la routine quotidienne de l'étudiant typique à votre université. Ensuite, indiquez si vous faites les mêmes activités.

L'étudiant typique...
- ❑ se lève avant 8h00
- ❑ se maquille ou se rase avant d'aller en cours
- ❑ prend le petit déjeuner avant d'aller en cours
- ❑ écrit des courriels avant d'aller en cours
- ❑ a cours le matin
- ❑ retrouve ses amis au moment du déjeuner
- ❑ étudie à la bibliothèque l'après-midi
- ❑ va au café l'après-midi
- ❑ dîne chez elle/lui

Moi, j(e)...
- ❑ me lève avant 8h00
- ❑ me maquille ou me rase avant d'aller en cours
- ❑ prends le petit déjeuner avant d'aller en cours
- ❑ écris des courriels avant d'aller en cours
- ❑ ai cours le matin
- ❑ retrouve mes amis au moment du déjeuner
- ❑ étudie à la bibliothèque l'après-midi
- ❑ vais au café l'après-midi
- ❑ dîne chez moi

Suggestion: Clearly segue from the presentation of the present time frame to the past tense by asking students: **Est-ce qu'aujourd'hui est une journée typique pour vous? Changez-vous parfois de routine? Est-ce qu'hier était une journée typique pour vous?** Comme vous voyez dans les images, Chantal décrit une journée difficile, une journée pas comme les autres. Regardons ce qui s'est passé. Use gestures to present new vocabulary (**se dépêcher, s'endormir**, etc.).

Une journée pas comme les autres

Dimanche dernier, je suis allée chez des amis et **nous nous sommes** bien **amusés.**

Je suis rentrée chez moi à trois heures du matin.

Alors, **je me suis couchée** très tard et j'ai fait la grasse matinée jusqu'à une heure de l'après-midi!

Quand **je me suis** finalement **levée,** je n'ai pas eu le temps de **me doucher.** J'ai dû **me dépêcher** car j'avais rendez-vous chez le dentiste.

J'y suis arrivée une demi-heure en retard et malheureusement, c'était trop tard pour mon rendez-vous.

Très énervée, j'ai pris le métro pour rentrer chez moi.

En route, **je me suis endormie** et j'ai manqué ma station.

Et pour couronner le tout, je dois retourner chez le dentiste parce que j'ai une carie *(cavity)*. Que la vie est dure!

■ Notez et analysez

Locate all the verbs in the **passé composé** and note the auxiliary verb. Which auxiliary is used with the boldfaced pronominal verbs, **avoir** or **être**? In these examples, what does the past participle agree with?

A. Votre professeur va décrire la journée difficile que Chantal a eue lundi dernier. Suivez la description en regardant les images à la page 288. Ensuite, indiquez si la phrase est vraie ou fausse. Corrigez les phrases fausses.

1. Chantal a travaillé jusqu'à deux heures du matin.
2. Elle s'est réveillée tôt le matin.
3. Elle a pris sa douche.
4. Elle s'est dépêchée d'aller chez le dentiste.
5. Elle a manqué son rendez-vous.
6. Elle s'est endormie chez le dentiste.

B. Répondez aux questions suivantes.

1. Avec qui est-ce que Chantal s'est amusée dimanche dernier?
2. À quelle heure est-elle rentrée chez elle?
3. Est-ce qu'elle s'est réveillée de bonne heure?
4. Qu'est-ce qu'elle n'a pas eu le temps de faire?
5. Où est-ce qu'elle s'est dépêchée d'aller?
6. Pourquoi a-t-elle manqué sa station de métro?

■ **Activité 4: Ma journée d'hier**

Parlez de vos activités d'hier.

1. Je me suis réveillé(e) à...
2. Je me suis levé(e) à...
3. Avant de partir de chez moi, j'ai / je me suis...
4. L'après-midi, j(e)...
5. Le soir, j(e)...
6. Je me suis couché(e) à...

■ **Activité 5: Comparez vos routines.**

Mettez-vous avec deux ou trois autres étudiant(e)s et posez-vous des questions pour identifier la personne qui...

a. se réveille le plus tôt.
b. passe le plus de temps à faire sa toilette: se raser, se maquiller, se coiffer, etc.
c. se couche le plus tard.
d. va à la salle de sports régulièrement pour faire de l'exercice.
e. travaille le plus.
f. s'endort parfois en classe.

Modèle: *À quelle heure est-ce que tu te réveilles? Tu te sèches les cheveux? Combien de temps est-ce que tu passes à te sécher les cheveux?*

■ **Activité 6: Les choses de tous les jours**

Une expression utile est **se servir de** *(to use)*. On se sert de ces choses pour faire quelles activités?

Modèle: un sèche-cheveux
On se sert d'un sèche-cheveux pour se sécher les cheveux.

1. une brosse à dents
2. un rasoir électrique
3. du rouge à lèvres
4. du shampooing
5. un réveil
6. une serviette de bain
7. des vêtements
8. une brosse

You may put the images on the overhead and ask students to close their books as you read over what happened to Chantal. The **vrai/faux** statements may be read with books open or closed.

Réponses: 1. faux; Elle est allée chez des amis. **2.** faux; Elle s'est réveillée à une heure de l'après-midi. **3.** faux; Elle n'a pas eu le temps de se doucher. **4.** vrai **5.** vrai **6.** faux; Elle s'est endormie dans le métro.

Follow up **Activité 3B** by asking students about their day: **Est-ce que vous avez fait la grasse matinée hier? À quelle heure est-ce que vous vous êtes levé(e)?**

When the groups report back, compare the routines of the students they name in order to find the person in the class who wakes up the earliest, who spends the most time getting ready, etc.

Goal: Practice with the third person and the infinitive form of pronominal verbs while using the **on** form of **se servir de** + noun. This activity can be done using props or pictures as a listening comprehension activity (books closed): **Voici du rouge à lèvres. Pour quoi est-ce qu'on s'en sert?** Establish the pattern with **On se sert de... pour...**, writing the expression on the board. Follow up by personalizing the activity to practice first and second person verb forms; point out the change in the pronoun used with the infinitive: **Je ne me sers pas d'un rasoir électrique pour me raser. Et vous?**

La maison, les pièces et les meubles

Structure 10.2

Organizing your house and your time *Les verbes comme **mettre***

The verb **mettre**, *to put* or *to place*, is particularly useful in the context of home and daily life: you put things in their place, put on clothes, put time into activities, and so on. The forms of this verb and verbs conjugated in a similar way can be found on pages 307–308.

Suggestion: To introduce the house vocabulary, take your students on an imaginary tour of the house pictured here. Mix comprehension questions into your description: **On va visiter cette maison. On entre par la porte principale. Est-ce qu'on est au premier étage? Ah, attention! En France, on entre au rez-de-chaussée. Le premier étage est en haut. Eh bien, on ouvre la porte et on est où, dans la salle de séjour? dans la salle à manger? Oui, on est dans l'entrée. Chez vous, y a-t-il une entrée? À droite de l'entrée se trouve la cuisine,** etc.

le troisième étage

le deuxième étage

le premier étage

le rez-de-chaussée

le sous-sol

le balcon

les placards *(m pl)*
le lave-vaisselle la cuisinière le four
la chambre
l'évier *(m)*
l'armoire *(f)*
le réfrigérateur (le frigo)
le bidet
le comptoir
la douche
l'étagère *(f)*
le lavabo
la salle de bains
la cheminée
le tableau
la porte
les toilettes *(f pl)*
la salle de séjour
le canapé
l'entrée *(f)*
le couloir
la chambre principale
le rangement télévision/hi-fi la table basse le fauteuil
la commode
la cuisine

The term **deux-pièces** or T(ype)-2 indicates that the apartment has a separate kitchen, a bathroom, plus two other rooms (living room and bedroom). A **trois-pièces** or T-3 has a kitchen, a bathroom, and three other rooms, and so forth.

■ Réfléchissez et considérez

In France, the first floor of a building is called **le rez-de-chaussée** while the second floor is **le premier étage.** Following that system of numbering floors, what would be the equivalent of the 5th floor?

Apartments and houses are often referred to by the number of rooms they have. The kitchen and bath are normally not counted. Would the apartment pictured here be **un deux-pièces** (T-2) or **un trois-pièces** (T-3)? Other typical living arrangements include **un studio / une studette** (one room) or **un loft.** How would you describe your living space in French?

Activité 7: Dans quelle pièce?

Où est-ce que...

1. vous faites vos devoirs?
2. vous faites la cuisine?
3. vous regardez la télé?
4. vous dormez?
5. vous écoutez votre iPod?
6. vous lisez le journal?
7. vous vous lavez les cheveux?
8. vous parlez au téléphone?
9. vous vous brossez les dents?
10. vous vous reposez?

Où...

11. se trouve l'évier?
12. se trouve la cheminée?
13. se trouve le lave-vaisselle?
14. se trouve le lavabo?

Provide input by means of forced choice (**Vous faites vos devoirs dans votre chambre ou dans la cuisine?**), elaboration on student answer, asking other students the same question (**Et vous, est-ce que vous faites vos devoirs dans votre chambre aussi?**), and by asking students about each other's answers (**Où est-ce que Shawn fait ses devoirs?**).

Activité 8: «Aux Lilas» ou «Les Colombiers»?

Les Français aiment parfois donner des noms à leurs maisons. Votre professeur va décrire une des maisons dessinées ici. Indiquez quelle maison il/elle décrit, «Aux Lilas» ou «Les Colombiers».

Without identifying the house, choose one of the following descriptions to read to the class:
1. C'est une grande maison à deux étages avec une chambre d'amis au rez-de-chaussée et une chambre d'enfants plus une chambre principale au premier étage. La salle à manger est à côté de la cuisine qui donne sur le jardin. Il y a un bureau à côté de la salle de séjour. («Aux Lilas»)
2. Cette maison a un salon et une salle de séjour au rez-de-chaussée. La chambre principale, au premier étage, a deux grands placards. Il y a aussi un balcon qui donne sur la cour. Cette chambre communique avec une salle de bains. Il y a aussi une autre chambre au premier étage. («Les Colombiers»)

Activité 9: Où mettre... ?

Les déménageurs (movers) ne savent pas où ils devraient (should) mettre vos meubles. Avec un(e) autre étudiant(e), répondez aux questions des déménageurs en suivant le modèle.

Modèle: la lampe
— *Où est-ce qu'on met la lampe?*
— *On la met dans la chambre, sur la table de nuit.*

1. le canapé
2. la table basse
3. les fauteuils
4. la commode
5. la table de nuit
6. le four à micro-ondes
7. le téléviseur
8. le sèche-linge
9. le lecteur DVD
10. l'armoire
11. les serviettes de bain
12. le grand lit
13. le vélo

■ Activité 10: Le temps de vivre

En groupes de trois, répondez aux questions suivantes. Qui met le plus de temps pour faire chaque activité?

A. Combien de temps est-ce que tu mets pour faire les activités suivantes?

Modèle: pour te maquiller / raser
Je mets cinq minutes pour me maquiller / raser.

a. pour te doucher
b. pour préparer ton cours de français
c. pour préparer le petit déjeuner
d. pour aller à l'université
e. pour répondre aux courriels

B. Combien de temps as-tu mis pour faire les choses suivantes?

Modèle: pour faire ton lit ce matin
J'ai mis deux minutes pour faire mon lit.

a. pour ranger ta chambre cette semaine
b. pour faire le marché la semaine passée
c. pour écrire ton dernier courriel à tes parents
d. pour lire le journal ce matin
e. pour apprendre à conduire

■ Activité 11: Un appartement à louer

Vous consultez le Web pour trouver un appartement à Nantes où vous allez passer un semestre. Avec un(e) partenaire, utilisez le tableau pour comparer les qualités des trois appartements que vous avez trouvés. Ensuite, choisissez l'appartement que vous préférez et dites pourquoi.

	Le 2-pièces, à 540€	Le 2-pièces à 620€	Le studio à 360€
1. a un balcon.	❏	❏	❏
2. est meublé.	❏	❏	❏
3. a une toute petite cuisine.	❏	❏	❏
4. est le plus grand.	❏	❏	❏
5. a le loyer le moins cher.	❏	❏	❏
6. est le plus petit.	❏	❏	❏
7. est le plus pratique pour quelqu'un qui a une voiture.	❏	❏	❏
8. semble le plus confortable.	❏	❏	❏
9. est problablement le plus lumineux.	❏	❏	❏
10. va être disponible *(available)* le 10 septembre, la date de mon arrivée.	❏	❏	❏

---

2 pièces, 49m²   540€ cc

Place Graslin, le charme de l'ancien en plein cœur[1] de ville. Au rez-de-chaussée, entrée avec placard, séjour avec armoire, chambre avec lit et armoire, cuisine aménagée et équipée[2], salle de bains et WC. Très bon état, chauffage au gaz. Loyer: 540€ cc.
Disponible le: 15/9/2007
Contact: Alain Paquet
Téléphone: 02.12.39.74.55

---

2 pièces, 43m²   620€

Place Paridis. Agréable T2 au 2ème étage. Entrée avec placard, salon donnant sur balcon, cheminée (non-fonctionnelle), cuisine américaine aménagée équipée, 1 chambre, salle de bains avec WC. Cave[3] et garage. À proximité des commerces et écoles.
Loyer: 620€. Charges: 40€
Disponible le: 30/8/2007
Contact: Dominique Blanchet
Téléphone: 02. 27.82.43.15

Studio, 18m²   360€ cc

Place Royale. Proche du tramway et des facultés. Au 1er étage, donnant sur cour calme, studio de 18m² comprenant une pièce de vie[4] avec coin cuisine[5] équipée (cuisinière + réfrigérateur), petite salle d'eau[6] avec WC. Rénové récemment. Loyer: 360€ cc.
Disponible le: 1/9/2007
Contact: Jacques Houbin
Téléphone: 02.40.93.25.08

---

[1]heart [2]equipped

[3]Cellar storage

[4]family room [5]kitchen area [6]shower room

Les habitations françaises

Votre professeur va vous diviser en quatre groupes. Chaque groupe est responsable d'une sorte de logement. Lisez les informations et répondez aux questions qui se trouvent à la fin de la section.

Que disent ces Français de leur choix de logement?

GENEVIÈVE, une jeune dessinatrice, habite au cœur° de Paris dans le 5ᵉ arrondissement.

heart

GENEVIÈVE: Je suis arrivée à Paris il y a dix ans; c'était le coup de foudre°! Je préfère ma petite studette° près du jardin du Luxembourg à mon ancien appartement de deux pièces à Lille. Ici, j'habite à proximité de mon travail, c'est une petite marche° sympathique de vingt minutes. Je n'ai même pas besoin de voiture. Paris, ça vibre! On ne s'y ennuie jamais. Je fréquente mon bistrot de quartier où on me connaît. J'ai aussi une boulangerie, un café et une librairie préférés. Quand j'ai besoin de° calme, je me repose au jardin du Luxembourg ou je passe le week-end à la résidence secondaire de mes parents en Bretagne. On peut s'y rendre facilement en TGV.

love at first sight / small studio

a short walk

need

Pourquoi est-ce que Geneviève est contente de vivre à Paris? Qu'est-ce qu'elle fait quand elle a besoin de calme? Quels sont les avantages et les inconvénients de vivre dans le centre de Paris?

NICOLE ET CHRISTOPHE viennent de déménager de Paris pour s'installer dans un pavillon° à Cergy-Pontoise, une ville nouvelle à 30 kilomètres de la capitale.

newer home (often found in the suburbs)

NICOLE: Notre appartement à Paris est devenu trop petit quand notre deuxième enfant est né et moi, je voulais avoir plus de verdure° autour de moi. Ici, nous nous sommes installés dans un pavillon moderne de cinq pièces tout confort avec salle à manger, salle de séjour, trois chambres et deux salles de bains. Mon mari et moi n'avons pas besoin de faire la navette°, car nous travaillons tout près. On s'y adapte assez bien, mais parfois l'uniformité, le manque° de charme et de caractère de cette nouvelle ville me gênent°. Cependant, cette ville a beaucoup de qualités, comme un centre culturel, un parc et une bonne école pour les enfants.

greenery

to commute

lack

bother me

Un immeuble à Paris

Pourquoi la France a-t-elle construit des villes nouvelles comme celle de Cergy-Pontoise? Est-ce que ces villes planifiées ressemblent à certaines villes américaines? Lesquelles?

Un pavillon typique

The **Perspectives culturelles** section is designed to be done as an "expert group" information gap activity. Begin by asking students to number off 1–4. For the reading, put all the 1s together, the 2s in another group, and so forth. After the groups have had time to read over their section and understand the information, re-form the groups with a 1, 2, 3, and 4 in each. These re-formed groups will fill in the chart in **Avez-vous compris?** You may want to have each group fill in a grid on a separate sheet of paper that can be collected for a classwork grade. Go over advantages and disadvantages after groups have had time to fill in the information.

Additional information: The new suburban towns outside of Paris, such as Cergy-Pontoise, are planned communities built to help reduce congestion in Paris. Students should learn from this activity that housing inside of Paris, **dans Paris intra-muros** (inside the old walls), is desirable and very expensive, much like property in New York City or San Francisco.

a good number

to renovate

closer / to lead

bees
honey

Additional information: Many French people appreciate their historical buildings and thus make an effort to restore them using authentic methods and materials.

lavender / olive trees

power plants

greenery

The **HLM (habitations à loyer modéré)** went up quickly after World War II as housing projects for mostly immigrant workers. These massive buildings are outside the gates of Paris and other large cities and although said to be in the **banlieue,** their setting is nothing like that of an American suburb. Films of the 1990s, such as *La Haine,* paint an unattractive picture of life in the **HLM.** Contemporary rap musicians often refer to them in their lyrics.

MADELEINE ET CYRIL, comme pas mal° de jeunes gens de leur génération influencés par un esprit écologiste, ont voulu retourner à la terre. Ils ont quitté Bordeaux pour rénover° un vieux mas en Provence.

> CYRIL: Nous sommes venus ici pour nous sentir plus proches° de la nature, pour mener° une vie plus authentique, plus simple. Moi, j'ai voulu élever des abeilles° et vendre du miel°. Mais la rénovation de notre maison est devenue notre passion. En même temps, cette région est devenue très chic. Alors, nous nous partageons maintenant entre notre boutique de marchandises provençales à Aix-en-Provence et notre mas en campagne au milieu des champs de lavande° et des oliviers° où nous retrouvons calme et sérénité.

Un mas en Provence

Pourquoi Madeleine et Cyril ont-ils décidé de quitter la ville de Bordeaux pour s'installer à la campagne en Provence? Voulaient-ils mener une vie «bourgeoise»?

ALI, un musicien, habite «La Forestière», une banlieue de Paris, avec sa famille. C'est une banlieue industrielle: usines à gaz, centrales thermiques° et logements massifs appelés HLM (habitations à loyer modéré). C'est un lieu impersonnel.

> ALI: Ici, pas de fleurs, pas de verdure° et les murs sont recouverts de graffitis. Je joue dans les clubs avec mes amis. Mon rêve, c'est de vendre un album et d'avoir assez d'argent pour installer ma famille dans un appartement en ville.

Un HLM dans la banlieue de Paris

Le mot «banlieue» en français se traduit par *suburb* en anglais. Est-ce que la banlieue parisienne ressemble à un *suburb* américain? Expliquez.

■ Avez-vous compris?

Maintenant, changez de groupe! Chaque nouveau groupe a «un expert» sur les quatre types de logement. Combinez les informations que vous avez apprises pour compléter le tableau.

Type de logement	Lieu	Avantages	Inconvénients
Un immeuble			
Un pavillon			
Un mas			
Un HLM			

■ Et vous?

Parmi *(Among)* les logements mentionnés par ces quatre personnes, choisissez celui que vous préférez et dites pourquoi.

Thème

Les tâches domestiques

Structure 10.3

Making requests *L'impératif*

In the activities that follow, you will learn several ways to direct people's activities, including the imperative (direct command) form of pronominal verbs. Note that the verb **vouloir** is frequently used to soften commands. See pages 309–310.

> Moi je passe la tondeuse. Manu, va chercher le pain. Et Sophie, vide la petite poubelle.

la tondeuse   la poubelle

> Manu, tu veux ranger ta chambre et faire ton lit?

l'aspirateur

> Soline, lave-toi les mains. Et puis mettons la table.

■ Notez et analysez

Look at what these parents ask their children to do. Find an example of (1) a direct command, (2) the equivalent of *Let's,* (3) an indirect, "coaxing" way of asking someone to do something.

Avec un(e) camarade, classez les tâches domestiques dans les catégories suivantes.

Tâches ménagères	Ce que je fais souvent	Ce que je fais rarement	Ce que j'aime faire	Ce que je déteste faire
faire la cuisine	❑	❑	❑	❑
mettre la table	❑	❑	❑	❑
débarrasser la table	❑	❑	❑	❑
laver la vaisselle	❑	❑	❑	❑
passer l'aspirateur	❑	❑	❑	❑
passer la tondeuse	❑	❑	❑	❑
ranger la chambre	❑	❑	❑	❑
faire le lit	❑	❑	❑	❑
vider la poubelle	❑	❑	❑	❑
faire la lessive	❑	❑	❑	❑
autre: _____	❑	❑	❑	❑

■ Activité 13: Un matin fou en famille

Ce matin, rien ne va (*nothing is going right*) chez vous et c'est à vous de prendre la situation en main. On ne vous écoute pas; donc il faut répéter vos demandes de plusieurs façons. Élaborez!

Modèle: Les enfants dorment encore.
Réveillez-vous, les enfants! Vous êtes en retard pour l'école! Voulez-vous bien vous réveiller? L'école va commencer! Il faut vous réveiller!

1. Il est tard mais votre mari/femme veut rester au lit.
2. Vous ne réussissez pas à ouvrir le pot de confiture.
3. Votre fille met trop de temps à s'habiller.
4. Votre mari/femme annonce qu'il faut vider la poubelle.
5. Les enfants ont oublié de se brosser les dents.
6. Votre mari/femme laisse la chambre en désordre.
7. Votre fils va à table avec les mains sales (*dirty*).
8. Vous avez besoin (*need*) d'une serviette.

■ Activité 14: Qu'est-ce que vous dites?

Activité 14: Read the following scénarios and ask: Qu'est-ce que vous pouvez dire dans les situations suivantes? Modèle: Votre colocataire ne paie pas sa partie du loyer de votre appartement. Qu'est-ce que vous allez lui dire? 1. Votre colocataire ne fait pas la vaisselle. 2. Vous voulez dormir mais votre colocataire continue à écouter de la musique. 3. Votre mère vous téléphone à six heures du matin. 4. Vous voulez partir mais votre ami(e) n'est pas prêt(e). 5. Vos amis font trop la fête et n'étudient pas assez.

Votre professeur va vous donner quelques scénarios. Expliquez ce que vous dites dans ces situations.

Modèle: PROFESSEUR: Votre colocataire ne paie pas sa partie du loyer de votre appartement. Qu'est-ce que vous allez lui dire?
ÉTUDIANT(E): *Veux-tu payer ta partie du loyer?* ou
Paie ta partie du loyer. ou *Il faut payer...*

■ Activité 15: Interaction

Répondez aux questions suivantes.

1. Quels sont les avantages et les inconvénients de votre propre logement?
2. Qui fait la cuisine et la vaisselle chez vous? Chez vos parents?
3. Combien de temps passez-vous à ranger votre chambre ou appartement?
4. Quelles tâches domestiques est-ce que vous faites chaque semaine?

Le travail de la maison

En France, comme ailleurs, ce sont les femmes qui s'occupent principalement des tâches ménagères. Selon un sondage récent (Ifop 2005), les femmes consacrent 16 heures par semaine aux tâches domestiques, contre 6 pour les hommes. On trouve plus d'égalité en ce qui concerne l'éducation des enfants; les femmes passent 17 heures par semaine à s'occuper des enfants, et les hommes, 13. Et les enfants, qu'est-ce qu'ils font à la maison pour aider leurs parents? On a demandé à plusieurs francophones de nous raconter leurs souvenirs en décrivant leur rôle dans la famille. Voici ce qu'ils en disent.

Voix en direct

CD2, Track 9

À la maison, quelles étaient vos tâches ménagères?

On ne me demandait pas de [d'en] faire–hormis[1] de faire de temps en temps ma chambre. C'est tout à peu près ce qu'on demandait dans la maison. Mais comme mon père était très manuel et faisait beaucoup de choses, [et qu'il] construisait des murs dans la maison, il construisait des piscines à l'extérieur, je l'ai beaucoup aidé par rapport à ça, par rapport à tondre le jardin[2], par exemple, je l'ai aidé à faire des–oui, à construire des murs, à poser du carrelage[3]...

[1]except [2]to cut the grass [3]to lay tiles

Gaétan Pralong

28 ans
acteur, Paris

Quand j'étais jeune, j'avais et j'ai toujours d'ailleurs, des parents extrêmement gentils. Par conséquent, ils me demandaient rarement de participer à la maison, chose qu'aujourd'hui je fais volontiers[4] parce que je suis un peu plus adulte. Mais c'est vrai qu'on ne participait pas énormément aux tâches ménagères de la maison si ce n'est[5] ranger la chambre, débarrasser la table[6], des choses que tout le monde[7] fait. Mais rien de plus. Du moins, pas dans mes souvenirs.

Votre père partageait[8] les tâches domestiques avec votre mère?
Question très pertinente. Eh bien, non, mon père ne participait pas beaucoup non plus aux tâches ménagères et par contre pour ce qui est de son cas, ça dure toujours[9] (rire).

[4]willingly [5]except [6]to clear the table [7]everyone [8]shared [9]it is still the case today

Gwenaëlle Maciel

29 ans
enseignante au collège, région de Paris

Alors, oui, quand j'étais enfant, il fallait qu'on mette la table[10] et qu'on la débarrasse. On allait également chercher le pain, parce qu'en France, on a beaucoup de pain. Donc, tous les jours on allait au pain. Qu'est-ce qu'on faisait d'autre? Moi, quand j'étais petit, on était dans une ferme[11], donc il y avait des grilles[12] à ouvrir pour sortir la voiture.

[10]set the table [11]farm [12]gates

Pierre-Louis Fort

35 ans
professeur à l'université de Créteil

■ Réfléchissez aux réponses

1. Quelles tâches ménagères est-ce que ces personnes faisaient quand ils étaient petits? Est-ce que vous faisiez les mêmes?

2. Quelles autres tâches est-ce que vous faisiez?

3. Gwenaëlle explique pourquoi elle n'avait pas beaucoup de tâches. Qu'est-ce qu'elle dit?

4. Comment est-ce qu'on divisait les tâches domestiques chez vous?

Comment trouver le mot juste

Quelques expressions utiles

The expressions in this **Pratique de conversation** are quite common in everyday discourse. After completing the **Réfléchissez et considérez** questions, propose a few more scenarios where these expressions can be used and ask students to find the appropriate expression: **Un copain vous dit qu'il vient d'acheter un billet aller-retour New York–Nice. Qu'est-ce que vous dites? Chapeau? Bon appétit? Bon voyage? Oui, «bon voyage» ou «bonnes vacances»! Qu'est-ce que vous dites à votre meilleur(e) ami(e) le jour où il/elle annonce son mariage: Bon courage? Écris-moi? Oui, on dit «Félicitations».**

Pour féliciter

Félicitations!
Bravo!
Chapeau!

■ **Réfléchissez et considérez**

Does someone you know have a birthday today? a hard test in a class? a job interview? What if someone is tired or sick? What are some of the everyday expressions you use in these situations? Which of the French expressions below fit the contexts or expressions you mentioned? Do you typically say something before eating? What is said in French?

Pour souhaiter quelque chose

à quelqu'un qui fête son anniversaire	Bon anniversaire!
à quelqu'un avant de manger	Bon appétit!
à quelqu'un qui a une tâche difficile à faire	Bon courage!
	Bonne chance!
à quelqu'un qui sort	Amuse-toi bien!
à quelqu'un qui va au travail ou à l'école	Travaille bien.
à quelqu'un qui est fatigué	Repose-toi bien.
à quelqu'un qui part en vacances	Bonnes vacances!
	Bon voyage!
à quelqu'un qui va dormir	Bonne nuit!
	Fais de beaux rêves.
à quelqu'un qui est malade	Remets-toi vite.
à quelqu'un avec qui on veut rester en contact	Écris-moi.
	Téléphone-moi.
à quelqu'un qu'on n'a pas vu depuis longtemps	Tu m'as manqué.
	Tu me manques.

🔊 CD2, Track 10

■ **Écoutons ensemble! Qu'est-ce qu'on dit?**

A. Écoutez les mini-conversations suivantes et choisissez l'expression appropriée pour les compléter.

1. **a.** Remets-toi vite.   **b.** Fais de beaux rêves.   **c.** Travaille bien.

2. **a.** Bonne chance!   **b.** Tu me manques.   **c.** Chapeau!

3. **a.** Écris-moi.   **b.** Amuse-toi bien!   **c.** Félicitations!

4. **a.** Tu vas me manquer.   **b.** Repose-toi bien.   **c.** Bonne nuit.

CD2, Track 11   **B.** Maintenant écoutez de nouveau pour vérifier vos réponses.

■ Activité 16: L'anniversaire de Sophie

La voisine des Martin parle à Mme Martin. Complétez la conversation avec l'expression de la liste qui convient.

amusez-vous bien   bon anniversaire   dépêche-toi
       téléphone-moi   travaille bien

MME MARTIN: C'est l'anniversaire de Sophie aujourd'hui.

LA VOISINE: _____ (1), Sophie. Quel âge as-tu maintenant?

SOPHIE: J'ai neuf ans. Nous allons au cinéma pour fêter mon anniversaire. Il faut partir, maman.

MME MARTIN: Oui, c'est vrai. Pierre, _____ (2)! On part.

LA VOISINE: Eh bien, _____ (3) au cinéma. Moi, je dois aller travailler. À plus tard. _____(4) demain, d'accord?

MME MARTIN: D'accord. Et _____ (5).

■ Activité 17: Que dit-on... ?

Qu'est-ce que vous dites dans les situations suivantes? Travaillez avec un(e) partenaire pour trouver les réactions appropriées.

1. Vos parents partent pour deux semaines en Europe.
2. Votre camarade de chambre a un exposé à faire en cours de français.
3. Vous n'avez pas reçu de message de votre correspondant depuis longtemps.
4. Vous n'avez pas vu votre petite sœur depuis le début du semestre.
5. Vous avez préparé un grand dîner pour la famille. On se met à table.
6. Un copain est malade. Il va au centre médical pour consulter un médecin.
7. Votre meilleure amie annonce qu'elle vient d'obtenir un nouveau travail.

En juillet 2006, Amélie Mauresmo a remporté la 120e édition de Wimbledon, la première française à remporter cette victoire depuis 1925. Félicitations, Amélie!

Comment se plaindre

Have students brainstorm common complaints; help formulate the equivalents in French as needed and write several on the board. For example: **Je n'ai jamais assez de temps / d'argent. Les cours / devoirs sont trop difficiles. On a trop d'examens. Mon/Ma camarade de chambre m'énerve. Mes parents ne me comprennent pas.**

Structure 10.4

Using negative expressions *Les expressions négatives*

Complaining well can be elevated to an art! In this **Pratique de conversation,** you will learn several negative expressions that are particularly useful when complaining. **Les expressions négatives** are fully explained on pages 311–312.

■ Réfléchissez et considérez

Even if you never complain, you are bound to know someone who does! What sorts of complaints do you hear? What gets on your nerves? When someone complains to you, how do you react? Look at the French expressions below to see how they correspond to your responses.

Quelques expressions utiles

Pour se plaindre

Ça m'énerve.	
Ça m'ennuie.	*That gets on my nerves.*
Ça m'embête.	
Mon petit ami **ne** fait **jamais** son travail.	*My boyfriend never does his work.*
Ma petite amie **ne** m'aime **plus.**	*My girlfriend doesn't love me anymore.*
Personne ne me comprend.	*Nobody understands me.*
Mon ami(e) **ne** fait **que** regarder la télé.	*My friend does nothing but watch TV.*
Rien ne va.	*Nothing's going right.*
Je suis débordé(e) de travail.	*I'm totally overwhelmed.*
Ça suffit! J'en ai assez.	*That's it! I've had enough.*
C'est assez! J'en ai marre!	*That's enough! I'm fed up!*
Je **n**'en peux **plus.**	*I can't take it any longer.*
Je **n**'ai **ni** le temps **ni** l'argent.	*I have neither time nor money.*

Pour réagir

Mon/Ma pauvre!	Mon Dieu!
Oh là là!	Tu n'as vraiment pas de chance.

Pour rassurer

Tout va s'arranger.	*Everything will work out.*
Ça arrive à tout le monde.	*That happens to everyone.*
Allez, du courage!	*Come on, hang in there.*
Ne t'inquiète pas.	*Don't worry.*
Ne t'en fais pas.	
Ce n'est pas grave.	*It's not so bad. / It's nothing.*

CD2, Track 12

■ Écoutons ensemble! Opinions opposées

Vous n'êtes jamais d'accord avec votre colocataire. Écoutez ce qu'il dit et choisissez l'opinion opposée.

1. **a.** Personne ne me cherche.　**b.** Je ne cherche rien.
2. **a.** Du courage!　**b.** C'est pas grave.
3. **a.** Je ne sors plus avec lui.　**b.** Je ne sors jamais.
4. **a.** J'y vais souvent.　**b.** Je n'y suis pas encore allé(e).
5. **a.** Je ne veux rien à manger.　**b.** J'ai déjà mangé.
6. **a.** J'en ai marre.　**b.** Tout va s'arranger.

Activité 18: Un étudiant déprimé

Rien ne va pour Marc à l'université. Son meilleur ami Julien lui parle. Avec un(e) partenaire, ajoutez les expressions négatives qui manquent au dialogue.

JULIEN: Est-ce que tu as beaucoup d'amis?

MARC: Non, je ne connais _____ (1).

JULIEN: Tu vois (see) souvent nos amis du lycée?

MARC: Non, je ne les vois _____ (2).

JULIEN: Tu es toujours dans l'équipe de foot?

MARC: Non, je ne fais _____ (3) partie de l'équipe depuis une semaine.

JULIEN: Mais pourquoi?

MARC: Mes cours sont difficiles et je ne fais _____ (4) travailler.

JULIEN: Ah, mon pauvre vieux! Tu ne t'amuses même pas le week-end?

MARC: Tu sais, le week-end, je ne fais _____ (5). Je suis débordé de travail. Je n'en peux _____ (6).

JULIEN: Et est-ce que tu as déjà acheté ton billet pour rentrer chez tes parents?

MARC: Non, je n'ai _____ (7) acheté de billet.

JULIEN: Allez, courage! Tu vas voir, tout va s'arranger.

Activité 18: Give students several minutes in pairs to complete this activity. While you monitor their answers, pairs can practice reading the conversation out loud and then volunteer to read for the class. Some of the questions lend themselves to personalized follow-up: **Est-ce que vous voyez souvent vos amis du lycée? Michel, vous êtes toujours dans l'équipe de basket? Avez-vous déjà acheté votre billet pour rentrer chez vos parents en mai?**

Réponses: 1. personne **2.** jamais **3.** plus **4.** que **5.** rien **6.** plus **7.** pas encore

Situations à jouer!

Use **iLrn** voiceboard for individual oral practice with the **Thèmes** and the **Pratiques de conversation** in **Module 10.**

1. A friend invites you to spend the weekend at his/her parents' house. You would really like to go but you're planning to move into a new apartment. Explain why you can't go and tell your friend about your new apartment.

2. You want to exchange your apartment or your house during the summer with someone who lives in a French-speaking country. Write an ad like those pictured on page 292 that you could post on the Internet. Include a picture if you have one.

3. You and your roommate have had a very busy month full of exams and you did not have any time to do housework. Discuss what needs to be done and in what order, and then decide who will do what.

4. After your math exam, you see a classmate who is terribly upset and looks awful. Your classmate complains about the exam, his/her teachers, his/her social life, and so on. React to what is said and give some advice.

5. Based on what you know about your partner, can you guess what his/her ideal housing situation would be? Use the information below to make your prediction. Your partner will tell you if you are right or not.

Qualités possibles pour une maison idéale:
Habitat: maison individuelle, appartement, loft, chalet
Lieu: grande ville, petite ville, banlieue, village, campagne
Style des meubles: classique, traditionnel, sophistiqué, contemporain, fonctionnel, ethnique, minimaliste, élégant, rustique (country)
Atmosphère: chaleureuse (warm), calme, sophistiquée, sobre (austere), reposante, familiale, intime, conviviale
Qualités importantes: facile à vivre, facile à entretenir (easy to maintain), spacieux (spacieuse), lumineux (lumineuse), plein(e) de gadgets électroniques—système audio, téléviseur à grand écran (big screen), lecteur DVD...

Modèle: PARTENAIRE A: *Je t'imagine dans un loft dans une grande ville. Le style des meubles est contemporain et l'atmosphère est sophistiquée. Tu as beaucoup de gadgets électroniques.*
PARTENAIRE B: *Non, tu as tort. Moi, j'aimerais habiter dans une petite maison à la campagne.*

Lecture

■ Anticipation

1. Quelles sortes de contes est-ce que les parents racontent à leurs enfants? Pourquoi est-ce qu'on raconte des histoires aux enfants?
2. Quand les parents sont occupés, qu'est-ce qu'ils disent aux enfants de faire?

Ionesco (1909–1994), considered one of the fathers of **le théâtre de l'absurde,** wrote such well-known plays as *La Cantatrice chauve* (1950), *La Leçon* (1950), *Les Chaises* (1952), *Rhinocéros* (1959), and *Le Roi se meurt* (1962).

■ Activités de lecture

Lisez le titre et la première phrase du texte et répondez aux questions suivantes.

1. Quand est-ce que l'histoire a lieu?
2. Où se passe l'histoire?
3. Qui est Josette?
4. Quel âge a-t-elle?

Premier conte pour enfants de moins de trois ans

Eugène Ionesco

knocks 1 Ce matin, comme d'habitude, Josette frappe° à la porte de la chambre à coucher de ses parents. Papa n'a pas très bien dormi. Maman est partie à la campagne pour quelques jours. Alors papa a profité de cette absence pour manger beaucoup de saucisson, pour
pork 5 boire de la bière, pour manger du pâté de cochon°, et beaucoup
won't allow d'autres choses que maman l'empêche° de manger parce que c'est
health / liver pas bon pour la santé°. Alors, voilà, papa a mal au foie°, il a mal à l'estomac, il a mal à la tête, et ne voudrait pas se réveiller. Mais Josette frappe toujours à la porte. Alors papa lui dit d'entrer. Elle
10 entre, elle va chez son papa. Il n'y a pas maman.

    Josette demande: —Où elle est maman?

    Papa répond: Ta maman est allée se reposer à la campagne chez sa maman à elle.

Grandma   Josette répond: Chez Mémée°?

15   Papa répond: Oui, chez Mémée.

    —Écris à maman, dit Josette. Téléphone à maman, dit Josette.

    Papa dit: Faut pas téléphoner. Et puis papa dit pour lui-même: parce qu'elle
somewhere else est peut-être autre part°...

    Josette dit: Raconte une histoire avec maman et toi, et moi.

20   —Non, dit papa, je vais aller au travail. Je me lève, je vais m'habiller.

    Et papa se lève. Il met sa robe de chambre rouge, par-dessus son pyjama, il
*child's pronunciation of **pantoufles*** met les pieds dans ses «poutoufles°». Il va dans la salle de bains. Il ferme la porte
(slippers) de la salle de bains. Josette est à la porte de la salle de bains. Elle frappe avec ses
fists / cries petits poings°, elle pleure°.

25   Josette dit: Ouvre-moi la porte.

nude   Papa répond: Je ne peux pas. Je suis tout nu°, je me lave, après je me rase.

    —Tu rases ta barbe avec du savon, dit Josette. Je veux entrer. Je veux voir.

    Papa dit: Tu ne peux pas me voir, parce que je ne suis plus dans la salle de bains.

    Josette dit (derrière la porte): Alors, où tu es?

30   Papa répond: Je ne sais pas, va voir. Je suis peut-être dans la salle à manger, va me chercher.

runs   Josette court° dans la salle à manger, et papa commence sa toilette. Josette court avec ses petites jambes, elle va dans la salle à manger. Papa est tranquille,
again mais pas longtemps. Josette arrive de nouveau° devant la porte de la salle de
35 bains, elle crie à travers la porte:

Josette: Je t'ai cherché. Tu n'es pas dans la salle à manger.

Papa dit: Tu n'as pas bien cherché. Regarde sous la table.

Josette retourne dans la salle à manger. Elle revient.

Elle dit: Tu n'es pas sous la table.

40 Papa dit: Alors va voir dans le salon. Regarde bien si je suis sur le fauteuil, sur le canapé, derrière les livres, à la fenêtre.

Josette s'en va. Papa est tranquille, mais pas pour longtemps.

Josette revient.

Elle dit: Non, tu n'es pas dans le fauteuil, tu n'es pas à la fenêtre, tu n'es 45 pas sur le canapé, tu n'es pas derrière les livres, tu n'es pas dans la télévision, tu n'es pas dans le salon.

Papa dit: Alors, va voir si je suis dans la cuisine.

Josette court à la cuisine. Papa est tranquille, mais pas pour longtemps.

Josette revient.

50 Elle dit: Tu n'es pas dans la cuisine.

Papa dit: Regarde bien, sous la table de la cuisine, regarde bien si je suis dans le buffet, regarde bien si je suis dans les casseroles, regarde bien si je suis dans le four avec le poulet.

Josette va et vient. Papa n'est pas dans le four, papa n'est pas dans les 55 casseroles, papa n'est pas dans le buffet, papa n'est pas sous le paillasson°, papa n'est pas dans la poche° de son pantalon, dans la poche du pantalon, il y a seulement le mouchoir°.

Josette revient devant la porte de la salle de bains.

Josette dit: J'ai cherché partout. Je ne t'ai pas trouvé. Où tu es?

60 Papa dit: Je suis là. Et papa, qui a eu le temps de faire sa toilette, qui s'est rasé, qui s'est habillé, ouvre la porte.

Il dit: Je suis là. Il prend Josette dans ses bras°, et voilà aussi la porte de la maison qui s'ouvre, au fond du couloir, et c'est maman qui arrive. Josette saute des° bras de son papa, elle se jette° dans les bras de sa maman, elle 65 l'embrasse, elle dit:

— Maman, j'ai cherché papa sous la table, dans l'armoire, sous le tapis, derrière la glace, dans la cuisine, dans la poubelle, il n'était pas là.

Papa dit à maman: Je suis content que tu sois revenue. Il faisait beau à la campagne? Comment va ta mère?

70 Josette dit: Et Mémée, elle va bien? On va chez elle?

doormat

pocket
handkerchief

arms

leaps from / throws herself

■ Expansion de vocabulaire

1. Faites une liste des mots associés à la maison.
2. Faites une liste des ordres (a) que le père donne à Josette et (b) que Josette donne à son père.

■ Compréhension et intégration

1. Que fait la petite Josette tous les matins?
2. Où est sa mère?
3. Pourquoi est-ce que papa a mal?
4. Pourquoi est-ce que papa ne veut pas téléphoner à maman?
5. Où est-ce que papa va pour faire sa toilette?
6. Comment Josette s'occupe-t-elle pendant que son père fait sa toilette?
7. Pourquoi est-ce que papa est content que maman soit revenue?
8. Ionesco écrit cette histoire dans un style d'enfant, avec des répétitions et des expressions enfantines. Trouvez-en quelques exemples.

■ Maintenant à vous!

1. Écrivez un résumé de la routine quotidienne de papa.
2. Avec un(e) camarade, écrivez un résumé de cette histoire.
3. Maintenant que maman est revenue, imaginez la suite de l'histoire. Qu'est-ce qui va se passer?

Voix en direct (suite)

Go to **iLrn** to view video clips of a little girl and a college student talking about their daily routines.

Expression écrite

■ Les camarades de chambre: côté positif, côté négatif

In this writing assignment, after identifying characteristics of good and bad roommates, you will write a letter to a friend describing your present roommate. This friend will then respond with comments and suggestions.

*Lead the class in the brainstorming of the **Première** and **Deuxième** étapes. As students suggest adjectives and actions, write them on the board using the semantic map format.*

PREMIÈRE ÉTAPE: What is the ideal roommate like? Brainstorm adjectives that describe him/her and verbs that indicate what he/she does or does not do.

DEUXIÈME ÉTAPE: Now imagine the worst roommate possible. He/She probably has characteristics that are the opposite of those you already listed. Brainstorm a description of this roommate.

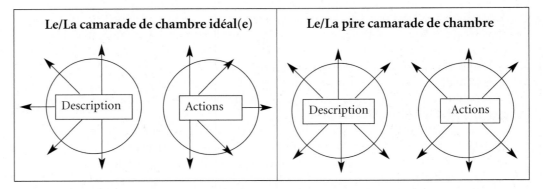

Le/La camarade de chambre idéal(e) — Description — Actions

Le/La pire camarade de chambre — Description — Actions

TROISIÈME ÉTAPE: Now look over the description and underline or highlight those qualities that describe your current (real or imaginary) roommate.

QUATRIÈME ÉTAPE: Write a letter to a classmate in which you describe your roommate. Use the qualities from the semantic map you brainstormed and be sure to mention specific things your roommate does that annoy you in addition to the things you like.

CINQUIÈME ÉTAPE: Exchange your letter with a classmate and read about each other's roommate. Then write a short note back with your reactions, comments, and advice.

Modèle: *Dis-lui qu'il doit ranger sa chambre.*
Rappelle-lui qu'il faut payer sa partie du loyer.
Propose-lui de t'aider avec la vaisselle.
Quelle chance! Ton camarade de chambre est super!

SYSTÈME-D

Phrases:	advising, describing people, expressing opinion or preference, talking about daily routines, talking about habitual actions
Grammar:	adjective agreement, imperative, negation with **ne... pas**, prepositions of location
Vocabulary:	bathroom, bedroom, kitchen, housing, house, garden, furniture, people, personality, toilette

Structure 10.1

Use the **iLrn** platform for more grammar and vocabulary practice.

Describing your daily routine *Les verbes pronominaux (introduction)*

Verbs that are accompanied by a reflexive pronoun are called pronominal verbs, **verbes pronominaux.** Often the action of the verb is reflected back on the subject or, in other words, the action is done *to oneself.* Although in English, "self" is usually not stated, the reflexive pronouns, boldfaced in the examples below, are required in French. The pronouns **me, te,** and **se** become **m', t',** and **s'** before a vowel sound.

Elle **se** lève.	*She gets (herself) up.*
Ils **s'**habillent.	*They are getting dressed (dressing themselves).*
Nous **nous** amusons.	*We're having fun.*

se réveiller *(to wake up)*	
je **me** réveille	nous **nous** réveillons
tu **te** réveilles	vous **vous** réveillez
il/elle/on **se** réveille	ils/elles **se** réveillent

passé composé: je **me** suis réveillé(e)

Here is a list of common pronominal verbs. You will learn more pronominal verbs in **Module 14.**

s'amuser	*to have fun; to enjoy oneself*
se baigner	*to bathe; to go swimming*
se brosser (les dents, les cheveux)	*to brush (one's teeth, hair)*
se dépêcher	*to hurry*
se disputer (avec)	*to argue, quarrel (with)*
se doucher	*to shower*
s'endormir	*to fall asleep*
s'habiller	*to get dressed*
se laver	*to wash up*
se lever	*to get up*
se maquiller	*to put on makeup*
se préparer	*to prepare oneself; to get ready*
se promener	*to go for a walk*
se raser	*to shave*
se réveiller	*to wake up*
se sécher (les cheveux)	*to dry (one's hair)*
se servir de	*to use*

Forming the negative

When forming the negative, the **ne (n')** precedes the reflexive pronoun; **pas** follows the conjugated verb.

Il **ne** se lève **pas** tôt.	*He doesn't get up early.*
Vous **ne** vous couchez **pas** avant minuit.	*You don't go to bed before midnight.*

Specifying a part of the body

Note that when parts of the body are mentioned with pronominal verbs, the definite article is used instead of the possessive adjective.

Il se lave **les** mains.	*He washes **his** hands.*

Forming the *passé composé*

In the **passé composé**, pronominal verbs require the auxiliary verb **être**, which, as you recall, means the past participle agrees with the subject. An exception is made when the past participle is followed by a direct object, such as a part of the body; in this case, there is no agreement.

Marie-Thérèse s'est lavé**e**. ← with agreement
Marie-Thérèse s'est lavé la figure. (no agreement due to direct object **la figure**)
Les enfants se sont séché**s**. ← with agreement
Les enfants se sont séché les cheveux. (no agreement due to direct object **les cheveux**)

Forming questions

For questions, use intonation, the **est-ce que** form, or invert as shown in the examples. Notice that the reflexive pronoun always precedes the verb.

Est-ce qu'il se réveille avant 7h?
Se réveille-t-il avant 7h? } *Does he wake up before 7 o'clock?*

Est-ce qu'il s'est réveillé avant 7h?
S'est-il réveillé avant 7h? } *Did he wake up before 7 o'clock?*

Using the infinitive

When using the infinitive form of reflexives, the reflexive pronoun must agree with the subject.

J'aime **me** lever tard.   *I like to get up late.*
Nous n'allons pas **nous** promener.   *We are not going to go for a walk.*

Comparing reflexive and non-reflexive verbs

Many pronominal verbs can also be used without the reflexive pronouns when the action is directed to someone or something else. Compare the following reflexive and non-reflexive pairs.

Je me réveille à 8h00. Ensuite je réveille mon camarade de chambre.
Daniel lave la voiture. Ensuite il se lave.

I wake up at 8 o'clock. Then I wake up my roommate.
Daniel washes the car. Then he washes up.

■ **Exercice 1.** Complétez ce paragraphe sur la vie d'étudiant avec la forme qui convient du verbe donné entre parenthèses.

Tous les matins, le réveil sonne à 6h45 mais je _____ (1) (ne pas se lever) avant 7h. Puis Paul, mon camarade de chambre, _____ (2) (se lever) et _____ (3) (se doucher). Je _____ (4) (se raser) et je _____ (5) (se brosser) les dents. À 7h30, nous _____ (6) (s'habiller) vite parce que nos amis nous attendent pour aller manger à 8h. La journée est très longue à l'université, mais le soir nous _____ (7) (s'amuser) beaucoup au centre de sport. À 22h, je fais mes devoirs et une heure après, fatigué, je vais _____ (8) (se coucher). Oh là là, heureusement, dans deux mois, c'est les vacances.

■ **Exercice 2.** Est-ce que vous avez vu le film *Amélie*? Complétez l'histoire d'Amélie Poulain, le personnage principal *(main character)*, en choisissant la réponse correcte parmi les options données entre parenthèses.

Amélie (se, te, le) _____ (1) lève tous les jours assez tôt pour aller travailler. D'abord, elle (regarde, se regarde) _____ (2) dans le miroir et elle se brosse (ses, les, des) _____ (3) cheveux. Ensuite, elle va au café des Deux Moulins où elle travaille comme serveuse. Un jour, Amélie (regarde, se regarde) _____ (4) la télé et elle apprend la mort de la Princesse Diana. Elle fait tomber (drops) la bouteille de parfum qu'elle a dans les mains et quand elle ramasse (picks up) les morceaux, elle découvre une petite boîte cachée dans la salle de bains. Elle (lave, se lave) _____ (5) la boîte et elle décide de retrouver son propriétaire. Est-ce que vous (vous, se, nous) _____ (6) levez souvent en pensant à rendre les gens heureux? Amélie décide de changer la vie des autres. Elle ne peut plus (t', m', s') _____ (7) endormir sans penser à tout le bonheur (happiness) qu'elle va apporter autour d'elle.

■ **Exercice 3.** Votre frère passe deux semaines dans un camp d'ados (teen camp). Voici la lettre qu'il vous écrit. Complétez-la avec le passé composé des verbes de la liste.

avoir	se coucher	déjeuner	se dépêcher	écouter
jouer	se lever	prendre	se promener	se reposer

Cher David,

Un grand bonjour de Passy. Ici, tout va bien et il fait un temps magnifique. Je vais te raconter ce qu'on a fait hier puisque tu m'avais demandé de te l'expliquer.

Hier matin, on _____ (1) vers 7h et on _____ (2) le petit déjeuner. Ensuite, nous _____ (3) un cours d'informatique et après nous _____ (4) d'aller au lac pour faire du canotage. A midi, on _____ (5): du poulet et du riz avec une salade et du yaourt, et comme d'habitude, toujours aussi mauvais! Ensuite, nous _____ (6) dans nos tentes pendant une demi-heure. L'après-midi, nous _____ (7) en ville (4 km). Le soir, après le dîner, nous _____ (8) de la musique et moi, j(e) _____ (9) au ping-pong avec mes copains. Vers 22h, tous fatigués, nous _____ (10)! Et voilà comment je passe mon temps!

Grosses bises,

Gérard

Structure 10.2

Organizing your house and your time *Les verbes comme* **mettre**

The verb **mettre** (to put [on]; to place) is an irregular verb.

mettre	(to put [on]; to place)
je mets	nous mettons
tu mets	vous mettez
il/elle/on met	ils/elles mettent

passé composé: j'ai **mis**

M. Jacob met son stylo sur le bureau.	*Mr. Jacob puts his pen on the desk.*
Brigitte a mis son T-shirt bleu.	*Brigitte put on her blue T-shirt.*

Several common expressions use the verb **mettre** or its reflexive form **se mettre.**

mettre la table	*to set the table*
se mettre à table	*to sit down at the table*
mettre en colère	*to make (someone else) angry*
se mettre en colère	*to get angry*
mettre + *time* + pour + infinitif	*to take (time) to do something*

Maurice met la table ce soir.	*Maurice is setting the table tonight.*
Je me mets en colère quand je perds mes clés.	*I get angry when I lose my keys.*
Mon père a mis cinq minutes pour se raser.	*It took my father five minutes to shave.*

Other verbs conjugated like **mettre** are **permettre** (*to allow*), **promettre** (*to promise*), **remettre** (*to put back; to put on again*), and **se remettre** (*to get well*).

Il ne permet pas à sa sœur d'entrer dans sa chambre.
He doesn't allow his sister to go in his room.

J'ai promis à ma camarade de chambre de faire la cuisine.
I promised my roommate I'd cook.

Remets tes jouets dans le placard.
Put your toys back in the closet.

Remets-toi vite.
Get well soon.

■ **Exercice 4.** Quels vêtements met-on dans les circonstances suivantes? Terminez les phrases en employant le verbe **mettre** et un vêtement approprié.

Mots utiles: un imperméable, un short, un pull-over, un manteau, des bottes, des lunettes de soleil, des tennis, des gants *(gloves)*, un jean, un T-shirt, un chapeau, un sweat, un blouson

1. Quand il fait froid, je...
2. Quand il pleut, tu...
3. Quand il fait chaud, mon professeur...
4. Quand il fait du vent, mes amis et moi...
5. Quand il fait du soleil, vous...
6. Quand il neige, les enfants...

■ **Exercice 5.** Sylvie parle de sa petite sœur. Utilisez le présent des verbes de la liste pour compléter le paragraphe.

mettre	se mettre	se mettre à table	permettre	promettre

Je _____ (1) rarement en colère contre ma petite sœur mais parfois elle m'énerve. Je ne lui _____ (2) pas d'entrer dans ma chambre mais elle adore y entrer en cachette *(secretly)* pour _____ (3) mes nouveaux vêtements. Elle me _____ (4) toujours de ne pas écouter mes conversations avec mon petit ami mais je sais qu'elle nous espionne discrètement au téléphone. Et quand on _____ (5) le soir, elle aime raconter tous mes secrets à nos parents. Oh, les sœurs, quelles pestes!

■ **Exercice 6.** Jim et sa petite amie se sont disputés. Il raconte ce qui lui est arrivé. Complétez la conversation avec la forme qui convient des verbes **mettre, se mettre, remettre** ou **promettre.** Utilisez le passé composé.

JIM: Comme tu sais bien, j'avais invité Céleste à dîner et je voulais faire une bonne impression. Alors j(e) _____ (1) une heure à faire ma toilette. Céleste allait arriver chez moi à 8h00 mais elle est arrivée 30 minutes en retard.

SON AMI: Elle est souvent en retard, n'est-ce pas?

JIM: Oui, et quand je lui ai dit que je n'étais pas content, elle _____ (2) en colère.

SON AMI: Ah oui? Et après?

JIM: Bon, elle _____ (3) son manteau et elle est partie! Nous n'avons même pas mangé le dîner que tu m'avais aidé à préparer. Tu _____ (4) la table pour rien! Et moi, je n'avais plus faim. J(e) _____ (5) tout le repas au frigo. Mais une heure plus tard, elle m'a téléphoné et elle m(e) _____ (6) de ne plus se mettre en colère.

Structure 10.3

Making requests *L'impératif (suite)*

In **Module 7,** you learned how to form the **impératif,** or the command form.

Achète du pain.	*Buy some bread.*
Prenez le bus.	*Take the bus.*

When pronouns are used with commands, follow these guidelines.

Affirmative commands

In affirmative commands, the pronoun follows the verb and is connected to it in writing by a hyphen.

Passe-moi le journal, s'il te plaît.	*Pass me the newspaper, please.*
Ton père veut te parler. **Téléphone-lui** ce soir.	*Your father wants to talk to you. Call him tonight.*

When the pronoun is **y** or **en,** the affirmative **tu** command form always ends in an **s** and is pronounced with a liaison. Compare the following pairs of commands.

Va en cours.	*Go to class.*
Vas-y.	*Go ahead.*
Prends des fruits.	*Have some fruit.*
Prends-en.	*Eat some.*

In commands with pronominal verbs, the pronouns follow the same word order. Note that **me** and **te** become **moi** and **toi** after verbs in affirmative commands.

Brossez-vous les dents avant de vous coucher, les enfants.	*Children, brush your teeth before going to bed.*
Dépêche-toi! Tu es en retard.	*Hurry-up! You're late.*

Negative commands

In negative commands, place the pronoun before the verb.

Ne me téléphonez pas avant sept heures.	*Don't call me before seven o'clock.*
Ne vous endormez pas en classe.	*Don't fall asleep in class.*
—Je peux avoir des biscuits?	*—Can I have some cookies?*
—**Non, n'en mange pas** avant le dîner.	*—No, don't eat any before dinner.*

Softening commands by making requests

Because a direct command has strong connotations, it is often more appropriate to soften your request. You have already learned how to communicate a need with **il faut** + *infinitif* and to make a suggestion using **on**.

Il faut arriver à l'heure.	*You have to arrive on time.*
On part maintenant?	*Shall we leave now?*

Here are two strategies to "soften" requests.

- Use the **nous** form of the imperative to say *Let's*.

Allons-y! Nous sommes en retard.	*Let's go! We're late.*
Faisons le lit.	*Let's make the bed.*

- Use the verb **vouloir** to make the request indirectly.

Tu veux bien m'aider à vider les poubelles?	*Do you want to help me empty the wastebaskets?*
Vous voulez faire la vaisselle aujourd'hui?	*Would you do the dishes today?*

■ **Exercice 7.** Vous et vos colocataires allez faire les courses. Reformulez les phrases en utilisant l'impératif.

1. Veux-tu te dépêcher? On t'attend.
2. Il faut fermer la porte à clé.
3. On prend le bus.
4. On achète les provisions à l'épicerie Dupont.
5. Tu veux aller chercher le jus d'orange? Moi, je m'occupe du pain.
6. Il ne faut pas se disputer. Cette marque *(brand)* est aussi bonne que l'autre.
7. Il faut payer avec ton argent. J'ai payé la dernière fois.

■ **Exercice 8.** Vos copains vous parlent de leurs problèmes personnels.

A. Donnez-leur des instructions logiques et directes en utilisant l'impératif des verbes pronominaux entre parenthèses.

Modèle: Nous sommes très fatigués après cette longue promenade. (se reposer)
    Reposez-vous.

1. Nous arrivons toujours en retard à notre cours de 9h. (se lever)
2. Ma petite amie me trouve beau avec cette barbe. (se raser)
3. J'ai réparé ma voiture et j'ai les mains très sales. (se laver les mains)
4. Je suis toujours très fatigué le matin. (se coucher)
5. Il pleut et nous sommes tout mouillés *(wet)*. (se sécher)
6. Nous avons rendez-vous chez le dentiste dans une heure. (se brosser les dents)

B. Maintenant, dites la même chose à vos amis mais cette fois-ci, utilisez des stratégies pour rendre les ordres moins forts.

Structure 10.4

Using negative expressions *Les expressions négatives*

In addition to **ne... pas,** French has several negative expressions. In the following chart, these negatives are paired with the corresponding affirmative terms.

affirmatives		négatives	
toujours	*always*	**ne... jamais**	*never*
toujours, encore	*still*	**ne... plus**	*no longer, no more*
déjà	*already*	**ne... pas encore**	*not yet*
quelque chose	*something*	**ne... rien**	*nothing*
quelqu'un	*someone*	**ne... personne**	*no one*
... et/ou...	*. . . and/or . . .*	**ni... ni**	*neither . . . nor*

Elle est **toujours** à l'heure mais son mari **n'**est **jamais** à l'heure.

*She is **always** on time but her husband is **never** on time.*

Il habite **toujours** à Montréal mais ses parents **n'**y habitent **plus.**

*He **still** lives in Montreal but his parents do not live there **any longer.***

Tu as **encore** de l'argent mais tu **n'**as **plus** de chèques de voyage.

*You **still** have some money but you don't have **any more** traveler's checks.*

—As-tu **déjà** vu ce film?
—Non, je **ne** l'ai **pas encore** vu.

—*Have you **already** seen this movie?*
—*No, I have**n't** seen it **yet.***

—Vous avez dit **quelque chose**?
—Non, je **n'**ai **rien** dit.

—*Did you say **something**?*
—*No, I did**n't** say **anything.***

—Vous connaissez **quelqu'un** ici?
—Non, je **ne** connais **personne.**

—*Do you know **anyone** here?*
—*No, I do**n't** know **anybody.***

—Vous avez un crayon **ou** un stylo?
—Non, je n'ai **ni** crayon **ni** stylo.

—*Do you have a pencil **or** a pen?*
—*No, I have **neither** a pencil **nor** a pen.*

Note that the placement of these elements in the **passé composé** is similar to **ne... pas. Personne,** however, follows the complete verb.

Il **n'**a **rien** acheté.
Il **n'**a vu **personne.**

He didn't buy anything.
He didn't see anybody.

Rien and **personne** can also be used as the subject of a verb.

Rien ne va.
Personne n'est à la maison.

Nothing is going right.
Nobody is home.

The expression **ne... que** expresses a limitation rather than negating the verb; the English equivalent is *only* or *nothing but*. Notice that the **que** precedes whatever "only" refers to.

Il **n**'a **qu**'une sœur.	*He has only one sister.*
Elle **ne** fait **que** se plaindre.	*She does nothing but complain.*

The negative form of the common expression **Moi aussi** is **Moi non plus.**

—J'aime me promener.	*—I like to go for walks.*
—**Moi aussi.**	*—Me too.*
—Je n'aime pas me dépêcher.	*—I don't like to hurry.*
—**Moi non plus.**	*—Me neither.*

To contradict a negative statement or question, use **si.**

—Tu n'aimes pas faire la cuisine?	*—You don't like to cook?*
—**Si,** j'aime ça!	*—Yes, I do.*

■ **Exercice 9.** Emmanuelle et sa sœur Émilie ne se ressemblent pas du tout. Complétez les phrases suivantes en remplaçant l'expression en italique par l'expression négative correspondante. Ou bien utilisez **non plus** ou **mais si.**

1. Emmanuelle est très ordonnée et sa chambre est *toujours* bien rangée. La chambre d'Émilie par contre...
2. *Tout le monde* téléphone à Émilie pour l'inviter à sortir. Au contraire,...
3. Émilie habite *toujours* chez ses parents mais Emmanuelle...
4. Emmanuelle travaille pour une entreprise internationale et gagne *beaucoup d'argent*. Émilie ne travaille pas et elle...
5. Émilie a *déjà* un rendez-vous pour le week-end. Sa sœur...
6. Je ne peux pas imaginer deux sœurs plus différentes. Et toi?
7. Les deux sœurs ne s'entendent pas *(do not get along)* bien? ... elles s'entendent bien!

■ **Exercice 10.** Remplacez l'adverbe **seulement** par l'expression **ne... que.**

1. J'ai seulement une sœur.
2. Vous êtes seulement arrivé hier?
3. Tu veux seulement te reposer en regardant la télé?
4. J'aime toi seulement.
5. Ils vont seulement au supermarché.

■ Tout ensemble!

Claudine Dubois est une mère divorcée avec deux enfants. Elle travaille comme agent immobilier à Lyon. Voici une journée typique de Claudine. Complétez le passage avec les éléments suivants.

chambre	qu(e)	s'habiller
cuisine	réveiller	se doucher
four à micro-ondes	salle de bains	se réveiller
frigo	se sécher	se maquiller
jamais	se dépêcher	
leur	se lever	

Claudine _____ (1) à 6h30 du matin et elle écoute la radio pendant quelques minutes allongée au lit. Puis, elle _____ (2) et elle va à la _____ (3) où elle _____ (4). (Elle aime l'eau très chaude.) Après sa douche, elle _____ (5) les cheveux. Elle passe beaucoup de temps à faire sa toilette, car elle doit avoir l'air chic et professionnel pour ses clients. Elle _____ (6) devant le miroir: du rouge à lèvres et un peu d'eye-liner. Elle _____ (7), généralement en tailleur, et ensuite elle va dans la _____ (8) où dorment ses enfants et elle les _____ (9). Une fois que les enfants sont réveillés, elle va dans la _____ (10) pour préparer le petit déjeuner. Il y a toujours du jus d'orange et du lait dans le _____ (11). Parfois, elle réchauffe (reheats) du café dans le _____ (12) car ça ne prend _____ (13) une minute. Les enfants n'ont _____ (14) assez de temps pour se préparer avant de partir pour l'école. Tout le monde est pressé. Claudine _____ (15) dit de _____ (16) car le bus est à 7h30. Puis Claudine part pour son bureau.

Structures utiles

❀ Vocabulaire

■ Vocabulaire fondamental

Noms

La maison — *The house*

un balcon	*a balcony*
une cheminée	*a fireplace*
un couloir	*a hallway*
une cour	*a courtyard*
une cuisine	*a kitchen*
une entrée	*an entryway*
un escalier	*a staircase*
un garage	*a garage*
une pièce	*a room*
le premier étage	*the first floor (American second floor)*
le rez-de-chaussée	*the ground floor (American first floor)*
une salle à manger	*a dining room*
une salle de bains	*a bathroom*
une salle de séjour	*a living room*
une terrasse	*a patio*
les W.-C. (m pl)	*a half-bath*

Les meubles et les appareils ménagers — *Furniture and appliances*

une armoire	*a freestanding closet*
un buffet	*a buffet*
un canapé	*a couch, sofa*
une commode	*a chest of drawers*
un fauteuil	*an armchair*
un four (à micro-ondes)	*a(n) (microwave) oven*
un lavabo	*a (bathroom) sink*
un réfrigérateur (un frigo, fam)	*a refrigerator*
une table basse	*a coffee table*
des toilettes (f pl)	*toilet, lavatory*

Les parties du corps — *Parts of the body*

les dents (f pl)	*teeth*
la figure	*face*
la main	*hand*

Verbes

La routine quotidienne — *Daily routine*

s'amuser	*to have fun; to enjoy oneself*
se brosser (les dents)	*to brush (one's teeth)*
se coucher	*to go to bed*
se dépêcher	*to hurry*
se disputer (avec)	*to argue, quarrel (with)*
se doucher	*to shower*
s'endormir	*to fall asleep*
s'habiller	*to get dressed*
se laver	*to wash up*
se lever	*to get up*
se maquiller	*to put on makeup*
se préparer	*to prepare oneself; to get ready*
promener (le chien)	*to walk (the dog)*
se promener	*to go for a walk*
se raser	*to shave*
se reposer	*to rest*
se réveiller	*to wake up*
se servir de	*to use*

Les tâches ménagères — *Household chores*

faire la lessive	*to do the laundry*
faire le lit	*to make the bed*
faire la vaisselle	*to do the dishes*
passer l'aspirateur	*to vacuum*
ranger	*to straighten up; to organize*
vider la poubelle	*to empty the garbage*

Verbes divers

déménager	*to move (out)(change living quarters)*
manquer	*to miss*
mettre	*to put (on); to set (the table)*
se mettre en colère	*to get angry*
permettre	*to allow*
promettre	*to promise*
remettre	*to put back; to put on again*
se remettre	*to get well*

Adjectifs

chaque	*each*
énervé(e)	*irritated*
sale	*dirty*

Mots divers

une fois	*one time, once*
une journée	*a day*
même	*even*
une salle de sports	*a gym*

Mots apparentés: une lettre, un ordre, un problème

Les expressions affirmatives — *Affirmative expressions*

encore	*still*
toujours	*always; still*

Les expressions avec ne — *Expressions with ne*

ne... jamais	*never*
ne... ni... ni	*neither . . . nor*
ne... pas encore	*not yet*
ne... personne	*no one*
ne... plus	*not any longer*
ne... que	*only*
ne... rien	*nothing*

Expressions utiles

Comment trouver le mot juste — *How to say the right thing*
(See additional expressions on p. 298.)

Bonne chance!	*Good luck!*
Félicitations!	*Congratulations!*
Repose-toi.	*Rest up.*

Comment se plaindre — *How to complain*
(See additional expressions on p. 300.)

Ça m'énerve.	*That gets on my nerves.*
Il ne fait jamais son travail.	*He never does his work.*
Je n'en peux plus.	*I can't take it any longer.*
Personne ne me comprend.	*Nobody understands me.*
Rien ne va.	*Nothing is going right.*

■ Vocabulaire supplémentaire

Noms

une barbe	*a beard*
une brosse (à dents)	*a (tooth)brush*
une cuisinière	*a stove*
un évier	*a (kitchen) sink*
un HLM (une habitation à loyer modéré)	*low-cost government housing (high-rise)*
un mas	*a typical Provençal house*
des qualités (*f pl*)	*advantages*
un rasoir (électrique)	*a(n) (electric) razor*
un réveil	*an alarm clock*
le rouge à lèvres	*lipstick*
un sèche-cheveux	*a hairdryer*
une serviette de bain	*a towel*
le shampooing	*shampoo*
le sous-sol	*the basement*
une station (de métro)	*a (metro) stop*

Verbes

s'adapter	*to adapt*
s'arranger	*to work out*
arriver	*to happen*
conduire	*to drive*
débarrasser la table	*to clear the table*
faire sa toilette	*to wash up; to get dressed*
s'installer	*to settle down, to move in*
passer le balai	*to sweep*
passer la tondeuse	*to mow the grass*
se remettre	*to get well*
se sécher (les cheveux)	*to dry (one's hair)*

Adjectifs

disponible	*available*
prêt(e)	*ready*
quotidien(ne)	*daily*
rangé(e)	*organized*
tout confort	*luxury*

Mot divers

en désordre	*untidy, disorderly*

Voyager en France

This chapter will provide you with an insider's view of France, its distinctive regions and its world-renowned capital, Paris. You will learn tips for travel on a student budget, and expressions for asking for directions and for

Module 11

reserving a room in a hotel. You will also explore the question of national identity and look at some French attitudes towards the United States. ❊

Thème: L'identité française

Structure 11.4: Talking about what you see and what you believe *Les verbes voir et croire*

Perspectives culturelles: La culture française face à l'Amérique

À lire, à découvrir et à écrire

Lecture: *Le Message* de Jacques Prévert

iLrn™ Voix en direct (suite)

Expression écrite: Composez votre propre poème!

La France, c'est... Do a quick association game with the word **France**. Discuss the source of these impressions (films? advertisements?, etc.): **Fermez les yeux et imaginez la France. Quelles images est-ce que vous voyez? La tour Eiffel? Est-ce que la tour Eiffel est célèbre? Où l'avez-vous vue? Sur des cartes postales? dans des livres? Quels autres monuments avez-vous vus? L'Arc de Triomphe? Et qu'est-ce que vous voyez à part les monuments? Donc la France, c'est la tour Eiffel; c'est des gens assis autour de petites tables à la terrasse d'un café...**

Suggestion for photos with captions: Have students look at the photos while you describe them, mentioning your own experiences and impressions: **Regardez la photo de Beaubourg. Vous pouvez voir tous les jeunes qui se réunissent devant le musée pour écouter les musiciens, regarder les jongleurs, les mimes... C'est un bon endroit pour rencontrer d'autres étudiants. Regardez la pyramide du Louvre. Est-ce que vous aimez cette construction moderne dans la cour de l'ancien palais?**

Suggestions for *Notez et analysez:* Write the base forms of the regular verbs provided by the students on the board and write out two or three sentences. Then write the base form of **avoir, être, pouvoir,** and **voir** on the board with one sentence each. To conjugate one verb with the future endings, ask students about their future plans. Write their answers on the board or on a transparency: **Est-ce que vous serez en France cet été? Non? Casey ne sera pas en France. Alors, où est-ce que vous serez cet été, Casey? Moi, par exemple, je serai ici à Chicago.** Write out these sentences on the board. Then ask: **Est-ce qu'il y a une autre façon de parler du futur? Oui, le futur proche. On peut dire: «Je vais être en France» ou «je serai en France». Le futur est un peu plus formel que le futur proche.**

Paris, j'aime!

Depuis des siècles, la France et Paris, sa capitale, exercent une attraction mythique dans le monde entier. L'importance et le prestige de Paris dépassent ceux de toutes les autres capitales. Grâce à une longue tradition de centralisation, la capitale domine tous les aspects de la vie française: culturel, économique et politique. Pour le touriste qui y arrive pour la première fois, Paris est une ville-musée, pleine de monuments et de bâtiments anciens, une ville imaginée à travers les livres, les publicités *(ads)* et les cartes postales. Mais c'est aussi une ville tournée vers l'avenir. Sa perspective moderne est évidente dans son architecture contemporaine qui apparaît à côté de vieux bâtiments dans ses quartiers historiques. Paris, c'est le parfait équilibre entre la tradition et le modernisme.

Quelles sont vos impressions de Paris? Pour vous, est-ce que Paris exerce une attraction mythique? Pourquoi ou pourquoi pas? Êtes-vous d'accord avec la phrase «Paris, c'est le parfait équilibre entre la tradition et le modernisme»? Pourquoi ou pourquoi pas?

Structure 11.1

Talking about the future *Le futur*

You have already learned to use the **futur proche.** This **thème** introduces the **futur,** another future tense. See pages 340–341 for further information on this tense and its forms.

■ Notez et analysez

First study the captions beneath the photos of Paris on the next two pages for suggestions about places to visit. Then read them over again, focusing on the verbs in boldface. What is the base form of the future tense of the verbs **voir, observer, trouver, entrer, avoir,** and **amuser?** Which verbs have irregular base forms? Jot them down.

Quand vous serez à Paris...

Le musée d'Orsay possède des œuvres de la seconde moitié du 19e siècle, de 1848 à 1914. Vous y **verrez** la plus grande collection d'art impressionniste du monde.

N'oubliez pas de visiter le musée du Louvre, l'ancien palais des rois, où vous **trouverez** la Joconde *(Mona Lisa)*. Il y **aura**, sans doute, une foule de gens assemblée devant ce petit tableau.

Passez un moment agréable sur la place devant le centre culturel Pompidou, appelé Beaubourg. Vous y **verrez** des mimes, des musiciens, des acrobates et des cracheurs de feu *(fire eaters)* qui vous **amuseront.** Quand vous **entrerez** dans le musée, vous **verrez** des œuvres de Man Ray et Matisse.

Le Quartier latin, avec ses cafés, ses librairies et ses universités, est le centre des étudiants de Paris. Si vous vous asseyez à la terrasse d'un café, vous **observerez** toutes sortes de gens intéressants qui passent dans la rue.

Si vous désirez visiter un quartier riche en diversité ethnique qui vous **offrira** un beau panorama de Paris, montez au Sacré-Cœur.

Avant de descendre dans les petites rues animées de Montmartre, promenez-vous sur la place du Tertre où des «artistes» **offriront** de peindre *(paint)* votre portrait.

Faites une balade sur l'avenue des Champs-Élysées. Au bout de cette grande avenue avec ses cafés, ses salles de cinéma et ses magasins célèbres tels que Louis Vuitton et Sephora, vous **aurez** une vue de l'Arc de Triomphe jusqu'à la pyramide du Louvre. Ne soyez pas choqué par la présence de MacDo, de Burger King et même de Pizza Hut sur ce boulevard qui est devenu très commercialisé.

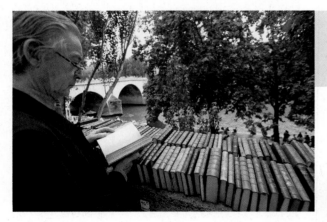

Flânez le long des quais de la Seine, le nez dans les «boîtes» des bouquinistes. Ici, vous **pourrez** feuilleter *(to leaf through)* des éditions rares et des collections de gravures *(engravings)* de toutes sortes, des estampes, des affiches...

Le Marais offre des plaisirs au promeneur. Vous **pourrez** découvrir des petites boutiques ouvertes le dimanche, chose rare à Paris! Reposez-vous sur la terrasse d'un café ou faites une escale *(make a stop)* au musée Picasso. Avant de vous reposer dans le parc au centre de la place des Vosges, ex-place Royale, visitez le musée d'Art et d'Histoire du judaïsme.

Plan Paris-Loisirs

Activité 1: Itinéraire touristique

En vous servant des photos des monuments de Paris aux pages 318–320 et du plan Paris-Loisirs ci-dessus, indiquez où iront les touristes suivants en employant le futur des verbes donnés.

Modèle: M. Tognozzi aime les courses de chevaux *(horse racing)*. Il (aller)…
Il ira à l'Hippodrome d'Auteuil.

1. M. et Mme Schmitz veulent visiter la tour qui est devenue le symbole de Paris. Ils (monter)…
2. Mme Tanaka adore les peintres impressionnistes. Elle (visiter)…
3. Ses enfants, Yuki et Noriko, préfèrent jouer au parc. Ils (aller)…
4. Vous voulez prendre un goûter dans un café élégant, tout en regardant *(while looking at)* l'Arc de Triomphe. Vous (prendre) un café…
5. Je n'aime pas tellement les musées ni les monuments. Je préfère me détendre dans le quartier des étudiants. Je (passer) la journée…
6. Geraldo aime le théâtre de rue. Il (regarder) les mimes et les musiciens…
7. Ma mère veut regarder des gravures et des estampes. Elle (passer) la journée…
8. Nous ne voulons pas quitter Paris sans voir la Joconde. Cet après-midi, nous (visiter)…

Réfléchissez et considérez

Think about how you might stop someone and ask for directions or other tourist information. What would you say to get their attention and gain their sympathetic ear? The expression «**Est-ce que je peux vous déranger?**» is an open sesame for approaching a stranger for help. Write down three ways to politely ask for information in English. Are there equivalents in French? Notice also that in giving directions, French speakers often substitute other forms for the imperative. Do you find examples of this here?

Réponses: «Est-ce que je peux vous déranger?» est une phrase essentielle pour demander des renseignements. Il faut la mémoriser pour être un touriste poli! Pour éviter l'impératif, il y a deux stratégies. On peut utiliser la forme vous: «Vous quittez la gare…» ou on peut utiliser une forme du futur: «Vous allez traverser la place…».

Comment se repérer en ville

Quelques expressions utiles

La première chose à dire avant de demander un renseignement

Pardon, monsieur / madame/ mademoiselle…

Est-ce que je peux vous déranger?

Pour demander son chemin

Pourriez-vous me dire où se trouve le Louvre?

S'il vous plaît, où se trouve le Louvre?

Pardon, monsieur, le Louvre, s'il vous plaît?

Dans quelle direction est le Louvre?

C'est loin / près d'ici?

Pour indiquer le chemin

Vous quittez la gare et vous allez vers le centre-ville.

Prenez le boulevard…

Continuez tout droit *(straight ahead)*.

Tournez à gauche sur le boulevard… à droite dans la rue…

Vous allez jusqu'au bout *(end)* de la rue. jusqu'à la rue…

Vous allez traverser la place et l'Opéra Bastille est en face de vous.

Plan de Paris, Galeries Lafayette

CD2, Track 13

■ **Écoutons ensemble! Pardon monsieur, je cherche...**

Réponse: le Palais de l'Élysée

Un touriste vient de faire ses achats aux Galeries Lafayette. Maintenant, on lui explique comment aller à sa prochaine destination. Où veut-il aller? Regardez la carte à la page 322. Écoutez les explications et choisissez parmi les destinations suivantes: **la gare Saint-Lazare, l'Hôtel de Ville, le Palais de l'Élysée, le musée du Louvre, le musée d'Orsay, l'Opéra Bastille.**

■ **Activité 2: Quelle destination?**

Réponses: 1. l'Opéra Garnier 2. le musée du Louvre 3. la gare Saint-Lazare

Vous êtes aux Galeries Lafayette (voir page 322). Suivez les instructions et donnez la destination finale.

1. Mais il est tout près! Vous sortez du magasin et vous traversez le boulevard Haussmann. Il est juste en face. L'entrée du bâtiment se trouve sur la place de l'Opéra.
2. Vous quittez le magasin et vous traversez le boulevard Haussmann. Continuez jusqu'à la place de l'Opéra. Vous traversez le boulevard des Capucines et vous suivez l'avenue de l'Opéra jusqu'à la rue de Rivoli. Il sera devant vous.
3. Ce n'est pas loin. Vous sortez du magasin et vous prenez le boulevard Haussmann à droite. À la rue de Rome, vous tournez à droite à nouveau *(again)*. Vous la verrez devant vous.

■ **Activité 3: Jouez la scène.**

Demandez à l'agent de police devant le musée d'Orsay comment aller aux endroits indiqués. Suivez le modèle avec un(e) partenaire.

Modèle: le Jardin des Tuileries
—*Pourriez-vous me dire où se trouve le Jardin des Tuileries?*
—*Bien sûr, mademoiselle. Vous prenez le quai Anatole France jusqu'au pont Solferino. Tournez à droite et traversez le pont. Continuez tout droit et le jardin sera juste devant vous.*

1. l'Hôtel de Ville
2. le Grand Palais
3. le Centre Pompidou
4. le Louvre
5. la place Vendôme

■ **Activité 4: Soyez prêt(e) à tout!**

Museums in Paris are frequently closed on Tuesday.

Complétez les phrases suivantes en disant ce que vous ferez pendant votre voyage dans les situations données.

Modèle: Si tous les musées sont fermés le mardi...
Si tous les musées sont fermés le mardi, je passerai la journée dans les cafés du Quartier latin.

1. S'il pleut...
2. Si les restaurants sont trop chers...
3. Si je suis invité(e) chez une famille française...
4. S'il fait très chaud...
5. S'il y a beaucoup de touristes...
6. Si je perds ma carte de crédit...
7. Si nous ne pouvons pas trouver l'hôtel...

La maison de Monet à Giverny

Sites touristiques dans la région parisienne

■ Activité 5: Une semaine dans la région parisienne

Avec un(e) camarade, choisissez votre itinéraire dans la région parisienne. Où irez-vous chaque jour de votre visite?

Suggestions: acheter, admirer, assister à, faire, regarder, rester, visiter

Modèle: —*Où est-ce que tu iras le premier (deuxième, troisième) jour? Qu' est-ce que tu y feras?*
   —*Je visiterai la maison de Monet. J'admirerai les beaux jardins.*

Paris	le musée du Louvre	la Joconde
	le Quartier latin	une promenade
	le musée d'Orsay	l'art impressionniste
	Roland-Garros	un match de tennis
	le Marais	un pique-nique sur la place des Vosges
Giverny	la maison de Monet	ses beaux jardins
Versailles	le château	la galerie des Glaces

■ Activité 6: Votre prochain voyage

Interviewez votre camarade sur son prochain voyage.

1. Où est-ce que tu iras?
2. Avec qui voyageras-tu? Comment?
3. Pendant quelle saison voyageras-tu? Pourquoi?
4. Qu'est-ce que tu y feras?
5. Pendant combien de temps y resteras-tu?
6. Est-ce que tu logeras à l'hôtel? dans une auberge de jeunesse? Feras-tu du camping?

Voyager pas cher

Structure 11.2

Finding out what you need and asking for information *Avoir besoin de et les mots interrogatifs (suite)*

The expression **avoir besoin de** is introduced here in the context of travel needs. See pages 342–343 for an explanation of this structure and a presentation of interrogative pronouns.

■ **Notez et analysez**

Look over the mini-dialogue. What follows **avoir besoin de** before nouns you can count, before nouns you can't count, and before an infinitive? Find the other French expression that is roughly equivalent to **avoir besoin de.**

—**De quoi** a-t-on **besoin** pour voyager en France?
—On **a besoin d**'un passeport, et bien sûr, on **a** toujours **besoin d**'argent. Si vous logez dans un hôtel à Paris en été, vous **aurez besoin d**'une réservation.
—Est-ce qu'il est nécessaire de savoir parler français?
—On n'**a** pas **besoin de** parler français, mais c'est un grand avantage.

Le transport

Le métro
Avec la formule **Paris Visite,** vous pouvez voyager cinq jours en métro. Si vous comptez rester un mois à Paris, achetez une carte Orange. Cette carte vous permet d'utiliser tous les transports en commun sans limitation du nombre des voyages.

Le train
Profitez de votre jeunesse! Achetez un **Eurailpass étudiant** à votre agence de voyages aux États-Unis pour obtenir des tarifs réduits dans les trains. Il y a aussi **la carte Jeune** et **la carte Inter-Rail,** mais elles sont réservées aux Européens.

Le vélo
Le vélo est un excellent moyen de transport pour le touriste qui veut prendre le temps d'apprécier la nature. C'est aussi parfait pour rencontrer des gens et pour visiter les lieux impraticables en voiture. D'autres avantages: le vélo ne consomme pas d'essence et ne coûte pas cher. Des vélos de location *(for rent)* sont souvent disponibles à la gare.

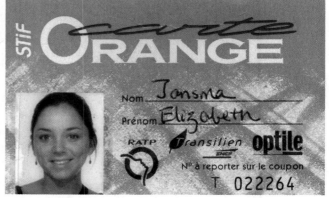

Suggestion for introducing **avoir besoin de:** Before having students read these suggestions for economical travel, find out who would like to travel to France. Then ask: **Est-ce que vous avez beaucoup d'argent pour ce voyage? Non? Vous êtes comme la majorité des étudiants qui voyagent en Europe sans beaucoup d'argent. C'est normal. Voici quelques bonnes suggestions pour l'étudiant qui veut voyager pas cher.** Then read aloud the suggestions for student travel.

Suggestions for *Notez et analysez:* Write out students' answers on the board or on a transparency: **1. On a besoin d'un passeport. 2. On a besoin d'une réservation. 3. On a besoin d'argent.** Students were introduced to the notion of count and non-count nouns when they studied the partitive in **Module 7.** Have students add another item to the count and non-count lists to verify their comprehension of these categories, e.g., **On a besoin de patience pour être un bon touriste. On a besoin d'une bonne carte.** Elicit an expression with the infinitive: **Oui. On a besoin de patience. Ça veut dire, on a besoin d'être patient(e).**

L'hébergement

Les auberges de jeunesse

La carte de la Fédération unie des auberges de jeunesse vous permet de fréquenter 5 000 auberges dans plus de cinquante pays! Le prix? Moins de 12 euros par nuit! L'atmosphère est généralement assez austère mais on y rencontre beaucoup de jeunes voyageurs du monde entier. Attention, les auberges ont parfois des couvre-feux *(curfews)*.

Le camping

La France vous offre un grand nombre de terrains de camping aménagés *(full-service campgrounds)*. Ils se trouvent près des centres urbains aussi bien qu'à la campagne. Venez en caravane ou apportez votre tente et votre sac de couchage *(sleeping bag)*.

Les repas

Les restos-U

Pour des repas à des prix très modestes, essayez les restaurants universitaires. Le **ticket repas** coûte environ 2,70 euros. Renseignez-vous au CROUS (Centre régional des œuvres universitaires et scolaires).

Les boulangeries-pâtisseries

Pour un sandwich, c'est pratique d'aller dans une boulangerie-pâtisserie. Elles y préparent de bons sandwiches à emporter *(take out)*. Et pourquoi pas acheter un petit gâteau comme dessert? Installez-vous dans un parc ou au bord de la Seine et régalez-vous *(enjoy your feast)*!

Les activités

Les musées

Une carte d'étudiant internationale vous donne droit à des réductions dans beaucoup de musées. Vous pouvez aussi acheter une carte de musées et monuments qui vous donne le droit de visiter plus de 63 musées à Paris et dans ses environs sans faire la queue *(waiting in line)*.

Le cinéma

Le tarif est réduit pour les étudiants tous les jours sauf le vendredi, le samedi et les jours fériés.

Les boîtes de nuit

Hélas pour les clubs, pas de réduction et les prix sont chers dans les clubs branchés *(trendy)* (les Bains, le Queen, le Duplex). Dansez toute la nuit au son de la musique techno, salsa, groove, soul ou house. Tenue chic de rigueur *(fashionable attire required)*!

Les promenades en roller

Pour les courageux qui savent bien faire du roller, il y a des promenades toute l'année, sauf en cas de pluie. On part le vendredi soir à 22h00 pour 3 heures de balade parisienne en roller.

Paris-Plage

Aux mois de juillet et d'août, c'est Paris-Plage. Oui! Pour ceux qui ne peuvent pas aller à la plage, la plage vient chez eux! Les bords de la Seine se transforment miraculeusement en plage: palmiers, sable *(sand)*, cabines de bain, pistes de danse *(dance floors)*. La place devant l'Hôtel de Ville se transforme en courts de beach volley le jour et en lieu de festival du cinéma à la belle étoile *(under the stars)* la nuit. Tout est gratuit!

Complétez les phrases suivantes avec les informations nécessaires.

1. Pour voyager en train à tarif réduit, on a besoin d'un _____.
2. Pour voyager en métro pendant un mois, on a besoin d'une _____.
3. Les touristes sportifs qui aiment la nature et la tranquillité peuvent voyager _____.
4. Pour faire du camping en France, on a besoin d'une _____ ou d'une caravane.
5. Pour loger dans une auberge de jeunesse, on a besoin d(e) _____.
6. Les repas dans les restos-U ne sont pas chers, mais on a besoin d'acheter un _____ à 2,70 euros.
7. Hélas! Pour aller dans les clubs, on a besoin de _____ des vêtements assez chics.

■ **Activité 8: À discuter**

Répondez aux questions suivantes.

1. Quels sont les avantages de voyager à vélo?
2. Quelles sont les options pour le voyageur qui ne veut pas payer cher pour une chambre d'hôtel?
3. Quels sont les avantages et les inconvénients de loger dans une auberge de jeunesse?
4. Quels sont les tarifs spéciaux offerts aux étudiants ou aux jeunes?
5. Où est-ce qu'on peut acheter un sandwich à emporter (take out)?

■ **Activité 9: Des renseignements**

Un ami qui part en vacances vous pose des questions sur le voyage que vous venez de faire. Trouvez la bonne réponse pour chaque question.

1. Avec qui est-ce que tu as voyagé?

2. Où est-ce que tu as obtenu ta carte pour les auberges de jeunesse?

3. De quoi a-t-on besoin pour payer moins cher l'entrée dans les musées?

4. Tu as parlé à qui quand tu as perdu ton porte-monnaie (wallet)?

5. Pendant toute la période de ton voyage, tu n'as jamais eu le mal du pays (homesickness)?

6. Tu restes sur place (stay put) maintenant ou tu penses repartir bientôt?

a. À mon père. Il m'a envoyé de l'argent à Londres. Et j'ai dû annuler (cancel) ma carte bancaire.

b. Euh, j'aimerais bien repartir, mais pour le moment je suis fauché (broke).

c. Avec personne. Je préfère voyager seul(e). On rencontre plus facilement des gens en route.

d. On a besoin d'une carte d'étudiant internationale.

e. À la Fédération unie des auberges de jeunesse à Paris.

f. Pas du tout! Voyager, c'est ma passion!

Activité 9 allows students to practice using questions with interrogative pronouns without having to create them themselves. It provides scaffolding for their initial use of these structures.

Comment réserver une chambre d'hôtel

Introduction to **Comment réserver une chambre d'hôtel.** Tell students: Imaginez que vous allez loger dans un hôtel en France. Imaginez la chambre: Est-ce qu'elle va être plus petite qu'une chambre d'hôtel américaine? Oui, généralement, c'est le cas. Vous avez le choix entre un petit hôtel charmant et un plus grand hôtel moderne. Qu'est-ce que vous choisissez? Vous préférez que la chambre donne sur la rue où vous avez le bruit des voitures ou qu'elle donne sur la cour qui est plus calme? Qu'est-ce qui est important pour vous? Une douche? une télévision? une connexion wi-fi *(pronounced weefee)* pour Internet? le prix?

Quelques expressions utiles

Le touriste

Je voudrais une chambre (pas trop cher)
   (pour deux personnes) avec   un grand lit.
                                    salle de bains.
                                      douche.
                                      W.-C.

C'est combien, la nuit?
Avez-vous   une chambre qui coûte moins cher?
               une chambre qui donne sur la cour?
               quelque chose d'autre?
Est-ce que vous avez une connexion wi-fi (*pronounced* **weefee**) pour Internet?
Est-ce que le petit déjeuner est compris?
Bon, (cela me convient très bien). Je la prends.
Y a-t-il un autre hôtel près d'ici?

Le/La réceptionniste

Vous êtes combien?
Je vous propose une chambre au deuxième étage avec salle de bains et câble.
Je suis désolé(e). L'hôtel est complet.
Le petit déjeuner est compris.
Il y a un supplément de huit euros pour le petit déjeuner.
Prenez l'ascenseur° jusqu'au troisième étage.   *Take the elevator*

🎧 **CD2, Track 14**

After students have listened to the dialogue, act it out with a couple of strong students.

☐ Écoutons ensemble! À l'hôtel

Écoutez le dialogue et choisissez les mots qui manquent pour le compléter.

RÉCEPTIONNISTE: Bonjour, monsieur. Je peux vous _____?
a. renseigner
b. écouter
c. renvoyer

TOURISTE: Oui, madame. Je cherche une chambre _____.
a. avec salle de bains
b. pour une personne avec salle de bains
c. pour une personne avec douche

RÉCEPTIONNISTE: Voyons... Nous avons une chambre _____.
a. au quatrième avec télévision
b. au quatrième avec câble
c. au quatrième qui donne sur la rue

TOURISTE: Elle fait combien?

RÉCEPTIONNISTE: C'est _____.
a. cent vingt-cinq euros la nuit
b. cent trente euros la nuit
c. quatre-vingts euros la nuit

TOURISTE: Est-ce que _____?
a. vous avez quelque chose de moins cher
b. le petit déjeuner est compris
c. vous avez quelque chose qui donne sur la cour

RÉCEPTIONNISTE: Oui.

TOURISTE: Alors, je la prends.

CD2, Track 15

■ Activité 10: Au Vieux Manoir

A. Un touriste arrive à l'hôtel du Vieux Manoir. Écoutez et complétez la conversation.

RÉCEPTIONNISTE: Bonjour, monsieur. Est-ce que je peux vous aider?

TOURISTE: _____

RÉCEPTIONNISTE: Il reste la chambre 23 qui donne sur la rue. Combien de nuits comptez-vous rester?

TOURISTE: _____

RÉCEPTIONNISTE: 65 euros la nuit.

TOURISTE: _____

RÉCEPTIONNISTE: Oui, le petit déjeuner est compris.

TOURISTE: _____

RÉCEPTIONNISTE: Voici la clé. Prenez l'ascenseur jusqu'au deuxième étage.

TOURISTE: _____

B. Maintenant, jouez le dialogue devant la classe avec un(e) partenaire.

■ Activité 11: À l'auberge de jeunesse

Créez un dialogue entre le voyageur (la voyageuse) et le/la réceptionniste à l'auberge de jeunesse en utilisant les éléments de la brochure.

Si vous êtes le voyageur (la voyageuse), vous voulez savoir...

- s'il y a encore de la place
- le tarif pour une nuit
- l'heure où on ferme les portes de la réception
- si l'auberge est près du centre-ville
- quels sont les lieux touristiques intéressants près de Dinan

Si vous êtes le/la réceptionniste, vous voulez savoir...

- le nombre de personnes qui veulent loger à l'auberge
- s'ils veulent prendre le petit déjeuner
- si les voyageurs sont membres de la Fédération unie des auberges de jeunesse
- l'heure de leur arrivée
- s'ils ont d'autres questions

Activité 11 Suggestion: Have students consult the brochures and write out the dialogue first before role-playing it in class.

Réponses: Oui, madame. Je voudrais une chambre pour une personne avec salle de bains. / Deux nuits. C'est combien? / Est-ce que le petit déjeuner est compris? / Bon, je la prends. / Très bien. Merci, madame.

Hébergement en Auberge de Jeunesse/Accommodation expenses	
🌲🌲🌲🌲 4 sapins (petit déjeuner inclus) / *4 fir trees (breakfast included)*	12,70 €
🌲🌲🌲 3 sapins (la nuit) / *3 fir trees (bed only)*	8,85 €
3 sapins (forfait nuit + petit déjeuner) / *3 fir trees (package bed and breakfast included)*	11,70 €
🌲🌲 2 sapins (la nuit) / *2 fir trees (bed only)*	8,40 €
🌲 1 sapin (la nuit) / *1 fir tree (bed only)*	7,35 €
Hébergement en camping	
Y compris l'utilisation des locaux de l'A.J. (licence camping FFCC requise)	5,00 €
Repas/Meals	
Petit déjeuner / *Breakfast*	3,25 €
Déjeuner ou dîner (boisson en plus) / *Lunch or dinner (exclusive of drinks)*	8,40 €
Plat unique / *Single course*	4,75 €

Dinan

L'Auberge de Jeunesse est installée dans un ancien moulin à eau, niché dans une petite vallée boisée, à 2 km du centre ville et 600 m du port de plaisance. Dinan est une charmante cité médiévale, qui vous reposera après la visite de hauts lieux touristiques (Saint-Malo, Mont-Saint-Michel).

Hébergement
70 lits, répartis en chambre de 4,5,6 et 8 lits (majoritairement). Une chambre de 3 lits avec sanitaires.

Accueil
Individuels, familles adhérentes, groupes.

Ouverture
Du 01/02 au 31/12
Accueil de 9h00 à 12h00 et de 17h00 à 20h00 en semaine, horaires variables le week-end.

Réservations et informations
Tel : 02 96 39 10 83 - Fax : 02 96 39 10 62 - France Fax, Internet.

La France et ses régions

La France est connue pour la richesse de ses paysages *(scenery)* et la diversité de ses régions, chacune avec une identité unique. En voyageant d'une région à une autre, la topographie, le climat, la gastronomie, l'architecture et même les dialectes se transforment devant nos yeux. Alors, quittons la ville de Paris et visitons la France profonde!

Chenonceau, offert par Henri II à sa «favorite», Diane de Poitiers, est peut-être le plus charmant des châteaux situés *(located)* dans la vallée de la Loire.

Des maisons à colombages *(half-timbered)* bordent cette rue pittoresque d'Alsace. L'Alsace et la Lorraine, à la frontière de l'Allemagne et de la France, ont changé de nationalité quatre fois depuis 1871. On y mange de la choucroute ou de la quiche, arrosées de bière ou de vin blanc. La route du vin passe par des vignobles et des villages aux tons pastel.

Qui n'a pas rêvé de découvrir les belles plages ensoleillées de la Côte d'Azur? La douceur *(gentleness)* méditerranéenne, l'accent chantant du Midi *(melodic accent of the South)*, la gastronomie et l'air décontracté *(relaxed)* des gens contribuent à l'atmosphère unique de cette région.

Une épicerie dans la ville charmante de Sarlat dans le Périgord, une région connue pour ses produits gastronomiques du terroir: le pâté de foie gras, les truffes et le vin. Ici, on peut aussi découvrir des grottes préhistoriques qui bordent la Dordogne.

Une maison sur la côte de Bretagne. La Bretagne est connue pour ses crêpes, ses églises et ses villes qui donnent sur l'océan Atlantique ou sur la Manche *(English Channel)*.

Une production de théâtre lors du Festival d'Art dramatique devant le Palais des Papes *(Palace of the Popes)* à Avignon. Une foule cosmopolite venue de l'Europe entière se retrouve en Provence pendant l'été pour se régaler de l'atmosphère gaie et animée de ce festival.

■ Et vous?

En groupes de trois, choisissez la photo d'une région qui vous intéresse et décrivez-la aux autres. Est-ce que cette région ressemble à un autre endroit dans le monde que vous connaissez? Vos partenaires vous poseront quelques questions.

To expand on **Et vous?**, have students go to a website of a region they select and write a short descriptive paragraph using the information they find.

Voix en direct

CD2, Track 16

Quelle région de la France vous tient le plus à cœur?

Delphin Ruché

27 ans
Ornithologue français, en séjour à Los Angeles

En France, on parle souvent de Paris et des provinces[1]—tout ce qui n'est pas Paris. Parlez-nous de cette distinction.

Moi, je trouve que c'est très, très important si on veut aller en France et découvrir la France—je pense que c'est très important de voir quelque chose d'autre que Paris. Parce que Paris est très particulier, mais je pense que ça—ce n'est pas représentatif de la France. Ici, en France, on peut se déplacer sur de très courtes distances[2] et voir des choses très, très, très différentes. Ah, souvent les Parisiens—les gens qui habitent à Paris—pensent qu'il y a deux catégories en France—il y a Paris et la province, et pour eux, la province, c'est tout ce qui (n')est pas Paris— tout ce qui est autour de Paris, en France. Mais quand on connaît un peu la France, on s'aperçoit[3] que la province, c'est beaucoup, beaucoup de régions qui sont très, très différentes l'une de l'autre.

Parlez-nous d'une région qui vous tient à cœur[4].

Moi, je suis quelqu'un qui aime beaucoup la nature sauvage[5]. J'ai beaucoup de plaisir à voyager dans les montagnes, dans les Pyrénées en fait. J'aime beaucoup parce qu'il y a beaucoup de contrastes. Les Pyrénées forment la frontière entre la France et l'Espagne. Le côté français est très vert, avec beaucoup de forêts, beaucoup d'eau et le côté espagnol est presque désertique.

[1]*provinces* [2]*travel short distances* [3]*notices* [4]*that is special to you* [5]*wilderness*

Gaétan Pralong

Acteur, 28 ans
Paris, France

Et vous, vous venez des provinces, non? Vous préférez la ville ou la campagne?

La ville, sans question, oui, oui, oui. J'aime bien la campagne, j'aime bien ma ville de Bergerac, ma ville natale de Bergerac[6] parce que j'y suis né, et j'ai beaucoup de souvenirs là-bas, j'ai beaucoup d'amis, de… j'ai toute ma famille qui habite là-bas, mais euh, en ce qui concerne le mode de vie et moi, enfin, ce que j'ai envie de vivre et les relations que je veux avoir avec les gens, la ville est beaucoup plus… pour moi… est beaucoup plus facile à vivre[7].

[6]*a small town in Périgord in southwestern France* [7]*easier to live in*

D'où est-ce que vous venez?
Moi, je viens du sud de la Bretagne, une petite région qui s'appelle la Presqu'île-Guérandaise, c'est à côté de la ville de Nantes. Nantes, elle est assez grande, mais pas trop grande, comme Paris, et il y a beaucoup d'activités culturelles à Nantes. Il y a une grande université.

Laurence Denié Higney

32 ans
Professeur de français

Est-ce que c'est la région de la France qui vous tient le plus à cœur?
Oui, j'adore cette région. J'adore cette région. C'est—euh, comment dirais-je—c'est très beau, très différent, c'est une petite ville très ancienne, c'est une ville médiévale au bord de la mer, et euh, il y a le meilleur sel au monde. Le sel de Guérande.

■ **Réfléchissez aux réponses**

1. Selon Delphin, est-ce que les régions de la France sont très différentes l'une de l'autre? Pourquoi aime-t-il les Pyrénées?

2. D'où vient Gaétan? Qu'est-ce que vous avez appris à propos de cette région? Où est-ce qu'il préfère vivre et pourquoi?

3. Laurence vient d'une région connue pour un produit qu'on utilise tous les jours. Qu'est-ce que c'est?

4. Quelle région des États-Unis vous tient le plus à cœur? Pourquoi?

5. Vous préférez les grandes villes comme Gaétan? Pourquoi ? Pourquoi pas?

Structure 11.3

Making past participles agree with the helping verb *avoir* *L'accord du participe passé avec l'auxiliaire avoir*

You have already learned how to make the past participle agree with the subject when you're using the **passé composé** with the auxiliary **être**. Here you will learn agreement rules for past participles of verbs conjugated with **avoir**. For additional practice, see page 344.

Past participle agreement with the the preceding direct object pronoun in sentences conjugated with **avoir** is primarily a written phenomenon, and needs to be studied visually. Automaticity doesn't come until much later. Copy a couple of sample sentences on the board and go over how this rule works. The reading «Le Message» in this module presents additional examples of agreement with the relative pronoun **que.** Have students act out the dialogue.

■ **Notez et analysez**

First look at the dialogue between the host who is trying to interest his clients in places to visit and their "been there, done that" responses. Then read over the dialogue again, paying attention to the words in boldface. Write down the noun that each direct object pronoun is replacing. What effect do these pronouns have on the following past participle?

Des touristes blasés

HÔTE:	Il faut visiter les grottes (*caves*) du Périgord.
TOURISTES:	Nous **les** avons déjà visit**ées.**
HÔTE:	Je recommande les châteaux de la Loire.
TOURISTES:	Nous **les** avons déjà vu**s.**
HÔTE:	Et le Mont-Saint-Michel?
TOURISTE:	Je **l'**ai visité pendant mon dernier voyage.
HÔTE:	Et les plages **que** vous avez vu**es** sur la Côte d'Azur. Elles sont belles, n'est-ce pas?
TOURISTES:	Oui, mais pas plus belles que les plages de Californie.

■ Activité 12: Testez votre esprit d'analyses.

Lisez le dialogue «Des touristes blasés» avec un(e) partenaire. Puis complétez ensemble l'analyse grammaticale suivante.

1. Nous **les** avons déjà visit**ées**.
   Le pronom **les** remplace le mot _____. Il faut ajouter les lettres _____ au participe passé **visité** parce que le pronom antécédent *(preceding)* est _____. (Donnez le genre et le nombre.)
2. Nous **les** avons déjà vu**s**.
   Le pronom **les** remplace le mot _____. Il faut ajouter la lettre _____ au participe passé **vu** parce que le pronom antécédent est _____.
3. Je **l'**ai visité pendant mon dernier voyage.
   Le pronom **l'** remplace le mot _____. Il n'est pas nécessaire de changer le participe passé parce que le pronom antécédent est _____.
4. Et les plages **que** vous avez vu**es**.
   Le pronom relatif **que** remplace le mot _____. Il faut ajouter les lettres _____ au participe passé parce que le pronom antécédent est _____.

■ Activité 13: Un(e) touriste difficile

Un agent de voyages aide un(e) client(e) difficile à préparer son itinéraire pour un voyage en France. Trouvez la réponse qu'il/elle donne à chaque suggestion.

Activité 13: To take this activity one step further, you might have students act this out or create their own statements.

L'agent de voyages

1. Il faut assister au Festival du théâtre en Provence pendant le mois de juillet.
2. Alors, je vous recommande de visiter les châteaux de Chenonceau et de Chambord dans la vallée de la Loire. Ils sont magnifiques!
3. Eh bien, vous avez vu les beaux villages alsaciens à la frontière de l'Allemagne?
4. Vous adorez la mer, n'est-ce pas? Alors, visitez la Bretagne près de l'océan Atlantique ou de la Manche.
5. Alors, sur la Côte d'Azur, il faut aller à Nice et à Saint-Tropez!

Le/La client(e)

a. Nice et Saint-Tropez? Je les ai déjà visit**ées**. J'aimerais voir quelque chose de différent.
b. Les châteaux? Je ne les ai pas visit**és**. Mais je n'ai pas envie d'y aller. Il y a trop de touristes.
c. Le Festival d'Avignon? J'y ai déjà assisté une fois. Je trouve le théâtre ennuyeux.
d. La Bretagne, je ne l'ai pas visit**ée**. Mais, je préfère les plages de la Méditerranée.
e. Les villages d'Alsace? C'est vrai, je ne les ai pas vu**s**. C'est peut-être une bonne idée d'y aller.

Have students write their answers to **Activité 14** on the board.

■ Activité 14: A-t-on oublié quelque chose?

Des randonneurs veulent vérifier leurs provisions *(supplies)*. Chacun porte quelque chose pour l'excursion dans son sac à dos. Lemuel, un peu nerveux, veut être sûr qu'on n'a rien oublié sur la liste. Suivez le modèle.

Modèle: la boussole *(compass)*
— Qui a pris la boussole?
— Lila l'a prise.

Liste

1. la boussole
2. la crème solaire
3. l'eau
4. les sandwiches
5. les lampes électriques
6. les cartes topographiques
7. les allumettes
8. le couteau suisse
9. les jumelles

a. Harmut / cartes topographiques
b. Renate / sandwiches
c. Dagmar / crème solaire
d. Kristen / lampes électriques
e. Stéphane / allumettes *(f pl)*
f. Jean / couteau suisse
g. Rainer / jumelles *(f pl)* *(binoculars)*
h. Sheila / eau *(f)*

Find out what products students have tried or are familiar with: **Est-ce que vous aimez le fromage? Est-ce que vous avez goûté du camembert? Regardez la carte. Où est-ce qu'on produit du vrai camembert? Chaque région a une spécialité gastronomique. Les Français sont très fiers de la qualité de leurs produits agricoles. Ces produits sont importants pour l'identité culturelle. Quels produits aimeriez-vous goûter?**

La France produit une variété extraordinaire de fromages, de vins et d'autres produits agricoles de renommée *(renown)* mondiale. Chaque produit est identifié à la région ou à la ville d'où il vient. Les Français sont très fiers de ces produits «du terroir» *(regional)*. Le vrai champagne, par exemple, est fabriqué en Champagne. Ce que nous appelons le champagne est souvent du vin mousseux *(sparkling wine)*.

Suggestion: Consider assigning **Activité 15** for homework and having students write sentences on the board the following day.

■ Activité 15: La France gastronomique

Utilisez la carte gastronomique et créez des phrases avec les produits suivants. Utilisez les verbes **manger, acheter** et **boire** et les adjectifs **délicieux, authentique, bon** et **excellent**.

Modèle: les crêpes
Les crêpes qu'on a mangées en Bretagne étaient délicieuses.

1. le champagne
2. la quiche
3. le foie gras
4. la salade niçoise
5. les truffes *(f pl)* *(truffles)*
6. le roquefort

L'identité française

Structure 11.4

Talking about what you see and what you believe *Les verbes **voir** et **croire***

The irregular verbs **voir** and **croire** are introduced here in the context of cultural beliefs. See pages 345–346 for their forms.

Une discussion de Disneyland-Paris

Lisez cette discussion entre M. et Mme Manot et un de leurs amis sur Disneyland-Paris. Puis, répondez aux questions.

L'AMI:	Qu'est-ce que vous pensez de Disneyland-Paris?
M. ET MME MANOT:	Nous **croyons** que c'est encore une autre invasion culturelle américaine.
L'AMI:	Vraiment? Vous **croyez**? Je ne suis pas d'accord.
M. MANOT:	Pourquoi?
L'AMI:	Parce que les thèmes de Disney comme «Blanche-neige et les sept nains», «La Belle au bois dormant» ou «Pinocchio» viennent tous d'Europe. Vous **voyez,** c'est toujours la culture européenne.
MME MANOT:	Oui, je **vois**. Mais Disney déforme ces vieux contes.
L'AMI:	Vous voulez donc boycotter Disney? Vous **croyez** alors au protectionnisme culturel?
MME MANOT:	Non, peut-être pas. Mais, de toute façon, les médias américains ont trop d'influence ici.

■ Activité 16: Attitudes—Qu'est-ce qu'on croit?

Avec un(e) partenaire, posez-vous des questions et répondez-y à tour de rôle. Utilisez les expressions du modèle.

Modèle: Est-ce que les Français ont peur de l'influence américaine?
Je crois que oui.
Je crois que non.
Je ne sais pas.
Je sais que certains Français ont peur de l'influence américaine. Mais je crois que les jeunes aiment la culture populaire américaine.

1. Est-ce que M. et Mme Manot aiment Disneyland-Paris?

2. Est-ce que leur ami est d'accord avec eux?

3. Est-ce que l'histoire de Pinocchio est américaine?

4. Est-ce que Disney change les contes traditionnels?

5. Est-ce que Mme Manot va boycotter Disneyland-Paris?

6. Est-ce que vous allez visiter Disneyland-Paris quand vous serez en Europe? Pourquoi ou pourquoi pas?

■ Réfléchissez et considérez

First read over the discussion about Disneyland-Paris to understand the points of view of the two speakers. Then read it again, paying attention to the verbs in boldface. Notice that the verb **voir** can be used metaphorically. Find two of its metaphorical uses and underline them. How would you say *You **think** so?* in French?

La culture française face à l'Amérique

Western Pendant des siècles, la France a dominé la culture occidentale° dans les arts, la littérature, la philosophie, les sciences, la diplomatie, la gastronomie et la mode. *enjoy* La culture et la langue françaises jouissent° toujours d'un grand prestige culturel dans le monde contemporain, mais l'anglais et la culture populaire américaine jouent un rôle de plus en plus important. La France se trouve débordée° de *flooded* restaurants MacDo, de Coca-Cola et de blue jeans. Les salles de cinéma diffusent des productions purement hollywoodiennes. Peut-être l'aspect le plus *threatening* menaçant° de cette invasion américaine, c'est la «corruption» de la langue par le «franglais». On parle du «look», des «livings», du «Coca lite», des «rollers» et du «hit-parade des stars».

L'ouverture, en 1992, de Disneyland-Paris a fait trembler certains prophètes culturels. Une Amérique conquérante prête à coloniser l'Europe?

ÉDUCATION : LA GRANDE PAGAILLE
LE POINT
HEBDOMADAIRE D'INFORMATION N° 1018/21-27 MARS 1992
CULTURE
NE CRAIGNONS PAS L'AMÉRIQUE
ASSUREURS - ASSURÉS : CONSTAT DE MÉFIANCE
M2422 - 1018 - 22.00 F
EDITION INTERNATIONALE

Disneyland-Paris is not as controversial as it was when the Magic Kingdom opened its European doors in the eighties. Disney has been careful to adapt the park to its European audience, selling wine and offering European food and attractions. It's now the most visited park in Europe, with twice as many visitors as the Eiffel Tower. Still, the low-tech **Parc Astérix,** in the tradition of the French cartoon characters Astérix and Obélix, maintains a loyal following.

Un grand nombre de Français sont ambivalents envers la culture populaire dominée par les États-Unis. Ils ne veulent pas que cette culture uniforme produite à Hollywood détruise l'individualité des traditions et des goûts français. La présence de Disneyland-Paris représente ainsi, pour certains Français, une invasion culturelle dangereuse.

Réponses possibles: 2. l'importance de la propreté et de la nouveauté, l'importance de la technologie, une vision idéaliste du monde, le commercialisme du bonheur, l'importance du sourire, la notion que le client a toujours raison **3.** La culture française influence le monde dans les domaines des produits de luxe: la mode, les parfums, les bons vins, les arts, la gastronomie et la diplomatie. **4.** Hollywood, les séries à la télévision (*Friends, Newport Beach [The OC]*); la mode (les blue jeans, les board shorts); le sport (le surf, le basket, le snowboard)

■ Avez-vous compris?

Discutez avec la classe.

1. Croyez-vous que Disneyland-Paris représente la culture américaine?
2. Quels aspects de la culture américaine sont représentés dans ce parc?
3. Dans quels domaines est-ce que la culture française influence le monde?
4. Quels éléments de la culture américaine dominent la culture populaire du monde?
5. Comparez votre image culturelle de la France avec celle d'un autre pays. D'où viennent ces images culturelles?

In **Activité 17**, we purposely left out examples pertaining to specific religious beliefs that students may want to keep private.

Interviewez votre camarade sur ses croyances. Demandez-lui d'élaborer sur quelques réponses.

Modèle: OVNI (objets volants non identifiés) *(UFOs)*
—*Crois-tu aux OVNI?*
—*Oui, j'y crois.* ou
—*Non, je n'y crois pas.* ou
—*Je ne sais pas.*

1. le destin *(fate)*
2. l'astrologie
3. le grand amour
4. le paradis
5. le karma

6. l'amitié
7. les miracles
8. les voyants *(fortune-tellers)*
9. les extra-terrestres

■ **Situation à jouer!**

Vous voulez passer quelques jours dans les Alpes. Téléphonez à l'hôtel Le Grand Cœur à Méribel pour vous renseigner et faire des réservations. Le/La réceptionniste répondra à vos questions. Travaillez avec un(e) partenaire. Utilisez la brochure pour guider votre conversation.

Utilisez **iLrn** voiceboard pour plus de pratique orale avec les **Thèmes** et les **Pratiques de conversation** du **Module 11**.

Le Grand Cœur

72 *Relais de montagne*
Altitude 1650 m

Menu 20/42 s.c.
Carte 40/60 s.c.
36 chambres
H.S. 120/160 s.c.
1/2 pension/pers.
12 appartements
à partir 180 s.c.
1/2 pension/pers.
10 s.c.
oui avec supplément
oui
Chambéry 110 km
Genève-Lyon 150 km
Privée
500 m
3 km

Déjeuner en terrasse, Ski, Vidéo, Sauna, Gym-room
Lunch on terrace, Skiing, Video, Sauna, Jacuzzi

Chalet de montagne raffiné et élégant situé au cœur de Méribel et des 3 Vallées.
Plein sud, au calme et en bordure des pistes

Elegant, refined mountain chalet situated in the heart of Meribel and 3 Valleys alongside ski-slopes. South-facing.

73550 MÉRIBEL
(Savoie)
Tél. 79.08.60.03
Télex 309 623
Fax. 79.08.58.38
Prop. Evelyne et Jean Buchert
F.H. non
F.A. 23-04/17-12

CC AE VISA D E

	Français	English	Deutsch	Español	Italiano
🍴	prix des repas	menu price	Preis einer Mahlzeit	precio de las comidas	prezzo dei pasti
🔑	nombre de chambres	number of rooms	Anzahl der Zimmer	número de habitaciones	numero di camere
	prix pour deux personnes	price for two people	Preis für jwei Personen	precio para dos personas	prezzo per due persone
🔑	nombre d'appartements	number of suites	Anzahl der Appartements	número de apartamentos	numero di appartamenti
	prix pour deux personnes	price for two people	Preis für jwei Personen	precio para dos personas	prezzo per due persone
☕	prix du petit déjeuner	price of breakfast	Frühstückspreis	precio del desayuno	prezzo della colazione
S.C.	service compris	service included	Bedienung inbegriffen	servicio incluido	servizio compreso
🐕	chiens autorisés?	are dogs allowed?	Hunde erlaubt?	¿se autorizan los perros?	i cani sono ammessi?
↕	ascenseur	lift	Fahrstuhl	ascensor	ascensore
※	chambres de plain-pied	ground floor rooms	Zimmer im Erdgeschoß	habitaciones en planta baja	camere al pianterreno
✈	aéroport de ligne	nearest commercial airport	Flugplatz für Linienverkehr	aeropuerto de linea	aeroporto di linea
🏊	piscine privée ou à proximité	hotel swimming-pool or nearest available	Hoteleigenes oder nahegelegenes Schwimmbad	piscina privada o en las cercanias	piscina privatao nelle vicinanze
🎾	tennis privé ou à proximité	hotel tennis court or nearest available	Hoteleigener oder nahegelegener Tennisplatz	tenis privado o en las cercanias	tennis privato o nelle vicinanze
⛳	golf	golf	Golf	golf	golf
🚗	garage	garage	Garage	garaje	garage
P	parking	car park	Parkplatz	aparcamiento	parcheggio
☀	possibilités de séminaire	seminar facilities	Tagungsmöglich-keiten	posibilidad de seminarios	possibilità di seminari
🍷	visite de la cave	visit the cellar	Kellerbesichtigung	visita de la bodega	visita della cantina
🍴	visite de la cuisine	visit the kitchen	Küchenbesichtigung	visita de la cocina	visita della cucina
F.H.	fermeture hebdomadaire	weekday closing	Wöchentlicher Ruhetag	cerrado semanalmente	chiusura settimanale
F.A.	fermeture annuelle	annual closing	Jahresurlaub	cerrado annualmente	chiusura annuale
CC	Cartes de crédit Credit cards	**AE** American Express	**VISA** Carte Visa	**D** Diner's Club	**E** Eurocard Mastercard

Centre d'information: Relais & Châteaux
9, avenue Marceau - 75116 Paris - Tél.: (01) 47.23.41.42
Télex: 651 213 ou 651 214 RCG - Fax: (01) 47.23.38.99

Lecture

■ Anticipation

Dans l'histoire «Boucle d'or» *(Goldilocks and the Three Bears)*, les ours rentrent de leur promenade dans la forêt et trouvent leurs affaires en désordre. C'est la preuve *(evidence)* que quelqu'un est entré dans la maison. Mettez leurs observations dans le bon ordre.

Ils observent: _____ un lit où quelqu'un dort encore

_____ un lit où quelqu'un s'est couché

_____ une porte que quelqu'un a ouverte

_____ une chaise que quelqu'un a cassée

_____ un bol de céréales que quelqu'un a mangé

This poem provides a clear example of past participle agreement in sentences with the relative pronoun **que** *and the auxiliary* **avoir.**

Dans le poème que vous allez lire, les objets sont aussi les témoins *(witnesses)* de l'histoire.

Le Message

Jacques Prévert

1 La porte que quelqu'un a ouverte
La porte que quelqu'un a refermée
La chaise où quelqu'un s'est assis
Le chat que quelqu'un a caressé
took a bite of 5 Le fruit que quelqu'un a mordu°
La lettre que quelqu'un a lue
knocked over La chaise que quelqu'un a renversée°
La porte que quelqu'un a ouverte
La route où quelqu'un court encore
woods 10 Le bois° que quelqu'un traverse
La rivière où quelqu'un se jette
L'hôpital où quelqu'un est mort.

■ Compréhension et intégration

1. Imaginez ce mystérieux «quelqu'un». Est-ce un homme ou une femme?
2. Comment est-ce que vous l'imaginez?
3. Est-ce que cette personne était agitée *(upset)* quand elle est entrée dans la maison? Expliquez.
4. Quel est le message dans la lettre?
5. Comment cette personne y réagit-elle?

■ Maintenant à vous!

Pursue the narratives that students have developed for the poem.

Développez l'histoire suggérée par le poème.

Voix en direct (suite)

Go to **iLrn** to view video clips of French speakers talking about their impressions of the United States.

Expression écrite

■ Composez votre propre poème!

Dans cette rédaction, vous allez développer un poème en suivant la structure du poème «Le Message» de Prévert. L'intrigue doit se passer dans le passé.

PREMIÈRE ÉTAPE: L'intrigue *(The plot)*

1. Utilisez votre imagination pour inventer une intrigue que vous voulez raconter.
   a. Qui sont les personnages principaux?
   b. Qu'est-ce qui se passe?
   c. Où se passe la scène?
   d. Quels sont les objets qui joueront un rôle dans le poème?

DEUXIÈME ÉTAPE: Commencez le poème.

   a. Écrivez une liste d'objets qui vont raconter l'histoire du poème.
   b. Écrivez la première strophe *(verse)* en suivant le modèle de Prévert: objet—agent—action. Par exemple: La femme (**objet**) que quelqu'un (**agent**) a admirée (**verbe**).

TROISIÈME ÉTAPE: Travail en groupe

Chacun(e) fait des copies de son travail pour son groupe, puis lit et explique son poème à haute voix. Ensuite, il/elle demande aux autres de deviner le sujet du poème. Les membres du groupe donneront leurs suggestions.

QUATRIÈME ÉTAPE: Écrivez votre poème!

SYSTÈME-D	
Grammar:	past participle agreement, agreement after the relative pronoun **que**
Phrases:	simple phrases beginning with objects that will tell a story visually
Vocabulary:	simple everyday vocabulary

Structure 11.1

Use the **iLrn** platform for more grammar and vocabulary practice.

Talking about the future *Le futur*

You have already learned to use the **futur proche** (**aller** + *infinitif*) for talking about the future. In this chapter you will learn another future tense, **le futur**. As its English equivalent, it is used more frequently in written than in casual speech and involves the notion of intent.

Ce week-end, je **vais voyager** à Marseille.
Je **voyagerai** en France cet été.

This weekend I'm going to travel to Marseille.
I will travel to France this summer.

The future stem of regular **-er** and **-ir** verbs is the infinitive. For **-re** verbs, drop the final **e** from the infinitive. The future endings are always regular. They are similar to the present tense forms of the verb **avoir.**

parler *(to speak)*	
je parler**ai**	nous parler**ons**
tu parler**as**	vous parler**ez**
il/elle/on parler**a**	ils/elles parler**ont**

partir *(to leave)*	
je partir**ai**	nous partir**ons**
tu partir**as**	vous partir**ez**
il/elle/on partir**a**	ils/elles partir**ont**

rendre *(to return, to give back)*	
je rendr**ai**	nous rendr**ons**
tu rendr**as**	vous rendr**ez**
il/elle/on rendr**a**	ils/elles rendr**ont**

On **partira** pour Calais à 9h.
À l'hôtel, **parlera**-t-on anglais?
Nous **rendrons** la voiture à la gare.

We will leave for Calais at 9 o'clock.
Will they speak English at the hotel?
We will return the car at the train station.

The following verbs have irregular future stems:

infinitive	stem	future
être	ser-	je serai
avoir	aur-	j'aurai
aller	ir-	j'irai
faire	fer-	je ferai
pouvoir	pourr-	je pourrai
venir	viend-	je viendrai
voir	verr-	je verrai
vouloir	voudr-	je voudrai
savoir	saur-	je saurai

Vous **serez** président un jour!
Il y **aura** un concert dans la cathédrale ce soir.

You will be president one day!
There will be a concert in the cathedral this evening.

Stem-changing -er verbs such as **acheter, appeler,** and **essayer** use the third person form (**il/elle/on**) plus an **r,** rather than the infinitive as the future stem.

infinitive	stem	future
acheter	il/elle/on achète	j'achèterai
appeler	il/elle/on appelle	j'appellerai
essayer	il/elle/on essaie	j'essaierai

However, verbs like **préférer** (with **é** in the next-to-last syllable) are regular in the future (based on the infinitive).

Je crois qu'il préférera une visite guidée.   *I think he'll prefer a guided visit.*

Using the future in hypothetical clauses

Sentences with an *if* clause and a *results* clause use the present in the *if* clause and the future in the *results* clause.

S'il neige ce week-end, nous **ferons** du ski.   *If it snows this weekend, we'll go skiing.*

The order of the two clauses can be reversed.

Nous **nous promènerons** s'il fait beau.   *We'll go for a walk if it's nice.*

Using the future in clauses following *when*

Unlike English, French uses the future after **quand, lorsque** *(when),* and **aussitôt que** *(as soon as)* when the main verb is in the future.

future clause	quand aussitôt que lorsque	future clause

Je **ferai** de longues promenades quand je **serai** à Paris.   *I'll take long walks when I'm in Paris.*
Lorsqu'il **arrivera,** nous **mangerons.**   *When he arrives, we'll eat.*
Je vous **téléphonerai** aussitôt que j'**aurai** des nouvelles.   *I'll call you as soon as I get some news.*

■ **Exercice 1.** Comment sera l'an 2025? Complétez les phrases avec les verbes indiqués au futur.

1. J(e) _____ (avoir) quarante-cinq ans.
2. Le président des États-Unis _____ (être) une femme.
3. Nous _____ (trouver) des solutions à nos problèmes écologiques.
4. Tout le monde _____ (parler) deux langues.
5. Nous _____ (faire) des voyages interplanétaires.
6. Les États-Unis _____ (fabriquer) des voitures électriques.
7. On _____ (pouvoir) communiquer par télépathie.
8. Washington D.C. _____ (être) un état.

■ **Exercice 2.** Chaque ville française est connue pour certaines choses spéciales. Complétez les phrases suivantes pour expliquer ce que les touristes feront pendant leur voyage en France. Utilisez **être** dans la première partie de chaque phrase.

> **Modèle:** Quand mes parents _____ à Paris, ils _____ (voir) la tour Eiffel.
> *Quand mes parents **seront** à Paris, ils **verront** la tour Eiffel.*

1. Quand le président des États-Unis et sa femme _____ à Paris, ils _____ (visiter) l'Élysée, le palais du président français.
2. Lorsque Matt Damon _____ à Cannes, il _____ (aller) au festival du film.
3. Quand nous _____ à Strasbourg, nous _____ (prendre) un bon vin blanc.
4. Quand tu _____ à Versailles, tu _____ (faire) le tour du palais et de ses jardins.
5. Quand je _____ à Évian, je _____ (se baigner) dans le lac.

■ **Exercice 3.** Il y a toujours des conditions à considérer. Finissez les phrases suivantes à l'aide de la liste. Utilisez le présent ou le futur selon le cas.

1. Tu auras de bonnes notes si...
2. Si vous ne mangez pas mieux...
3. Ma mère viendra au campus quand...
4. Je resterai chez moi ce soir si...
5. Nous serons en retard si...
6. Mes parents ne seront pas contents si...
7. Si mon copain (ma copine) oublie mon anniversaire...

tomber malade
vouloir, pouvoir
étudier, faire les devoirs
ne pas se dépêcher
se mettre en colère
avoir besoin d'étudier
rater *(to fail)* mes examens

Structure 11.2

Finding out what you need and asking for information *Avoir besoin de et les mots interrogatifs (suite)*

The structure **avoir besoin de** is useful for talking about what one needs. It can be followed by an infinitive, a count noun preceded by an article or a non-count noun.

avoir besoin de	+ article + noun	J'ai besoin d'un passeport.
	+ plural noun	Nous avons besoin de réservations.
	+ abstract or non-count noun	Elle a besoin de courage.
	+ infinitive	As-tu besoin d'étudier?

To ask a general question with **avoir besoin de**, move **de** to the front of the question followed by **qui** for people and **quoi** for things.

—**De qui** avez-vous besoin?
—J'ai besoin de mes amis.

—*Whom do you need?*
—*I need my friends.*

—**De quoi** avez-vous besoin?
—J'ai besoin de l'addition, s'il vous plaît.

—*What do you need?*
—*I need the check, please.*

To make a question with any verb that is followed by a preposition in its declarative form, begin your question with the preposition, followed by the question word. Remember that questions may be formed using **est-ce que** or by inverting the subject and the verb.

—**À qui** est-ce qu'ils parlent?   —*Whom are they speaking to?*
—Ils parlent **au** guide.   —*They're speaking to the guide.*

—**Avec qui** voyages-tu?   —*Whom are you traveling with?*
—Je voyage **avec** Sara.   —*I'm traveling with Sara.*

—**À quoi** réfléchissez-vous?   —*What are you thinking about?*
—Je réfléchis **à** mes vacances.   —*I'm thinking about my vacation.*

—**À quoi** est-ce qu'ils jouent?   —*What are they playing?*
—Ils jouent **au** football.   —*They're playing soccer.*

—**De qui** est-ce que tu parles?   —*Whom are you talking about?*
—Je parle **de** mon mari.   —*I'm talking about my husband.*

In informal, spoken French the question can go at the end.

—Tu parles de qui?   —*You're speaking to whom?*
—Tu as besoin de quoi?   —*What do you need?*
—Elle partira avec qui?   —*She'll leave with whom?*

■ **Exercice 4.** Quand on voyage, il y a certaines nécessités qui se présentent. Complétez les commentaires de ces touristes avec **de, d', d'un** ou **d'une**.

1. Ma mère n'aime pas voyager en groupe; elle a besoin _____ solitude.
2. Quel beau paysage! J'ai besoin _____ appareil photo.
3. J'ai faim; nous avons besoin _____ trouver un bon restaurant.
4. On a besoin _____ courage pour voyager seul.
5. Si tu as besoin _____ cartes postales, tu peux aller à la librairie.
6. Je suis perdu. J'ai besoin _____ carte.

■ **Exercice 5.** Un touriste un peu sourd *(deaf)* n'entend pas bien ce qu'on lui dit. Formulez ses questions basées sur les éléments en italique.

Modèles: Nous avons besoin *d'une banque.*
         De quoi avez-vous besoin?

         Elle paie *avec sa carte de crédit.*
         Avec quoi est-ce qu'elle paie?

1. Je voyage *avec mon meilleur ami.*

2. Vous pouvez demander des renseignements *à la réceptionniste.*

3. Le guide parle *à un groupe de touristes italiens.*

4. Nous avons besoin *de trouver un camping.*

5. Elle a besoin *de ses parents.*

6. Elle pense *à un jeune homme qu'elle a rencontré en Grèce.*

Structure 11.3

Making past participles agree with the helping verb *avoir* *L'accord du participe passé avec l'auxiliaire avoir*

You have learned that the past participles of verbs conjugated with **être** in the **passé composé** agree with the subject.

Fatima est retourné**e** en Algérie après ses études en France.	*Fatima returned to Algeria after her studies in France.*
Ma mère et moi, nous sommes parti**es** hier.	*My mother and I left yesterday.*

The past participle of verbs conjugated with **avoir** in the **passé composé** agrees with the direct object when it *precedes* the verb. This occurs in three instances.

1. When a direct object pronoun precedes the verb:

   La cassette? Je **l'**ai déjà écouté**e**.
   Il y a deux nouvelles filles dans ma classe. Je **les** ai vu**es** ce matin.

2. In sentences with the relative pronoun **que:** the past participle agrees with the noun that **que** has replaced, its antecedent.

   Les **touristes que** nous avons rencontré**s** étaient sympathiques.
   Je n'aime pas **les robes qu'**elle a acheté**es**.

3. In sentences with the interrogative adjective **quel:**

   Quelles régions ont-ils visité**es**?
   Quelle route as-tu suivi**e**?

Note de prononciation

Past participle agreement with **avoir** is primarily a written phenomenon. It changes pronunciation only with past participles ending in a consonant.

—Où sont mes chaussures?	*—Where are my shoes?*
—Je les ai mis**es** dans ta chambre.	*—I put them in your room.*
—As-tu déjà écrit ta composition?	*—Have you already written your composition?*
—Oui, je l'ai écri**te** pendant le week-end.	*—Yes, I wrote it over the weekend.*

■ **Exercice 6.** Avez-vous fait les choses suivantes le week-end dernier?

Modèle: regarder la télé
—*Oui, je l'ai regardée.* ou
—*Non, je ne l'ai pas regardée.*

1. regarder les informations à la télé
2. faire vos devoirs
3. écouter la radio
4. voir vos amis
5. prendre le petit déjeuner
6. arroser *(to water)* vos plantes
7. faire votre lit
8. lire des bandes dessinées *(cartoons)*

■ **Exercice 7.** Un groupe de touristes parlent de leurs expériences. Complétez leurs observations avec la forme correcte du participe passé des verbes entre parenthèses. Attention à l'accord!

1. J'ai bien aimé les escargots que nous avons _____ (manger) au restaurant de l'hôtel.
2. Quelles œuvres *(f pl)* de Renoir as-tu _____ (voir) au musée d'Orsay?
3. Nous voulons revoir les touristes allemands que nous avons _____ (rencontrer).
4. As-tu trouvé les clés que j'ai _____ (laisser) sur la table?
5. Où se trouvent les billets de train que vous avez _____ (acheter)?
6. Acceptera-t-on ces réservations qu'on a _____ (faire) de Rome?

Structure 11.4

Talking about what you see and what you believe *Les verbes* **voir** *et* **croire**

Here you'll learn to conjugate the verb **voir** that you have already learned in its infinitive form. The verb **croire** *(to believe)* follows the same pattern.

voir *(to see)*	
je vois	nous voyons
tu vois	vous voyez
il/elle/on voit	ils/elles voient

passé composé: j'ai **vu**   futur: je **verrai**

Tu **vois** la tour Eiffel?	*Do you see the Eiffel Tower?*
Nous **avons vu** un beau tableau de Monet.	*We saw a beautiful painting by Monet.*

Voir can also be used figuratively as a synonym for **comprendre.**

Il ne **voit** pas pourquoi il doit arriver si tôt.	*He doesn't see why he has to arrive so early.*
—Tu comprends?	*—Do you understand?*
—Oui, je **vois.**	*—Yes, I see.*
Voyons...	*Let's see . . . (This can be used as a hesitation device.)*

Revoir *(to see again)* is conjugated like **voir.**

J'adore ce ballet. Je le **revois** chaque année.

I adore this ballet. I see it again every year.

On the other hand, **recevoir** has a different pattern.

recevoir *(to receive)*	
je reçois	nous recevons
tu reçois	vous recevez
il/elle/on reçoit	ils/elles reçoivent

passé composé: j'ai **reçu**   futur: je **recevrai**

croire *(to believe)*	
je crois	nous croyons
tu crois	vous croyez
il/elle/on croit	ils/elles croient

passé composé: j'ai **cru**   futur: je **croirai**

Je ne **crois** pas cette histoire.
Il **a cru** entendre un bruit étrange.

I don't believe this story.
He thought he heard a strange noise.

The expression **croire à** means *to believe in.*

Je **crois au** Père Noël.

I believe in Santa Claus.

—Tu **crois aux** extra-terrestres?
—Oui, j'**y crois.**

—*Do you believe in extraterrestrials?*
—*Yes, I believe in them.*

However, **croire en** is used to express one's belief in God.

Je **crois en** Dieu.

I believe in God.

Common expressions with **croire** include the following:

—Est-ce qu'il va pleuvoir aujourd'hui?
—Je **crois** que oui.

—*Is it going to rain today?*
—*I think so.*

—Il y a un examen demain?
—Non, je ne **crois** pas.

—*Is there a test tomorrow?*
—*No, I don't think so.*

—Il va se marier.
—Tu **crois**?

—*He's going to get married.*
—*Really? (You think so?)*

■ **Exercice 8.** Takeisha veut travailler pour le Corps de la paix. Complétez sa conversation avec John en utilisant les verbes **croire** et **voir.**

JOHN: Où est-ce que tu penses travailler pour le Corps de la paix?

TAKEISHA: Je _____ (1) que j'aimerais aller au Togo.

JOHN: Mais où est le Togo? Je ne le _____ (2) pas sur la carte.

TAKEISHA: Regarde, en Afrique de l'Ouest. Est-ce que tu _____ (3) le petit pays entre le Ghana et le Bénin? C'est le Togo.

JOHN: Ah oui, je le _____ (4) maintenant. Moi, j'aimerais aussi aller en Afrique, mais mes parents _____ (5) que ce n'est pas une bonne idée. Ils ne _____ (6) pas pourquoi je veux partir si loin.

TAKEISHA: Je _____ (7) que tes parents sont trop protecteurs. Moi, je suis jeune et je veux _____ (8) le monde.

▪ Tout ensemble!

Complétez cette lettre avec les formes appropriées des verbes entre parenthèses ou avec d'autres mots qui conviennent. Utilisez le temps approprié et faites l'accord du participe passé.

Chers Maman et Papa,

Je (croire) _____ (1) que quand vous (recevoir) _____ (2) cette lettre, je (être) _____ (3) déjà de retour. Jean-Michel et moi, nous nous retrouvons en Bretagne. Les gens que nous (rencontrer) _____ (4) à l'auberge de jeunesse de Dinan sont super sympas! Ils nous ont parlé d'une plage exquise qu'ils (trouver) _____ (5) près de Toulon dans le sud. Nous y (aller) _____ (6) demain. La Bretagne est pittoresque, c'est vrai, mais j'ai besoin _____ (7) un peu de soleil! Jean-Michel (ne pas voir) _____ (8) ce que je (faire) _____ (9) avec tous les souvenirs que j(e) (acheter) _____ (10) le long de notre route. Je suis trop encombrée *(loaded down)*—impossible de faire du stop! Nous (prendre) _____ (11) le TGV pour aller à Marseille. Lorsque nous (arriver) _____ (12), je (pouvoir) _____ (13) aller à la poste et expédier tous ces cadeaux chez vous à Dijon, d'accord? Et vous, comment ça va? Est-ce que Tante Maude se porte mieux? _____ (14) qui allez-vous passer le 14 juillet? Dites bonjour de notre part à tout le monde.

Nous vous (revoir) _____ (15) très bientôt.

Grosses bises,

Sandrine

Vocabulaire

■ Vocabulaire fondamental

Noms

La ville — *The city*

l'avenir *(m)*	*the future*
une place	*a (town) square*
un plan	*a map*
un quartier	*a neighborhood*
un renseignement	*information (a piece of)*
une rue	*a street*

Mots apparentés: une avenue, un boulevard, un monument

Les voyages — *Travels*

une auberge	*an inn*
une auberge de jeunesse	*a youth hostel*
la Côte d'Azur	*the Riviera*
une gare	*a train station*
un inconvénient	*a disadvantage*
un itinéraire	*an itinerary*
un palais	*a palace*
un parc d'attractions	*an amusement park*
un passeport	*a passport*
un supplément	*an extra charge*
un tarif	*a rate*
un terrain de camping	*a campground*
un(e) voyageur(-euse)	*a traveler*

Mots apparentés: l'atmosphère *(f)*, une attraction, un avantage, le camping, le confort, une excursion, la nature, un(e) réceptionniste, une tente, la tradition

Verbes

apporter	*to carry; to bring*
assister à	*to attend*
avoir besoin de	*to need*
compter	*to intend to*
courir	*to run*
croire	*to believe*
découvrir	*to discover*
donner sur (la cour)	*to overlook (the courtyard)*
fabriquer	*to produce, make*
faire du camping	*to go camping*
loger	*to lodge, stay (at a hotel, pension, etc.)*
penser de	*to think about; to have an opinion of*

recevoir	*to receive*
tourner	*to turn*
traverser	*to cross*
voir	*to see*

Mots apparentés: admirer, apprécier, influencer

Adjectifs

animé(e)	*animated, lively*
contemporain(e)	*contemporary*
entier (entière)	*entire, whole*
fauché(e) *(fam)*	*broke, out of money*
gastronomique	*gourmet*
(le monde) occidental	*Western (the Western world)*
réduit(e)	*reduced*
valable	*valid*

Mots apparentés: essentiel(le), impressionniste, touristique

Mots divers

à droite	*to the right*
à gauche	*to the left*
au bout de	*at the end of*
aussitôt que	*as soon as*
jusqu'à	*until*
lorsque	*when*
sauf	*except*
si	*if*
tout droit	*straight ahead*

Expressions utiles

Comment se repérer en ville — *How to find one's way in town*

(See page 322 for additional expressions.)

Est-ce que je peux vous déranger?	*I'm sorry to bother you.*
L'Opéra Bastille, s'il vous plaît?	*The Bastille Opera, please?*
Pourriez-vous me dire où se trouve la gare?	*Could you tell me where the train station is?*
Allez tout droit et puis tournez à gauche.	*Go straight ahead, and then turn left.*
Allez jusqu'au bout de la rue.	*Go to the end of the street.*
De quoi avez-vous besoin?	*What do you need?*

Comment réserver une chambre d'hôtel	How to reserve a hotel room
(See page 328 for additional expressions.)	
Je voudrais une chambre pour deux personnes avec douche.	*I would like a room for two with a shower.*
Désolé(e), madame, l'hôtel est complet.	*Sorry, ma'am, the hotel is full.*
Le petit déjeuner est compris.	*Breakfast is included.*
Prenez l'ascenseur jusqu'au quatrième étage.	*Take the elevator to the fifth floor.*
Vous pouvez avoir un prix / tarif réduit.	*You can get a reduced price.*
Il y a un supplément pour le petit déjeuner.	*There's an extra charge for breakfast.*

■ Vocabulaire supplémentaire

Noms

une agence de location de voitures	*a car rental agency*
une allumette	*a match*
l'amitié *(f)*	*friendship*
une balade	*a stroll*
le bonheur	*happiness*
un(e) bouquiniste	*a bookseller*
une boussole	*a compass*
le droit	*right, permission*
l'équilibre *(m)*	*balance*
l'essence *(f)*, le pétrole	*gasoline*
une formule (de vacances)	*a (vacation) package*
une foule	*a crowd*
les jumelles *(f pl)*	*binoculars*
une lampe électrique	*a flashlight*
le mal du pays	*homesickness*
une œuvre	*a work of art*
un peintre	*a painter*
une réduction	*a reduction (in price)*
un sac de couchage	*a sleeping bag*

Les croyances / Beliefs

le destin	*fate*
un extra-terrestre	*an extra-terrestrial*
le karma	*karma*
un miracle	*a miracle*
les OVNI *(m pl)*	*UFOs*
le paradis	*paradise, heaven*
un(e) voyant(e)	*a fortune-teller*

Adjectifs

aménagé(e)	*with all the amenities*
austère	*austere, simple*
choqué(e)	*shocked*
mythique	*mythical, legendary*
plein(e)	*full*

Verbes

accueillir	*to greet*
(se) balader	*to stroll*
se détendre	*to relax*
dominer	*to dominate*
faire une balade	*to take a stroll*
feuilleter	*to leaf through (pages)*
flâner	*to stroll*
profiter (de)	*to take advantage (of)*
se repérer	*to find one's way*
revoir	*to see again*

Les jeunes face à l'avenir

This chapter focuses on youth in contemporary French society. We will discuss education and both personal and social concerns. You will learn what to say when you are

Thème: Le système éducatif français

Structure 12.1: Using pronouns for emphasis *Les pronoms relatifs **ce qui** et **ce que***

Perspectives culturelles: La sélection et la chasse aux concours

Voix en direct: La vie sociale au lycée

Pratique de conversation: Comment «parler jeune»

Thème: La mode – tendances

Structure 12.2: Using pronouns for pointing things out *Lequel et les adjectifs démonstratifs **ce, cet, cette** et **ces***

Structure 12.3: Talking about offering and borrowing *L'ordre des pronoms*

shopping for clothing, how to give and accept compliments, and useful expressions used in casual conversation. ❁

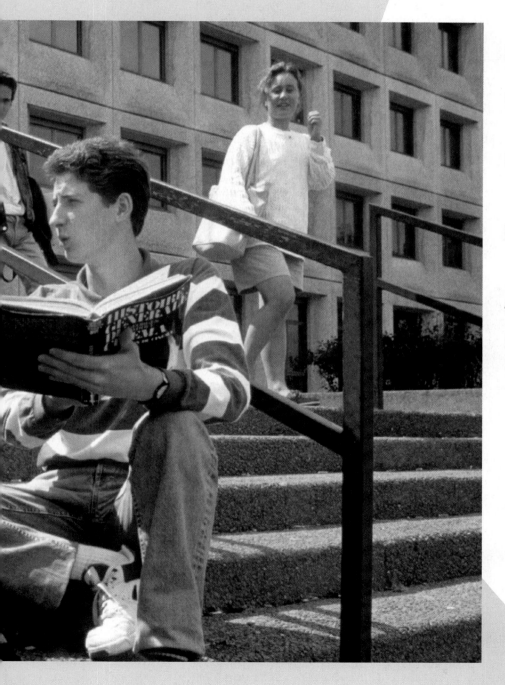

Pratique de conversation: Comment faire des achats

Structure 12.4: Talking about paying for things *Les verbes comme* **payer**

Pratique de conversation: Comment faire et accepter des compliments

Perspectives culturelles: Les jeunes — identité, valeurs et espoirs

À lire, à découvrir et à écrire

Lecture: Multimédia: «Cher cyber-journal»

iLrn™ Voix en direct (suite)

Expression écrite: L'objet qui représente ma génération

Le système éducatif français

Structure 12.1

Using pronouns for emphasis *Les pronoms relatifs* **ce qui** *et* **ce que**

Ce qui and **ce que** are indefinite relative pronouns that mean *what*. In spoken French, they are commonly used with **c'est** for adding emphasis and for focusing attention. See page 375 for further explanation.

■ **Notez et analysez**

Read over the comments made by university exchange students for comprehension. Then look at the words in boldface. What follows **ce qui**? What follows **ce que**? Which of these forms do you think replaces the subject of the sentence? Which replaces the object? How would you translate the phrase **mes copains me manquent** in English?

Grâce à *(Thanks to)* Erasmus, les étudiants de la communauté européenne ont la possibilité d'aller dans un autre pays européen pour faire leurs études. Avec Erasmus, le transfert des unités de valeur *(credits)* est assez facile et les étudiants sont donc plus mobiles. Voici quelques remarques d'étudiants étrangers en France.

Using **ce qui** and **ce que...**, **c'est**, referred to as **focalisation**, is common in spoken French. Use of this structure will make students' speech sound more natural. Useful verbs to accompany **ce qui** are: **ce qui m'intéresse / me passionne / m'ennuie / m'embête / me manque / me plaît.** Encourage students to use them repetitively to develop automaticity.

Erasmus, un programme d'échanges entre universités européennes, porte le nom latin du philosophe et humaniste Érasme (1465–1536).

Erasmus is open to all university-level students in the European community who are studying at a degree-granting institution. The film *L'Auberge espagnole* highlights an international group of Erasmus students studying in Barcelona. Think about showing it in conjunction with this module or to accompany **Module 14.**

Steven, 22 ans, Cameroun: Ce que j'aime dans ce pays, **c'est** le savoir-vivre. Ici, on discute plus. Mais, **ce qui m'énerve** *(annoys me)*, en France, **c'est** la paperasse *(paperwork)*, tous les documents à remplir!

Katie, 21 ans, Autriche: Ce que j'aime, c'est la langue. J'adore les mots «sublime» et «magnifique»! Avec le français, je peux mieux exprimer mes sentiments. **Ce qui me manque** *(I miss)*, **c'est** la campagne autrichienne.

Bjorn, 17 ans, Norvège: Moi, je suis venu ici pour le lycée. **Ce qui m'énerve** en France, **c'est** que les profs sont parfois cruels. Un de mes profs a dit qu'un élève était bête. Ça n'arriverait jamais en Norvège! **Ce que j'apprécie, c'est** le bon niveau *(high academic level)*. Mais il y a beaucoup de travail!

Francesca, 22 ans, Italie
Ce qui me plaît ici, **c'est** la liberté. Les filles et les garçons sont originaux. On peut avoir les cheveux rouges! **Ce qui m'embête, c'est** la difficulté de faire contact avec des étudiants français. Je suis souvent avec des étrangers.

■ Activité 1: Ce que j'aime et ce qui m'embête

Donnez vos impressions de votre université et de la vie universitaire en trouvant une proposition appropriée dans la liste.

1. Ce que j'aime faire, c'est...
2. Ce qui m'intéresse, c'est...
3. Ce que j'apprécie, c'est...
4. Ce qui m'impressionne, c'est...
5. Ce qui m'ennuie *(bothers me)*, c'est...

a. sortir avec des amis
b. la qualité des cours
c. la salle de sport
d. tout le travail
e. la qualité de l'enseignement
f. apprendre et réussir dans mes cours
g. la beauté du campus
h. les frais d'inscription *(tuition)* qui augmentent

■ Activité 2: Que disent les étudiants en programme d'échange?

Relisez les remarques des étudiants en programme d'échange et répondez aux questions suivantes en utilisant la structure **ce qui** ou **ce que**.

Modèle: Qu'est-ce que Steven aime en France?
Ce qu'il aime, c'est le savoir-vivre.

1. Qu'est-ce qui énerve Steven?
2. Katie, qu'est-ce qu'elle aime?
3. Qu'est-ce qui lui manque?
4. Bjorn, qu'est-ce qui l'énerve?
5. Qu'est-ce qu'il apprécie?
6. Francesca, qu'est-ce qui lui plaît?

■ Activité 3: À vous!

Depuis votre arrivée sur ce campus, quelles en sont vos impressions? Avec un(e) partenaire, terminez les phrases suivantes.

1. Ce que j'ai remarqué tout de suite quand je suis arrivé(e) sur ce campus, c'était...
2. Ce que j'aime le plus ici, c'est...
3. Ce qui me manque *(What I miss)* ici, c'est...
4. Ce que je trouve amusant, c'est...
5. ... voilà ce que je trouve insupportable *(what I can't stand)*.

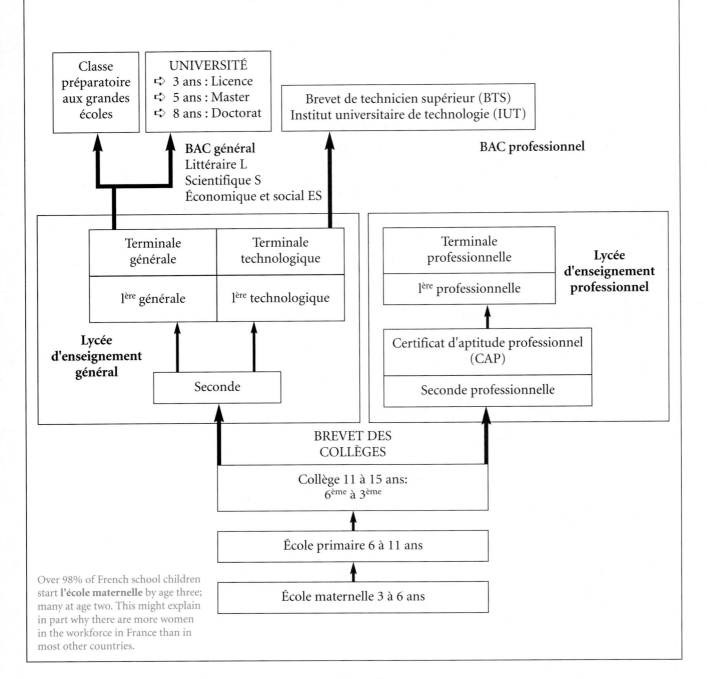

| Classe préparatoire aux grandes écoles | UNIVERSITÉ
⇨ 3 ans : Licence
⇨ 5 ans : Master
⇨ 8 ans : Doctorat | Brevet de technicien supérieur (BTS)
Institut universitaire de technologie (IUT) |

BAC général
Littéraire L
Scientifique S
Économique et social ES

BAC professionnel

| Terminale générale | Terminale technologique |
| 1ère générale | 1ère technologique |

Lycée d'enseignement général

| Terminale professionnelle |
| 1ère professionnelle |

Lycée d'enseignement professionnel

Seconde

Certificat d'aptitude professionnel (CAP)

Seconde professionnelle

BREVET DES COLLÈGES

Collège 11 à 15 ans:
6ème à 3ème

École primaire 6 à 11 ans

École maternelle 3 à 6 ans

Over 98% of French school children start **l'école maternelle** by age three; many at age two. This might explain in part why there are more women in the workforce in France than in most other countries.

En France comme dans le monde entier, l'école et les études jouent un rôle central dans la vie des jeunes. Les professeurs français, comme leurs homologues° américains, se plaignent de° leurs élèves et de leur manque de° culture classique. Ils disent que la plupart des élèves connaissent mieux les noms des chanteurs ou des champions sportifs que les dates des grandes batailles de l'histoire de France. Mais comme vous verrez dans les pages qui suivent, le système éducatif reste très traditionnel. Gérées° par le Ministère de l'éducation nationale, les écoles sont centralisées et uniformes.

peers

complain about
lack

Managed

■ Activité 4: La vie scolaire

Consultez le diagramme à la page 354 pour compléter les phrases suivantes.

1. En France, les enfants commencent _____ à l'âge de 3 ans. Là, ils apprennent à jouer ensemble.

2. L'école maternelle n'est pas obligatoire; mais _____ (la plupart de / beaucoup de / peu de) parents y envoient leurs enfants.

3. Après _____, à 11 ans, l'enfant commence le collège en 6ᵉ et le termine en _____.

4. Après le collège, l'élève qui préfère faire des études plus courtes et plus pratiques va souvent dans un _____. Il y suit des cours techniques et il y fait un apprentissage de mécanicien, de charpentier *(carpenter)*, de boulanger...

5. Les élèves qui continuent leurs études scolaires générales vont au _____ après le collège. Ils commencent le lycée à l'âge de _____ ans.

6. La dernière année de lycée s'appelle la _____. C'est une année consacrée à la préparation du _____, un examen long et difficile.

7. Tout élève possédant le bac a le droit *(has the right)* de s'inscrire *(enroll)* dans une _____.

8. Après le bac, les meilleurs élèves peuvent suivre des cours préparatoires pendant une ou plusieurs années pour préparer un concours extrêmement difficile qui donne accès aux _____, les écoles les plus prestigieuses de France.

La sélection et la chasse aux concours

competitive exam   Les concours° et la sélection jouent un grand rôle dans la vie scolaire de l'élève français.

Jusqu'à la fin du collège, tous les jeunes suivent des cours ensemble, le fils du boulanger avec la fille du médecin.

Mais bien avant la fin du collège, les élèves et leurs parents commencent à
to worry   s'inquiéter° de la sélection pour le lycée. Les meilleurs élèves poursuivront des études académiques au lycée; les autres seront orientés vers un lycée d'enseignement professionnel (LEP) pour suivre des études pratiques.

À la fin du lycée, le bac constitue une deuxième sélection. Seuls les élèves qui
accepted / right   y sont reçus° ont le droit° de poursuivre des études supérieures à l'université; entre 75% et 78% des candidats réussissent. Pour les élèves qui sont reçus au bac
pass with distinction   avec mention°, il y a la possibilité d'entrer dans une grande école. Ces grandes écoles sont réservées à une petite élite; elles représentent l'éducation française à son plus haut niveau.

work like crazy (fam)   Pour y être admis, il faut «bosser comme un fou°» pendant deux ans dans une classe préparatoire avant de passer un concours d'entrée. Une fois reçu au concours, l'étudiant peut se reposer un peu. Son avenir professionnel est
secure   assez sûr°.

path   Le système éducatif français est assez rigide. Une fois orienté dans une filière°, une décision prise vers l'âge de 14 ans, il est difficile pour l'étudiant de changer de
course of study   voie°. L'indécision est vue comme un manque de motivation. Par conséquent, les parents s'inquiètent beaucoup de la réussite scolaire de leurs enfants. Ils les poussent dans leurs études et les encouragent à choisir une direction à un jeune âge. Le parent français sait que le diplôme ouvre de nombreuses portes dans la vie.

■ Avez-vous compris?

Lisez les phrases suivantes et dites si elles sont vraies ou fausses.

1. Jusqu'à la fin du collège, les élèves français suivent tous le même programme d'études.
2. Si on veut faire des études universitaires, il faut réussir au bac.
3. La majorité des élèves vont dans des écoles préparatoires après le lycée.
4. Comme aux États-Unis, l'étudiant français peut facilement changer la direction de ses études.
5. Les grandes écoles sont très prestigieuses.

1. Est-ce que les parents américains s'inquiètent aussi de la réussite scolaire de leurs enfants?

2. Qu'est-ce qu'on peut faire pour avoir les meilleures chances d'être reçu *(accepted)* dans une bonne université aux États-Unis?

3. Est-ce que vous croyez que la pression *(pressure)* scolaire sur les jeunes est nécessaire? Expliquez.

Voix en direct

La vie sociale au lycée

CD2, Track 17

Dans beaucoup de lycées aux États-Unis, les étudiants se regroupent en cliques. Est-ce que c'était vrai dans votre lycée?

Célia Keren
Étudiante, 23 ans
Paris, France

En fait, à mon sens[1], il y a vraiment une sociologie, quoi, de l'appartenance[2] dans les lycées selon[3] le style musical. Moi, j'étais au lycée il y a dix ans[4], presque, maintenant, donc c'était il y a longtemps[5]. Mais à mon époque, à la fin des années 90, il y avait des «grunges», qui écoutaient du rock, du grunge—les Smashing Pumpkins. Ils étaient—on était habillé avec les cheveux colorés ou des «locks», ou on avait des fringues[6] de toutes les couleurs, on était mal habillé, on n'était pas maquillé[7]. Il y avait des «rappers». Ils écoutent du rap et ils sont habillés en jogging[8] avec des grosses baskets alors que nous on avait des Doc Martens. Et il y a les gens qui n'ont pas de look. C'est des gens normaux. Ils sont déjà normaux. Ils sont habillés normalement. Ils n'écoutent rien en particulier. Ils sont gentils, et tout le monde peut leur parler. Ouais.

[1]*I think* [2]*belonging* [3]*according to* [4]*ten years ago* [5]*a long time ago* [6]*clothing*
[7]*not made up* [8]*jogging pants*

Aux États-Unis, il y a aussi un groupe qu'on appelle les «nerds». Est-ce que cela existe en France?

Ils existent, eux, comme individus[9], mais c'est pas un phénomène culturel. Le mec[10], il aime jouer à l'ordinateur et à *«Dungeons and Dragons»*. Et il est mal habillé et il parle pas aux filles et il sort pas le soir. Non, ça c'est—peut-être que ça existe mais c'est pas un cliché[11] qu'on a… Mais on connaît parce qu'on regarde les séries de télé américaines.

[9]*individuals* [10]*the guy* [11]*stereotype*

Est-ce que c'est important d'être «in» en France?

J'ai quand même l'impression que c'est moins cruel en France. La popularité, ça compte, à l'école aussi, c'est quelque chose qui existe, mais c'est pas une institution sociale comme aux États-Unis. Là, on vote pour «the Queen of the prom». Ça existe mais c'est pas aussi rigide, quand même, j'ai l'impression donc. Oui, il y a des gens qui sont moins populaires que d'autres. Mais quand même ils vont toujours avoir au moins[12] un ami.

[12]*at least*

1. Selon Célia, comment les étudiants de son lycée se sont-ils divisés?
2. Selon Célia, en France il n'y a pas d'équivalent du «nerd». Mais elle a découvert ce stéréotype en regardant des séries télévisées américaines. Quelle est sa conception du «nerd»?
3. Elle pense que la vie sociale au lycée est moins cruelle que dans un «high school». Pourquoi?
4. Est-ce que des groupes se formaient dans votre lycée selon le genre de musique qu'on écoutait? Selon autre chose? Expliquez.

Activité 5: Some public schools in Paris and the provinces are highly selective. Two famous **lycées** in Paris are **Louis le Grand** and **Henri IV.** High school does not typically include extracurricular activities such as sports. **La terminale,** senior year, is devoted to preparation for the **bac.** Students who fail a course must **redoubler** *(repeat)* the entire year. The **bac** is more like an AP subject matter test than an SAT general aptitude test. The **écoles préparatoires,** or **prépas,** that prepare students for the **concours** for the various **grandes écoles** are extremely rigorous. Students study around the clock leaving scant time for any kind of social life.

■ **Activité 5: Comparons nos deux systèmes.**

Le système éducatif français est assez différent du système américain. Donnez l'équivalent approximatif de chaque mot anglais en français. Puis, expliquez quelques différences entre les deux termes.

1. *middle school*
2. *university*
3. *Scholastic Aptitude Test*
4. *senior year (high school)*
5. *Ivy League schools*
6. *kindergarten*
7. *college prep high school*
8. *bachelor's degree*

a. l'école maternelle
b. le baccalauréat
c. les grandes écoles
d. l'université
e. le lycée
f. la terminale
g. le collège
h. la licence

■ **Activité 6: Le système éducatif français comparé au système américain**

Mettez-vous en groupes de trois ou quatre. Trouvez deux choses en commun et deux différences entre les deux systèmes.

Expressions utiles

Pour expliquer les différences et les similarités
Les deux systèmes ont des éléments semblables et différents.

Pour comparer
En France / Aux États-Unis, les lycées ont moins de / plus de / n'ont pas autant de...; En France on est généralement plus jeune quand on commence l'école.

Pour annoncer le point de comparaison
En ce qui concerne la vie sociale... *(In terms of social life . . .)*

Voici quelques questions qu'on a posées pour le bac.

Quiz histoire géo

1. En 1940, on appelle «blitz»...
a. le bombardement intense des villes britanniques par la Luftwaffe.
b. la guerre éclair *(blitzkrieg)* menée par Hitler contre la France.
c. l'éclair aveuglant *(blinding light)* des bombes lancées *(dropped)* par avion.

2. Les accords de Bretton Woods ont établi...
a. la parité du dollar avec l'or *(gold)*.
b. le système des changes flottants.
c. le système monétaire européen.

3. Un régime communiste subsiste...
a. en Ukraine.
b. en Corée du Nord.
c. en Corée du Sud.

4. Aux États-Unis, les Latinos représentent...
a. 9% de la population.
b. 2% de la population.
c. 3,5% de la population.

Réponses: 1. a 2. b 3. b 4. a

Quiz anglais

5. She's late again, _____ is hardly surprising.
a. what
b. which
c. this

6. I advise you . . .
a. not to say nothing.
b. tell nothing.
c. not to say anything.

Réponses: 5. b 6. c

Comment «parler jeune»

Suggestion : Ask the question in **Réfléchissez et considérez** with books closed. Put students in groups of four and ask: **Imaginez que vous regardez un film ou que vous écoutez une chanson que vous aimez beaucoup. Faites une liste des expressions que vous utilisez pour montrer votre enthousiasme. Vous dites par exemple:** That was a superb movie. **Non? Vous ne dites pas ça? C'est trop formel? Maintenant imaginez le contraire. Le film ou la musique est vraiment mauvais. Quelles sont les expressions que vous allez utiliser pour exprimer votre opinion négative?**

■ Réfléchissez et considérez

In groups of three or four, make a list of common expressions you use with friends when you think something is great, or when you think it's pretty awful. What words do you use to refer to a male or female your age? Do you abbreviate words when you're speaking casually? Give an example. Now compare your lists with the expressions below. These expressions are appropriate and quite common in casual conversation with people your age.

Quelques expressions utiles

Pour porter un jugement sur les choses
Évaluation positive

C'est hyper (super / vachement / trop) bien°.	*really great*
C'est passionnant. C'est chouette. C'est cool.	
C'est top. C'est génial. C'est d'enfer.	
C'est pas mal°. C'est plutôt bon°.	*not bad / pretty good*
C'est marrant° / rigolo° / amusant° / sympa.	*funny*

Évaluation négative

C'est super (hyper / vachement) mauvais°.	*really bad*
C'est nul° / débile°.	*useless / idiotic*
C'est plutôt mauvais°. C'est lamentable / triste°.	*pretty bad / pathetic*
C'est pas terrible°. C'est pas très intéressant.	*mediocre*

Pour parler des gens

un mec° / type (un homme)	*guy*
une nana (une jeune fille)	
un pote° (un copain)	*buddy*
un(e) gosse (un[e] enfant)	

T'as vu le film? C'était marrant, non?

Oui, c'était, trop bien!

Comme dans la plupart des pays, les jeunes Français utilisent un langage familier pour parler entre eux.

Pour raccourcir *(shorten)*

Les Français ont tendance à utiliser des abréviations pour simplifier le langage. Voici une petite liste de mots utiles considérés comme familiers.
Noms: le frigo, l'appart, le resto, le dico (dictionnaire), le prof, le petit déj, le clip (le vidéo-clip), le bac, la fac, la pub (la publicité), un imper (un imperméable)
Expressions: d'ac (d'accord); à plus (à plus tard [prononcez le **s**]); comme d'hab (comme d'habitude)

Pour parler des objets de tous les jours

les fringues *(clothing)*, le fric (l'argent), la bagnole (la voiture), le bouquin (le livre), la bouffe (la nourriture), un machin *(a thingy)*, un truc (une chose)

Structures et prononciation

T'aimes pas ce pull?

Moi, j'sais pas.

- En français familier, le négatif se forme uniquement avec **pas**. Le **ne** est omis: **J'veux pas venir.**
- **Tu as** et **tu es** sont remplacés par les contractions **t'as** et **t'es.**
- On marque les questions par l'intonation: **T'es sûr?**
- On utilise les pronoms toniques (**moi, toi, lui,** etc.) pour accentuer.

CD2, Track 18

■ Écoutons ensemble! Les jeunes parlent entre eux.

Répondez aux questions ou déclarations que vous entendez en utilisant un mot familier du vocabulaire que vous venez d'apprendre. Puis, vérifiez vos réponses.

1. Dans un _____ à Paris.
2. Non, je n'ai pas besoin d'une _____.
3. Je vais à _____ en métro.
4. Oui, j'ai pas mal de _____ à apporter.
5. Tu peux regarder dans le _____.
6. Oui, nous les _____, on fait de la bonne _____ ici!
7. Non, je suis crevé(e) (fatigué[e], *fam*). Mangeons au _____.

■ Activité 8: Qu'est-ce que tu en penses?

Demandez à votre partenaire ce qu'il/elle pense des éléments suivants.

Modèle: San Francisco
—*Dis, qu'est-ce que tu penses de San Francisco?*
—*San Francisco? C'est super!*

1. Johnny Depp
2. la musique à la radio
3. les grosses voitures
4. Google
5. Las Vegas
6. Paris Hilton
7. les iPods

CD2, Track 19

■ Activité 9: Lui, il est marrant!

Parfois en français, on souligne une réponse avec un pronom accentué. Trouvez la meilleure réponse pour chaque question. Puis écoutez l'audio pour vérifier vos réponses. Faites attention à l'intonation.

1. Ta mère, elle est bien?
2. Ton voisin Frédo, qu'est-ce qu'il a?
3. Tes potes ici sont cool?
4. Tu connais Claire?
5. Qu'est-ce que tu penses de Chris Rock?
6. T'aimes ce mec-là?

a. Lui, il est marrant!
b. Ah, oui. Eux, ils sont super sympas!
c. Ah oui! Ma mère, elle est trop bien.
d. Mais non. Il est débile!
e. J'sais pas, moi. Pourquoi?
f. Oui, oui. Elle est super bien!

In French, tonic pronouns are used for emphasis because subject pronouns can't be accented. You might translate *He's nice* by saying **Il est bien,** *lui* or *Lui,* **il est bien.** The stressed pronoun can go at the beginning or at the end.

La mode – tendances (trends)

Les adolescents représentent un marché gigantesque pour les fringues et les gadgets électroniques, comme le portable et la musique. Ils sont tout simplement devenus accros *(addicted [fam])* à la consommation.

Adapté de «*J'économise*», no. 35, juin/juillet 2002

Structure 12.2

Using pronouns for pointing things out *Lequel et les adjectifs démonstratifs ce, cet, cette et ces*

Lequel *(Which one)* and demonstrative adjectives (**ce, cet, cette** and **ces**) are used for asking about choices and referring to specific people and things. They are introduced here in the context of shopping. See page 376 for a full explanation of these forms.

SOLDES

tentations mode

Pull à col roulé manches courtes 26,00

Pantalons cargo 67,80€

Pull moulant à manches longues 45,90

Tongs 29,50

Mules 36,50

Débardeurs à fines bretelles, en coton 15 €

Baskets 41,00

Tennis newbalance 52,00

Sandales en cuir à haut talon 63,20

—Vous aimez **ces** chaussures-**là**?
—**Lesquelles?**
—**Ces** baskets-**ci** en solde à 41 euros.
—Oui, elles ne sont pas mal. Et c'est un bon prix.

—Que pensez-vous de ce pull?
—**Lequel?**
—**Ce** pull-**là** à col roulé en solde à 26 euros.
—Je le trouve moche.

■ Notez et analysez

Imagine where these conversations about clothing might take place. In the first exchange, what words does **lesquelles** replace? In the second, **lequel** replaces what words?

Vous regardez les vêtements en solde (page 362) avec un copain (une copine). Demandez ce qu'il/elle pense des éléments suivants.

Modèle: les baskets
— *Qu'est-ce que tu penses de ces baskets?*
— *Lesquelles?*
— *Ces baskets-là en solde à 41 euros.*

1. le pull
2. les sandales
3. le débardeur
4. les tennis
5. les mules

pull col roulé   coiffure sage   ensemble coordonné

pull déstructuré

jupe au niveau du genou   collants foncés   mocassins   pantalon à pinces

■ **Activité 11: La mode des jeunes dépend de la situation.**

Adrienne et Pierre doivent s'habiller pour des situations différentes.

A. Chez Adrienne. Ce week-end, elle rencontre les parents de son copain. Que porter? Lisez les recommandations et indiquez si les phrases suivantes sont vraies ou fausses.

L'image à afficher° est celle d'une gentille jeune fille, propre et rangée°. Toujours en robe ou en jupe au niveau du genou°. Ensembles° coordonnés, collants foncés°. Jamais de moulant°. Jeans basiques avec un pull ou un chemisier customisé. Coiffure sage° et maquillage naturel. L'exemple à imiter: Audrey Tautou dans «Le fabuleux destin d'Amélie Poulain».

Adapté de *Jeune et jolie,* avril 2002.

to project / clean and neat
knee length / Outfits
dark stockings / close-fitting
demure

1. Adrienne porte cette tenue *(outfit)* pour impressionner son petit ami.
2. Elle porte une mini-jupe.
3. Porter une robe moulante ne correspond pas à l'image d'une jeune fille sage et modeste.
4. Le maquillage naturel, c'est assez réservé.
5. Adrienne cherche un look qui va la faire remarquer *(make her stand out).*

B. Chez Pierre. Ce soir, il veut sortir en boîte. Que porter? Lisez les recommandations et répondez aux questions.

L'image à afficher° est celle d'un jeune homme BCBG°. Recommandations pour ce soir: un pantalon à pinces° gris, un pull col roulé° sous une veste BCBG et des chaussures classiques. Il faut une tenue° qui ouvre les portes des boîtes de nuit. Premier objectif? Ne pas être refoulé° par les videurs°. Il a donc une sorte «d'uniforme», mais style.

to project / bon chic bon genre (clean-cut)
pleated slacks
turtle neck
outfit
turned away / bouncers

1. Qu'est-ce que Pierre va faire ce soir?
2. Est-ce qu'on porte une cravate avec un pull col roulé?
3. Pourquoi Pierre doit-il s'habiller de façon classique?
4. Est-ce qu'un pantalon à pinces est habillé *(formal)*?

C. À vous! Imaginez que Pierre et Adrienne sont américains. Est-ce que vous leur faites les mêmes recommandations? Faites les changements que vous trouvez nécessaires.

En groupes de trois, regardez les vêtements sur la photo et répondez aux questions suivantes.

Pantalon à pattes d'eph is shortened from à **pattes d'éléphant.**

Défilé de mode *(Fashion show)* en 1973. Le jean est roi. On porte des pantalons taille basse *(low waisted)* à pattes d'eph *(flared)*. Les couleurs sont vives et gaies.

1. Qu'est-ce qu'on porte sur la photo? À quelle époque est-ce qu'on s'habillait comme ça?
2. Qu'est-ce que vous portez pour sortir en boîte?
3. Quelles sont les tendances-mode qui caractérisent votre génération?

Structure 12.3

Talking about offering and borrowing *L'ordre des pronoms*

When talking about offering gifts, borrowing, or lending, two object pronouns are sometimes used in succession. One represents the object being offered, the other represents the recipient. See pages 377–378 for an explanation of pronoun order.

In casual conversation, double object pronouns are infrequently used and it takes years for learners to use them effortlessly. Work first on comprehension, and have students identify antecedents. Finally, practice with a few commonly used combinations.

—Dis, j'ai besoin d'une veste pour ce soir. Je peux emprunter ta veste, Stéphane?
—D'accord. Je **te la** prête. Mais tu dois **me la** rendre demain.

—Ah, ta fille aime ces fleurs? Tiens, je **les lui** offre! Voilà, ma petite!

■ Notez et analysez

Look at the two conversations. Each one involves an object being borrowed or offered and the person who is receiving the object. Mark the relevant pronouns as receiver and object. Is the order the same in both dialogues? What might explain the difference in order?

Activité 13: Alors, je te le prête!

This activity, in which students pass an object around the room, provides kinesthetic reinforcement of indirect and direct pronoun use. You'll need to remember who gave what object to whom to do the second part of the activity. Ask students to keep track so they can remind you.

À jouer avec toute la classe.

PREMIÈRE ÉTAPE: Prenez un objet et demandez à votre voisin s'il/elle veut le/la/les emprunter. Suivez le modèle. (This is a chain sequence activity).

Modèle: —*Kerry, tu veux emprunter* (borrow) *mon portable?*
—*Oui, je veux l'emprunter.*
—*Alors, **je te** le prête.* (Passez l'objet à votre partenaire.)

DEUXIÈME ÉTAPE: À la fin de l'activité, suivez les directives du professeur. (Aidez votre instructeur à se rappeler à qui sont ces objets.)

Modèle: —Kerry, rendez le portable à Jane.
—*D'accord. Je **le lui** rends.*

 ## Activité 14: Dis-moi la vérité.

Jean veut acheter un vêtement pour sa petite amie. Il demande l'opinion de son copain (sa copine). Travaillez avec un(e) partenaire et jouez les rôles de Jean et de son copain (sa copine).

Modèle: pantalon / trop court (non)
ÉTUDIANT(E) 1: *Dis, je lui achète ce pantalon?*
ÉTUDIANT(E) 2: *Mais non, ne le lui achète pas. Il est trop court!*

Modèle: manteau / confortable (oui)
ÉTUDIANT(E) 1: *Alors, je lui achète ce manteau?*
ÉTUDIANT(E) 2: *Oui, achète-le. Il a l'air très confortable.*

1. cette veste / épaules (shoulders) trop étroites (tight) (non)

2. ce pantalon / trop large (non)

3. cette chemise / élégante (oui)

4. ce débardeur / trop moulant (non)

5. ces chaussures / talons (heels) trop hauts (non)

6. cette écharpe (scarf) / pratique (oui)

Comment faire des achats

Structure 12.4

Talking about paying for things *Les verbes comme* **payer**

In French, to ask how much someone paid for an item, you say: **Vous l'avez payé combien?** For the forms of **payer** and a list of verbs that follow this pattern, see page 379.

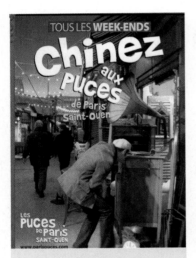

Pour ceux qui aiment chiner *(shopping for secondhand goods)*, le marché aux puces de Saint-Ouen vous propose une grande diversité de marchandises: vêtements neufs et d'occasion, antiquités, bibelots et objets d'art et de décoration.

Les Galeries Lafayette près de l'Opéra à Paris

Quelques expressions utiles

Pour faire le premier contact

	Vendeur (Vendeuse)	**Client(e)**
help you	Je peux vous renseigner°?	Oui, je cherche un pantalon.
	Vous désirez, madame / monsieur?	Je cherche ce modèle en bleu.
		Euh, je regarde (tout simplement).
		Rien, merci.

Pour donner et demander des renseignements

	Vendeur (Vendeuse)	**Client(e)**
size	Quelle taille° faites-vous?	Je fais du 40.
shoe size	Quelle est votre pointure°?	Je chausse (Je fais) du 39.

Pour demander le prix

Client(e)	**Vendeur (Vendeuse)**
C'est combien, cette chemise?	Elle est en solde à 48 euros.
Combien coûtent ces bottes?	C'est une très bonne affaire. Elles coûtent 89 euros.
C'est très cher!	Mais regardez un peu, la qualité est superbe!

Pour demander un avis et prendre une décision

Client(e)
Je peux l'essayer?
Est-ce que ça me va?

Vendeur (Vendeuse)
Bien sûr. Voilà la cabine.
Ça vous va très bien / comme un gant.
C'est peut-être un peu serré / large.
Essayez une taille plus grande / petite.

Vendeur (Vendeuse)
Qu'est-ce que vous en pensez?

Client(e)
Je ne sais pas. C'est un peu trop cher /
    grand / juste. Je dois réfléchir.
Je le prends.

Vendeur (Vendeuse)
Vous payez par carte de crédit ou en
    liquide°?

Client(e)
Vous acceptez les cartes bancaires?
Je vais utiliser ma Visa.

cash

CD2, Track 20

■ Écoutons ensemble! Dans une boutique de prêt-à-porter

Écoutez le dialogue et écrivez les mots qui manquent.

Réponses: vous renseigner; pull; modèle; vert; taille; faites; du 42; l'essayer; solde; le prends

VENDEUR: Bonjour, mademoiselle. Je peux ____?
CLIENTE: Oui, j'ai vu ce ____ dans la vitrine. Est-ce que vous avez ce ____
           en ____?
VENDEUR: Je vais voir. Quelle ____ ____-vous?
CLIENTE: Je fais ____.
VENDEUR: Le voilà. Vous voulez ____? La cabine est là-bas.
           (plus tard, devant le miroir)
VENDEUR: Il vous va très bien. Et il est en ____ . Qu'est-ce que vous en pensez?
CLIENTE: Je ____. Vous acceptez les cartes de crédit?

■ Activité 15: À la boutique de prêt à porter (jeu de rôle à deux personnes)

Vous entrez dans une boutique pour chercher un vêtement. Suivez les directives pour inventer un jeu de rôle. Puis, jouez la scène pour la classe. Pour le vocabulaire, voir pages 366–367.

VENDEUR/VENDEUSE: Greets customer and asks if he/she needs help.
CLIENT(E):   Says what he/she is looking for (a top, a shirt, a pair of
                    pants, a skirt, a sports coat, etc. with specific
                    characteristics).
VENDEUR/VENDEUSE: Asks the client for his/her size.
CLIENT(E):   Gives the salesperson his/her size.
VENDEUR/VENDEUSE: Points out an item and describes it.
CLIENT(E):   Gives a reason why he/she doesn't like it, or why it
                    won't work.
VENDEUR/VENDEUSE: Suggests another item.
CLIENT(E):   Thinks it might work. Asks if he/she can try it on and
                    where the dressing room is.
VENDEUR/VENDEUSE: Says how nice it looks on the customer. Asks if he/she
                    wants to buy it.
CLIENT(E):   Says yes with some hesitation.
VENDEUR/VENDEUSE: Finds out how he/she is going to pay for it and
                    completes the transaction.

Comment faire et accepter des compliments

■ Réfléchissez et considérez

Ways of offering and receiving compliments vary from culture to culture. In small groups, write down several typical compliments Americans might give and predictable responses. Then look over the French compliments and responses below and answer the following questions.

1. What varies the most between French and American behavior in the offering and acceptance of compliments?
2. Look at the following suggestions and select the most plausible explanation for the French responses.
   a. On a peur de paraître vaniteux (vaniteuse).
   b. On pense que le compliment est offert pour vous influencer ou parce qu'on veut quelque chose.
   c. On veut paraître humble.
   d. Toutes les réponses données sont possibles.

Quelques expressions utiles

Pour faire un compliment

Cette veste te va très bien.
Cette bagnole est chouette!
C'était une excellente présentation.
J'aime bien cette coupe de cheveux. Ça te va super bien.
Ton écharpe / chapeau / haut° est très chouette!   *top*
J'adore cette couleur. Ça met vos yeux en valeur.°   *It brings out your eyes.*
Ça te va super bien. Même si tu ne veux pas l'admettre.
Ça te va comme un gant°.   *fits you like a glove*

Pour accepter un compliment

Arrête donc, c'est pas vrai!
Vous croyez? Mais elle est vieille / il est vieux.
Ah, je ne sais pas. Cette coupe° est très ordinaire.   *haircut*
C'est / C'était rien.
C'est une vieille chose que j'ai trouvée au fond de mon placard.
Tu trouves ça vraiment beau? Moi, je ne l'aime pas beaucoup. Je le trouve trop large, trop sérré...
Merci. (C'est gentil.) Je l'ai trouvé en solde.
Merci!

French people don't accept compliments as easily as Americans. For some, a simple **merci** feels vain. In addition, there is the fear of false flattery. La Fontaine warns of this danger in the fable **Le corbeau et le renard** often read to French schoolchildren. In this story, a fox passes by a crow who has a tasty morcel of cheese in his mouth and compliments him: «Hé ! bonjour, **Monsieur le Corbeau. Que vous êtes joli! Que vous me semblez beau!**» When the crow opens his beak to show off his "beautiful" voice in song, out falls the cheese, which the **renard** quickly gobbles up. Therefore, reluctance to appear boastful is combined with a suspicion that **le flatteur** has an ulterior motive.

☐ Écoutons ensemble!

Écoutons ensemble! Réponses possibles: 1. b 2. c 3. f 4. e 5. d 6. a

Pour chaque compliment, donnez une réponse. Puis écoutez la réponse. (Parfois, il y a plus d'une réponse possible.)

1. Ta jupe est très élégante.
2. Tu es exquise dans cette robe!
3. Ce pantalon te va très bien.
4. C'est une très jolie montre!
5. J'aime bien ton chapeau.
6. Cette coupe te va si bien!

a. Tu trouves? Moi, je crois que c'est très ordinaire.
b. Merci. C'est gentil. Je l'ai trouvé(e) en solde.
c. Ah! Jean-Phi, arrête, tu es trop flatteur!
d. C'est un vieux truc que j'ai trouvé au fond de mon placard.
e. Ah, c'est rien de spécial.
f. Ah, je trouve que ça me grossit.

■ Activité 16: À une soirée avec des flatteurs!

Activité 16, Réponses: 1. e 2. c 3. a 4. b 5. d 6. f

Donnez et répondez aux compliments convenablement en choisissant une réponse appropriée.

1. Salut, Anne. Tu es très jolie dans cette robe! Elle est neuve?
2. Marc, félicitations pour votre promotion!
3. Jeanine, j'ai vu ton match de tennis aujourd'hui. Bien joué!
4. J'aime cette écharpe! Elle te va si bien!
5. J'aime bien cette coupe de cheveux.
6. Ta nouvelle moto est chouette!

a. Arrête donc, c'est pas vrai!
b. Merci, c'est gentil.
c. Ah, c'est rien. Juste un nouveau titre *(job title)*.
d. Tu trouves? Moi, je trouve qu'elle est un peu courte.
e. Non, je l'ai trouvée au fond du placard.
f. Tu sais, elle n'a pas beaucoup de puissance *(power)*.

Pratique de conversation ❊ *trois cent soixante-neuf* **369**

Perspectives culturelles: The statistics on attitudes of French youth can be used as a small project. **Suggestion:** Assign the project for homework a day or two in advance. Divide students into three expert groups, one for each of the following categories: **identité, valeurs,** and **réussite**. Groups will report to the class on 1) what the statistics reveal, 2) their responses to the follow-up questions, and 3) results from polling young Americans on the same topic. Then they will lead the class in a discussion on the topic with a couple of prepared questions.

Les jeunes—identité, valeurs et espoirs

Vous allez lire des statistiques au sujet de l'identité, des valeurs et des espoirs des jeunes personnes de 16–25 ans. En lisant ces statistiques, est-ce que vous voyez des ressemblances entre les jeunes Français et des gens que vous connaissez?

Source: Sondage Ifop – Ministère de la jeunesse et des sports, 2000.

L'identité

Question 1: Parmi les mots suivants, quel est, selon vous, celui qui décrit le mieux votre génération? En premier? Et ensuite?

	En premier* %	Au total* %
La consommation	26	45
La solidarité	20	35
La responsabilité	12	27
L'enthousiasme	11	22
L'individualisme	9	21
Le matérialisme	8	16

*The percentages in the **En premier** column show the percent of times this word was listed as number one. The **Au total** column shows the overall percent of times that this word was included in the list.

Interprétons les statistiques

1. On dit que les adolescents sont de gros consommateurs de produits de marques. Quelle statistique soutient *(supports)* cette observation?
2. Le mot **solidarité** existe en anglais aussi. Mais les Américains l'utilisent assez peu. Est-ce que vous pouvez donner un exemple de solidarité? (Cherchez le mot dans un dictionnaire anglais–anglais si nécessaire.)

Question 2: Personnellement, diriez-vous que vous êtes avant tout...

	Ensemble %	Garçons %	Filles %
Français	36	31	40
Européen	21	21	21
Citoyen du monde	21	25	16
Habitant de votre commune	15	16	14

Interprétons les statistiques

1. Est-ce que les jeunes Français ont tendance à s'identifier plutôt en tant qu'Européens ou que Français?
2. La plupart des jeunes aimeraient voyager ou étudier dans un autre pays européen. Pourtant *(Yet)*, l'idée de l'Europe reste un peu vague pour eux. Elle est loin de leur vie de tous les jours. Est-ce que vous croyez que le programme Erasmus pourrait influencer cela? Comment?

Les valeurs

Question 3: Je vais vous citer un certain nombre d'opinions. Pour chacune d'entre elles, vous me direz si vous êtes tout à fait d'accord, plutôt d'accord, plutôt pas d'accord ou pas d'accord du tout.

(Récapitulatif: Total d'accord)	Ensemble %	Garçons %	Filles %
Il faut savoir prendre des risques dans la vie.	97	97	97
Savoir faire la fête, c'est important.	94	95	93
Avoir un diplôme, c'est indispensable.	86	83	89
On devrait plus souvent écouter les conseils des adultes.	85	85	85
Créer une entreprise, cela me plairait.	69	69	70
La pollution détruira l'humanité au siècle prochain.	69	69	70
Dieu existe.	50	48	52
Manger bio *(organic food)*, ça ne sert à rien.	47	50	44

Interprétons les statistiques

1. Trouvez une réponse qui montre que les jeunes Français et les jeunes Américains ont beaucoup en commun. Trouvez une réponse qui montre une différence entre les deux pays.
2. Est-ce que votre groupe met les éléments dans un ordre très différent?

La réussite

Question 4: Pour vous, réussir sa vie, c'est avant tout...

	Ensemble %	Garçons %	Filles %
Fonder une famille	52	49	54
Avoir un métier à responsabilité	16	14	18
Réussir sa vie sentimentale	14	17	11
Défendre une grande cause	8	8	8
Avoir beaucoup de temps libre	6	7	6
Gagner beaucoup d'argent	6	7	6

Interprétons les statistiques

1. Dans les **Perspectives culturelles** du **Module 3,** on apprend que la famille française prend des formes différentes. Mais la famille reste une valeur sûre chez les Français. Est-ce que ces statistiques témoignent *(support)* de cette idée?
2. Où est-ce que vous allez mettre «Gagner beaucoup d'argent» dans votre liste?

 ■ **Situations à jouer!**

Utilisez **iLrn** voiceboard pour plus de pratique orale avec les **Thèmes** et les **Pratiques de conversation** du **Module 12.**

1.
Vous venez d'acheter de nouveaux vêtements pour aller à une fête avec un(e) ami(e). Montrez les vêtements à votre ami(e). (Vous pouvez utiliser une photo de mode.) Demandez-lui ce qu'il/elle en pense. N'oubliez pas d'employer les mots familiers que vous venez d'apprendre.

2.
Vous allez à la boutique où travaille votre ami(e). Demandez-lui de vous aider à trouver la tenue, les chaussures, etc., que vous voulez acheter. Parlez du prix, de la couleur, etc.

3.
Vous interviewez un(e) étudiant(e) français(e) qui étudie sur votre campus au sujet de ses observations sur votre université et des différences qu'il/elle trouve entre le système éducatif français et américain. Préparez cinq questions à lui poser. Ensuite, posez d'autres questions basées sur ses réponses. Utilisez la focalisation dans les réponses: **ce qui** et **ce que.**

Lecture

■ Anticipation

Cet article parle des jeunes Français qui écrivent leur journal intime *(diaries)* en ligne. Il compare cette pratique chez les Français et chez les Américains.

1. Est-ce que vous connaissez des gens qui écrivent des cyber-journaux? Pourquoi est-ce paradoxal d'écrire un journal intime sur le Net?
2. Imaginez pourquoi certaines personnes préfèrent le Net à un vrai journal pour rapporter leurs pensées *(thoughts)* intimes.
   a. le désir de partager ses expériences avec les autres en restant anonyme
   b. le désir d'être publié
   c. la difficulté de cacher un journal intime aux autres, surtout aux parents
   d. une autre raison?

Multimédia: «Cher cyber-journal»

Des jeunes dans un cybercafé

1 Les journaux intimes en français débarquent sur le Net! Des états d'âme° livrés° à la curiosité planétaire, ce n'est plus très intime, direz-vous. Détrompez-vous°...

Soul-searching / exposed

Don't be mistaken

5 Damien a 20 ans et tous les jours, il rapporte ses bonheurs et ses malheurs° quotidiens dans son journal intime. Il ne tient pas de cahier pour autant°. «J'en avais un, mais mes parents sont tombés dessus° il y a deux ans et ça a été la 10 crise», dit-il. Depuis, il a décidé d'utiliser un pseudo, de se confier en ligne et il a «enfin la paix».

ups and downs

as such

found it

Un journal intime sur le Net, ça vous semble paradoxal? «Comme ils ne donnent pas leur 15 nom, les auteurs se sentent protégés°», note Kenya Zanatta, une étudiante en sociologie. Peu importe° que leurs écrits soient destinés à un «cher cahier», à une amie imaginaire ou à des internautes anonymes. Dans tous les cas, ils se confient sincèrement.

protected

It makes little difference

Écrivez-moi ou j'arrête de respirer°

20 Du coup°, sur la Toile, les cahiers foisonnent°. Des milliers aux États-Unis. Plusieurs centaines déjà en France, «où le phénomène débute à peine°». «Grâce à mon journal, je tente de m'améliorer°», écrit sur son site la jeune Marie. À l'intérieur de leur journal, les Français justifient leur pratique, ils 25 tentent d'élaborer des théories plus ou moins sociologiques. «Les Américains ont un rapport plus simple avec l'écriture», estime Kenya Zanatta. «Ils la vivent de façon beaucoup plus naturelle.» Ils se font souvent ironiques et se moquent° d'eux-mêmes.

breathing

As a result / abound

is just beginning

try to improve myself

make fun of

■ Expansion de vocabulaire

Associez les mots de la liste avec la définition appropriée.

1. un cyber-journal
2. un internaute
3. le Net
4. le bonheur et le malheur
5. un pseudo
6. la Toile
7. rapporter

a. un surfeur sur Internet
b. un pseudonyme
c. le Web
d. Internet
e. un état de contentement et de mécontentement
f. parler de
g. un journal sur le Net

    Mais si, entre les deux pays, le ton diffère, les contenus se ressemblent. Les
30 journaux en ligne célèbrent la vie quotidienne, parlent des potes, des profs,
des parents... Ce qui motive les auteurs, ce n'est pas tant° ce qu'ils ont à dire,   *so much*
mais le bonheur° de le partager°. Pour communiquer avec les autres ils   *happiness / share*
donnent tous leur adresse e-mail et attendent avec impatience le moindre°   *least*
retour. «Sans lecteurs, ils arrêtent vite leur travail», note, amusée, l'étudiante.
35 Une auteure de journal lui a confié: «Si je n'ai pas assez de messages, je
raconte combien je suis triste et hop, j'en reçois plein°.»   *a ton*
    Grâce à ces échanges électroniques, les auteurs de journaux intimes forment
une petite communauté. Les deux tiers° sont des femmes, de 16 à 35 ans en   *two-thirds*
France aussi bien qu'aux États-Unis. Les membres de la communauté
40 française ont du mal à rester totalement anonymes. Mais le veulent-ils
vraiment? «Ils rêvent presque tous d'être publiés», avance Zanatta.

Texte de David Groison © *Phosphore*, Bayard Presse Jeunes, 2002

■ Compréhension et intégration

Répondez aux questions suivantes.

1. Pourquoi Damien a-t-il commencé à écrire un cyber-journal?
2. Pourquoi les auteurs se sentent-ils protégés sur le Net?
3. Selon Kenya Zanatta, est-ce que les internautes anonymes écrivent de façon sincère?
4. Donnez deux différences entre le ton des cyber-journaux américains et français.
5. Sur quels points les contenus des journaux se ressemblent-ils?
6. Quelle est la motivation principale des auteurs?

■ Maintenant à vous!

1. Quels sont les avantages et les inconvénients d'écrire dans un cyber-journal ou dans un journal traditionnel?
2. Est-ce que vous utilisez des sites sur Internet pour entrer en contact avec les autres, pour communiquer? Expliquez.

Voix en direct (suite)

Go to **iLrn** to view video clips of French university exchange students talking about their observations about American universities.

Expression écrite

■ L'objet qui représente ma génération

Qu'est-ce que vous allez choisir pour représenter votre génération? Préfère-t-on souligner l'explosion de la communication? On parlera du portable ou d'Internet. La musique? Peut-être que vous choisirez un iPod. La mode? Peut-être que vous préférerez un sac Louis Vuitton.

PREMIÈRE ÉTAPE: En groupes, faites une liste des caractéristiques qui représentent les jeunes de votre génération: Comment sont-ils? Qu'est-ce qu'ils aiment faire? De quoi ont-ils envie? Qu'est-ce qu'ils cherchent dans la vie? Quelles sortes d'objets est-ce qu'ils aiment? Pourquoi?

DEUXIÈME ÉTAPE: Maintenant, choisissez un objet et expliquez en quoi il représente votre génération. Combien est-ce qu'il coûte? Est-il souvent en solde? Est-ce que son design est important? Est-ce que la marque est importante? Qu'est-ce qu'on fait avec cet objet? Est-il vraiment nécessaire? Pourquoi? Est-ce que c'est quelque chose qu'on partage avec les autres? Est-ce qu'on l'utilise en public ou en privé? Est-ce qu'il est solide, jetable? En quelle matière est-il fabriqué? Il est de quelle taille? Votre composition doit avoir une introduction et une conclusion. On vous aide avec l'introduction.

Introduction: *À mon avis, l'objet qui marque / représente ma génération, c'est le/la _____.*

SYSTÈME-D	
Phrases:	describing objects, expressing hopes and aspirations, expressing opinions or preferences, expressing time relationships, hypothesizing, linking ideas, talking about past events
Grammar:	adjective agreement, conditional, conjunction **que,** demonstrative adjectives, **faire** expressions, nouns after **c'est** and **il est,** prepositions + relative pronouns **lequel** and **laquelle,** prepositions with times and dates, relative pronouns **ce qui** and **ce que**
Vocabulary:	arts, automobile, clothing, computer, historical periods, cultural movements, electronic products, entertainment, means of transportation, money, print journalism, telephone, working conditions

Structure 12.1

Use the **iLrn** platform for more grammar and vocabulary practice.

Using pronouns for emphasis *Les pronoms relatifs* **ce qui** *et* **ce que**

Ce qui and **ce que** are indefinite relative pronouns that mean *what* in English. **Ce qui** replaces a subject, and **ce que** replaces an object. A small number of French verbs are followed by **ce qui**, including: **arriver, se passer** *(to happen)*, **plaire, intéresser, manquer,** and **ennuyer.**

Je ne ne sais pas **ce que** je vais faire.	*I don't know what I'm going to do.*
Ma mère veut savoir **ce qui** se passe ici.	*My mother wants to know what's going on here.*
Dis-moi **ce qui** est arrivé à ta sœur.	*Tell me what happened to your sister.*

Using *ce qui* and *ce que:* Focalization

In spoken French, speakers frequently begin a sentence with **ce qui** and **ce que** to highlight or emphasize the topic they are discussing. Compare the sentences with standard word order in the left-hand column with the focalized sentences.

Subject verb object	**Focalized sentences**
Cette classe ennuie les étudiants.	**Ce qui** ennuie les étudiants, **c'est** cette classe.
J'aime le chocolat.	**Ce que** j'aime, **c'est** le chocolat.
Il étudie les sciences.	**Ce qu'il** étudie, **c'est** les sciences.
La musique m'intéresse.	**Ce qui** m'intéresse, **c'est** la musique.

■ **Exercice 1.** Des amis parlent de ce qu'ils aiment et de ce qu'ils n'aiment pas. Mettez en valeur *(Emphasize)* les éléments en italique en utilisant **ce qui** ou **ce que.**

> **Modèle:** Je n'aime pas *travailler sans arrêt.*
> *Ce que je n'aime pas, c'est travailler sans arrêt.*

1. *Le conformisme* m'ennuie.
2. J'apprécie *mes copains et ma famille.*
3. Je n'aime pas *être malade.*
4. Je désire trouver *quelqu'un de bien qui me comprend.*
5. *Les gens qui parlent toujours d'eux-mêmes* m'ennuient.
6. *Une promenade sur la plage* me plaît.
7. *Ma famille* me manque.

■ **Exercice 2.** Complétez ces bribes de conversations entendues à une manifestation *(demonstration)* avec **ce qui** ou **ce que.**

1. Nos copains ne sont pas encore arrivés. Je ne comprends pas _____ arrive. Est-ce que tu sais _____ se passe?
2. As-tu décidé _____ tu vas faire si la police nous arrête?
3. Regarde ces skins *(skinheads).* Il est difficile d'imaginer _____ ils vont faire!
4. _____ est important, c'est lutter *(fight)* pour la justice!
5. Je ne sais pas _____ tu veux dire par justice.

Structure 12.2

Using pronouns for pointing things out *Lequel* et les adjectifs démonstratifs *ce, cet, cette* et *ces*

Lequel

Lequel *(Which one)* is frequently used to ask about a choice between people or objects. It replaces the adjective **quel** *(which, what)* and the noun it modifies. Here are its forms:

	singulier	**pluriel**
masculin	lequel	lesquels
féminin	laquelle	lesquelles

—Serge, regarde ces chemises. **Laquelle** préfères-tu?

—Je vois plusieurs téléviseurs ici. **Lesquels** sont en solde?

—*Serge, look at these shirts. Which one do you prefer?*

—*I see several TVs here. Which ones are on sale?*

Demonstrative adjectives

The demonstrative adjectives (**ce, cet, cette,** and **ces**) are equivalent to *this (that)* and *these (those)* and are used to refer to specific objects or people.

Ce magasin est ouvert.
Ces CD coûtent cher.

This store is open.
These CDs are expensive.

Like all other adjectives, they agree with the noun they modify.

ce magasin
ces hommes
cette robe
ces femmes

this store or that store
these men or those men
this dress or that dress
these women or those women

Cet is used before masculine singular nouns beginning with a vowel or a mute **h.**

Je ne comprendrai jamais **cet** homme!

I'll never understand that man!

To emphasize the distinction between *this* and *that*, attach the suffixes **-ci** *(here)* and **-là** *(there)* to the noun.

—Regarde ce portable.
—Lequel?
—**Ce** portable**-là,** en solde.

—*Look at that cell phone.*
—*Which one?*
—*That cell phone, on sale.*

■ **Exercice 3.** Votre copain (copine) n'arrive pas à se décider! Il/Elle vous demande votre avis. Complétez ses questions avec la forme correcte de l'adjectif démonstratif **ce, cet, cette** ou **ces.**

1. J'achète _____ bottes ou _____ sandales?
2. Tu préfères _____ chemisier en coton ou _____ chemisier en soie *(silk)*?
3. Est-ce que tu préfères _____ veste écossaise *(plaid)* ou _____ blouson en cuir *(leather)*?
4. J'aime beaucoup _____ pull-là, mais je trouve _____ chemise trop chère.
5. Est-ce que tu aimes mieux _____ cravate à rayures *(striped)* ou _____ nœud papillon *(m, bow tie)*?

■ **Exercice 4.** Le vendeur vous encourage à acheter tout ce que vous regardez. Complétez les phrases en utilisant l'adjectif démonstratif qui convient.

1. _____ jupe plissée *(pleated)* vous va à la perfection.
2. _____ escarpins *(high heels)* vous vont à merveille.
3. _____ débardeur est en solde.
4. _____ pulls sont en promotion.
5. _____ pantalon à pinces vous va comme un gant.
6. _____ anorak *(parka)* est fabriqué ici en France.

■ **Exercice 5.** La femme de Marc l'aide à décider ce qu'il devrait mettre dans sa valise. Complétez les questions de Marc en suivant le modèle.

Modèle: —Apporte des chaussettes en coton.
　　　　　　—*Lesquelles? Ces chaussettes-ci ou ces chaussettes-là?*

1. Prends un jean.
2. Il te faut une chemise.
3. Prends un pull-over.
4. N'oublie pas d'emporter un bon livre.
5. Il te faut des baskets.

Structure 12.3

Talking about offering and borrowing *L'ordre des pronoms*

You have already learned how to use direct and indirect object pronouns individually. Occasionally, two object pronouns are used in the same sentence. For example, you offer a gift (direct object) to a friend (indirect object) or you borrow money (object) from your parents (indirect object). The chart that follows summarizes the required order when more than one pronoun is used.

Order of object pronouns				
me (m')	le/l'			
te (t')	la/l'	lui	y	en + verbe
nous	les	leur		
vous				

a. As the chart shows, the third person indirect object pronouns (**lui** and **leur**) always follow the direct object pronouns (**le, la,** and **les**).

— Est-ce que tu offres <u>ce cadeau</u> <u>à Jean</u>?
　　　　　　　　　　　direct object　indirect object
— Oui, je **le lui** offre.
　　　　d.o. i.o.
— Il a reçu le message?
— Oui, le réceptionniste **le lui** a donné.
　　　　　　　　　　d.o. i.o.

b. In every other case, the indirect object pronoun (**me, te, nous, vous**) precedes the direct object pronoun (**le, la, les**).

—Peux-tu me prêter ta voiture?   —*Can you lend me your car?*
—Non, je ne peux pas **te la** prêter.   —*No, I can't lend it to you.*
   J'**en** ai besoin cet après-midi.   *I need it this afternoon. (I have need of it.)*

—J'adore ce pull!   —*I love that top!*
—Tiens, je **te le** donne.   —*Here, I'm giving it to you.*
—Tu **me le** donnes?   —*You're giving it to me?*

c. The pronouns **y** and **en** always come last.

Je vais lui **en** offrir.   *I'm going to offer him some.*
Il **y en** a deux.   *There are two (of them).*

Pronoun order in imperative sentences

Pronoun order for affirmative commands						
	-le		-moi (m')			
			-toi (t')			
verbe +	-la	*before*	-lui	*before*	-y/-en	
	-les		-leur			
	-nous					

a. In *affirmative commands,* the direct object pronoun always precedes the indirect, as shown in the chart. **Y** and **en** always come last.

Achète-**le-moi.**   *Buy it for me.*
Donnez-**les-lui.**   *Give them to him.*
Achète-**m'en.**   *Buy me some.*

b. In *negative commands,* the pronouns follow the same order as in declarative sentences.

Ne **le lui** achète pas.   *Don't buy it for him.*
Ne **m'en** parlez pas.   *Don't talk to me about it.*

■ **Exercice 6.** Les copains de Dylan veulent fêter son anniversaire en lui organisant une surprise-partie. Sa copine Marianne demande nerveusement si tout est préparé. Trouvez la réponse appropriée à ses questions.

1. Tu vas me donner la liste des invités?
2. Est-ce que Feza t'a parlé du disc-jockey qu'on a embauché *(hired)*?
3. Nous avons assez de temps pour mettre quelques décorations?
4. Tu as vu les autres invités à la fac?
5. Tu vas aller chercher le gâteau?
6. Personne n'a rien dit à Dylan, c'est sûr?
7. Donc, il ne s'attend pas à la fête.

a. Je suis déjà allé le chercher.
b. Oui, je les y ai vus.
c. Mais, je te l'ai déjà donnée! La voici!
d. Écoute, Marianne. Personne ne lui en a parlé!
e. Non, elle ne m'en a rien dit. Mais c'est une excellente idée.
f. Oui, nous en avons assez.
g. Je te le promets; il n'en sait rien.

■ **Exercice 7.** C'est la veille de Noël *(Christmas Eve)* et la famille Poitier essaie de finir les préparatifs pour la fête. Imaginez une question pour chacune des réponses suivantes.

Modèle: — *Chérie, nous offrons ces fleurs aux Martin?*
— *Oui, offrons-les-leur.*

1. —_____
— Non, je ne leur ai rien acheté.

2. —_____
— Oui, tu peux le lui offrir.

3. —_____
— Non, il n'y en a plus.

4. —_____
— Oui, vas-y, raconte-le-leur!

5. —_____
— Je la leur ai déjà envoyée.

Structure 12.4

Talking about paying for things *Les verbes comme* **payer**

Verbs with the infinitive ending in **-yer** change **y** to **i** in all but the **nous** and **vous** forms.

payer *(to pay, to pay for)*	
je paie	nous payons
tu paies	vous payez
il/elle/on paie	ils/elles paient

passé composé: **j'ai payé**   imparfait: **je payais**

Elle paie son loyer. | *She pays her rent.*
Combien as-tu payé cette voiture? | *How much did you pay for that car?*

Some common **-yer** verbs are **nettoyer** *(to clean)*, **employer** *(to use)*, **essayer** *(to try)*, **envoyer** *(to send)*, **ennuyer** *(to bore; to annoy)*, and **s'ennuyer** *(to be bored)*.

Il **essaie** le pantalon avant de l'acheter. | *He's trying on the pants before buying them.*
Silence. J'**essaie** de me concentrer! | *Quiet. I'm trying to concentrate!*
Ils **envoient** la carte postale. | *They're sending the postcard.*
Ce film m'**a ennuyé.** | *That film bored me.*

The verb **dépenser** *(to spend)* is frequently used as a synonym for **payer.**

Combien as-tu **payé** ce jeu? | *How much did you pay for this game?*
Combien as-tu **dépensé** pour ce jeu? | *How much did you spend for this game?*

■ **Exercice 8.** Complétez ces bribes de conversation que vous entendez en faisant vos courses.

1. Je _____ (s'ennuyer)! Je n'aime pas faire des achats!
2. Paul, tu _____ (payer) toujours trop. Il faut attendre les soldes!
3. J'_____ (essayer) de trouver un cadeau pour la fête des mères.
4. Ma grand-mère m'_____ (envoyer) de l'argent pour mon anniversaire.
5. — Où est Claire?
   — Elle _____ (essayer) une robe.
6. Nous _____ (payer) un peu plus, mais nous préférons acheter chez les petits commerçants du coin.
7. Charles, tu _____ (dépenser) tout ton argent!

■ **Exercice 9.** Un jeune homme parle de sa difficulté à faire des économies (*to save*). Complétez le paragraphe avec **essayer, payer, dépenser, envoyer, ennuyer, épargner, gagner.**

Moi et mes copains, nous avons du mal à faire des économies. Nous _____ (1) un peu d'argent en faisant de petits boulots, mais nous _____ (2) trop de fric en bêtises. Moi, j(e) _____ (3) d'être prudent, mais j(e) _____ (4) trop pour mon portable et mes fringues. J(e) _____ (5) aussi l'essence et l'assurance pour ma voiture. Mes parents sont très économes. Ils _____ (6) une partie de leur salaire tous les mois. En plus ils _____ (7) de l'argent à des organisations bénévoles comme la Croix-Rouge. Ils n'aiment pas trop _____ (8) pour les produits de consommation. Nos parents nous demandent toujours: «Et votre bas de laine (*nest egg*)?» Cela nous _____ (9)! Nous sommes incapables de faire des économies!

■ Tout ensemble!

Complétez le paragraphe avec les mots de la liste.

ce que	le lui	leur	portable	consommation
ce qui	leur en	dépenser	fringues	ciné
c'est	y	payer		

_____ (1) est intéressant chez les jeunes en France et aux États-Unis,

_____ (2) les attitudes et les activités qu'ils ont en commun. Commençons

d'abord avec la _____ (3) qui joue un grand rôle dans leur vie. Ils aiment

acheter et ils _____ (4) beaucoup pour le plaisir. Sorties entre copains,

_____ (5) et _____ (6) arrivent en tête. Et leurs parents sont

complices (*complicit*).

Prenons, par exemple, Ayméric. Hier, il a vu un téléphone _____ (7) qu'il a

voulu et sa mère _____ (8) a acheté pour rester en contact. Quant à son look,

ses parents ne _____ (9) plus son coiffeur, car il se fait des coupes (*haircuts*)

excentriques. Ayméric aime aussi faire plaisir à ses amis et à sa famille en

_____ (10) offrant des cadeaux. Il va donc dans les magasins et il

_____ (11) dépense une grande partie de son argent de poche. Et pourquoi

les parents donnent-ils tant d'argent à leurs enfants? Ils _____ (12) donnent

pour leur apprendre à gérer (*to manage*) leurs affaires. «C'est une question

d'autonomie», explique le père d'Ayméric. «Voilà _____ (13) je pense.»

❃ Vocabulaire

■ Vocabulaire fondamental

Noms

Les vêtements et la consommation

	Clothing and consumerism
des baskets (f pl)	high-tops, tennis shoes
une cabine (d'essayage)	dressing room
un cadeau	a gift
un complet	a suit
une cravate	a tie
un débardeur	a tank top
une écharpe	a scarf
un ensemble	an outfit
un look	a look, a style
des manches courtes / longues (f pl)	short / long sleeves
une marque	a brand
la mode	fashion
un prix	a price
un produit	a product
un solde	a sale
la taille	size
un tailleur	a woman's suit
des tongs (f pl)	flip-flops
une veste	a sports jacket

Le système éducatif

	The educational system
le baccalauréat (le bac, [fam])	exam required for university admissions; diploma
le collège	middle school
un concours	a competitive exam
un diplôme	a diploma
l'école maternelle / primaire	kindergarten / primary school
une école préparatoire (la prépa)	intensive post-bac instruction to prepare for the competitive exam for entry into a **grande école**
une grande école	an elite university requiring a rigorous entrance exam
un programme d'études	a program of study
la terminale	senior year of high school

Verbes

dépenser	to spend
emprunter	to borrow
ennuyer	to annoy
s'ennuyer	to be bored
envoyer	to send
épargner	to save
essayer	to try (on)
montrer	to show
nettoyer	to clean
offrir	to offer; to give (as with a gift)
payer en liquide	to pay in cash
par chèque	by check
par carte de crédit	by credit card
prêter	to lend

Adjectifs

BCBG (bon chic bon genre)	clean-cut
en cuir	made of leather
en solde	on sale
étroit(e)	tight; straight
moulant(e)	close-fitting

Mots apparentés: classique, modeste, naturel(le), cool

Mots divers

ce / cet, cette / ces	this / that, these / those
ce qui, ce que	what
extra (fam)	very
hyper (fam)	very
lequel, laquelle, lesquels, lesquelles	which (ones)
plusieurs	some, several
super (fam)	very
vachement	very

Expressions utiles

Comment faire des achats

	How to make purchases

(For additional expressions, see pp. 366–367.)

Je peux l'essayer?	Can I try it on?
Tu aimes ce modèle-ci ou ce modèle-là?	Do you like this style or that style?
Je fais du 40.	I'm size 40.
Je chausse du 38.	I wear a size 38 shoe.
Quelle est votre pointure?	What is your (shoe) size?
Ça vous va très bien.	That looks very good on you.
Il est en solde.	It's on sale.
Il est trop serré / large / juste.	It's too tight / big / close a fit.
à manches longues / courtes	with long / short sleeves

Comment «parler jeune»   *How to speak like young people*

(Your instructor will let you know which of these "slang" words are part of your **Vocabulaire fondamental.***)*

une bagnole	*a car*
la bouffe	*food*
un bouquin	*a book*
c'est cool /chouette	*it's great*
c'est extra (hyper / super / vachement) bien	*it's really great*
c'est marrant / rigolo	*it's funny*
c'est nul / lamentable / débile	*it's awful / pitiful / idiotic*

c'est passionnant	*it's great / wonderful*
c'est pas terrible	*it's not great*
le fric	*money*
les fringues *(f pl)*	*clothing*
un(e) gosse	*a kid*
un mec	*a guy*
un pote	*buddy*
tendance	*trendy*
un truc	*a thing*
un type	*a guy*

(For additional expressions, see p. 360.)

■ Vocabulaire supplémentaire

Noms

la caisse	*cash register*
des chaussures à talons	*high-heeled shoes*
une coiffure	*hairstyle*
des collants	*tights, pantyhose*
un défilé de mode	*fashion show*
une garde-robe	*a wardrobe*
un journal intime	*a diary*
un pantalon à pinces	*pleated slacks*

un pantalon pattes d'éléphant (d'eph)	*bell-bottoms*
taille basse	*low-waisted*
un pull-over à col roulé / à col en V	*a turtle neck / a v-neck sweater*

Adjectifs

habillé(e)	*dressy*
propre	*clean*
sage	*demure*

La santé et le bonheur

In this chapter we discuss health, fitness, and well-being. You will learn how to ask for and give advice on these topics. The **Perspectives culturelles** sections provide you

Thème: Les parties du corps

Thème: Les maladies et les remèdes

Structure 13.1: Talking about health and feelings *Expressions idiomatiques avec **avoir** (récapitulation)*

Pratique de conversation: Comment parler au médecin

Structure 13.2: Saying when and how long *L'emploi de **depuis***

Perspectives culturelles: Comment les Français se soignent

Thème: Pour se sentir bien dans sa peau

Structure 13.3: Making descriptions more vivid *Les adverbes*

❀ Module 13

with insights into French views on medical treatments and happiness. ❀

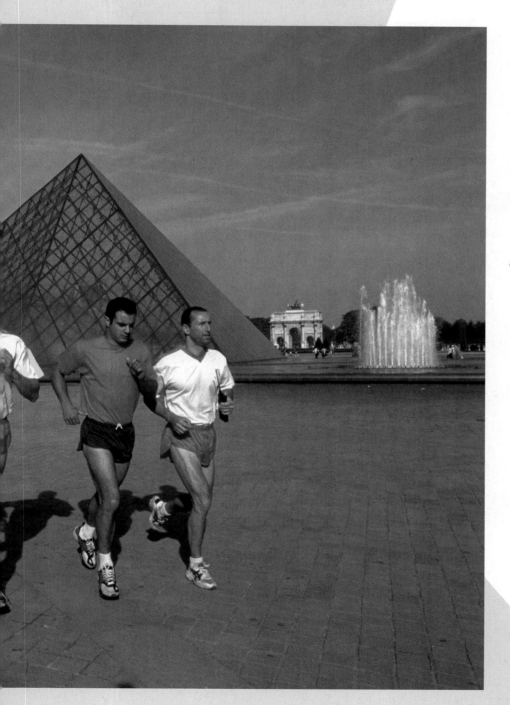

Perspectives culturelles: Être heureux dans la vie

Voix en direct: Pour vous, c'est quoi le bonheur?

Pratique de conversation: Comment donner des conseils

Structure 13.4: Giving advice
Le subjonctif (introduction)

À lire, à découvrir et à écrire

Lecture: «Je suis malade», de Sempé et Goscinny

iLrn Voix en direct (suite)

Expression écrite: Stop au tabac!

Les parties du corps

Suggestion: Play **Jacques a dit** *(Simon says)* for practicing parts of the body: **Jacques a dit, touchez le coude gauche avec la main droite. Bon. Maintenant, fermez les yeux. Vous voyez, je vous ai eus. Je n'ai pas dit «Jacques a dit».**

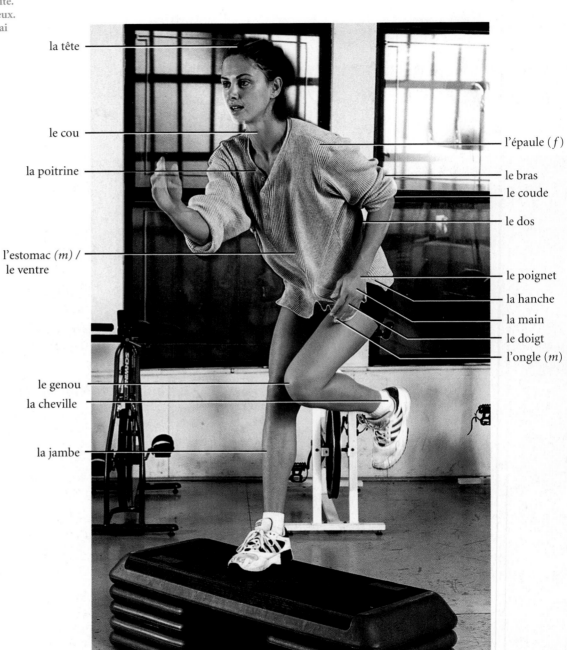

la tête

le cou

la poitrine

l'estomac *(m)* / le ventre

le genou

la cheville

la jambe

l'épaule *(f)*

le bras

le coude

le dos

le poignet

la hanche

la main

le doigt

l'ongle *(m)*

■ Activité 1: Les activités du corps

Trouvez l'intrus. Quelle action n'est pas associée aux parties du corps suivantes?

1. la main
   a. gesticuler   **b.** écrire   **c.** tenir   **d.** caresser   (**e.**) respirer
2. les yeux
   a. voir   **b.** lire   **c.** fermer   (**d.**) toucher   **e.** regarder
3. la gorge
   a. avaler   **b.** parler   (**c.**) écrire   **d.** respirer   **e.** manger
4. les genoux
   a. plier   **b.** courir   **c.** marcher   **d.** s'agenouiller   (**e.**) écouter
5. la bouche
   a. parler   **b.** manger   **c.** avaler   (**d.**) courir   **e.** chanter

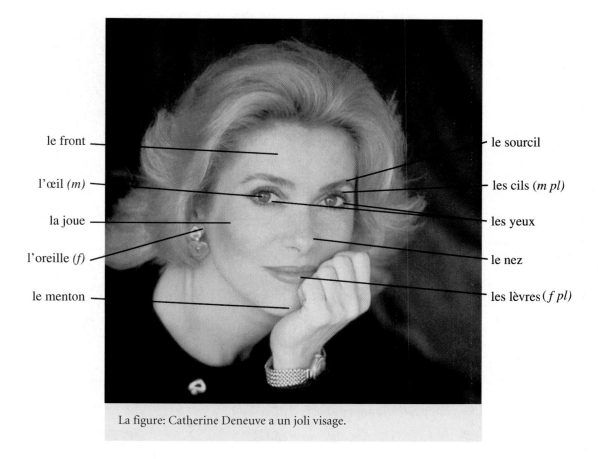

le front — le sourcil
l'œil *(m)* — les cils *(m pl)*
la joue — les yeux
l'oreille *(f)* — le nez
le menton — les lèvres *(f pl)*

La figure: Catherine Deneuve a un joli visage.

■ Activité 2: Associations

Trouvez les autres parties du corps associées à la partie du corps donnée.

Modèle: la bouche
les lèvres, les dents, la langue

1. la tête
2. les jambes
3. le bras

4. le pied
5. la main
6. les yeux

Les maladies et les remèdes

Structure 13.1

Talking about health and feelings *Expressions idiomatiques avec* **avoir** *(récapitulation)*

You have already learned a number of idiomatic expressions with the verb **avoir,** for example, **avoir faim, avoir soif, avoir dix ans.** Here you will learn other **avoir** expressions used for talking about health and feelings. Turn to page 408 for a complete discussion of **avoir** expressions.

Qu'est-ce qu'ils ont?

Le côté physique
Ils se sentent malades.

Marc a mal à la tête.   M. Fabius a mal à l'estomac.   Armand a mal à la gorge.

Qu'est-ce qui s'est passé?

Stéphane et Amélie ont eu un accident de voiture. Ils se sont blessés.

Il s'est cassé un os / le bras.   Elle s'est coupé le doigt.   Elle s'est foulé la cheville.

Le côté psychologique et affectif

Jean-Guillaume **a peur** des animaux. Quand il voit un chien, il pleure et appelle sa mère.   Charlotte **a** toujours **sommeil.** Elle **a envie de** dormir en classe et au travail.

Suggestion: Find out who in the class has experienced these problems: **Jake, est-ce que vous vous êtes cassé la jambe? Oui? À quel âge? Comment? On se casse souvent la jambe en faisant quel sport? Est-ce qu'il y a d'autres étudiants qui se sont cassé un os** (clarify the meaning of **os** by pointing to different bones)? Relate your own experiences to the class.

Suggestion: Ask students the following questions: **Quand vous étiez petit(e), aviez-vous peur des chiens? Et maintenant? Vous avez peur des insectes? des araignées? Qui a peur des serpents? Avez-vous une phobie? Est-ce qu'il y a quelqu'un dans votre famille qui doit toujours avoir raison? Qui? Quand vous avez sommeil, est-ce que vous dormez en classe? Ça m'embête quand les étudiants dorment dans ma classe, vous savez.**

Nicolas **a honte** d'avoir triché (*cheated*) pendant l'examen. Il sait qu'il **a eu tort.**

Claudine **a l'air** triste et déprimée. Elle est isolée à l'école et ne sort jamais avec des amis. Elle **a du mal** à sourire ou à s'amuser.

■ Activité 3: C'est vrai?

Goal: Comprehension of various **avoir** expressions and use of **avoir raison / avoir tort.**

Voici des commentaires qu'on vous a faits. Qui a raison et qui a tort?

1. Votre meilleur(e) ami(e) dit que vous avez l'air triste aujourd'hui.
2. Votre professeur de français vous dit que vous avez l'air fatigué aujourd'hui.
3. Votre mère pense que vous avez peur d'être seul(e).
4. Vos parents disent que vous passez trop de temps devant la télé.
5. Votre colocataire dit que vous ne faites rien pour aider dans la maison.
6. Votre copain (copine) pense que vous avez du mal à lui parler librement.
7. Vos amis disent que vous avez de la patience.

■ Activité 4: Interaction

Posez les questions suivantes à un(e) camarade.

1. Qu'est-ce que tu fais quand tu veux dormir mais tu n'as pas sommeil?
2. Qu'est-ce que tu as envie de faire ce week-end?
3. Qui dans la classe a l'air content (sportif, fatigué) aujourd'hui?
4. Tu as honte de parler devant la classe? Pourquoi?
5. Tu as peur des animaux? Tu connais quelqu'un qui a peur des animaux? Pourquoi?
6. Est-ce que tu as du mal à étudier devant la télévision? avec de la musique?
7. Quand tu as tort, est-ce que tu l'admets facilement?
8. Est-ce que tu connais quelqu'un qui doit toujours avoir raison? Qui?
9. Est-ce que tu as besoin d'étudier ce soir? Quelles matières?

■ Activité 5: Vos sentiments

Mettez-vous par deux ou en petits groupes pour compléter les phrases suivantes.

1. Nous avons envie de...
2. Nous avons tous besoin de...
3. Nous avons honte de...
4. Nous avons peur de...
5. Nous avons du mal à...

Jean-Claude

Ce matin, Jean-Claude reste au lit avec la grippe. Sa température est élevée et il a la tête qui brûle. Un moment il a froid, et un autre moment il a chaud. Quand il a froid, il a souvent des frissons. Sa femme lui a donné de la soupe, mais il n'a pas pu l'avaler parce qu'il a mal à la gorge. Il n'a pas envie de manger. Tout son corps lui fait mal; il souffre de courbatures *(achiness)*. Ce matin, sa femme va téléphoner au médecin pour lui demander conseil.

Nathalie

Nathalie n'est pas au travail non plus. Mais elle n'a pas de fièvre; elle n'a qu'un petit rhume. Elle tousse, elle éternue de temps en temps et elle a le nez qui coule. Elle se mouche constamment et sa boîte de mouchoirs (en papier) n'est jamais très loin d'elle. Elle n'aime pas aller au travail enrhumée.

Christophe

Le pauvre Christophe est au service des urgences de l'hôpital parce qu'il a eu un accident de vélo ce matin. On l'a amené à l'hôpital parce qu'il ne pouvait pas marcher et parce qu'il avait quelques blessures à la tête. D'abord, une infirmière lui a mis un pansement *(bandage)* sur les blessures qui n'étaient pas graves, puis elle lui a fait une piqûre *(shot)*. Christophe, fier *(proud)* de sa belle mine, espère que la plaie *(wound)* ne laissera pas de cicatrice *(scar)*. Enfin, le médecin a fait une radio *(x-ray)* de sa jambe. Christophe a une fracture compliquée. Le médecin va mettre sa jambe dans le plâtre. Christophe doit marcher avec des béquilles pendant quelques semaines.

Laurent

Laurent reste chez lui. Il est un peu déprimé, de mauvaise humeur, et ce matin il a le cafard *(is feeling down in the dumps)*. Hier il s'est fâché contre son patron et aujourd'hui il n'a pas envie de se retrouver avec lui.

Isabelle

Isabelle, enceinte de sept mois, est chez son obstétricien pour des tests. Son accouchement est dans deux mois, et elle est déjà un peu nerveuse parce que sa meilleure amie a eu un accouchement difficile. Ce matin, son médecin réserve la salle d'accouchement *(birthing room)* pour elle.

A. Faites le diagnostic de chaque personne en choisissant dans la liste.

1. Isabelle a rendez-vous chez l'obstétricien.

2. Christophe doit marcher avec des béquilles.

3. Laurent est resté au lit. Il est de mauvaise humeur.

4. Jean-Claude a souvent des frissons et il souffre de courbatures.

5. Nathalie a le nez qui coule et elle éternue.

a. Il/Elle a un rhume.

b. Il/Elle s'est cassé la jambe.

c. Elle est enceinte.

d. Il/Elle est déprimé(e).

e. Il/Elle a la grippe.

B. Maintenant avec un(e) partenaire, faites une liste des symptômes que vous associez à chaque condition médicale.

1. un rhume
2. un os cassé
3. être enceinte
4. être déprimé(e)
5. la grippe

Trouvez l'intrus, c'est-à-dire la réponse qui n'est pas logique.

1. Quand on est enrhumé...
   a. on se mouche.
   b. on éternue.
   c. on tousse.
   d. on a des blessures.
   e. on a le nez qui coule.

2. Quand on a la grippe...
   a. on frissonne.
   b. on se foule la cheville.
   c. on a la tête qui brûle.
   d. on a des courbatures.
   e. on a mal à la tête.

3. Quand on a le cafard...
   a. on a un bleu (bruise).
   b. on est de mauvaise humeur.
   c. on pleure facilement.
   d. on est mélancolique.
   e. on n'est pas content.

4. Quand on a une blessure grave...
   a. on perd du sang (blood).
   b. on a un bleu.
   c. on a le nez bouché.
   d. on a mal.
   e. on s'évanouit (faints).

5. Quand on est enceinte...
   a. on accouche.
   b. on a des contractions.
   c. on grossit.
   d. on a souvent des nausées.
   e. on éternue.

Activité 7: Demonstrate vocabulary as needed for comprehension: **avoir le nez bouché, se fouler la cheville, frissonner, avoir un bleu, s'évanouir.** After completing the activity, use TPR to check for comprehension: **Vous êtes enrhumé(e). Vous avez le nez bouché. D'abord vous toussez, puis vous éternuez. Vous prenez un mouchoir et vous vous mouchez. Vous avez soudainement froid et vous frissonnez. Imaginez que quelqu'un dans la classe éternue** (demonstrate). **Qu'est-ce que vous dites? «À vos souhaits!»**

Qu'est-ce qu'il faut faire dans les situations suivantes? En groupes de deux, posez la question et répondez en utilisant les options données.

Modèle: se couper le doigt
        —Qu'est-ce qu'il faut faire si on se coupe le doigt?
        —Il faut mettre un pansement.

1. tousser
2. avoir mal à la gorge
3. avoir un rhume
4. avoir mal à la tête
5. avoir mal au dos
6. être de mauvaise humeur
7. vouloir maigrir
8. être gravement malade
9. avoir une carie

a. appeler le médecin
b. sortir avec des amis
c. se faire masser *(to get a massage)*
d. manger moins de matières grasses et faire plus d'exercice
e. prendre du sirop contre la toux
f. faire des gargarismes *(to gargle)*
g. aller chez le dentiste
h. prendre de la vitamine C
i. prendre de l'aspirine

Devinez où Paul a mal.

Modèle: Il a trop mangé.
        Il a mal au ventre.

1. Il passe des heures devant l'écran de son ordinateur.
2. Il est tombé en faisant du ski.
3. Il a une migraine.
4. Il passe des heures à jouer au tennis.
5. C'est un célèbre lanceur *(pitcher)* de base-ball.
6. Il a mangé trop de bonbons et d'autres cochonneries *(junk food)*.
7. Il a travaillé toute la journée dans le jardin.

Ne restez plus en tête à tête avec votre migraine

Près de 7 millions de français sont touchés par la migraine. Ils souffrent de douleurs insupportables qui affectent leur vie, ainsi que celle de leur entourage. La migraine est une maladie, pas une fatalité. Aujourd'hui des solutions existent.
Association Action Migraine

Appel   gratuit

Comment parler au médecin

Structure 13.2

Saying when and how long *L'emploi de* **depuis**

A doctor will commonly ask patients how long they have had a particular complaint: **Depuis quand êtes-vous malade?** French uses **depuis** with the present tense to express conditions that began in the past and are still in effect. For additional information on the use of **depuis,** see page 409.

■ Réfléchissez et considérez

Do you remember your last visit to the doctor's office? Was it for a check-up or were you sick? What would you typically say in these two situations? Now look over the **Expressions utiles** and find (1) two ways to say something hurts; (2) two ways to say you're feeling fine; (3) two ways the doctor might ask you what is wrong; (4) two ways to ask how long you've been sick.

Suggestion: Play the role of a doctor and act out expressions: **Qu'est-ce qui ne va pas, Alain? Vous avez mauvaise mine aujourd'hui. Qu'est-ce que vous avez?** (with concerned look). **Vous avez la grippe? Alors, je vous fais une ordonnance pour des médicaments.**

Quelques expressions utiles

Quelqu'un qui est malade
Je ne me sens pas bien du tout.
J'ai mal à la tête.
J'ai du mal à avaler.
Je fais une dépression.

Quelqu'un qui est en bonne santé
Je me sens très bien.
Je me porte très bien.
Je suis en (pleine) forme.
Je suis bien dans ma peau.

Le médecin
Qu'est-ce qui ne va pas? }
Qu'est-ce que vous avez? }   *What is the matter?*
Vous avez mauvaise mine.°   *You don't look well.*
Où avez-vous mal?
Quels sont vos symptômes?
Depuis quand êtes-vous malade?
Depuis combien de temps avez-vous mal?
C'est grave / Ce n'est pas grave.
Je vous fais une ordonnance° pour des   *prescription*
   médicaments contre la migraine.

CD2, Track 22

■ Écoutons ensemble! Qu'est-ce qui ne va pas?

Identifiez l'image qui correspond à chaque mini-dialogue.

1. ___d___   2. ___b___   3. ___a___   4. ___c___

a.   b.   c.   d.

■ **Activité 10: Interaction**

Posez des questions avec **depuis quand** ou **depuis combien de temps** à vos camarades de classe.

Modèle: savoir lire
—*Depuis quand sais-tu lire?*
—*Je sais lire depuis l'âge de cinq ans.*

1. être en cours aujourd'hui
2. habiter dans cette ville
3. être étudiant(e) à l'université
4. étudier le français
5. connaître ton (ta) meilleur(e) ami(e)
6. savoir conduire

CD2, Track 23

■ **Activité 11: Dialogue chez le médecin**

Monsieur Lefèvre est chez le médecin parce qu'il ne se sent pas bien et il pense avoir la grippe. Écoutez et complétez le dialogue suivant.

DOCTEUR: Bonjour, Monsieur Lefèvre. Comment allez-vous?

PATIENT: (1)_____ du tout.

DOCTEUR: Qu'est-ce qui ne va pas?

PATIENT: Je crois que j'ai (2)_____ . Mais je ne sais pas.

DOCTEUR: Quels sont vos (3)_____?

PATIENT: J'ai mal à (4)_____ , j'ai mal à (5)_____ et j'ai mal (6)_____.

DOCTEUR: Depuis quand êtes-vous (7)_____?

PATIENT: Depuis (8)_____.

DOCTEUR: Ouvrez la (9)_____ et dites «ah». Je voudrais examiner la gorge. Oui, vous avez les glandes enflées et votre gorge est rouge. Avez-vous (10)_____?

PATIENT: Non, mais (11)_____ à avaler.

DOCTEUR: Je veux prendre votre (12) _____. Ouvrez encore la bouche... Vous avez (13) _____ élevée. Retroussez *(Pull back)* votre manche *(sleeve)* un peu, s'il vous plaît. Je vais prendre votre tension... Normale. Ce n'est pas (14)_____. Vous avez (15) _____. Je vais vous donner (16)_____ pour des antibiotiques. Prenez ces pilules (17)_____ fois par jour, s'il vous plaît.

Comment les Français se soignent

La France consacre une grande partie de son budget aux dépenses de santé, 9,5%, dépassée uniquement par l'Allemagne parmi les pays de l'Union européenne. La sécurité sociale paie 76% des dépenses médicales de ses citoyens y compris les médicaments. Et ce n'est pas tout; entre 80% et 90% des Français disposent d'une assurance° maladie complémentaire. Il n'est pas surprenant°, alors, que les Français détiennent le record dans la consommation de médicaments. Ils vont aussi le plus régulièrement chez le médecin, chez le psychiatre et chez le pharmacien. De quelles maladies souffrent-ils? Les médecins font souvent le diagnostic d'anxiété et de dépression en prescrivant des tranquillisants et des somnifères°. Le foie° est peut-être l'organe qui donne le plus d'inquiétude aux Français. Selon la sagesse° médicale populaire, un mauvais foie peut entraîner une multitude de complications telles que les dépressions nerveuses, le stress et l'insomnie.

insurance / surprising

sleeping pills / liver
wisdom

Récemment, en France comme ailleurs°, pour des rémèdes aux maladies bénignes, comme les allergies et les problèmes gastriques, on se tourne de plus en plus vers les médecines «douces»: l'homéopathie, l'acuponcture, la phytothérapie (l'usage des plantes médicinales) et l'hypnose. Face à la médecine moderne ou conventionnelle avec sa technologie qui sépare le médecin de son patient, la médecine douce se préoccupe de l'esprit du patient: son contexte social, son état psychologique. Cette forme de traitement n'est pas tout à fait nouvelle. En France, il y a une longue tradition de remèdes doux: une infusion de tilleul° pour calmer les nerfs ou de camomille pour aider la digestion. L'eau minérale ne s'achète pas pour faire chic en France, mais pour sa vertu curative contre les problèmes gastriques, les rhumatismes et même les maladies nerveuses. Les bains thermaux où l'on va pour «prendre les eaux» offrent une autre «cure douce» dont les Français jouissent° depuis des siècles, et on n'a plus besoin d'être riche pour en profiter. La sécurité sociale aide même les petits employés à passer une semaine aux bains thermaux. Quelle manière agréable de se soigner!

elsewhere

linden-blossom tea

enjoy

■ Avez-vous compris?

Indiquez si les phrases suivantes sont vraies ou fausses. Corrigez les phrases fausses.

1. Beaucoup de Français n'ont pas d'assurances maladie.
2. Les Français prennent moins de médicaments que les Allemands.
3. Les médecins français prescrivent beaucoup de tranquillisants.
4. La médecine douce traite le corps comme une machine séparée de l'esprit.
5. Les Français considèrent une infusion de tilleul comme un remède doux depuis longtemps.
6. En France, on boit de l'eau minérale parce que c'est bon pour la digestion.
7. Les cures dans les stations thermales sont réservées aux Français riches.

■ Et vous?

1. Quelles sont les maladies les plus souvent diagnostiquées aux États-Unis? De quoi est-ce que les étudiants souffrent sur votre campus?
2. Est-ce que vous avez confiance dans la sagesse médicale populaire? Donnez un exemple.
3. Est-ce que vous utilisez parfois la médecine douce? Pourquoi ou pourquoi pas?
4. Vous buvez de l'eau minérale? Est-ce pour faire chic ou pour une raison de santé?

❊ Thème

Pour se sentir bien dans sa peau

Suggestion: The opinions presented here include a number of common expressions to highlight: **se sentir bien dans sa peau, être bien dans son corps et dans sa tête, être bien pour le corps et l'esprit, prendre le temps de vivre, profiter de la vie.** The proverb **Il faut croquer la vie à belles dents** is the equivalent of *Enjoy life to the fullest.* As you present each opinion, ask students questions: **Avec qui est-ce que vous parlez librement? Faites-vous régulièrement du sport? Restez-vous positif(-ve) quand la vie devient difficile?**, etc. Ask students to identify the concept of happiness each person expresses: Stéphane (**avoir des amis**), Virginie (**être active**), Christophe (**vivre sans stress**), Karine (**s'accepter**), Vincent (**profiter de la vie, manger bien**). Ask which opinion reflects their own: **Qui est d'accord avec Stéphane et pense que les amis sont la chose la plus chère dans la vie?**

Note de prononciation: Quand les verbes se terminent en **-ent,** on ne prononce pas la terminaison. Par contre, dans le cas des adverbes, on prononce la terminaison **-ent.**

■ Notez et analysez

Look at the boldfaced adverbs formed with **-ment.** What adjectives are they based on? Is the masculine or feminine form of the adjective used before adding **-ment?**

Réponses: 1. sainement
2. sérieusement **3.** régulièrement
4. absolument **5.** vraiment
6. pleinement

Structure 13.3

Making descriptions more vivid *Les adverbes*

To talk about what makes you happy, you can use adverbs to make your descriptions more vivid. Many adverbs that end in *-ly* in English and in **-ment** in French (*rapidly* = **rapidement**). Guidelines for forming and using adverbs are found on pages 410–411.

On dit **souvent** que pour être heureux il faut se sentir bien dans sa peau, c'est-à-dire bien dans son corps et dans sa tête. Des étudiants nous parlent de leur conception du bonheur.

STÉPHANE: Pour moi, le bonheur c'est tout **simplement** sortir avec mes amis, parler avec eux **librement.** J'aime ces moments de plaisir et de détente entre amis.

VIRGINIE: Moi, je pense que l'activité physique est liée à la santé et au bien-être. Je fais **régulièrement** du sport depuis que je suis toute petite. C'est bon pour le corps mais aussi pour l'esprit.

CHRISTOPHE: Ce que je cherche, c'est une vie sans stress. Même si la vie est difficile parfois, il est important de rester positif. **Heureusement,** je prends le temps de vivre et d'apprécier tout ce qu'il y a autour de moi.

KARINE: Être bien dans sa peau, c'est aussi s'accepter tel qu'on est. Je n'essaie pas de plaire aux autres. Je cherche **essentiellement** à avoir une attitude positive sur moi-même.

VINCENT: Le bonheur pour moi, c'est de profiter **pleinement** de la vie. J'aime **vachement** manger dans de bons restaurants. Comment résister à un bon steak! On dit **souvent** qu'il faut croquer la vie à belles dents et c'est ce que je fais.

☐ Activité 12: Conseils

Vos amis vous donnent beaucoup de conseils. Pour compléter ce qu'ils disent, choisissez un adjectif de la liste et formez l'adverbe.

absolu actif bon courant plein régulier sain sérieux vrai

Modèle: Pour participer *activement* en classe, il faut faire les devoirs à la maison avant d'aller en cours.

1. Pour manger _____ , il faut manger des fruits, des légumes et des protéines.
2. Pour étudier _____ , il vaut mieux aller à la bibliothèque où l'on peut travailler sans interruptions.
3. Pour faire du sport _____ , on devrait considérer le sport comme une partie de sa routine quotidienne.
4. Est-ce que tu penses qu'il faut _____ être ambitieux pour réussir dans le travail?
5. Pour être _____ content(e), il faut se connaître et faire de son mieux pour vivre selon ses principes.
6. Pour profiter _____ de la vie, on devrait apprécier les petites choses de tous les jours.

Voulez-vous passer un semestre en France et en profiter au maximum? Voici ce qu'un professeur de français vous conseille. Ajoutez des adverbes à ce qu'il dit pour le rendre plus convaincant *(convincing)*.

Mots utiles: bien, clair, constant, courant, facile, malheureux, rapide, simple, unique

On peut s'adapter (1) _____ à la vie française si on fait l'effort de parler français et de rencontrer le plus de gens possibles. Alors là, vous verrez (2) _____ une différence. Si vous restez (3) _____ avec des étudiants américains, vous n'apprendrez pas aussi (4) _____ la langue du pays et, (5) _____ , vous gaspillerez *(will waste)* beaucoup de temps. On me demande (6) _____ la même chose: Est-ce que je vais parler (7) _____ après un semestre? J'explique (8) _____ que pour parler une langue, il faut s'immerger dans la culture du pays que vous visitez.

Give students several minutes to read through **Activité 13** and then to select and form the adverbs. You may want to pair students afterwards to compare their responses. Then call on a couple of groups to present their paragraphs to the class.

Réponses: **1.** facilement
2. clairement **3.** uniquement
4. rapidement / bien
5. malheureusement **6.** constamment
7. couramment **8.** simplement

■ **Activité 14: Leurs recettes de bonheur**

Quelques Français célèbres discutent de leur concept du bonheur. Lisez ce qu'ils disent et complétez ensuite les phrases qui suivent.

JULIETTE BINOCHE

Actrice

J.B.: Ce que j'ai appris, c'est que plus on travaille dans le bonheur, plus on arrive facilement à faire de beaux films et à être créatif. Je me souviens d'avoir fait appel à *(having called upon)* cette sorte de courage pendant le tournage *(making)* d'un film. À chaque interruption du film, j'ai fait le maximum pour continuer à créer, à être positive.

FIGARO MAGAZINE: Pour vous, c'est quoi le bonheur?

J.B.: C'est d'assumer ce qui m'arrive avec le sourire. C'est d'accomplir sa journée comme la première ou la dernière.

YANNICK NOAH

Champion de tennis

Mon plus grand bonheur? Jouer devant mes enfants qui me crient: «Papa! Papa! Perds vite et rentrons à la maison!» Cela vous surprend, n'est-ce pas? Vous croyiez que j'allais vous répondre que c'était ma victoire à Roland-Garros! Cette victoire était un rêve de gosse, je ne savais pas ce qu'elle signifiait vraiment, mais en tout cas ce n'était pas le bonheur, c'était trop superficiel. Après, j'ai eu du mal à remettre tout en place: je n'avais plus de motivation, plus de but *(goal)*. Pour moi, le bonheur, c'était de devenir une star, de gagner des matches, des tournois... Et quand j'ai gagné ce truc-là, je me suis dit: «Merde, mais c'est rien»...

Find out if your students are familiar with Juliette Binoche or Yannick Noah. They may have seen Binoche in *Le Patient anglais* (1996) or with Johnny Depp in *Le Chocolat* (2000). Yannick Noah won the French Open in 1983, and while winding down his tennis career, began a successful music career in the 90s (*Saga Africa,* 1991, *Pokhara,* 2001, *Métisse[s],* 2005). He is also active with a number of charities including **Fête le mur,** an effort to give young people living in **cités** opportunities to play tennis.

1. Pour Juliette Binoche, le bonheur, c'est rester positif, assumer ce qui lui arrive avec un _____ . À son avis, le bonheur aide la créativité.
2. Pour Yannick Noah, ce qui est important, c'est _____ . La victoire à Roland-Garros ne signifiait pas le bonheur pour ce joueur de tennis. C'était trop _____ .

Lisez les résultats du sondage et finissez les phrases suivantes.

En ce qui concerne votre situation personnelle, quels sont vos trois souhaits les plus chers pour l'année?

	18 à 24 ans	25 à 34 ans	35 à 49 ans	50 à 64 ans	65 ans et plus
Rester en bonne santé	78	82	84	92	97
Entretenir de bonnes relations avec votre famille	41	35	39	58	57
Gagner davantage d'argent	52	55	53	35	27
Trouver un emploi ou garder celui que vous avez	53	42	37	13	2
Avoir plus de temps libre	20	22	23	11	2
Vous occuper davantage de vos enfants ou petits-enfants	3	12	18	20	17
Avoir un meilleur logement	16	17	8	7	5
Être moins pris par les tâches ménagères	2	3	6	3	5
Arrêter de travailler	0	1	3	7	2
Sans opinion	1	1	1	1	0

Le total des pourcentages est supérieur à 100, les personnes interrogées ayant pu donner trois réponses.

1. Apparemment la première priorité de chaque génération, c'est...
2. Les jeunes de 18 à 24 ans se préoccupent principalement de...
3. Ce que les Français de plus de 50 ans recherchent essentiellement en ce qui concerne leur famille, c'est...
4. Ce qui préoccupe spécialement mes amis, c'est surtout...
5. Ce que je souhaite principalement, c'est...

Activité 16: Provide model: **Moi, j'adore la musique. J'écoute constamment mon iPod. J'écoute mes chansons préférées partout où je vais. Mais je peux me passer de la télévision. C'est quelque chose qui n'est pas essentiel. Je la regarde rarement.**

■ **Activité 16: Le bien-être de vos camarades de classe**

Demandez à un(e) partenaire si les éléments de la liste suivante sont importants pour son bien-être mental, et demandez-lui d'expliquer ses réponses. Incorporez des adverbes dans vos réponses. Puis, interviewez votre professeur.

Modèles: la télévision
ÉTUDIANT(E) 1: *Est-ce que la télévision est importante pour ton bonheur?*
ÉTUDIANT(E) 2: *Non, je peux me passer facilement de* (do without) *la télévision.*
ÉTUDIANT(E) 1: *Pourquoi?*
ÉTUDIANT(E) 2: *Je trouve que la télé est une perte de temps. Je la regarde rarement.*

les fêtes
ÉTUDIANT(E) 1: *Est-ce que les fêtes te rendent heureux (heureuse)?*
ÉTUDIANT(E) 2: *Oui, en effet, les fêtes font partie de mon idée du bonheur. Je suis sociable et extraverti(e). Je vais souvent aux fêtes.*

1. le sommeil profond
2. l'activité physique
3. le silence ou la méditation
4. les jeux électroniques
5. le chocolat
6. une tasse de café le matin
7. la musique
8. un bon livre

Être heureux dans la vie

Le bonheur est-il devenu tendance en France? Une simple visite à la librairie illustre le fait qu'il existe une quantité de livres qui traitent de thèmes comme les secrets du bonheur, le Feng shui, la philosophie New Age. Il paraît que l'on cherche à trouver un équilibre, un sens de l'harmonie dans la vie.

 Est-ce qu'on réussit à atteindre cet état d'esprit si recherché? Selon un sondage récent (2004), 94% des Français disent que oui; ils sont heureux. Les facteurs qui contribuent le plus à leur bonheur sont la famille, les enfants et la bonne santé. Voici quelques francophones qui parlent de leur recette de bonheur.

Voix en direct

CD2, Track 24

Pour vous, c'est quoi le bonheur?

Pour vous, c'est quoi le bonheur?
La première des choses pour être heureux, c'est d'être bien dans sa peau, bien dans son corps, et puis essayer d'aimer la vie, apprécier toutes les petites choses qui font que la vie est belle et profiter[1] de chaque petit rayon de soleil, de chaque sourire[2], de chaque personne que l'on apprécie et qu'on voit régulièrement. Je sais pas s'il y a vraiment un secret. Être heureux, c'est dans la tête, il faut être bien dans sa tête et puis essayer de diffuser autour de soi ce bien-être.

Gwenaëlle Maciel

29 ans, enseignante au collège, région de Paris

[1]*take advantage of* [2]*smile*

C'est beaucoup de choses, mais peut-être que le bonheur pour moi, c'est de faire ce qui me plaît dans la vie.

Delphin Ruché

27 ans, ornithologue français en séjour à Los Angeles

Comment les Français restent-ils en forme?
Je pense que d'abord, les Français mangent des quantités moins importantes. On n'a pas besoin de «doggy-bag» quand on va au restaurant. Euh... Les Français aiment encore cuisiner. Donc on achète moins de plats surgelés[3]. Et puis les Français marchent[4] beaucoup. On utilise beaucoup les transports en commun. On marche beaucoup dans la ville. On utilise moins la voiture qu'aux États-Unis. Et les Français, dans les grandes villes, ils commencent à devenir très américains. Ils mangent en marchant[5], ils mangent rapidement. Mais dans le reste de la France, on mange plus lentement. On prend le temps de vivre. Donc je pense que c'est pour ça.

Laurence Denié-Higney

34 ans, professeur de français en Californie

[3]*frozen food* [4]*walk* [5]*while walking*

■ Réfléchissez aux réponses

1. Selon Gwenaëlle, où est-ce qu'on trouve le bonheur? Est-ce que vous pensez que le bonheur est un état d'esprit?
2. Pour Delphin, qu'est-ce qui fait le bonheur?
3. Quelles raisons est-ce que Laurence cite pour expliquer comment les Français restent en forme? À son avis, dans quel sens est-ce que certains Français dans les grandes villes commencent à devenir américains?
4. Que faites-vous pour rester en forme?

Comment donner des conseils

Structure 13.4

Giving advice *Le subjonctif (introduction)*

In the following activities, you will learn several ways to give advice. French requires a special verb form called the subjunctive after expressions of obligation, desire, and necessity commonly used for influencing others. For information on how to form and use the subjunctive, see pages 411–413.

■ **Réfléchissez et considérez**

Do you ever read advice columns? Which ones draw your attention—advice on love, family life, health, fashion, travel, manners? If a friend asked you to share your secrets for having a healthy lifestyle, what would you say? After you list your advice, look over the expressions below to see how your recommendations would be phrased in French.

Si vous voulez mener une vie saine,...

il faut
il vaut mieux
il est nécessaire de
je vous conseille de
}
faire de l'exercice chaque jour et dormir suffisamment.
courir à votre rythme.

il ne faut pas
je vous déconseille de
}
fumer.
boire beaucoup d'alcool.

il faut que
il est essentiel que
je voudrais que
}
vous buviez assez d'eau pour rester en bonne forme.
vous fassiez un régime.

Respirez profondément!
Prenez le temps de vous détendre.

■ **Notez et analysez**

Which expressions require the subjunctive? Which ones use the infinitive instead?

Lire des magazines féminins, prendre soin de sa peau, de son corps, utiliser des cosmétiques élaborés, boire de l'eau pure, s'appliquer des déodorants hypo-allergéniques, être élégante, suivre la mode, se brosser les dents et renforcer ses gencives°, avoir de beaux cheveux souples et soyeux... et puis tout gâcher°.

gums
to ruin

La vie sans tabac, vous commencez quand ?

CD2, Track 25

■ **Écoutons ensemble! C'est logique?**

Indiquez si les conseils que vous entendez sont logiques ou pas.

	Logique	Pas logique
1.	☑	☐
2.	☑	☐
3.	☐	☑
4.	☐	☑
5.	☑	☐
6.	☐	☑

■ **Activité 17: Des conseils**

Donnez des conseils aux personnes suivantes en choisissant parmi les options données.

1. Je prends des bains de soleil régulièrement.
2. Je me mets en colère facilement.
3. Je m'endors pendant mon premier cours le matin.
4. Je suis obsédé(e) par le travail. J'ai besoin de réussir à tout prix.
5. J'ai besoin de perdre 10 kilos.
6. Je bois trop de bière le week-end.
7. J'ai une mauvaise toux, mais je ne peux pas m'empêcher de fumer.

a. Il faut que vous buviez avec modération.
b. Il faut que vous vous arrêtiez de fumer tout de suite.
c. Il est nécessaire que vous vous détendiez plus souvent avec vos amis.
d. Il vaudrait mieux que vous vous couchiez à une heure raisonnable!
e. Il est nécessaire que vous mettiez de la crème solaire.
f. Il est essentiel que vous suiviez votre régime.
g. Il vaut mieux que vous comptiez jusqu'à dix avant de répondre.

■ **Activité 18: C'est embêtant!**

On est très exigeant *(demanding)* envers vous. Formez des phrases en utilisant un élément de chaque colonne. Suivez les modèles.

Modèles: *Ma mère veut que j'aie de bons résultats à mes cours.*
Mes copains souhaitent que je sorte plus souvent.

mes copains	vouloir	dépenser moins d'argent pour...
ma mère	désirer	lui écrire plus souvent des e-mails
mon père	souhaiter	
mon patron	exiger	être plus ponctuel(le)
mon/ma meilleur(e) ami(e)	préférer	sortir plus souvent
mes parents		leur confier mes secrets
		partir en vacances
		me détendre davantage
		devenir expert(e) à l'ordinateur

■ Activité 19: Les conseils des parents

Est-ce que vos parents vous ont beaucoup embêté(e) avec leurs ordres quand vous étiez plus jeune? Dites combien de fois ils vous ont dit les phrases suivantes. Employez **jamais, rarement, souvent, toujours.**

Modèle: —Brosse-toi les dents!
—*Ma mère m'a toujours demandé de me brosser les dents.*

1. Couvre-toi la tête!
2. Va prendre l'air.
3. Couche-toi de bonne heure!
4. Finis ton repas!
5. Tiens-toi droit! *(Stand up straight!)*

6. Prends soin de toi.
7. Ne rentre pas trop tard.
8. Tire des leçons de tes erreurs.
   (Learn from your mistakes.)

■ Activité 20: Au secours!

Activité 20: Begin by talking about the advice column letter: **Qui, aux États-Unis, donne des conseils dans le journal? Est-ce que vous aimez lire ces lettres? Pourquoi?** After students read the letter, ask them general yes/no and information questions to assure comprehension: **Quel âge a-t-elle? Quel est son handicap? Montrez-moi ce qu'elle fait quand elle doit parler devant un groupe. Avec qui est-ce qu'elle habite? Pourquoi son père ne veut-il pas qu'elle prenne un appartement?** Then put students in groups to list the problems and find solutions. Follow up as a whole-class activity, comparing advice.

Lisez la lettre et puis répondez aux questions suivantes.

1. Quel est le problème de la correspondante?
2. Qu'est-ce qu'elle a essayé de faire pour surmonter son problème?
3. Qu'est-ce que vous lui conseillez de faire?

La main tendue

Vous pouvez les aider *Ces lectrices ont un problème et demandent du réconfort.*

Si vous pensez pouvoir les aider, écrivez-leur par notre intermédiaire. Nous leur ferons parvenir vos lettres.

«Une très grande timidité m'empêche d'être heureuse»

Bientôt, j'aurai 26 ans et je suis d'une timidité telle que cela m'empêche° d'être heureuse et d'évoluer normalement dans la vie. Ce handicap me rend parfois agressive et je peux être très méchante. Parce que j'ai l'impression que tout le monde se moque de moi, et je me sens rabaissée°. Pourtant, je fais beaucoup d'efforts. J'essaie de sortir, de rencontrer des gens. Je fais du rock acrobatique, de la gym, je vais à la piscine, mes semaines sont bien remplies. Il est rare que je n'aie rien de prévu le samedi.

Mais je manque de conversation, je ne parviens pas à parler devant plusieurs personnes. Mes yeux regardent partout, sauf les gens devant moi, et il m'arrive de bégayer°, de rougir. Je suis allée voir des psychologues, ils ne m'ont rien apporté. J'habite avec ma sœur, qui a quatre ans de plus que moi. Cette année, j'avais décidé de prendre un appartement, mais mon père n'a pas voulu. Je ne gagne que le Smic°.

J'ai eu un copain avec qui je m'entendais bien. J'avais tout pour être heureuse, mais au fond ça n'allait pas, comme si je n'avais pas droit au bonheur. Il me disait: «Parle, je t'écoute», mais rien à faire... Parfois, je me demande si je n'ai pas peur d'aimer et d'être aimée. Dites-moi si l'on peut guérir de la timidité. Je voudrais pouvoir me dire un jour que la vie est belle et qu'elle ne sera plus un calvaire... Merci à vous. Ça m'a fait du bien de communiquer.

Evelyne
Réf. 509. 02

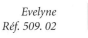

prevents

minimum wage

put down

to stutter

■ Situations à jouer!

Utilisez **iLrn** **voiceboard** pour plus de pratique orale avec les **Thèmes** et les **Pratiques de conversation** du **Module 13.**

1.

Quels sont les trois souhaits que les étudiants de votre université ont pour leur vie personnelle cette année? Utilisez le sondage à la page 398 comme guide et créez un questionnaire que vous pourrez donner aux étudiants de français d'une autre classe. Ensuite, faites passer votre questionnaire à une autre classe. Comptez les réponses et présentez les résultats à votre classe.

Once students have prepared the survey, they could send hard copies to another class; perhaps the French Club could be surveyed via email as well. If students want to include their non-French-speaking friends, they could prepare a bilingual survey. The results can be tallied and discussed in French.

2.

(Discussion en groupes) Les Français sont connus pour leur capacité de transformer la vie en art. Beaucoup de Français pensent qu'il est important de prendre le temps de se réjouir des petits moments intimes de la vie: un long repas partagé en famille, une conversation entre amis, une promenade dans la nature, un après-midi passé à la terrasse d'un café. Est-ce que vous aimez le rythme rapide de la vie américaine? Aimeriez-vous ralentir *(to slow down)* et goûter aux petits plaisirs de la vie? Qu'est-ce que vous faites pour vous détendre ou pour mener une vie moins stressante?

3.

Depuis quelques jours, vous avez un problème qui vous inquiète. Vous êtes silencieux (silencieuse) et vous avez l'air déprimé(e). Votre ami(e) veut savoir ce que vous avez et pourquoi vous faites une dépression. D'abord, vous lui dites qu'il n'y a rien, mais finalement, votre ami(e) réussit à vous convaincre de lui faire confiance. Il/Elle essaiera de vous conseiller.

Mots utiles: faînéanter *(to be lazy)*, se détendre, le manque de temps, le rythme de la vie, prendre le temps de..., vivre à son rythme

Lecture

■ Anticipation

1. Quand vous étiez petit(e) et vous restiez à la maison à cause d'une maladie, qu'est-ce que vous faisiez pour vous amuser?

2. Qui restait avec vous? Est-ce que vous l'embêtiez parfois? Comment? (Par exemple, vous ne restiez pas au lit, vous étiez très exigeant[e], vous refusiez de prendre vos médicaments, vous gâchiez l'atmosphère à la maison, vous étiez désobéissant[e].)

3. Est-ce que vous aviez un médecin de famille? Si oui, comment était-il/elle? Aviez-vous peur du médecin? Pourquoi?

■ Activité de lecture

Dans le **Module 8,** vous avez lu une histoire à propos d'un enfant, Alceste, qui est renvoyé de l'école. Ici, vous allez lire une histoire de la même série à propos d'un copain d'Alceste, Nicolas. En lisant le texte, soulignez les phrases qui expriment la logique d'un petit enfant.

«Je suis malade»

Sempé et Goscinny

proof / a lot 1 Je me sentais très bien hier, la preuve°, j'ai mangé des tas° de caramels, de bonbons, de gâteaux, de frites et de glaces, et, dans la nuit, je me demande pourquoi, comme ça, j'ai été très malade.

Le docteur est venu ce matin. Quand il est entré dans ma chambre, j'ai pleuré, 5 mais plus par habitude que pour autre chose, parce que je le connais bien, le docteur, et il est rudement gentil. Et puis ça me plaît quand il met la tête sur ma *bald / skull* poitrine, parce qu'il est tout chauve° et je vois son crâne° qui brille juste sous mon nez et c'est amusant. Le docteur n'est pas resté longtemps, il m'a donné une *he patted my cheek* petite tape sur la joue° et il a dit à maman: «Mettez-le à la diète et surtout, qu'il 10 reste couché, qu'il se repose.» Et il est parti.

Maman m'a dit: «Tu as entendu ce qu'a dit le docteur. J'espère que tu vas être très sage et très obéissant.» Moi, j'ai dit à maman qu'elle pouvait être tranquille. C'est vrai, j'aime beaucoup ma maman et je lui obéis toujours. Il vaut mieux, parce que, sinon, ça fait des histoires.

15 J'ai pris un livre et j'ai commencé à lire, c'était chouette avec des images partout *bear / hunters* et ça parlait d'un petit ours° qui se perdait dans la forêt où il y avait des chasseurs°. Moi j'aime mieux les histoires de cow-boys, mais tante Pulchérie, à tous mes *rabbits* anniversaires, me donne des livres pleins de petits ours, de petits lapins°, de petits *animals* chats, de toutes sortes de petites bêtes°. Elle doit aimer ça, tante Pulchérie.

I was reading / mean wolf 20 J'étais en train de lire°, là où le méchant loup° allait manger le petit ours, quand maman est entrée suivie d'Alceste. Alceste c'est mon copain, celui qui est très gros et qui mange tout le temps. «Regarde, Nicolas, m'a dit 25 maman, ton petit ami Alceste est venu te rendre visite, n'est-ce pas gentil? —Bonjour, Alceste, j'ai dit, c'est chouette d'être venu.» Maman a commencé à me dire qu'il ne fallait 30 pas dire «chouette» tout le temps, quand elle a vu la boîte qu'Alceste avait sous le bras. «Que portes-tu là, Alceste?» elle a demandé. «Des

chocolats», a répondu Alceste. Maman, alors, a dit à Alceste qu'il était très
35 gentil, mais qu'elle ne voulait pas qu'il me donne les chocolats, parce que
j'étais à la diète. Alceste a dit à maman qu'il ne pensait pas me donner les
chocolats, qu'il les avait apportés pour les manger lui-même° et que si je *all by himself*
voulais des chocolats, je n'avais qu'à aller m'en acheter, non mais sans blague°. *no kidding*
Maman a regardé Alceste, un peu étonnée°, elle a soupiré° et puis elle est sortie *surprised / sighed*
40 en nous disant d'être sages. Alceste s'est assis à côté de mon lit et il me
regardait sans rien dire, en mangeant ses chocolats. Ça me faisait drôlement
envie. «Alceste, j'ai dit, tu m'en donnes de tes chocolats? —T'es pas malade?»
m'a répondu Alceste. «Alceste, t'es pas chouette», je lui ai dit. Alceste m'a dit
qu'il ne fallait pas dire «chouette» et il s'est mis deux chocolats dans la bouche,
45 alors on s'est battus°. *fought*
　　　Maman est arrivée en courant° et elle n'était pas contente. Elle a dit à *came running*
Alceste de partir. Moi, ça m'embêtait de voir partir Alceste, on s'amusait
bien, tous les deux, mais j'ai compris qu'il valait mieux ne pas discuter avec
maman, elle n'avait vraiment pas l'air de rigoler°. Alceste m'a serré la main°, *to be joking / shook hands*
50 il m'a dit à bientôt et il est parti. Je l'aime bien, Alceste, c'est un copain.
　　　Maman, quand elle a regardé mon lit, elle s'est mise à crier. Il faut dire
qu'en nous battant, Alceste et moi, on a écrasé° quelques chocolats sur les *crushed*
draps, il y en avait aussi sur mon pyjama et dans mes cheveux. Maman m'a dit
que j'étais insupportable et elle a changé les draps, elle m'a emmené à la salle
55 de bains, où elle m'a frotté° avec une éponge et de l'eau de Cologne et elle m'a *rubbed*
mis un pyjama propre, le bleu à rayures°. Après, maman m'a couché et elle *striped*
m'a dit de ne plus la déranger°. Je suis resté seul et je me suis remis à mon livre *bother her*
et j'avais de plus en plus faim. J'ai pensé à appeler maman, mais je n'ai pas
voulu me faire gronder°, elle m'avait dit de ne pas la déranger, alors je me suis *get into trouble*
60 levé pour aller voir s'il n'y aurait pas quelque chose de bon dans la glacière°. *icebox*
　　　Il y avait des tas de bonnes choses dans la glacière. On mange très bien à
la maison. J'ai pris dans mes bras une cuisse de poulet, c'est bon froid, du
gâteau à la crème et une bouteille de lait. «Nicolas!» j'ai entendu crier
derrière moi. J'ai eu très peur et j'ai tout lâché°. C'était maman qui était *I dropped everything*
65 entrée dans la cuisine et qui ne s'attendait° sans doute pas à me trouver là. *didn't expect*
J'ai pleuré à tout hasard, parce que maman avait l'air fâchée° comme tout. *angry*
Alors, maman n'a rien dit, elle m'a emmené dans la salle de bains, elle m'a
frotté avec l'éponge et l'eau de Cologne et elle m'a changé de pyjama, parce
que, sur celui que je portais, le lait et le gâteau à la crème avaient fait des
70 éclaboussures°. Maman m'a mis le pyjama rouge à carreaux° et elle m'a *stains / checked*
envoyé coucher en vitesse, parce qu'il fallait qu'elle nettoie la cuisine.
　　　De retour dans mon lit, je n'ai pas voulu reprendre le livre avec le petit
ours que tout le monde voulait manger. J'en avais assez de cette espèce
d'ours qui me faisait faire des bêtises. Mais il ne m'amusait pas de rester
75 comme ça, sans rien faire, alors j'ai décidé de dessiner°. Je suis allé chercher *draw*
tout ce qu'il me fallait dans le bureau de papa. Je n'ai pas voulu prendre les
belles feuilles de papier blanc avec le nom de papa écrit en lettres brillantes
dans le coin, parce que je me serais fait gronder, j'ai préféré prendre des
papiers où il y avait des choses écrites d'un côté et qui ne servaient sûrement
80 plus. J'ai pris aussi le vieux stylo de papa, celui qui ne risque plus rien.
　　　Vite, vite, vite, je suis rentré dans ma chambre et je me suis couché. J'ai
commencé à dessiner des trucs formidables: des bateaux de guerre qui se
battaient à coups de canon° contre des avions qui explosaient dans le ciel, *cannon shots*
des châteaux forts avec des tas de monde qui attaquaient et des tas de monde
85 qui leur jetaient des choses sur la tête pour les empêcher° d'attaquer. Comme *to prevent them*
je ne faisais pas de bruit depuis un moment, maman est venue voir ce qui se
passait. Elle s'est mise à crier° de nouveau. Il faut dire que le stylo de papa *started to yell*
perd un peu d'encre, c'est pour ça d'ailleurs que papa ne s'en sert plus. C'est
très pratique pour dessiner les explosions, mais je me suis mis de l'encre
90 partout et aussi sur les draps et le couvre-lit°. Maman était fâchée et ça ne lui *bedspread*

pumice a pas plu les papiers sur lesquels je dessinais, parce qu'il paraît que ce qui était écrit de l'autre côté du dessin, c'était des choses importantes pour papa.

Maman m'a fait lever, elle a changé les draps du lit, elle m'a emmené dans la salle de bains, elle m'a frotté avec une pierre ponce°, l'éponge et ce qui restait
95 au fond de la bouteille d'eau de Cologne et elle m'a mis une vieille chemise de papa à la place de mon pyjama, parce que, de pyjama propre, je n'en avais plus.

stuck out Le soir, le docteur est venu mettre sa tête sur ma poitrine, je lui ai tiré° la langue, il m'a donné une petite tape sur la joue et il m'a dit que j'étais guéri et que je pouvais me lever.

100 Mais on n'a vraiment pas de chance avec les maladies, à la maison, aujourd'hui. Le docteur a trouvé que maman avait mauvaise mine° et il lui a
didn't look well dit de se coucher et de se mettre à la diète.

Adapté de Sempé et Goscinny: *Le Petit Nicolas,* © Éditions Denoël

Have students read out some of the expressions they underlined in the **Activité de lecture.** Then work through the vocabulary expansion.

■ **Expansion de vocabulaire**

Utilisez le contexte pour interpréter les expressions soulignées, qui sont surtout utilisées par des enfants ou dans le langage parlé.

1. J'ai mangé <u>des tas de</u> caramels, de bonbons, de gâteaux, de frites...
   - **a.** un peu de
   - **b.** beaucoup de
   - **c.** quelques
   - **d.** assez de
2. Je le connais bien le docteur, et il est <u>rudement</u> gentil.
   - **a.** vulgaire
   - **b.** probablement
   - **c.** jamais
   - **d.** très
3. Ça me plaît quand il met la tête sur ma poitrine, parce qu'il est <u>tout</u> chauve.
   - **a.** complètement
   - **b.** un peu
   - **c.** très
   - **d.** toujours
4. Il a dit à maman: «Mettez-le <u>à la diète</u> et surtout, qu'il reste couché... »
   - **a.** au lit
   - **b.** à la maison
   - **c.** au régime
   - **d.** à l'hôpital
5. J'ai pris un livre et j'ai commencé à lire, c'était <u>chouette</u> avec des images partout...
   - **a.** stupide
   - **b.** amusant
   - **c.** triste
   - **d.** difficile
6. Maman, <u>elle n'avait pas l'air de rigoler</u>.
   - **a.** elle était contente
   - **b.** elle était malade
   - **c.** elle toussait
   - **d.** elle n'était pas contente
7. Après, maman m'a couché et elle m'a dit de ne plus la <u>déranger</u>.
   - **a.** interrompre
   - **b.** parler
   - **c.** pleurer
   - **d.** battre
8. J'en avais assez de cette espèce d'ours qui me faisait <u>faire des bêtises</u>.
   - **a.** dessiner des animaux
   - **b.** manger
   - **c.** rigoler
   - **d.** faire quelque chose de stupide

■ **Compréhension et intégration**

Répondez aux questions suivantes.

1. Pourquoi est-ce que Nicolas est tombé malade?
2. Quelles sortes de livres est-ce qu'il préfère?
3. Est-ce qu'Alceste est très poli? Expliquez.
4. Quand Alceste est parti, qu'est-ce que la maman a trouvé sur les draps de Nicolas?
5. Pourquoi Nicolas a-t-il eu peur quand sa mère a crié «Nicolas!»?
6. Qu'est-ce que Nicolas a pris du bureau de son père? Pourquoi le stylo était-il très pratique pour dessiner des explosions?
7. Pourquoi la maman de Nicolas a-t-elle mauvaise mine à la fin de l'histoire?

■ Maintenant à vous!

1. (Un débat en équipe.) En équipes de quatre à cinq étudiants, préparez quatre arguments pour débattre *(to debate)* l'assertion suivante: Nicolas est vraiment innocent, il ne comprend pas ce qu'il fait.
2. (Jeu de rôle: Personnages: le papa et la maman de Nicolas.) Papa rentre du travail. Il demande à maman pourquoi elle a mauvaise mine. Elle lui raconte les ennuis de sa journée et il lui pose des questions.

Voix en direct (suite)

Go to **iLrn** to view video clips of several French speakers talking about how they handle the stress in their lives.

Expression écrite

■ Stop au tabac!

Les étapes présentées ici vous mèneront à écrire un essai sur le mouvement anti-tabac aux États-Unis.

Introduction: Aux États-Unis, on passe de plus en plus de lois *(laws)* anti-tabac. On ne peut plus fumer en avion, dans les bureaux de travail ou dans les stades et les salles de sport. Dans certains états, comme la Californie, on passe même des lois qui interdisent de fumer dans les bars.

Première étape: Discutez des questions suivantes en petits groupes ou avec toute la classe.

Vocabulaire utile: la section fumeurs / non-fumeurs, la fumée, respirer, les risques du tabagisme, le cancer des poumons *(lung cancer)*, qui crée une accoutumance *(habit)*, la liberté, l'industrie du tabac, une drogue, le tabagisme passif *(second hand smoke)*, les droits des autres *(the rights of others)*

1. Quel était l'attrait *(appeal)* des cigarettes quand elles étaient très populaires?
2. Pourquoi a-t-on changé d'attitude à propos de cette habitude?
3. Quelle est la situation actuelle pour les fumeurs?
4. Que pensez-vous de la campagne anti-tabac? Est-ce qu'on a tout à fait raison de voter des lois strictes contre les fumeurs, d'augmenter les taxes sur les cigarettes, etc., ou est-ce qu'on va trop loin en réduisant les libertés individuelles?

Deuxième étape: Utilisez les questions de la première étape comme guide pour votre composition. Pour donner votre opinion, utilisez **à mon avis, je crois que, il est nécessaire que, il faut,** etc. Pour exprimer deux points de vue, utilisez **d'un côté... de l'autre (côté)** *(on the one hand . . . on the other hand).*

Modèle: *D'un côté, on ne devrait pas contrôler les habitudes des autres, mais de l'autre, il n'est pas juste que les non-fumeurs doivent respirer la fumée des fumeurs.*

SYSTÈME-D

Grammar:	avoir expressions, impersonal il, relative pronouns ce qui and ce que, subjunctive
Phrases:	asserting and insisting, comparing and contrasting, describing health, disapproving, expressing an opinion or preference, making a judgment, persuading, talking about habitual actions, talking about past events, weighing alternatives, writing an essay
Vocabulary:	body, body—heart, body—lungs, body—mouth, health, restaurant, sickness, working conditions

Structure 13.1

Use the **iLrn**™ platform for more grammar and vocabulary practice.

Talking about health and feelings *Expressions idiomatiques avec **avoir*** *(récapitulation)*

The verb **avoir** is used in many idiomatic expressions describing physical states and emotions. You are already familiar with several of them.

avoir cinq ans	*to be five years old*
avoir besoin de	*to need*
avoir faim	*to be hungry*
avoir soif	*to be thirsty*

Here are some additional expressions with **avoir.**

avoir sommeil	*to be sleepy*	Elle va se coucher. Elle a sommeil.
avoir peur (de)	*to be afraid (of)*	Il a peur de voyager seul.
avoir honte (de)	*to be ashamed (of)*	Il a honte de ses actions.
avoir raison (de)	*to be right*	Ma mère dit qu'elle a toujours raison.
avoir tort (de)	*to be wrong*	Tu as tort de ne pas dire la vérité.
avoir mal à	*to have an ache in*	J'ai mal à la tête.
avoir du mal à	*to have difficulty*	Nous avons du mal à parler français.
avoir envie de	*to want to, feel like*	J'ai envie d'aller en Europe.
avoir l'occasion de	*to have the opportunity to*	Il a l'occasion d'aller à Paris.
avoir de la patience	*to be patient*	L'institutrice doit avoir de la patience.
avoir de la chance	*to be lucky*	Marie a gagné à la loterie; elle a de la chance!
avoir lieu	*to take place*	Le concert a lieu à l'église St. Paul.
avoir froid	*to be cold*	J'ai toujours froid en hiver.
avoir chaud	*to be hot*	Tu n'as pas chaud avec ce manteau?

Avoir l'air is used to describe how people and things appear. The adjective can agree either with the subject or with **l'air** (masculine). **Avoir l'air + de** may also be used with an infinitive.

Elle a l'air heureuse. ⎫
Elle a l'air heureux. ⎬ *She looks happy.*
Il a l'air de pleurer. *He looks like he's crying.*

■ **Exercice 1.** Où les gens suivants ont-ils mal?

1. Rachid vient d'avoir une piqûre contre la grippe.
2. Nous venons de courir un marathon.
3. Vous êtes à la plage mais vous avez oublié vos lunettes de soleil.
4. Les petits Sacha et Karina n'aiment pas le bruit des feux d'artifice *(fireworks)*.
5. Vanessa est tombée en faisant du patinage sur glace.
6. Il y a beaucoup de gros livres dans son sac à dos.

■ **Exercice 2.** Décrivez les sentiments des personnes suivantes en complétant les phrases avec une expression avec **avoir.**

Modèle: Kavimbi pense que New York est la capitale des États-Unis, mais il *a tort*.

1. L'enfant _____, mais il refuse de dormir.
2. Elle prend de l'aspirine quand elle_____.
3. Qu'est-ce que tu as? Tu _____ malade!

4. Je n'aimerais pas être avocate; j(e)_____ être agressive.
5. Où est-ce que l'examen_____? Je ne veux pas arriver en retard.
6. Julie _____ d'aller en France avec sa meilleure amie.
7. Moustafa, qui ne boit pas d'alcool, n'a pas_____ d'aller au bar.
8. Lucille _____ des gros animaux.
9. Il faut _____ pour gagner à la loterie.
10. Camille _____ de montrer ses mauvaises notes à ses parents.
11. Vous travaillez bien avec les enfants parce que vous _____.
12. Je pensais que tu étais sincère, mais j'avais _____.

■ **Exercice 3.** Vous observez les gens dans le parc avec un copain (une copine). Suivez le modèle.

Modèle: cet homme / nerveux
             Cet homme a l'air nerveux.

1. ces femmes / très jeune
2. ces garçons / bien s'amuser
3. cet homme / attendre quelqu'un
4. la mère sur le banc / très ennuyé
5. la petite blonde / malheureux
6. l'homme au chapeau / chercher quelque chose

Structure 13.2

Saying when and how long *L'emploi de depuis*

French does not have a special verb tense to describe actions that began in the past and are still in effect; it relies on the preposition **depuis** combined with the present tense to express this concept. Compare the following French and English sentences.

Merrick **est** au lit **depuis** deux jours.	*Merrick **has been** in bed **for** two days.*
Jean **est** au travail **depuis** ce matin.	*Jean **has been** at work **since** this morning.*

This contrast is a frequent source of errors for both French and English speakers as illustrated by a typical French speaker's error: "I am studying English for two years."

Depuis quand (*Since when*) is used to find out when a condition or activity began; **depuis combien de temps** (*for how long*) is used to inquire about the length of its duration.

—**Depuis quand** est-il malade?	*—Since when has he been sick?*
—Il est malade **depuis** hier.	*—He's been sick since yesterday.*
—**Depuis combien de temps** sont-ils ensemble?	*—How long have they been together?*
—Ils sont ensemble **depuis** deux mois.	*—They have been together for two months.*

Depuis que is followed by a clause containing a subject and a verb.

Georges est absent **depuis qu'il est tombé malade.**	*George has been absent since he got sick.*
Il te regarde **depuis que tu es arrivé.**	*He has been watching you since you arrived.*

In negative sentences, use the **passé composé** with **depuis**.

Je **n'ai pas vu** Jules **depuis** longtemps.	*I haven't seen Jules for a long time.*
Il **n'a pas plu depuis** cinq mois.	*It hasn't rained for five months.*

■ **Exercice 4.** Un psychiatre décrit les problèmes de ses patients. Utilisez **depuis** et le temps du verbe approprié en suivant les modèles.

Modèles: Monsieur Hamed (parler au mur / cinq mois)
Monsieur Hamed parle au mur depuis cinq mois.

Raoul (refuser de manger / il a perdu sa sœur)
Raoul refuse de manger depuis qu'il a perdu sa sœur.

Serge (ne pas manger / hier)
Serge n'a pas mangé depuis hier.

1. Anne (avoir de terribles migraines / l'âge de dix ans)
2. Simone (répéter la même phrase / dix ans)
3. Agnès (avoir peur de l'eau / son accident de bateau)
4. Sophie (avoir horreur des hôpitaux / son enfance)
5. Monsieur Monneau (avoir peur de monter dans un avion / son parachute ne s'est pas ouvert)
6. Jeanne (faire une dépression / son chien est mort)
7. Madame Leclerc (ne pas conduire / son accident il y a cinq ans)
8. Guy (ne pas sortir / sa rupture avec Alice)

Structure 13.3

Making descriptions more vivid *Les adverbes*

Some common adverbs you have already learned are:

bien   mal   souvent   rarement   assez   beaucoup

Many adverbs end in **-ment,** the equivalent of *-ly* in English.

Elle est gravement malade.   *She is seriously ill.*

Most of these adverbs are formed by adding **-ment** to the feminine form of the adjective.

lent → lente → lentement   *slow → slowly*
actif → active → activement   *active → actively*
sérieux → sérieuse → sérieusement   *serious → seriously*

If the masculine form of the adjective ends in a vowel, add **-ment** to the masculine adjective.

probable → probablement   *probable → probably*
vrai → vraiment   *true, real → truly, really*

Except for the case of **lent → lentement,** if the masculine adjective ends in **-ent** or **-ant,** drop the **-nt** and add **-mment.**

constant → constamment   *constant → constantly*
évident → évidemment   *evident → evidently*

Adverbs in **-ment** usually follow the verb. Note that the adverb **couramment** (formed from the adjective **courant**) means *fluently.*

Il parle couramment le chinois.   *He speaks Chinese fluently.*
Elle va parler franchement à son   *She is going to speak frankly to her*
    médecin.   *doctor.*
Ils sont entrés lentement.   *They entered slowly.*

When the adverb modifies the entire sentence, it may be placed at the beginning or the end.

Heureusement l'avion est arrivé   *Fortunately, the plane arrived*
    à l'heure.   *on time.*
Il n'en était pas content apparemment.   *He wasn't happy about it, apparently.*

Note de prononciation

The **-ent** ending on nouns, adjectives and adverbs is pronounced /ã/ as in **dent.** The ending **-amment** or **-emment** is pronounced /a-mã/. However, as you recall, the verb ending **-ent** is not pronounced. You will get more practice with these sounds in the workbook **Exercices de prononciation.**

Malheureusement ils prennent constamment des médicaments.

■ **Exercice 5.** Écrivez l'adjectif qui correspond aux adverbes suivants.

1. franchement
2. absolument
3. différemment
4. évidemment

5. naturellement
6. vaguement
7. activement
8. suffisamment

■ **Exercice 6.** Écrivez l'adverbe qui correspond aux adjectifs suivants.

1. silencieux
2. naturel
3. constant
4. heureux
5. apparent

6. régulier
7. vrai
8. récent
9. courant

■ **Exercice 7.** Patricia décrit sa chatte. Complétez la description avec la forme adverbiale de chaque adjectif entre parenthèses.

Ma chatte Milou me fascine. Dans la maison, elle se promène (insolent) _____ (1). Elle s'assoit sur mes genoux et s'endort (indifférent) _____ (2). Quand elle se réveille, elle regarde (fixe) _____ (3) par la fenêtre et décide de sortir. Une fois à l'extérieur, elle se cache (silencieux) _____ (4) derrière un arbre puis soudain, elle chasse (énergique)_____ (5) un oiseau *(bird)* ou un écureuil *(squirrel)*. Toute cette activité l'ennuie au bout de quelques minutes et elle reprend sa place sur l'escalier. Là, elle attend (patient) _____ (6) que je lui ouvre la porte.

Structure 13.4

Giving advice *Le subjonctif (introduction)*

French uses several structures for giving advice and expressing obligation. You have already seen the impersonal expression **il faut** combined with an infinitive used for this purpose.

Monique, **il faut faire** tes devoirs
avant de sortir.

*Monica, you have to do your homework
before going out.*

French commonly uses a special set of verb forms called the subjunctive for expressing obligation and giving strong advice. The subjunctive is required in clauses following **il faut que.**

Monique, **il faut que** tu **fasses** tes devoirs avant de sortir.
Il faut que Jean **finisse** l'examen.

The subjunctive is also used following other expressions of obligation and necessity shown here.

il est essentiel que	*it's essential that*
il est nécessaire que	*it's necessary that*
il est important que	*it's important that*
il vaut mieux que	*it's preferable / better that*
je préfère que	*I prefer that*
je veux que	*I want*
je souhaite que	*I wish that*

Notre professeur veut que nous **parlions** français en classe.		Our professor wants us to speak French in class.	
Il est important que vous **répondiez** à la question.		It's important that you answer the question.	
Il est essentiel que vous **fassiez** attention.		It's essential that you pay attention.	
Il vaut mieux que tu **prennes** tes médicaments régulièrement.		It's better that you take your medicine regularly.	

Regular subjunctive forms

To form the subjunctive of most verbs, start with the third-person plural verb stem (**ils/elles**) of the present tense and add the endings **-e, -es, -e, -ions, -iez, -ent,** as shown in the chart.

third-person plural	subjunctive stem	subjunctive
vendent	vend-	que je vende
disent	dis-	que tu dises
finissent	finiss-	que vous finissiez
sortent	sort-	que nous sortions
étudient	étudi-	que nous étudiions

Irregular subjunctive forms

The verbs **être** and **avoir** have irregular stems and endings.

être		avoir	
que je sois	que nous soyons	que j'aie	que nous ayons
que tu sois	que vous soyez	que tu aies	que vous ayez
qu'il soit	qu'ils soient	qu'il ait	qu'ils aient

Several verbs have a second subjunctive stem for the **nous** and **vous** forms derived from the **nous** and **vous** form of the present tense. This is also true for verbs with spelling changes.

boire		prendre		venir		payer	
boive	buvions	prenne	prenions	vienne	venions	paie	payions
boives	buviez	prennes	preniez	viennes	veniez	paies	payiez
boive	boivent	prenne	prennent	vienne	viennent	paie	paient

Other verbs that follow this pattern are **croire, devoir,** and **voir.**

The following five verbs have an irregular subjunctive stem. Note that **aller** and **vouloir** have a different stem in the **nous** and **vous** forms.

pouvoir	savoir	faire
puisse	sache	fasse
puisses	saches	fasses
puisse	sache	fasse
puissions	sachions	fassions
puissiez	sachiez	fassiez
puissent	sachent	fassent

aller	vouloir
aille	veuille
ailles	veuilles
aille	veuille
allions	voulions
alliez	vouliez
aillent	veuillent

Structures utiles

Note de prononciation

Regular **-er** verbs in the subjunctive sound the same as in the present indicative except for the **nous** and **vous** forms.

que je chant~~e~~   que nous chantions

que tu chant~~es~~   que vous chantiez

qu'il chant~~e~~   qu'ils chant~~ent~~

Avoiding the subjunctive

It is possible to avoid the subjunctive when giving advice by using an indirect object + verb + **de** + infinitive as shown here.

Je **vous conseille de travailler** plus dur.	*I advise you to work harder.*
Mon médecin **me conseille de faire** de l'aérobic.	*My doctor advises me to do aerobics.*
Son professeur **lui a dit de parler** plus en classe.	*His professor told him to speak more in class.*
Ma mère **me suggère de me lever** plus tôt.	*My mother suggests that I get up earlier.*

For negative sentences, use the negative infinitive: *verb* + **de ne pas** + *infinitive*.

Mon entraîneur **me recommande de ne pas fumer.**	*My coach tells me not to smoke.*

■ **Exercice 8.** Vos amis vous demandent conseil. Répondez en commençant par **Il faut que tu (vous)...**

Expressions utiles: se détendre dans une île déserte / faire de la musculation / mettre de la crème solaire pour protéger la peau / faire un régime et brûler des calories en faisant de l'exercice chaque jour / se laver le visage régulièrement avec du savon / se brosser les dents après chaque repas / dormir davantage

1. Je ne veux pas attraper de coup de soleil *(sunburn).*

2. Nous voulons maigrir.

3. Je manque d'énergie.

4. Je veux me développer les muscles.

5. Nous sommes très stressés.

6. J'ai des caries *(cavities).*

7. Je veux avoir une belle peau.

Structures utiles

■ **Exercice 9.** On exige beaucoup de vous. Choisissez parmi les verbes suivants pour compléter les phrases avec la forme du subjonctif appropriée: **répondre, écrire, avoir, inviter, faire, être, aller, finir.**

1. Ma mère veut que je lui _____ une fois par semaine.

2. Le patron veut que vous _____ le projet avant la fin du mois.

3. Mon copain souhaite que nous _____ dans le même cours d'anglais.

4. Tes parents insistent pour que tu _____ de bonnes notes.

5. Le professeur exige que les étudiants _____ en classe.

6. Ma mère veut que j(e) _____ avec elle chez mes grands-parents.

7. Mon camarade de chambre veut que nous _____ des amis chez nous ce week-end.

8. Le médecin conseille que nous _____ de l'exercice régulièrement.

■ **Exercice 10.** Complétez les phrases suivantes avec le subjonctif.

Le médecin ordonne...

1. que je me _____ au régime.

2. que nous _____ six verres d'eau par jour.

3. que vous _____ de la vitamine C tous les jours.

4. que la patiente _____ de l'aérobic.

5. que vous _____ de la patience.

6. que vous _____ un chapeau au soleil.

■ **Exercice 11.** Savez-vous éviter le subjonctif? Transformez les phrases suivantes selon les modèles.

Modèles: Le médecin veut qu'il prenne des vitamines.
Elle lui conseille de prendre des vitamines.

Le dentiste veut que je me brosse les dents régulièrement.
Il me dit de me brosser les dents régulièrement.

1. Mes parents voudraient que je dépense moins d'argent.

2. Mon père veut que je conduise plus lentement.

3. Votre professeur aimerait que vous étudiiez davantage.

4. Notre tante voudrait que nous lui rendions visite plus souvent.

5. Leurs amis aimeraient qu'ils soient moins sérieux.

6. Ma petite amie veut que je perde des kilos.

7. Ton moniteur aimerait que tu fasses de la musculation.

8. Notre camarade de chambre veut que nous fassions moins de bruit.

■ Tout ensemble!

Françoise, qui travaille maintenant à Londres, n'est pas contente. Elle écrit finalement à sa mère et sa mère lui répond. Complétez les deux lettres avec des expressions avec: **avoir, depuis, l'adverbe formé de l'adjectif entre parenthèses ou la forme correcte du verbe entre parenthèses.**

Chère Maman,

J'ai _____ (1) de te parler _____ (2) (franc) de ma situation depuis mon arrivée à Londres, mais je ne veux pas te décevoir *(to disappoint)*. D'abord, à la banque, ça ne va pas. J'ai _____ (3) de plaire *(to please)* à mon patron, mais il est très exigeant *(demanding)*, voire impossible. Il ne sourit jamais, et il a souvent l'_____ (4) d'être fâché contre moi. Dans mon angoisse, j'ai du _____ (5) à dormir, et donc j'ai toujours _____ (6). _____ (7) (évident) je ne comprends pas ce qu'il veut de moi. Je _____ (8) (travailler) _____ (9) (vache) depuis un mois sur le même projet et je ne sais pas quand ça va _____ (10) (final) se terminer.

Tu sais que je suis venue ici pour pratiquer mon anglais et me faire de nouveaux amis. _____ (11) (malheureux), dans notre bureau on ne parle que francais et je n'ai pas le temps de sortir. Chère maman, est-ce que j'ai pris une mauvaise décision? Qu'est-ce que je dois faire? J'ai _____ (12) de tomber malade.

Grosses bises,
Françoise

Ma chère Françoise,

Pourquoi as-tu mis si longtemps à me dire la vérité? Tu ne dois _____ (13) (absolu) pas avoir _____ (14) d'être mécontente. D'abord, tu es _____ (15) (vrai) trop perfectionniste. Tu penses trop à ton patron. Je te suggère de _____ (16) (faire) de ton mieux et puis de l'oublier. Je t'assure que ces problèmes sont dans ta tête. Il faut que tu _____ (17) (sortir) un peu pour profiter de ton séjour à Londres. Je te suggère de _____ (18) (téléphoner) à tes cousins qui habitent tout près. Il faut aussi que tu _____ (19) (faire) _____ (20) (régulier) de l'exercice—ta vie n'est pas assez équilibrée. Une promenade dans Hyde Park te ferait du bien.

Tu dois tout d'abord penser à ton propre bonheur. Je te téléphonerai ce week-end.

Grosses bises,
Maman

■ Vocabulaire fondamental

Noms

Les parties du corps / *Parts of the body*

la bouche	*mouth*
le bras	*arm*
le cœur	*heart*
le cou	*neck*
le doigt	*finger*
le dos	*back*
l'épaule (f)	*shoulder*
l'estomac (m)	*stomach*
le genou	*knee*
la gorge	*throat*
la jambe	*leg*
la langue	*tongue*
les lèvres (f pl)	*lips*
le nez	*nose*
le pied	*foot*
la tête	*head*
le ventre	*stomach*
le visage	*face*
les yeux (m pl), un œil	*eyes, an eye*

Les blessures, les maladies et les remèdes / *Injuries, illnesses, and cures*

une blessure	*an injury*
le bonheur	*happiness*
un conseil	*piece of advice*
la grippe	*flu*
un médicament	*a medicine*
un mouchoir	*a handkerchief*
une ordonnance	*a prescription*
un remède	*a cure*
un rhume	*a cold*
le sang	*blood*
la santé	*health*

Mots apparentés: une aspirine, une opération, un symptôme, une vitamine

Verbes

arrêter	*to stop*
blesser	*to hurt, injure*
se casser (la jambe)	*to break (one's leg)*
conseiller	*to give advice*
se détendre	*to relax*
exiger	*to demand*
marcher	*to walk*
pleurer	*to cry*
se sentir	*to feel*
soigner	*to take care of; to nurse*
souffrir (je souffre)	*to suffer*
souhaiter	*to wish*
tousser	*to cough*

Adjectifs

déprimé(e)	*depressed*
élevé(e)	*high*
enceinte	*pregnant*
enrhumé(e)	*congested*
exigeant(e)	*demanding*
malade	*sick*
sain(e)	*healthful (food, habits)*

Adverbes

couramment	*fluently*
facilement	*easily*
franchement	*frankly*
gravement	*seriously*
heureusement	*happily, fortunately*
malheureusement	*unhappily, unfortunately*
pleinement	*fully*
régulièrement	*regularly*
suffisamment	*sufficiently*
vachement (fam)	*very, a lot*
vraiment	*really*

Mots apparentés: absolument, activement, essentiellement, finalement, naturellement, rapidement, simplement

Expressions avec *avoir*

avoir chaud	*to be hot*
avoir de la chance	*to be lucky*
avoir de la patience	*to be patient*
avoir du mal à	*to have difficulty*
avoir envie de	*to desire, feel like*
avoir froid	*to be cold*
avoir honte	*to be ashamed*
avoir l'air	*to seem, look*
avoir le cafard	*to be down in the dumps*
avoir lieu	*to take place*
avoir l'occasion	*to have the opportunity*
avoir mal à (la tête)	*to have a (head)ache*
avoir mauvaise mine	*to not look well*
avoir peur de	*to be afraid of*
avoir raison	*to be right*
avoir sommeil	*to be sleepy*
avoir tort	*to be wrong*

Mots divers

davantage	*more*
depuis	*for; since*

Expressions utiles

Comment parler au médecin — *How to speak to the doctor*

(See other expressions on page 393.)

Je me sens très bien.	*I feel very well.*
Je ne me sens pas bien du tout.	*I really don't feel well.*
Quels sont vos symptômes?	*What are your symptoms?*
Elle s'est cassé la jambe.	*She broke her leg.*
Il est de très mauvaise / bonne humeur.	*He's in a very bad / good mood.*
Qu'est-ce qui ne va pas?	*What's wrong?*
Tu as mauvaise mine.	*You look sick.*
Je suis bien dans ma peau.	*I feel comfortable with myself.*
Il est en pleine forme.	*He's in top shape.*

■ Vocabulaire supplémentaire

Noms

un accouchement	*a delivery (of a baby)*
une allergie	*an allergy*
l'assurance médicale *(f)*	*medical insurance*
les béquilles *(f pl)*	*crutches*
le bien-être	*well-being*
un bleu	*a bruise*
un cancer	*a cancer*
une carie	*a cavity*
la cheville	*ankle*
une cicatrice	*a scar*
le cil	*eyelash*
le coude	*elbow*
la crème solaire	*sunscreen*
le foie	*liver*
un frisson	*a shiver, chill*
le front	*forehead*
la hanche	*hip*
le menton	*chin*
le muscle	*muscle*
l'ongle *(m)*	*fingernail*
l'orteil *(m)*	*toe*
l'os *(m)*	*bone*
un pansement	*a bandage*
le physique	*physical appearance*
une pilule	*a pill*
une piqûre	*a shot*
un plâtre	*a cast*
le poignet	*wrist*
une radio(graphie)	*an X-ray*
le service des urgences	*emergency room*
le sourcil	*eyebrow*
un sourire	*a smile*
une toux	*a cough*
un tranquillisant	*a tranquilizer*

Verbes

s'agenouiller	*to kneel*
apprécier	*to appreciate*
avaler	*to swallow*
avoir le nez qui coule	*to have a runny nose*
brûler	*to burn*
caresser	*to caress*
confier	*to confide*
se couper	*to cut oneself*
déconseiller	*to advise against*
embêter	*to annoy*
éternuer	*to sneeze*
s'évanouir	*to faint*
faire de la musculation	*to lift weights*
faire des gargarismes	*to gargle*
se faire mal	*to hurt oneself*
se faire masser	*to get a massage*
se fouler la cheville	*to twist one's ankle*
gesticuler	*to gesture*
guérir	*to heal*
se moucher	*to blow one's nose*
paraître	*to seem*
se passer de	*to do without*
plaire	*to please*
prendre la tension	*to take (someone's) blood pressure*
râler	*to complain*
respirer	*to breathe*

Adjectifs

bouché(e)	*stopped up*
franc (franche)	*frank*
obéissant(e)	*obedient*

La vie sentimentale

In this chapter you will learn how to talk about friendship and the many facets of relationships: first encounters, dating, falling in love, and marriage. Some of these issues will be explored against the backdrop of changing social conventions. You will also learn how to talk about personal and social values. In the **Voix en direct** section, several French speakers will explain their views on friendship. ❀

Pratique de conversation: Comment dire qu'on est d'accord ou qu'on n'est pas d'accord

Pratique de conversation: Comment exprimer ses sentiments

Structure 14.4: Expressing emotions *Le subjonctif (suite)*

À lire, à découvrir et à écrire

Lecture: «L'affaire du collier», extrait des *Femmes du Prophète* de Magali Morsi

iLrn™ Voix en direct (suite)

Expression écrite: Conseils

L'amour

Structure 14.1

Talking about relationships *Les verbes pronominaux (suite)*

To talk about how people relate to each other, you will need to use pronominal verbs. In **Module 10**, you were introduced to the reflexive sense of pronominal verbs. The verbs presented in this theme are used reciprocally (i.e., "each other") and idiomatically. For further discussion of these verbs, see pages 441–442.

«Le baiser à l'Hôtel de Ville»
de Doisneau

Un feuilleton d'amour en trois épisodes
Une rencontre amoureuse

Suggestion: This soap opera-style story introduces vocabulary for discussing relationships, including a number of pronominal verbs. You may want to present the story using TPR storytelling techniques. You may also read the story aloud. In either presentation, ask short-answer questions to verify comprehension and reinforce vocabulary: **Quel est le métier d'Emmanuelle? Est-elle riche? Qu'est-ce qu'elle fait à la plage? Connaissez-vous quelques villes près de Saint-Tropez? (Cannes? Nice? Antibes?) Est-ce qu'Alain se sert d'une bonne stratégie pour commencer la conversation?**

Emmanuelle, coiffeuse *(hairstylist)* à Poitiers, en vacances à Saint-Tropez, **se bronze** sur la plage lorsqu'elle aperçoit *(sees)* un jeune homme brun qui est venu **s'asseoir** *(to sit down)* près d'elle. Ils **se regardent** discrètement, mais ils ne **se parlent** pas. «Vous allez attraper un coup de soleil», lui dit-il finalement. Elle **se méfie** de lui *(is wary of him)*, mais ne peut pas **s'empêcher** *(prevent herself)* de regarder dans ses yeux verts fixés sur elle. C'est le coup de foudre! Ils **se parlent,** ils **s'embrassent.** Le jeune homme, Alain, lui propose une promenade à Saint-Raphaël. Elle ne refuse pas. Restaurant, boîte de nuit, et trois jours plus tard, il lui offre une bague de fiançailles et ils **se fiancent.** Trois mois plus tard, ils achètent des alliances et ils **se marient.**

La vie conjugale

Après un mariage traditionnel suivi d'une nuit de noces et d'une lune de miel splendides passées en Grèce, les nouveaux époux **s'installent** dans un appartement à Paris. Au début, tout va bien pour le jeune ménage; ils **s'aiment**. Alain **se dépêche** après son travail pour retrouver sa femme; ils rentrent ensemble. Mais au bout de quelques mois, ils **se voient** de moins en moins. Elle **s'ennuie** à la maison le soir pendant qu'il retrouve ses vieux amis au bar. Les amoureux **se disputent** toujours. Ils ne **s'entendent** plus. Elle **se demande** si son mari la trompe avec une autre femme.

La rupture

Une nuit, Alain ne rentre pas. Le lendemain, Emmanuelle n'est plus là. Il **se rend compte** qu'elle l'a quitté. Elle lui dit qu'elle veut **se séparer** de lui, divorcer. Mais il ne veut pas rompre avec elle; il l'aime toujours et décide de lui faire la cour comme avant...

■ Notez et analysez

All of the pronominal verbs in the story are boldfaced. Find three examples of these verbs used reflexively and three examples that are reciprocal. **Se rendre compte** is the equivalent of *to realize*. How would you say *he realized*? *I realized*? Caution: the **faux ami** *réaliser* in French means *to make real*, such as **Il a réalisé son rêve de faire le tour du monde.**

Examples of reflexives include **s'installer, se marier, se fiancer, s'empêcher, se dépêcher.** Examples of reciprocal verbs include **se regarder, se parler, s'embrasser, s'aimer, se disputer,** and **se voir.** When you point out the **faux ami** *(false cognate)* **réaliser,** you might ask students to mention other false cognates that they have encountered (**rester, les courses,** etc.).

The questions in **Activité 1** allow students to focus on the meaning of the story while responding using the third person forms of the pronominal verbs.

■ Activité 1: Avez-vous compris?

Répondez aux questions suivantes.

Une rencontre amoureuse

1. Où Emmanuelle et Alain se rencontrent-ils?
2. Comment se regardent-ils? Pourquoi?
3. Qui parle le premier?
4. Pourquoi se méfie-t-elle de lui? A-t-elle raison?
5. Où sortent-ils ensemble?
6. Quand se fiancent-ils et quand se marient-ils?

La vie conjugale

1. Où passent-ils leur lune de miel?
2. Est-ce qu'ils se voient souvent pendant les premiers mois de leur mariage? Expliquez.
3. Pourquoi Emmanuelle n'est-elle pas heureuse?
4. Qu'est-ce qu'elle se demande?

La rupture

1. Pourquoi Emmanuelle quitte-t-elle son mari? A-t-elle raison?
2. Alain est-il content de la rupture?
3. Qu'est-ce qu'il pense faire pour regagner l'amour de sa femme?

■ Activité 2: Trouvez l'intrus.

Encerclez le mot qui ne correspond pas au mot clé.

1. divorcer
   a. s'entendre
   b. se disputer
   c. se séparer
   d. rompre

2. se rencontrer
   a. se connaître
   b. se demander
   c. faire la cour
   d. faire connaissance

3. s'entendre bien
   a. se disputer
   b. s'aimer
   c. se voir
   d. se comprendre

4. se marier
   a. participer à une cérémonie religieuse
   b. s'installer ensemble
   c. se méfier de
   d. acheter une alliance
   e. partir en lune de miel

5. se rendre compte
   a. s'apercevoir
   b. comprendre
   c. remarquer
   d. ignorer

Assign the story completion as a composition. Follow up by putting students in groups of three to summarize their endings. Select a couple of students to read their work to the class.

Quelques suggestions: ils se réconcilient; ils divorcent; ils partent en voyage à Venise; elle rentre chez sa mère; ils ont un enfant; il lui offre un diamant; elle part pour les États-Unis; elle reprend ses études et devient femme d'affaires; ils vivent dans un bonheur infini (they lived happily ever after)

■ Activité 3: Terminez le feuilleton.

Travaillez en groupes pour terminer cette histoire. Écrivez un paragraphe au présent.

En groupes de trois, mettez les quatre meilleurs lieux de rencontres dans votre ordre de préférence. Ensuite, indiquez le lieu où les chances de rencontres sont les moins bonnes et dites pourquoi.

Modèle: ÉTUDIANT(E) 1: *Moi, je crois qu'une fête est numéro un. Et vous autres?*
ÉTUDIANT(E) 2: *Oui, c'est possible parce qu'on va souvent à une fête pour rencontrer des gens.*
ÉTUDIANT(E) 1: *Alors, qu'est-ce qu'on met en numéro deux?*

les concerts de rock
les vacances
les sorties à l'église
les transports en commun
les agences matrimoniales
le lieu de travail
un lavomatic *(laundromat)*
un match de sport

un club ou une association
un centre commercial
un café
un dîner entre amis
une fête
un site de rencontres en ligne
un travail bénévole
la cafétéria de l'université

■ **Activité 5: Les grands classiques**

Résumez ces films et cette pièce classiques en mettant les phrases dans l'ordre correct.

Dans le film *Casablanca*

1. Ils se séparent finalement sur une piste d'atterrissage *(on an airstrip)*.
2. Ils se retrouvent à Casablanca.
3. La première fois, ils se quittent sur le quai d'une gare.
4. Bogart et Bergman se rencontrent à Paris.

Dans le film *Autant en emporte le vent (Gone with the Wind)*

1. Ils s'installent dans une grande maison somptueuse.
2. Rhett Butler et Scarlett O'Hara se rencontrent pendant un bal juste avant la guerre de Sécession.
3. Ils se séparent à la fin, mais est-ce pour toujours?
4. Ils se retrouvent à Atlanta pendant la guerre.
5. Ils se marient.

Dans la pièce *Roméo et Juliette*

1. Juliette se tue *(kills herself)* en voyant Roméo mort.
2. Ils tombent tout de suite amoureux.
3. Les deux amoureux se marient en secret.
4. Leurs familles s'opposent au mariage.
5. Juliette prend du poison pour faire semblant *(to pretend)* de mourir.
6. Roméo et Juliette se rencontrent à un bal.
7. En voyant Juliette qu'il croit morte, Roméo se suicide.

Activité 5: First find out who has heard of any of these works: **Est-ce que vous connaissez le film *Casablanca*? C'est un classique, n'est-ce pas?** If any students are familiar with it, say: **Les acteurs de ce film sont célèbres. Qui joue dans le film?** (Humphrey Bogart and Ingrid Bergman.) ***Romeo and Juliet,* c'est une histoire tragique, n'est-ce pas? Qui a écrit cette histoire? Est-ce que vous avez vu une version moderne de ce film? Laquelle?** After piquing students' interest in these stories, put them into groups to arrange the events in the correct order. To move quickly, assign one film/play to each group.

Réponses: *Casablanca*—4, 3, 2, 1 *Gone with the Wind*—2, 4, 5, 1, 3 *Romeo and Juliet*—6, 2, 4, 3, 5, 7, 1

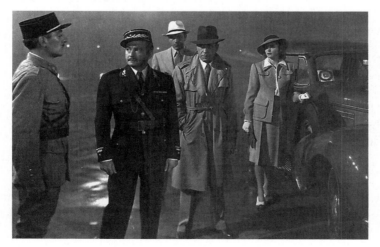

Le couple en transition

La révolution culturelle des années 70 a beaucoup changé la vie de couple en France. D'abord, le bouleversement° des anciens tabous et la disponibilité de la pilule° ont abouti à° l'euphorie de l'amour physique et de la sexualité. Mais aujourd'hui on observe un retour aux qualités affectives de l'amour: la tendresse, la séduction, le romantisme et la fidélité. Ce n'est pas, cependant, un retour aux mœurs° des années 50. Pourquoi? D'abord, un nombre croissant° de couples préfère vivre en union libre sans les contraintes des papiers officiels. Les pressions° sociales en faveur du mariage ont peu à peu disparu. Aujourd'hui, environ neuf couples sur dix commencent leur vie commune sans se marier. Et l'arrivée d'un enfant n'est pas automatiquement vu comme une raison de légaliser le couple. Plus de la moitié° des couples ont leur premier enfant hors° mariage.

Pour les couples qui veulent être reconnus° par la loi mais qui ne peuvent pas ou ne veulent pas se marier, il y a le pacte social de solidarité (PACS) qui date de 1999. Le PACS offre la plupart des droits° et obligations traditionnellement associés au mariage aux adultes de même sexe ou de sexe différent: droits de succession°, à l'assurance° du partenaire et l'obligation de l'aide mutuelle envers un partenaire en cas de maladie ou de chômage°. Envisagée° principalement pour les couples gay, un bon nombre de couples hétérosexuels préfère le PACS au mariage.

Pour les rencontres, cependant, la tradition dure. Ceux qui viennent de la même classe sociale se marient. Le prince se marie rarement avec la bergère°.

overthrow
birth control pill / led to

social customs / growing
pressure

half / outside
recognized

rights

inheritance rights / insurance
unemployment / Designed

shepherdess

■ Avez-vous compris?

Indiquez si les phrases suivantes sont vraies ou fausses. Corrigez les phrases fausses.

1. Pour le couple du vingt-et-unième siècle, la fidélité est une valeur démodée *(out of fashion)*.
2. L'union libre, ou mariage à l'essai *(trial)*, est rarement pratiquée en France.
3. En France, peu d'enfants naissent hors mariage.
4. Il y a des droits et des obligations associés au PACS.
5. Les Français se marient souvent avec quelqu'un d'une classe sociale différente.

■ Et vous?

Discutez de l'idée du PACS en groupes. C'est comme quelle institution aux États-Unis? Quels en sont les avantages et les inconvénients? Partagez vos idées avec la classe.

Focusing on advantages and disadvantages of the **PACS** can help your students avoid offending students who may have strong views one way or the other. Some useful vocabulary for talking about couples: **s'engager dans une relation avec** *(to make a commitment to)*, **s'entraider**, **être plus à l'aise financièrement**, **fonder une famille, se construire un patrimoine.**

Valeurs et espoirs

Structure 14.2

Making comparisons without repeating nouns *Les pronoms démonstratifs: celui, celle(s), ceux*

Demonstrative pronouns are used to avoid repetition by replacing a previously specified noun. They are often used in comparisons, as in the examples that follow. For further explanation of **celui, celle(s),** and **ceux,** see page 443.

Nom: Zidane
Prénom: Zinédine («Zizou»)
Date de naissance: 1972
Lieu de naissance: Marseille, France
Équipes: Real de Madrid (Espagne), les Bleus (France)
Date de retraite *(retirement):* 2006

Activités caritatives:

• Avec l'aide d'Adidas, il a envoyé 1000 ballons de foot aux enfants de camps de réfugiés en Ouganda.
• Zidane ainsi que Ronaldo étaient les capitaines des deux équipes qui ont joué dans le Match contre la Pauvreté *(Poverty)* 2005, organisé par l'ONU (l'Organisation des Nations Unies).
• Il parraine *(sponsors)* l'association Les Enfants du Sahara, qui aide à développer la technologie dans les villes et les villages du Sahara.

Zinédine Zidane is of Maghrebian origin. Having grown up in a **cité** and having achieved star status, he has done much to break stereotypes of immigrant children. As students look at the profile, check for comprehension: **Voici le portrait de Zinédine Zidane. Qui est-ce? Oui, c'est un footballeur très célèbre. Quel est son surnom** *(nickname)***? Où est-il né? Il a joué pour quel club? Oui, et il a aussi joué pour la France (par exemple, dans la Coupe du Monde). Et à quelles autres activités participe-t-il?**

Qui est le personnage le plus admiré par les jeunes français? Selon plusieurs sondages, **celui** qu'on admire le plus c'est Zinédine Zidane, grand footballeur. Zidane pense que les enfants des familles défavorisées doivent avoir autant d'espoir que **ceux** qui viennent des familles aisées. C'est le symbole depuis plusieurs années de l'intégration de la France. Pour lui, son rôle de parrain *(celebrity spokesperson)* d'associations caritatives est aussi important que **celui** de joueur de foot. Sa participation au Match contre la Pauvreté était aussi importante que **celle** de Ronaldo, champion brésilien célèbre. Beaucoup de vedettes font des actions bénévoles comme **celles** de Zidane.

■ Et vous?

Donnez un exemple d'une vedette que vous connaissez qui fait des actions bénévoles. Qui est-ce que vous admirez le plus en raison des causes qu'ils (elles) ont choisies? Et vous, que faites-vous autour de vous pour aider les autres?

■ Notez et analysez

The boldfaced words above are demonstrative pronouns. Look at each one and decide if it is masculine or feminine, singular or plural.

After completing **Notez et analysez,** use **Activité 6** to help teach the relative pronouns; students are asked to identify the antecedents in this text.

Relisez la description de Zidane à la page précédente et identifiez l'antécédent de chaque pronom démonstratif.

1. celui = **a.** un grand footballeur **b.** un jeune français **c.** un personnage
2. ceux = **a.** les enfants **b.** les cités **c.** les milieux favorisés

3. celui = **a.** lui **b.** son rôle **c.** un joueur de foot

4. celle = **a.** Ronaldo **b.** la participation **c.** la pauvreté
5. celles = **a.** les vedettes **b.** les associations caritatives **c.** les actions bénévoles

■ **Activité 7: Les valeurs à travers** *(throughout)* **les générations**

Avec un(e) partenaire, regardez les remarques suivantes qui comparent les valeurs de la société contemporaine à celles d'autrefois.

A. Dites si vous êtes d'accord ou pas d'accord et expliquez pourquoi.

1. Les jeunes d'aujourd'hui s'intéressent moins à la politique que **ceux** d'autrefois.
2. Les familles sont plus égalitaires et ouvertes que **celles** d'autrefois.
3. Chez les jeunes, le désir de réussir dans sa carrière est souvent plus important que **celui** de fonder une famille.
4. Dans la société américaine, le bien-être de l'individu devient plus important que **celui** du groupe.
5. Parmi les valeurs partagées par les Français, **celles** qui sont les plus respectées sont la justice, l'honnêteté, la politesse, la liberté et l'esprit de famille.

B. Maintenant relisez les phrases. Pour chaque pronom relatif en caractères gras, trouvez l'antécédent et donnez son nombre et son genre.

Modèle: Les jeunes d'aujourd'hui s'intéressent moins à la politique que **ceux** d'autrefois.
L'antécédent de **ceux** est *les jeunes*. Ce mot est *masculin/pluriel*.

Activité 7B allows students to focus exclusively on the form and function of demonstrative pronouns. Write one or two model sentences on the board underlining the **antécédent**.

■ **Activité 8: Les valeurs d'aujourd'hui**

Comparez la vie d'aujourd'hui à celle d'autrefois. Utilisez **celui, celle(s)** ou **ceux.**

Modèle: les femmes / indépendantes
*Les femmes d'aujourd'hui sont plus indépendantes que **celles** d'autrefois.*

1. les jeunes / conservateurs
2. les mariages / durables
3. les problèmes / complexes
4. les rôles sexuels / distincts
5. les femmes / ambitieuses
6. le style de vie / actif
7. les rencontres / difficiles
8. la famille / stable

Regardez ce document sur la Fondation Abbé Pierre et répondez aux questions suivantes.

1. Est-ce que vous connaissez une organisation semblable aux États-Unis?

2. Lequel de nos ex-présidents est engagé dans ce même genre de travail aux États-Unis?

3. Est-ce que vous avez déjà fait du travail bénévole? Expliquez.

4. Est-ce que vous pensez que les jeunes d'aujourd'hui sont plus engagés dans le travail bénévole que ceux d'il y a vingt ans? Expliquez.

There is an increasing interest in volunteer service work among young people in France. **L'Abbé Pierre,** born Henry Grouès in 1912 in Lyon, became a Catholic priest and is one of the most popular figures in France today. He has worked throughout his life to champion the cause of the poor, homeless, and unemployed. He founded the first Emmaus community, designed to give those in need a chance to get back on their feet. Emmaus communities are now found around the world, even in the US (in Maine).

Travailleur humanitaire, l'Abbé Pierre a fait partie de la Résistance pendant la Seconde Guerre mondiale. En 1949, il a fondé la première communauté Emmaüs pour des familles sans-abri *(homeless)*. La Fondation Abbé Pierre continue à travailler pour le logement des défavorisés. Malgré son âge, l'Abbé Pierre reste parmi les personnalités les plus admirées de France.

Thème

C'est ça, l'amitié!

Structure 14.3

Expressing hypotheses *Le conditionnel*

When giving advice and imagining what one might do in a hypothetical situation ("if"), the conditional verb form is often used. You've already used this structure in a few polite forms such as **je voudrais un café** or to give advice: **vous devriez écouter le professeur.** For further discussion of the conditional and its forms, see page 444.

The logo for the organization **SOS Racisme** is a well-known comment on the importance of friendship and solidarity among all the diverse young people found in France today.

SOS Racisme, un projet de fraternité et d'égalité qui lutte contre le racisme

Si mes parents **critiquaient** constamment mon (ma) meilleur(e) ami(e)...
... je leur **dirais** qu'ils ne le/la connaissent pas.
... je **serais** fâché(e) contre eux.
... je le/la **défendrais** en leur expliquant ses qualités.

■ Notez et analysez

Which verb tense is used after the word **si**? What tense is used in the clause that follows?

■ Activité 10: Testez-vous!

Give students some time to read over and select their responses to the situations in **Activité 10.** Then have students read their responses to find out what different approaches they might take to the dilemmas: **Est-ce que quelqu'un réagirait d'une autre façon?** Before students create their own scenarios in part B, have them identify once again the verb tenses used in the **si** clause and in the other clause. You might assign one student in each group to be responsible for checking the verb forms before the groups exchange their scenarios.

A. Que feriez-vous dans les situations suivantes?

1. Si j'**avais** un gros problème personnel...
   a. je le **confierais** à mes parents; après tout, ils m'aiment de façon inconditionnelle.
   b. je le **partagerais** avec mon (ma) meilleur(e) ami(e); il/elle m'accepte tel que je suis.
   c. je **préférerais** en discuter avec quelqu'un d'objectif, un conseiller, mon prêtre, un psychologue.
   d. je le **garderais** pour moi car j'ai l'habitude de faire tout tout(e) seul(e).
2. Si j'**avais** un cousin plus jeune qui voulait fuguer *(run away)* et venir chez moi...
   a. je l'**hébergerais** sans rien dire à ses parents.
   b. j'**appellerais** ses parents pour essayer de trouver une solution.
   c. je **demanderais** à mon cousin d'appeler ses parents et de leur parler de sa fugue.

3. Si mon (ma) meilleur(e) ami(e) **déménageait** dans une autre ville pour son nouveau job...

  a. notre amitié ne **serait** plus la même; la proximité est essentielle à l'amitié.

  b. je **serais** triste mais heureux (heureuse) pour lui (elle) en même temps.

  c. je l'**aiderais** à s'installer.

  d. nous **resterions** en contact grace à Internet.

4. Si mon (ma) meilleur ami(e) et moi **voulions** sortir avec la même personne...

  a. nous nous **disputerions.**

  b. nous en **parlerions** pour trouver une solution.

  c. ça **serait** la fin de notre amitié.

5. Si je **voyais** le copain (la copine) de mon (ma) meilleur(e) ami(e) sortir avec quelqu'un(e) d'autre...

  a. je lui en **parlerais.**

  b. je ne lui **dirais** rien.

  c. je **dirais** quelque chose à son copain (sa copine) infidèle.

6. Si je n'**aimais** pas le nouveau copain (la nouvelle copine) de mon ami(e)...

  a. j'**attendrais** patiemment leur rupture.

  b. je lui **demanderais** ce qu'il/elle aime chez elle/lui.

  c. je **ferais** de mon mieux pour l'accepter.

7. Si je **tombais** amoureux (amoureuse) de mon (ma) meilleur(e) ami(e)...

  a. je lui **dirais** la vérité même s'il/si elle ne ressentait pas les mêmes sentiments.

  b. je **ferais** de mon mieux pour cacher mes sentiments; il ne faut jamais mélanger l'amitié et l'amour.

  c. j'**arrêterais** de le/la voir pendant un moment pour voir si j'ai réellement des sentiments pour lui/elle.

B. Maintenant, travaillez en groupe pour créer votre propre situation avec trois solutions possibles.

■ **Activité 11: Si j'étais une couleur, je serais le rouge.**

A. Le portrait chinois. D'abord, travaillez individuellement en utilisant votre imagination pour compléter les phrases suivantes. Choisissez trois des phrases que vous avez terminées et récrivez-les *(rewrite them)* sur trois bouts *(scraps)* de papier que vous allez mettre dans un chapeau.

Si j'étais une marque de voiture, je serais une Jeep.

1. Si j'étais une couleur, je serais...
2. Si j'étais une saison, je serais...
3. Si j'étais une chanson, je serais...
4. Si j'étais une marque de voiture, je serais une...
5. Si j'étais un animal, je serais...

6. Si j'étais un(e) acteur (actrice), je serais...
7. Si j'étais une ville, je serais...
8. Si j'étais un film, je serais...
9. Si j'étais un(e) ???, je serais...

B. Qui est-ce? Mettez-vous en groupes de cinq et placez vos trois phrases dans un chapeau. À tour de rôle, tirez *(pull out)* un bout de papier du chapeau, lisez la phrase et devinez qui elle décrit *(whom it describes)*.

Que feriez-vous dans les situations suivantes?

1. Si je gagnais un million à la loterie, je...
2. Si je pouvais aller n'importe où, je...
3. Si je pouvais manger n'importe quoi sans grossir, je...
4. Si je pouvais exercer le métier de mes rêves, je...
5. Si je pouvais parler trois langues couramment, je choisirais...

Posez les questions suivantes sur l'amitié à votre partenaire.

1. Pour toi, est-ce que l'amitié est une valeur importante? Quelles sont les qualités de ton (ta) meilleur(e) ami(e): un bon sens de l'humour, la fidélité, l'honnêteté, un esprit ouvert, la gentillesse, l'intelligence, etc.?

2. Est-ce que tes parents connaissent ton (ta) meilleur(e) ami(e)? Est-il/elle comme un membre de ta famille? Est-ce que tes parents critiquent tes ami(e)s?

3. Dans quelles situations est-ce que tu critiques tes amis?

4. Est-ce qu'entre amis vous vous prêtez facilement de l'argent?

5. Est-ce que vous vous confiez vos secrets? Pourquoi ou pourquoi pas?

6. Qu'est-ce qui détruit une amitié: la jalousie des autres, l'opinion des parents, le manque de temps, les déménagements?

Perspectives sur l'amitié

Pour les Français comme pour les Américains, l'amitié est essentielle au bonheur. Cependant°, les Français et les Américains n'expriment pas toujours ce sentiment de la même manière et ceci cause parfois des malentendus°. Les Américains en France ont souvent l'impression que les Français sont fermés, qu'ils ne répondent pas à leurs efforts pour les connaître. Les Français, pour leur part, trouvent que les Américains donnent l'impression de ne pas prendre l'amitié au sérieux: ils sourient° et font des remarques comme «*We'll have to get together*», qui sont tout simplement des formules de politesse. Cette différence vient en partie du fait que les Français sont traditionnellement moins nomades; ils restent souvent dans la même région pendant toute leur vie. Ainsi, il est commun d'avoir le même meilleur ami depuis l'enfance. Les Américains, par contre, ont tendance à se déplacer° et ont donc besoin de former plus spontanément des amitiés.

However

misunderstandings

smile

to move around

Pour illustrer ce thème, quelques francophones vous expliquent leurs propres perspectives sur l'amitié.

■ Avez-vous compris?

Indiquez si les phrases suivantes sont vraies ou fausses et trouvez, dans le texte, les phrases qui justifient vos réponses.

1. Le concept de l'amitié est le même dans les cultures française et américaine.
2. Les Français ont l'impression que l'amitié à l'américaine est plutôt superficielle.
3. Les Américains en France trouvent parfois difficile de se faire des amis.
4. Un Français a tendance à garder les mêmes amis pendant toute sa vie.

C'est quoi pour vous l'amitié?

Gwenaëlle Maciel

29 ans, enseignante au collège, région de Paris

C'est quoi pour vous l'amitié?

L'amitié pour moi, c'est très précieux. J'ai beaucoup d'amis un peu partout dans le monde et chaque personne a sa propre personnalité. Et j'aime les gens différents, variés, mais surtout sincères, avec qui on peut discuter de plein de choses[1], échanger des expériences, apprendre à se connaître, partager[2] des moments de joie et évoluer ensemble. Quand j'aime une personne que je considère comme une amie, c'est pour la vie.

[1] *a lot of things* [2] *share*

Olivia Rodes

26 ans, professeur d'anglais dans un institut privé, Cholet, France

C'est quoi pour vous l'amitié?

L'amitié, c'est... euh... C'est, quelqu'un sur qui on peut toujours compter[3]. Quelqu'un avec qui on peut discuter de tout... sans, sans être jugé... Euh, si on a besoin d'un service, c'est quelqu'un à qui on peut demander quelque chose. Oui,... pour moi, l'amitié c'est aussi ne pas se donner des nouvelles[4] pendant quelque temps et puis... et puis reprendre[5]... c'est ça aussi.

Et vous avez combien d'amis?

De très bons amis, je dirais deux. D'amis, de manière générale, je dirais quinze, dix, quinze? Mais de bons amis, deux. On se connaît depuis qu'on a quatorze ans. Donc ça fait dix ans, un peu plus.

[3] *count on* [4] *not to keep in touch* [5] *pick up again*

Bienvenu Akpakla

30 ans, professeur de français à Washington, DC; origine: Bénin

C'est quoi pour vous l'amitié?

L'amitié c'est, disons, vivre avec des gens, être en contact avec des gens avec lesquels vous avez quelque chose en commun. Et je crois que ça, c'est fondamental. Il y a un proverbe français qui dit que «Tout ce qui se ressemble s'assemble» et souvent, on est toujours plus à l'aise en parlant, en faisant des choses en commun avec quelqu'un qui a quelque chose de similaire avec vous.

■ Réfléchissez aux réponses

1. Est-ce que vous avez des amis partout dans le monde comme Gwenaëlle? Comment est-ce que vous restez en contact?
2. Pour vous, est-ce que l'amitié c'est pour la vie ou est-ce que vous changez d'amis avec les changements de la vie?
3. Olivia dit qu'elle n'a que deux ou trois bons amis. Est-ce le cas pour vous? Quelle est la différence entre l'amitié que vous partagez avec vos bons amis et la relation que vous avez avec vos autres amis?
4. Est-ce que vos amis vous ressemblent? Qu'est-ce que vous avez en commun?

Comment dire qu'on est d'accord ou qu'on n'est pas d'accord

Students who study abroad are often taken aback by the direct nature of the questions French young people ask them, whether on political or social subjects. Having some strategies for expressing agreement and disagreement is a useful part of a student's repertoire. **Suggestion:** Since students should learn how to pronounce these statements in an informal manner, indicate words that might be omitted in conversational French.

■ **Réfléchissez et considérez**

When getting to know people or having conversations with friends, many subjects come up. How do you let others know when you agree with them? What do you say if you're not sure or if you disagree? Identify some equivalent expressions in French from the list below. Which do you express more often, agreement, neutrality, or disagreement? Lively discussion of controversial topics is an accepted part of daily life in France.

Quelques expressions utiles

oui
Ah, ça oui!
C'est vrai, ça!
Absolument!
Tout à fait.
Je suis tout à fait d'accord!

non
Ah, non alors!
Absolument pas.
Pas du tout!
Je suis pas d'accord. *(fam)*
C'est pas vrai! *(fam)*

l'incertitude
C'est bien possible.
Ça se peut.
Peut-être.
Tu crois? / Vous croyez?
Bof! J'sais pas. *(fam)*

ÉTUDIANT(E) 1: Pour toi, est-ce que les amis sont essentiels?

ÉTUDIANT(E) 2: Absolument!

ÉTUDIANT(E) 1: Tu confies tout à ton meilleur ami?

ÉTUDIANT(E) 2: Pas du tout! À mon avis, les amis, c'est pas fait pour ça.

ÉTUDIANT(E) 1: Tu crois que tu es un bon ami?

ÉTUDIANT(E) 2: Bof! J'sais pas.

CD2, Track 27

■ **Écoutons ensemble! Entretenir l'amitié**

Écoutez les mini-échanges sur l'amitié. Dites si (a) on est d'accord, (b) pas d'accord ou (c) indécis. Notez, en anglais, le sujet général de chaque mini-conversation.

1. **a.** oui **b.** non **c.** incertitude
   Sujet: _____
2. **a.** oui **b.** non **c.** incertitude
   Sujet: _____
3. **a.** oui **b.** non **c.** incertitude
   Sujet: _____
4. **a.** oui **b.** non **c.** incertitude
   Sujet: _____
5. **a.** oui **b.** non **c.** incertitude
   Sujet: _____

Réponses: 1. oui; one should make time to be with friends 2. incertitude; whether or not to tell a friend everything 3. non; whether it is better to go to a psychiatrist rather than tell your friend everything 4. oui; whether you should be up front with friends when you need to take time away to be with a girl/boyfriend 5. non; whether you should put your friends first, above your girl or boyfriend

Read the statements in **Activité 14** and have students respond with "attitude", expressing their opinions using the expressions on page 433 with characteristic intonation patterns.

■ Activité 14: Êtes-vous d'accord?

Réagissez à ces propos sur l'amitié en utilisant les expressions utiles à la page 433.

1. Respecter votre ami(e), c'est accepter vos différences.

2. Les amis d'enfance, c'est pour la vie. Même si on n'a plus rien en commun, il est bien de garder contact avec ses vieux amis.

3. On ne doit jamais mélanger le travail et la vie privée.

4. Si on était de vrais amis, on se dirait tout.

Activité 15: You might want to ask students to come up with English equivalents to these popular French sayings.

■ Activité 15: Quelques proverbes sur l'amour

Que pensez-vous de ces proverbes sur l'amour? Dites si vous êtes d'accord ou pas en utilisant une des expressions utiles à la page 433. Expliquez votre réponse.

1. **Qui se ressemble s'assemble.** Il faut se marier avec quelqu'un de sa classe sociale.

2. **L'amour est éternellement jeune.** La différence d'âge n'est pas importante.

3. **L'amour n'a pas de frontières.** Les mariages mixtes ne posent pas de problèmes.

4. **L'amour n'a pas de prix.** L'amour est ce qu'il y a de plus important.

Comment exprimer ses sentiments

Structure 14.4

Expressing emotions *Le subjonctif (suite)*

You have already learned to use the subjunctive following expressions of necessity and obligation. It is also used with expressions of feeling and doubt, as in the examples shown here. For further information, see pages 445–446.

Quelques expressions utiles

Je suis triste
    content(e)
    ravi(e)
    furieux (furieuse)   }   que vous vous **sépariez.**
    désolé(e)
    surpris(e)

J'ai peur   qu'elle ne **soit** pas honnête.

Je ne crois pas
Je ne pense pas   }   que vous **fassiez** un gros effort.
Je doute

Il est impensable
    incroyable
    étonnant
    triste   }   que vous lui **donniez** de l'argent.
    excellent
    bon / mauvais

MAIS

Je crois
Il est clair   }   que vous **avez** raison.

■ **Notez et analysez**

Which expressions state emotions? Which ones communicate doubt? Are these expressions followed by the subjunctive or the indicative? Which expressions do not use the subjunctive? Why?

CD2, Track 28

■ **Écoutons ensemble! Comment exprimer ses sentiments**

Écoutez les remarques suivantes et identifiez ce qu'elles expriment: le doute, la certitude ou un sentiment négatif/positif.

1. **a.** _____ doute **b.** ✓ certitude **c.** _____ sentiment négatif/positif
2. **a.** _____ doute **b.** ✓ certitude **c.** _____ sentiment négatif/positif
3. **a.** _____ doute **b.** _____ certitude **c.** ✓ sentiment négatif/positif
4. **a.** _____ doute **b.** _____ certitude **c.** ✓ sentiment négatif/positif
5. **a.** _____ doute **b.** ✓ certitude **c.** _____ sentiment négatif/positif

Suggestion: Have students look over the expressions and identify those referring to **sentiments, doute,** and **certitude** as requested in **Notez et analysez.** Highlight the difference between **je crois** and **je ne crois pas.**

■ Activité 16: Réagissez!

Que pensez-vous des opinions et faits suivants? Réagissez en utilisant une expression de sentiment.

Modèle: Les femmes d'aujourd'hui sont plus indépendantes.
Je suis content(e) que les femmes d'aujourd'hui soient plus indépendantes.

1. Les pères d'aujourd'hui s'occupent davantage *(more)* de leurs enfants.
2. Beaucoup de mariages se terminent par un divorce.
3. Les hommes se marient souvent avec des femmes beaucoup plus jeunes.
4. Beaucoup d'enfants habitent avec un seul parent.
5. Avant 1910, les amoureux français ne pouvaient pas s'embrasser dans la rue.
6. Une famille française reçoit une allocation familiale (de l'argent du gouvernement) pour chaque enfant.

■ Activité 17: Vos sentiments, vos certitudes, vos doutes

D'abord, décidez avec un(e) partenaire si les phrases doivent être terminées par le subjonctif, l'indicatif ou l'infinitif. Puis complétez les phrases ensemble.

Modèle: Mes parents sont contents...
Mes parents sont contents *que je sois à l'université.*

1. Ma mère a peur que je...
2. Mon (Ma) petit(e) ami(e) croit que...
3. Je pense que...
4. Je suis sûr(e) que...
5. Mes amis doutent que...
6. Je suis étonné(e) que...
7. Je suis content(e) de...

■ Activité 18: Rubrique conseils: On a besoin de votre aide!

Lisez cette lettre. Ensuite, utilisez les notes à la page suivante pour y répondre.

Prince charmant recherche Cendrillon désespérément

Ma vie ne rime à rien *(seems meaningless).* Je me suis marié trop jeune avec un amour de vacances. Après cinq années d'incompréhension totale est venu le divorce: dépression, séparation avec les enfants, tentative de suicide. Depuis un an, je suis tout seul. Pourtant, j'essaie de remonter la pente. J'ai un physique plutôt plaisant, genre Brad Pitt, et je ne suis pas un reclus. Je fais du sport, j'ai des loisirs. Je suis sensible, pas trop timide. Seulement je suis trop sérieux, trop romantique, peut-être. Je crois encore au coup de foudre, mais il faut croire que c'est démodé. Je pense que la fidélité est essentielle pour un couple, alors qu'autour de moi, je ne vois que l'adultère.

N'existe-t-il plus de jeunes filles sérieuses? Le romantisme est-il mort? Je suis la preuve qu'il reste encore des hommes fidèles, sérieux et voulant vivre une grande passion. Que pensez-vous de ma conception de la vie? Suis-je démodé et ridicule? Merci de tout cœur pour vos lettres.

Patrick

Adapté de *Femme Actuelle*

Répondez à Patrick en vous servant des notes suivantes.

- Il est dommage / vous / être / si seul
- Je suis choqué(e) / vous / vouloir / vous suicider
- Ce n'est pas juste / vous / ne pas pouvoir / vivre avec vos enfants
- Je suis étonné(e) / vous / ne pas trouver / de femme sérieuse comme vous
- Je suis content(e) / il y avoir encore / des hommes romantiques
- Il est bon / vous / faire du sport
- Il est possible / vous / être / un peu rigide
- Je suis sûr(e) que / le grand amour / exister toujours

■ Situations à jouer!

Utilisez **iLrn** voiceboard pour plus de pratique orale avec les **Thèmes** et les **Pratiques de conversation** du **Module 14.**

1. Vous avez des valeurs très traditionnelles, tandis que votre camarade est beaucoup moins conservateur (conservatrice). Vous aimeriez mieux vous connaître, mais quand vous essayez d'avoir une conversation sérieuse sur vos conceptions de la vie, de l'amitié, du rôle du couple, du partage des tâches ménagères, de la condition féminine, etc., vous recommencez à vous disputer. Pour vous aider, voir **Comment dire qu'on est d'accord ou qu'on n'est pas d'accord,** p. 433.

2. Selon un sondage de TNS-Sofres (novembre 2003), les personnages les plus admirés en France par les jeunes de 15 à 24 ans sont Zinédine Zidane, l'Abbé Pierre, Jamel Debbouze et le dalaï-lama. Cherchez des informations sur ces quatre personnages. Faites un sondage parmi vos camarades de classe pour déterminer qui sont les personnalités que vous admirez le plus. Faites un rapport à la classe.

Jamel Debbouze, célèbre humoriste et acteur, sur scène pendant un spectacle de stand-up

Lecture

■ Anticipation

Vous allez lire une histoire à propos d'une des femmes du prophète Mohammed.

1. Encerclez la religion dont Mohammed est le prophète: le christianisme, le judaïsme, l'islam, le bouddhisme.
2. Choisissez les adjectifs que vous associez à une femme islamique du septième siècle: timide, fière, obéissante, chaste, forte, faible, courageuse, religieuse, indépendante.

■ Expansion de vocabulaire

Utilisez votre connaissance des familles de mots pour trouver la définition des mots de la première colonne dans la deuxième colonne.

1. affectionner	a. fait de dire merci
2. la perte	b. prouver l'innocence
3. la froideur	c. les membres intimes de la famille
4. un remerciement	d. une légende célèbre
5. innocenter	e. avoir de l'affection pour, aimer
6. reprendre	f. qualité froide
7. une légende dorée	g. reconduire
8. patiemment	h. recommencer
9. les proches parents	i. avec patience
10. ramener	j. fait de perdre

Magali Morsi is a professor of history at the University of Muhammed V, Rabat, Morocco. In *Les Femmes du Prophète*, Morsi recounts this well-known story from Islamic literature about Aïcha, Mohammed's favorite wife. The story of the necklace is one of the most important legends surrounding Aïcha, as she demonstrates herself to be a strong and intelligent woman.

«L'affaire du collier»

extrait des *Femmes du Prophète*, Magali Morsi

necklace
1 C'est en 627 qu'il faut situer l'affaire du collier°. Aïcha, qui était la deuxième femme du prophète Mohammed, accompagnait son mari
5 dans une de ses expéditions, lorsque, au campement, elle s'est aperçue de
loss la perte° de son collier précieux qu'elle affectionnait. Elle est partie le chercher et pendant ce temps-là, la
10 caravane a repris la route sans
frail s'apercevoir que la frêle° Aïcha n'était
enclosed chair carried on the back plus dans la litière° qui la
of an animal or by men transportait. Retrouvant le campement désert quand elle y est
15 retournée, Aïcha s'est assise et a attendu patiemment.
   Un beau jeune homme est passé et ici l'histoire prend l'aspect d'une
golden légende dorée°. C'était Safwan ibn al-
recognizing 20 Muattal qui, apercevant° l'épouse du

prophète, est descendu de son chameau° sur lequel il a placé Aïcha, et, conduisant le chameau par la bride°, a ramené la jeune femme auprès de sa famille.

camel
bridle

L'affaire a fait du bruit°. Aïcha a tout de suite remarqué la froideur de son
25 mari. La rumeur est vite devenue scandale. Le prophète a interrogé Aïcha et ses proches parents° qui, pour la plupart, n'ont pas pris la défense de la jeune épouse. Il y avait même la menace du divorce.

caused rumors
relatives

N'oublions pas qu'Aïcha n'avait que 13 ans à cette époque mais la bien-aimée° avait un esprit extrêmement fort. Elle a refusé de se justifier devant
30 son mari ou devant sa famille, disant qu'elle ne devait demander qu'à Dieu de l'innocenter. Et, en effet, peu après, elle a vu son mari revenir à elle avec le sourire: «Dieu», a-t-il dit, «l'avait lavée de tout soupçon°.» Une fois de plus, Aïcha a montré son caractère fier. À sa mère qui lui disait de remercier le prophète de son indulgence, Aïcha a répondu qu'elle n'avait de
35 remerciements à rendre qu'à Dieu.

beloved
suspicion

Et Aïcha est redevenue la bien-aimée de Mohammed.

■ Compréhension et intégration

1. Pourquoi Aïcha n'est-elle pas rentrée chez elle avec la caravane?
2. Quel était le scandale?
3. À votre avis, pourquoi est-ce que la famille d'Aïcha n'a pas pris sa défense?
4. Aïcha a-t-elle demandé pardon à son mari? Pourquoi ou pourquoi pas?
5. Qu'est-ce que vous apprenez sur cette culture en lisant cette histoire?
6. Quelle serait l'importance de cette légende pour le peuple qui vivait à cette époque-là?

■ Maintenant à vous!

Imaginez la conversation entre Aïcha et sa mère ou son père à son retour au campement. Utilisez les expressions suivantes: **il faut que, je ne veux pas que, tu devrais, je ne crois pas que, ce n'est pas vrai que, c'est un scandale que.**

Voix en direct (suite)

What words are used in French to differentiate between friends and boyfriends/girlfriends? Go to **iLrn** to view video clips of several people commenting on this topic.

Expression écrite

■ Conseils

Vous avez sûrement lu *Miss Manners* ou *Dear Amy* dans la presse pour vous amuser, ou peut-être que vous écoutez des conseils psychologiques diffusés à la radio. Dans cette activité, vous allez écrire votre propre lettre et recevoir une réponse. Utilisez **tu**.

PREMIÈRE ÉTAPE: Prenez quelques notes.

1. Pensez à la personne qui écrit cette lettre (vous-même ou un personnage fictif). En fonction des caractéristiques personnelles de cette personne, choisissez le ton que vous allez adopter. Par exemple, il peut être dramatique, hautain *(haughty)*, furieux, timide ou obsédé.

2. Choisissez le problème que cette personne veut résoudre.

3. Écrivez les premières phrases qui décrivent le problème et qui montrent la gravité de la situation tout en révélant *(revealing)* le caractère de l'auteur. Si vous voulez un exemple, relisez la lettre du «prince charmant» à la page 436.

4. Donnez votre copie à un(e) camarade de classe pour lui demander s'il (si elle) peut deviner les caractéristiques de la personne qui l'a écrite. (C'est une sorte de *peer-editing*.) Si ce n'est pas clair, il faut réviser la lettre pour qu'elle soit plus claire.

DEUXIÈME ÉTAPE: Écrivez votre lettre en utilisant le subjonctif, le conditionnel et des pronoms démonstratifs.

TROISIÈME ÉTAPE: Échangez votre lettre avec celle d'un(e) camarade de classe. Écrivez une réponse à sa lettre dans laquelle vous donnez des conseils. Variez entre des expressions qui utilisent le subjonctif et d'autres qui utilisent l'indicatif.

> **Modèle:** *Il faut que tu sortes davantage.*
> *Il est important de s'amuser de temps en temps.*
> *Il est clair que tu passes trop de temps chez toi.*

SYSTÈME-D

Phrases:	advising, asserting and insisting, describing people, disapproving, encouraging, expressing a need, expressing an opinion, expressing hopes and aspirations, expressing indecision, making a judgment, persuading, reassuring, talking about habitual actions, weighing alternatives, writing a letter (informal), writing a letter—introduction, writing a letter
Grammar:	conditional, infinitive, interrogative **est-ce que**, subjunctive
Vocabulary:	body, dreams and aspirations, people, personality, sickness, upbringing

Structure 14.1

Use the **iLrn** platform for more grammar and vocabulary practice.

Talking about relationships *Les verbes pronominaux (suite)*

Reflexive verbs

In **Module 10,** you learned a number of pronominal verbs used reflexively, such as **se laver, s'habiller,** and **se coucher.** The verbs **se fiancer** and **se marier** are additional examples of reflexive verbs.

> Je **me suis fiancée** avec Alex pendant l'été; nous **nous marierons** dans un an.
> *I got engaged to Alex during the summer; we will get married in a year.*

> Est-ce qu'Angelina Jolie **s'est mariée** avec Brad Pitt?
> *Did Angelina Jolie marry Brad Pitt?*

Reciprocal verbs

Many common French verbs can be used pronominally to express reciprocal action between two or more people.

> Jules et moi, nous **nous disputons** rarement.
> *Jules and I rarely argue (with each other).*

> Nous **nous comprenons** très bien.
> *We understand each other very well.*

In some cases, only the context indicates whether a verb is used reciprocally or reflexively.

> Elles **se parlent.**
> { *They're talking to each other.*
> { *They're talking among themselves.*

These verbs are commonly used with a reciprocal meaning:

s'admirer	se disputer
s'adorer	s'écouter
s'aimer	se parler
se comprendre	se téléphoner
se détester	se voir

Pronominal verbs with idiomatic meanings

A large number of pronominal verbs are neither reflexive nor reciprocal. The following verbs have a special idiomatic meaning in the pronominal form, and therefore do not translate word for word.

s'amuser	to enjoy oneself; to have fun
se décider à	to decide (to do something)
se demander	to wonder
se dépêcher (de)	to hurry
s'en aller	to leave; to go away
s'ennuyer	to be bored
s'entendre bien	to get along
se fâcher contre	to get angry with
s'intéresser à	to be interested in
se méfier de	to be suspicious of
se mettre à	to begin
se moquer de	to tease
s'occuper de	to look after, take care of
se rendre compte de/que	to realize
se servir de	to use
se souvenir de	to remember

> Louis et Anne **se demandent** s'ils se reverront un jour.
> *Louis and Anne wonder if they'll see each other again one day.*

> Je **me suis rendu compte** qu'elle m'aimait.
> *I realized she loved me.*

Pronominal verbs that do not show agreement in the *passé composé*

Only when the reflexive pronoun represents an indirect object is there no past participle agreement in the **passé composé**. Most communication verbs, such as **se dire, se téléphoner, se parler, se répondre, se demander,** and **s'écrire** have indirect objects and thus no agreement.

Nous ne nous sommes pas **dit** la vérité.	*We didn't tell each other the truth.*
Elles se sont **écrit** tous les mois.	*They wrote each other every month.*

■ **Exercice 1.** Complétez les phrases suivantes avec la forme correcte d'un des verbes entre parenthèses.

1. Jeanne et sa sœur n(e) _____ (s'écrire / écrire) pas souvent, mais elles _____ (se téléphoner / téléphoner) chaque samedi.
2. Ils travaillent dans le même bureau, mais ils ne _____ (se voir / voir) pas souvent.
3. Je suis végétarienne, mais mon frère _____ (se détester / détester) les légumes.
4. Au début, le jeune couple _____ (s'entendre / entendre) très bien mais au bout de cinq années de mariage, ils ont commencé à _____ (se disputer / disputer).
5. Le roi voulait _____ (se marier / marier) sa fille à un homme riche.
6. Nous _____ (se revoir / revoir) tous les ans à une grande réunion de famille.
7. Les étudiants _____ (se demander / demander) des renseignements sur la France à leur professeur.

■ **Exercice 2.** Choisissez un verbe pour chaque phrase. Utilisez la forme correcte: **se décider, se fâcher, s'occuper, se rendre compte, se demander, se dépêcher, s'en aller.**

1. Mme Bernaud _____ de ses petits enfants pendant que sa fille est au travail.
2. Est-ce que vous _____ que l'examen est dans deux jours?
3. Marchez vite! Il faut _____ pour arriver à l'heure.
4. Qu'est-ce que j'ai fait? Pourquoi est-ce que vous _____ contre moi?
5. Il n'y a plus de travail à faire ici. Tu peux _____.
6. Je _____ pourquoi elle s'est mariée avec lui.

■ **Exercice 3.** Ajoutez les terminaisons appropriées pour accorder les participes passés si c'est nécessaire.

1. Nous nous sommes bien amusé_____ ensemble.
2. Valérie s'est brossé_____ les cheveux avant de partir.
3. Nous nous sommes parlé_____ au café pendant des heures.
4. Mon mari et moi, nous nous sommes rencontré_____ dans une soirée à Londres; je suis partie pour la France, mais nous nous sommes écrit_____. L'année suivante, nous nous sommes retrouvé_____ à Paris.
5. Elle s'est dépêché_____ d'aller à l'aéroport.
6. Elles se sont vu_____ mais elles ne se sont pas parlé_____.

Structure 14.2

Making comparisons without repeating nouns *Les pronoms démonstratifs: celui, celle(s), ceux*

Demonstrative pronouns are used to refer to a previously mentioned person or object without repeating the noun.

	masculin	féminin
singulier	celui	celle
pluriel	ceux	celles

Ce dernier crime est plus violent
   que **celui** qui a été commis à Seattle.
Préférez-vous les tableaux de
   Van Gogh à **ceux** de Renoir?
Les plages de Californie sont moins
   encombrées que **celles** de la
   Côte d'Azur.

*This last crime is more violent than the
   one that was committed in Seattle.*
*Do you prefer the paintings of Van Gogh
   to those of Renoir?*
*California beaches are less crowded than
   those on the Riviera.*

You have already learned to use demonstrative adjectives to point things out; demonstrative pronouns serve the same purpose.

—Préférez-vous ces chaussures-ci
   ou ces chaussures-là?
—Je préfère **celles-ci.**

—*Do you prefer these shoes
   or those shoes?*
—*I prefer these.*

■ **Exercice 4.** Complétez les phrases suivantes avec un pronom démonstratif (**celui, celle[s], ceux**).

1. Je m'entends assez bien avec mes professeurs, surtout avec _____ qui sont patients, vifs et compréhensifs.
2. Je préfère mon emploi du temps ce semestre à _____ du semestre dernier.
3. Je n'apprécie pas les égoïstes, _____ qui pensent toujours à eux-mêmes.
4. Elle aimerait revoir l'homme qu'elle a rencontré au concert, _____ qui portait un drôle de *(weird)* chapeau.
5. Dînerons-nous dans ce restaurant-ci ou dans _____-là?
6. De tous les livres de Victor Hugo, *Les Misérables* est _____ que je préfère.
7. Vos idées sont si différentes de _____ de vos parents!
8. Mes notes dans ce cours sont meilleures que _____ que j'ai eues le trimestre dernier.

Structure 14.3

Expressing hypotheses *Le conditionnel*

You have already used **le conditionnel de politesse,** or polite conditional, for softening demands or requests. The polite conditional is most often used with the verbs **aimer, vouloir,** and **pouvoir.**

Je **voudrais** un café.	*I would like a coffee.*
Il **aimerait** m'accompagner.	*He would like to go with me.*
J'ai froid. **Pourrais**-tu fermer la fenêtre?	*I'm cold. Could you close the window?*

You have also learned to use the conditional of **devoir** to give advice.

Tu **devrais** sortir plus souvent.	*You should go out more often.*
Vous **devriez** écouter vos parents.	*You should listen to your parents.*

The conditional is also used to express the consequences of a hypothetical situation using the structure:

$$\text{si} + \text{imparfait} + \text{conditionnel}$$

Si vous **étiez** moins égoïste, vous **auriez** plus d'amis.	*If you weren't so selfish, you'd have more friends.*

Note that the imperfect is always used in the **si** clause when the conditional is used in the consequence clause. The order of these clauses, however, can be switched without changing the meaning of the sentence.

Si j'**étais** moins timide, je lui **demanderais** de sortir avec moi.	*If I were less shy, I would ask him/her to go out with me.*
Nous **serions** contents si vous **veniez** nous voir.	*We'd be happy if you came to see us.*
S'il **faisait** plus chaud, elle **irait** à la plage.	*If it were hotter, she'd go to the beach.*

The conditional is formed by adding the **imparfait** endings to the future stem.

parler	
je parler**ais**	nous parler**ions**
tu parler**ais**	vous parler**iez**
il/elle/on parler**ait**	ils/elles parler**aient**

Je **prendrais** l'avion s'il ne coûtait pas plus cher que le train.	*I would take a plane if it weren't more expensive than the train.*

Verbs that have an irregular stem in the future tense have the same irregular stem in the conditional.

infinitif	conditionnel	infinitif	conditionnel
avoir	j'aurais	faire	nous ferions
être	tu serais	pouvoir	vous pourriez
aller	il irait	venir	ils viendraient
devoir	elles devraient	voir	elles verraient
savoir	on saurait	vouloir	ils voudraient

■ **Exercice 5.** Utilisez le conditionnel pour rendre les phrases plus polies.

1. Tu dois m'aider à faire les courses.
2. Nous préférons regarder la télé.
3. Nous voulons aller au cinéma.
4. Pouvez-vous m'amener au match de football?
5. Est-il possible de partir tout de suite?
6. Vous devez faire vos devoirs.

■ **Exercice 6.** Vous rêvez... Complétez ces hypothèses en mettant les verbes entre parenthèses au conditionnel ou à l'imparfait.

1. Si je pouvais aller au cinéma ce soir, je _____ (voir) le nouveau James Bond.
2. S'il y avait moins de voitures à Los Angeles, il y _____ (avoir) moins de pollution.
3. Si je pouvais recommencer mes études, j(e) _____ (étudier) la microbiologie.
4. Nous _____ (avoir) un meilleur travail si nous avions notre diplôme.
5. Si j'étais riche, j(e) _____ (offrir) une maison à mes parents.
6. Elle _____ (passer) les vacances chez nous si elle avait le temps.
7. Si les universités américaines étaient gratuites, les étudiants ne _____ (devoir) pas travailler autant.
8. Tu répondrais si tu _____ (savoir) la réponse.

Structure 14.4

Expressing emotions *Le subjonctif (suite)*

You have already learned to use the subjunctive after expressions of obligation and necessity.

Il faut que vous **restiez** ici ce soir.   *You have to stay here tonight.*

The subjunctive is also used following expressions of feeling and emotion.

Je suis contente qu'il **vienne** ce soir.   *I'm happy he's coming this evening.*

Here are some common expressions of sentiment that are followed by the subjunctive.

Je suis
{
content(e)
heureux (heureuse)
ravi(e) *(delighted)*
étonné(e) *(astonished)*
surpris(e)
désolé(e)
triste
malheureux (malheureuse)
}
que vous partiez aujourd'hui.

J'ai peur
Je regrette   } que vous n'ayez pas d'argent.
Il est surprenant

The subjunctive is also used after expressions of doubt and uncertainty. Some of these expressions are shown here.

Je **doute** qu'il pleuve aujourd'hui.   *I doubt it will rain today.*
Elle **n'est pas certaine** que sa   *She isn't sure that her mother*
   mère comprenne la situation.   *understands the situation.*
Il est **possible** qu'elle ne vienne pas.   *It's possible she won't come.*
Il **se peut** que le train soit en retard.   *It might be that the train is late.*
Il est **douteux** qu'elle ait assez   *It's doubtful she has enough money.*
   d'argent.

The verbs **penser** and **croire** are used with the indicative in affirmative sentences, but with the subjunctive in negative sentences.

Je **crois** que tu **comprends** ce chapitre.	*I think you understand this chapter.*
Vous **pensez** qu'il **est** gentil.	*You think he is nice.*
Je **ne pense pas** qu'il **soit** à l'heure.	*I don't think he'll be on time.*

Positive assertions (**il est certain que, il est clair que, il est sûr que, il est évident que, je suis sûr[e] que**) are also followed by the indicative mood.

Il est évident qu'il **peut** bien jouer.	*It's obvious he can play well.*

If the subject of the main clause and the subordinate clause is the same, an infinitive is used rather than the subjunctive.

Marc est content que Marie revienne.	*Marc is happy that Marie is coming back.*
but	
Marc est content de revenir.	*Marc is happy to come back.*

■ **Exercice 7.** Écrivez des phrases complètes au subjonctif avec les éléments donnés.

1. Je / regretter / tu / ne pas faire / de sport.
2. Nous / être / contents / vous / arriver / demain.
3. François / être / triste / Jeanne / ne pas vouloir / le revoir.
4. Nous / avoir / peur / elle / perdre / son argent.
5. Ma mère / être / furieuse / je / sortir / avec Pierre.
6. Je suis heureux / tu / pouvoir / venir / tout de suite.
7. Anne-Marie / être / désolée / son ami / être malade.
8. Nous sommes surpris / vous / aimer / ce film.

■ **Exercice 8.** Complétez les phrases suivantes avec la forme correcte du verbe entre parenthèses.

1. Il est évident qu'elle ne (sache / sait) pas la réponse.
2. Je crois que les autres (soient / sont) perdus.
3. Elle ne pense pas que son frère (vienne / vient).
4. Il est clair que votre mère (a / ait) raison.
5. Il n'est pas sûr qu'elle (dise / dit) la vérité.
6. Nous ne pensons pas que vous (fassiez / faites) de votre mieux.

■ Tout ensemble!

Complétez le passage avec des pronoms démonstratifs de la liste ou avec la forme correcte des verbes entre parenthèses.

celui   **celle**   **ceux**

Dans le couple on ne _____ (1) (devoir) pas laisser la plus grosse personnalité dominer. Si on va, par exemple, toujours chez la famille du mari et on ignore _____ (2) de la femme, il est important d'_____ (3) (équilibrer) la situation. Il est essentiel que le couple _____ (4) (prendre) le temps de discuter des problèmes sans _____ (5) (se disputer).

    Il faut aussi faire des concessions. Si Estelle, par exemple, prenait toutes les décisions de son couple, ils _____ (6) (aller) souvent au théâtre et à l'opéra. Elle aimerait aussi que son mari, Luc, _____ (7) (faire) de la natation avec elle. Mais elle comprend qu'il _____ (8) (avoir) peur de l'eau. Luc, pour sa part, n'insiste plus pour qu'Estelle _____ (9) (aller) avec lui aux matches de foot. Elle lui laisse aussi le contrôle de la télécommande *(remote control)*. Il n'est pas clair, pourtant *(however)*, qu'il _____ (10) (comprendre) l'importance de ce sacrifice. Mais il est certain que leur mariage _____ (11) (être) plus stable que _____ (12) où le mari et la femme _____ (13) (se méfier) de la perte de tout contrôle.

■ Vocabulaire fondamental

Noms

L'amour et l'amitié / ***Love and friendship***

le coup de foudre	*love at first sight*
un époux (une épouse)	*a spouse*
un espoir	*a hope*
un(e) fiancé(e)	*a fiancé(e)*
la fidélité	*fidelity*
une lune de miel	*a honeymoon*
le romantisme	*romanticism*
un sentiment	*a feeling*
la tendresse	*tenderness*
une valeur	*a value*
la vie sentimentale	*love life*

Mots apparentés: un couple, un divorce, un mariage, la passion, une rupture, un scandale, une séparation

Verbes

s'amuser (à + *verb*)	*to have fun (doing something)*
compter	*to count (on)*
confier	*to confide*
critiquer	*to criticize*
se décider (à + *verb*)	*to come to a decision (to do something)*
se demander	*to wonder*
divorcer	*to divorce*
douter	*to doubt*
embrasser	*to kiss*
s'embrasser	*to kiss each other*
s'entendre (bien)	*to get along (well)*
se fâcher (contre)	*to get angry (with)*
faire semblant (de)	*to pretend (to)*
se fiancer (avec)	*to get engaged (to)*
s'installer	*to set up residence, move in*
s'intéresser (à)	*to be interested in*
se marier (avec)	*to marry*
s'occuper (de)	*to take care of, watch out for*
penser (à + *verb*)	*to think about*
réagir	*to react*
regretter	*to regret*
se rendre compte	*to realize*
se séparer	*to separate*
tenir	*to hold (on)*
tomber amoureux (amoureuse) (de)	*to fall in love (with)*

Adjectifs

bénévole	*volunteer*
clair(e)	*clear*
démodé(e)	*old-fashioned*
douteux (douteuse)	*doubtful*
étonnant(e)	*astonishing*
étonné(e)	*astonished*
évident(e)	*obvious*
impensable	*unthinkable*
incroyable	*incredible*
ravi(e)	*delighted*
romantique	*romantic*
sûr(e)	*sure, confident*
surprenant(e)	*surprising*
surpris(e)	*surprised*

Mots divers

celui, celle	*this (one), that (one)*
ceux, celles	*these, those*

Expressions utiles

Comment dire qu'on est d'accord ou qu'on n'est pas d'accord	***How to say that you agree or you don't agree***

(See page 433 for additional expressions.)

C'est vrai ça.	*That's true.*
Je suis tout à fait d'accord.	*I agree completely.*
Absolument pas.	*Absolutely not.*
Ça se peut.	*Maybe.*

Comment exprimer ses sentiments	***How to express your feelings***

(See page 435 for additional expressions.)

Je suis triste que vous vous sépariez.	*I'm sad you are separating.*
J'ai peur qu'elle ne soit pas honnête.	*I'm afraid she isn't honest.*
Je doute que vous fassiez un gros effort.	*I doubt you're making a big effort.*
Il est clair que vous avez raison.	*It is clear that you're right.*

Vocabulaire supplémentaire

Noms

l'adultère *(m)*	*adultery*
une alliance	*a wedding ring*
une bague de fiançailles	*an engagement ring*
un coiffeur (une coiffeuse)	*a hairstylist*
un coup de soleil	*a sunburn*
l'incompréhension *(f)*	*misunderstanding*
la jalousie	*jealousy*
le lendemain	*the following day*
les noces *(f pl)*	*wedding*
un(e) reclus(e)	*a recluse*
une tentative	*an attempt*
la vérité	*truth*
la vie conjugale	*married life*

Verbes

apercevoir	*to see*
s'apercevoir	*to notice*
s'asseoir	*to sit down*
se bronzer	*to sunbathe, get a tan*
convaincre	*to convince*
détruire	*to destroy*

s'empêcher	*to stop oneself*
s'en aller	*to leave; to go away*
s'ennuyer	*to get bored*
se fâcher (contre)	*to get angry (with)*
faire la cour (à)	*to court*
fonder une famille	*to start a family*
se méfier de	*to be wary of*
se moquer de	*to make fun of*
se rejoindre	*to meet again*
rompre (avec)	*to break up (with)*
séduire	*to seduce; to charm*
se suicider	*to commit suicide*
tromper	*to be unfaithful to*

Mots divers

ambitieux (ambiteuse)	*ambitious*
une association caritative	*a charity, non-profit organization*
autrefois	*in the past*
égalitaire	*egalitarian*
honnête	*honest*

Fictions

This chapter recycles a number of important grammatical structures within the context of French fiction. Fairy tales, cartoons, and film critiques serve as a vehicle to help you review and synthesize material. In addition, the final short story includes grammar review activities. ❧

Pratique de conversation: Comment parler de la littérature

Thème: Cinq personnages de la littérature française

Révision des pronoms d'objet direct et indirect, *y* et *en*

À lire

Lecture: «Ô voleur, voleur, quelle vie est la tienne?» adapté de J.-M. G. Le Clézio

In the course of reading this text you will be reviewing the following structures: **le passé, l'interrogatif, le conditionnel, les expressions négatives,** and **le subjonctif.**

Module de récapitulation is a review chapter targeting key grammar structures within the theme of fiction. A number of these structures are included in discussion questions pertaining to the short story «*Ô voleur, voleur, quelle vie est la tienne?*» by Le Clézio. This cumulative chapter does not include **Structures utiles, Voix en direct,** or a composition.

Comment raconter une histoire (suite)

Révision du passé

The **passé composé** and the **imparfait** are used to narrate events. In telling a story, the **passé composé** is primarily used to move the plot forward, to recount the unfolding of a series of events, referred to in French as **le déroulement.** The **imparfait** is used primarily for descriptive background information, or **le décor.** It describes what was going on, how people felt and what things were like. To review the **passé composé,** see **Structures 6.1** and **6.3.** For the formation of the **imparfait,** see **Structure 8.1.** For the combined use of the **passé composé** and the **imparfait,** see **Structure 8.5.**

Introduce fairy tales by tapping into students' background knowledge: **Est-ce que vous vous rappelez les contes qu'on vous racontait quand vous étiez jeune? Qui se souvient de Blanche Neige? Est-ce que vous avez vu le film de Disney? Disney a fait des films de quels autres contes de fée? Regardez les images et trouvez les noms en français... Comment s'appelle le conte où une jeune fille du Kansas est transportée dans un monde où il y a des sorcières? Oui, c'est** *Le Magicien d'Oz.* **Quel était votre conte de fée préféré? Voyons si vous pouvez identifier les contes décrits dans l'Activité 1.**

IL ÉTAIT UNE FOIS...

ONCE UPON A TIME . . .

La Belle au bois dormant

Blanche Neige et les sept nains

La Belle et la Bête

Le Petit Chaperon rouge

Cendrillon

Les Chevaliers de la table ronde

Barbe-bleue

Le Magicien d'Oz

Alice au pays des merveilles

Jacques et le haricot magique

Peter Pan

Réponses: **1.** *Le Magicien d'Oz* **2.** *La Belle au bois dormant* **3.** *Jacques et le haricot magique* **4.** *Cendrillon* **5.** *Les Chevaliers de la table ronde* **6.** *Le Petit Chaperon rouge* **7.** *Peter Pan*

■ Activité 1: Quel conte?

Quel conte dans les illustrations ci-dessus (*above*) associez-vous aux éléments suivants?

1. une méchante sorcière qui vole sur un balai (*broom*)
2. un beau prince qui réveille une belle princesse quand il l'embrasse
3. un géant qui compte ses pièces d'or (*gold coins*)
4. une fée qui transforme une citrouille (*pumpkin*) en carrosse avec sa baguette (*wand*) magique
5. un chevalier courageux avec une épée (*sword*)
6. un panier (*basket*) plein de bonnes choses à manger
7. un pirate qui a un crochet (*hook*) à la place de la main

■ **Réfléchissez et considérez**

What are some characteristics that fairy tales have in common? Many types of stories have a structure similar to that of fairy tales. What three parts can be identified? What is the traditional way to begin a fairy tale? How do such tales often end? Look over **Quelques expressions utiles** to find the French equivalents.

Quelques expressions utiles

Pour commencer une histoire traditionnelle (le commencement)
Il était une fois...
Once upon a time . . .

Pour marquer la succession des événements importants (le déroulement ou le développement)
D'abord... Ensuite... Puis... Alors...

Pour conclure (la conclusion ou le dénouement)
Enfin (Finalement, En somme, Par conséquent)
Ils **vécurent** heureux et **eurent** beaucoup d'enfants.
They lived happily ever after . . .

You may wish to point out that the traditional conclusion **Ils vécurent heureux** uses the literary past tense, **le passé simple.** It is not used in the tales presented here, but it does appear in the Perrault original.

■ **Activité 2: Quelle partie de quel conte?**

Voici des extraits de contes. D'abord, identifiez le conte. Ensuite, indiquez si c'est le commencement, le déroulement ou le dénouement de l'histoire.

1. Il était une fois un gentilhomme qui avait épousé, en secondes noces *(marriage)*, une femme hautaine *(haughty)*. Elle avait deux filles qui lui ressemblaient en toutes choses.

2. —Ma grand-mère, que vous avez de grands yeux!
   —C'est pour mieux te voir, mon enfant!

3. Il était une fois un homme qui avait de belles maisons, de la vaisselle d'or et des carrosses dorés *(golden carriages)*. Mais, par malheur, cet homme avait la barbe *(beard)* bleue.

4. Enfin, quand son méchant mari est mort, elle a invité ses deux sœurs au palais, et les a mariées à deux grands seigneurs de la cour où elles ont vécu heureuses.

5. Et, en disant ces mots, le méchant loup s'est jeté sur la jeune fille et l'a mangée.

6. Ensuite, la fée lui a dit: «Va dans le jardin, tu y trouveras six lézards; apporte-les-moi.»

Réponses: 1. Cendrillon—commencement **2.** Le Petit Chaperon rouge—déroulement **3.** Barbe-bleue—commencement **4.** Barbe-bleue—dénouement **5.** Le Petit Chaperon rouge—dénouement (version Perrault) **6.** Cendrillon—déroulement (version originale) After students have identified the stories and what part of the story is being illustrated, focus their attention on the verbs, as guided by **Notez et analysez.**

■ **Notez et analysez**

In the excerpts from classic tales in **Activité 2,** notice that verbs describing how things were (**le décor**) are in the **imparfait,** and verbs that move the story forward (**le déroulement**) appear in the **passé composé.** Find an example of each of these uses of the past tense.

Vous rappelez-vous des événements dans des contes enfantins? Complétez les phrases suivantes en mettant les verbes au temps du passé qui convient.

Modèles: Dorothée est fatiguée.
*Dorothée **était** fatiguée.*

Elle se décide à se reposer avec Toto près d'un champ de maïs *(cornfield)*.
*Elle **s'est décidée** à se reposer avec Toto près d'un champ de maïs.*

Elle y voit un épouvantail *(scarecrow)*.
*Elle y **a vu** un épouvantail.*

Réponses: 1. est entrée, a vu, avait, a pris **2.** était, a demandé, a tué **3.** se promenait, a rencontré, a parlé, était, ne savait pas, était **4.** dansait, a sonné, est partie, a perdu

1. Boucle d'Or **entre** dans la maison. Dans la cuisine, elle **voit** trois assiettes de soupe. La jeune fille **a** faim. Elle **prend** une grande assiette de soupe. Trop chaude!

2. La belle-mère de Blanche Neige **est** jalouse de la beauté de la jeune fille. Elle **demande** au bûcheron *(woodcutter)* d'emmener Blanche Neige dans la forêt et de la tuer. Le bûcheron **tue** un cerf *(deer)* à sa place.

3. Pendant que le Petit Chaperon rouge **se promène** dans la forêt pour aller chez sa grand-mère, elle **rencontre** un loup qui lui **parle**. La petite fille **est** très naïve. Elle ne **sait** pas que le loup **est** méchant.

4. Pendant que Cendrillon **danse** avec le prince, l'horloge **sonne** minuit. Elle **part** en courant *(running)* chez elle. Dans sa hâte *(haste)*, la jeune fille **perd** une pantoufle de verre *(glass slipper)* au bal.

Réponses: 1. se promenait **2.** est arrivée **3.** est entrée **4.** a vu **5.** avait **6.** a mangé **7.** avait **8.** avait (a eu) **9.** est montée **10.** avait **11.** était **12.** était **13.** était **14.** est couchée **15.** s'est endormie **16.** habitaient **17.** sont rentrés **18.** ont remarqué **19.** étaient **20.** étaient (ont été) **21.** sont entrés **22.** ont vu **23.** dormait **24.** a crié **25.** a réveillé **26.** a sauté **27.** a quitté

■ **Activité 4: *Boucle d'Or et les trois ours***

A. D'abord, avec un(e) partenaire, récrivez le passage au passé, en mettant les verbes en italique au passé composé ou à l'imparfait selon le contexte.

Un beau matin une petite fille (1) *se promène* dans une forêt. Elle (2) *arrive* devant une petite maison charmante. Elle y (3) *entre*. La fille (4) *voit* une table où il y (5) *a* trois assiettes de soupe. Elle en (6) *mange*. Comme elle (7) *a* sommeil, elle (8) *a* envie de se reposer. Elle (9) *monte* au premier étage où il y (10) *a* trois lits; le premier (11) *est* trop dur, le deuxième (12) *est* trop mou *(soft)*, mais le troisième (13) *est* très confortable. Elle s'y (14) *couche* et (15) *s'endort* tout de suite.

Plus tard, les trois ours qui (16) *habitent* cette maison (17) *rentrent* chez eux. D'abord ils (18) *remarquent* que leurs assiettes de soupe (19) *sont* vides *(empty)*. Ils (20) *sont* étonnés! Quand ils (21) *entrent* dans la chambre, ils (22) *voient* la petite fille qui (23) *dort*. Surpris, le petit ours (24) *crie*. Ce bruit (25) *réveille* la petite fille, qui (26) *saute* du lit terrifiée et (27) *quitte* la maison à toute vitesse pour rentrer chez elle.

B. Maintenant, lisez ce passage au passé à haute voix en alternant les phrases. Puis lisez-le avec la classe.

Révision du conditionnel

The conditional is used in hypothetical sentences in which one imagines how things might be under different conditions. For example, in imagining what details one might change to modernize a classic tale, the conditional would be a useful tool. The formula for the conditional is **si + imparfait + conditionnel.** For a complete review of the conditional, see **Structure 14.3.**

■ Activité 5: *Le Petit Chaperon rouge* transformé

Parfois un conte traditionnel est transformé en histoire contemporaine. Il faut souvent changer l'époque, le lieu et certains aspects des personnages. Avec un(e) partenaire, choisissez parmi les possibilités données. Il n'y a pas de réponses «correctes» ou «incorrectes», mais il faut créer une histoire cohérente.

Si je voulais situer *Le Petit Chaperon rouge* dans un contexte contemporain...

1. Le «Petit Chaperon rouge» serait...
   a. une petite fille de huit ans.
   b. une jeune fille innocente de dix-sept ans.
   c. une femme de trente ans.
   d. ???

2. Le «loup» serait...
   a. un loup ou un autre animal sauvage *(wild)*.
   b. un chien.
   c. un homme qui suit furtivement *(stalks)* les jeunes filles innocentes.
   d. ???

3. Le «Petit Chaperon rouge» irait...
   a. chez sa grand-mère.
   b. chez sa meilleure amie.
   c. au bureau pour travailler.
   d. ???

4. La rencontre entre «le loup» et le «Petit Chaperon rouge» aurait lieu...
   a. dans une forêt.
   b. dans un centre-ville dangereux.
   c. à la plage.
   d. ???

5. La «grand-mère» habiterait...
   a. un chalet dans la forêt.
   b. une petite maison à la mer.
   c. un grand immeuble au centre-ville.
   d. ???

6. À la fin de l'histoire,...
   a. un héros tuerait «le loup» et sauverait le «Petit Chaperon rouge» et sa «grand-mère».
   b. un héros arriverait trop tard pour sauver la vie de la «grand-mère», mais il sauverait la vie du «Petit Chaperon rouge» et ils tomberaient amoureux.
   c. le «loup» tuerait tout le monde et serait victorieux.
   d. ???

Activité 5: Begin by focusing student attention on the hypothesis: **Si je voulais situer *Le Petit Chaperon rouge* dans un contexte contemporain...** Have students identify the verb tense used after **si** (**imparfait**). Then ask them to identify the verb tense that follows the **si** clause (**conditionnel**). For a quick review of the conditional, students can give the infinitive of each of the conditional tense verbs in the sentences.

Charles Perrault, père de *La mère l'Oie* (Mother Goose)

Le Petit Chaperon rouge *La Belle au bois dormant.*

Once upon a time . . . carries us away

«Il était une fois... °». Cette formule magique inaugurée par Charles Perrault, nous emporte° tout de suite dans un monde merveilleux habité par des jeunes filles innocentes, des princes vaillants, des animaux capables de communiquer avec les êtres humains et des belles-mères cruelles. Qui ne connaît pas *Cendrillon, La Belle au bois dormant* ou *Le Petit Chaperon rouge*?

C'est Perrault, ministre culturel du roi Louis XIV au 17ᵉ siècle, qui a immortalisé ces histoires anciennes. Son rôle dans leur création originale n'est pas clair, car ces contes font partie de la tradition orale. Cependant, Perrault prend sa plume et les préserve pour la postérité. Son style simple et naïf fait penser au langage des enfants.

Tales of Mother Goose

En 1729, ces contes sont traduits en anglais. *Les contes de la mère l'Oie*° deviennent un grand classique de la littérature pour enfants dans les pays anglophones.

rewritten

Whether talking about

Ces histoires, écrites pour divertir les dames de Versailles, amusent toujours la société contemporaine, mais en version «aseptisée» pour les jeunes. Le dénouement, surtout, est souvent récrit°. Qui aimerait dire aux enfants que le Petit Chaperon rouge a été mangé par le loup ou que le Prince, une fois marié avec la Belle au bois dormant, hésite à aller chez sa mère, une ogresse, de peur qu'elle ne mange ses enfants? Qu'il s'agisse° du château de la Belle au bois dormant à Disneyland ou du film *Pretty Woman* avec Julia Roberts dans le rôle d'une Cendrillon moderne, les contes de Perrault continuent à influencer l'imaginaire du monde entier.

■ Avez-vous compris?

1. Par quelle formule est-ce que les contes de fée débutent souvent?
2. Charles Perrault a travaillé à la cour *(court)* de quel roi?
3. Pourquoi est-ce qu'on ne peut pas dire que Perrault est le créateur de ces contes?
4. Perrault a écrit ses contes pour quels lecteurs?
5. Pourquoi est-ce qu'on a dû modifier ces contes pour les enfants?

■ Et vous?

1. Quel conte traditionnel est-ce que vous préférez?
2. Est-ce que vous connaissez plus d'une version de ce conte?
3. Est-ce qu'il y a un film ou un opéra basé sur ce conte?

Thème

La bande dessinée

Révision du présent

As you have learned, the present tense in French serves a variety of purposes. It can state a fact: **Paris est la capitale de la France;** describe what is going on: **Les enfants font leurs devoirs maintenant;** or state what one does in general: **D'habitude, je regarde la télévision après le dîner.** Frequently, when telling a story, the present is used to make it more lively and immediate to the reader or listener. This use of the present is called **le présent de narration.** See **Appendix A** for a complete list of verb forms.

Suggestion: A number of French websites display popular **bandes dessinées.** Students can look up *Tintin, Astérix, Gaston Lagaffe, Titeuf,* and many others.

For the presentation of present tense verb forms, see the following **Structures: être 1.4;** regular **-er** verbs **2.1; avoir 2.5; venir 3.2; aller 4.2; faire 4.3; vouloir 5.1; sortir 5.2; prendre** and **boire 5.4;** verbs like **finir 6.4; lire 8.3; savoir** and **connaître 9.5; mettre 10.2; croire** and **voir 11.4; verbes pronominaux 10.1; payer 12.4.**

Réponses: a, f, d, c, b, e

■ Activité 6: L'histoire de Gaston et du bureau brisé

Dans une bande dessinée (BD), on raconte une histoire à travers des images. Voici une BD de Gaston Lagaffe. L'histoire commence avec la première case, mais les autres cases sont dans le désordre. Regardez-les attentivement et essayez de les mettre en ordre, de 2 à 6. Ensuite racontez l'histoire. (Vérifiez l'ordre correct à la page 458.)

Mots utiles: un rocking chair, la réglette fluorescente *(neon light tube),* vaciller *(to sway),* maladroit *(clumsy),* tomber la tête la première, briser *(to break into pieces)*

a

b

c

d

e

f

Gaston Lagaffe, *Éditions Dupuis*

Voici l'ordre correct:

CD2, Track 29

■ Écoutons ensemble! On raconte la BD.

Écoutez ce qui se passe dans la BD et complétez l'histoire avec les verbes appropriés. Le narrateur emploie le **présent de narration.**

Réponses: 1. travaille, arrive, dit, faut 2. conseille, écoute, monte 3. commence 4. explique, est, refuse, lève 5. a 6. tombe, est, faut

1. Gaston, assis dans un rocking chair, _____ tranquillement à son bureau. Fantasio, son collègue de bureau, _____ et _____ en passant qu'il _____ remplacer la réglette fluorescente.

2. Fantasio _____ à Gaston de ne pas s'en occuper mais Gaston ne l'_____ pas. Il _____ sur son rocking chair pour installer la réglette.

3. La chaise _____ à vaciller.

4. Fantasio _____ que Gaston _____ trop maladroit pour faire ce genre de travail. Gaston _____ de le croire. Malgré le danger, il _____ les bras pour installer la réglette.

5. Il y _____ un grand bruit: Crâc!

6. Gaston _____ la tête la première et brise le bureau. Maintenant, c'_____ le bureau qu'il _____ remplacer!

Le septième art: l'art de raconter à travers le film

This film was the surprise success of 2004 in France. It is the remake of a 1945 film by Jean Dréville entitled *La Cage aux rossignols*. The casting of students from the Clermont-Ferrand area (rather than professional actors) and the music written for the film by Bruno Coulais contributed to the film's widespread appeal. It won a **César** in 2005 for best music and best sound.

Les Choristes

Film français (2004). Comédie. Durée: 1h35.
Date de sortie: 17 mars 2004
Avec Gérard Jugnot, François Berléand, Jacques Perrin
Réalisé par Christophe Barratier

Presse✶✶✶ Spectateurs✶✶✶ Donnez votre avis!

SYNOPSIS

Nous sommes dans la France de l'après-guerre en 1949. Clément Mathieu, professeur de musique au chômage, accepte un poste de surveillant dans un pensionnat provincial de rééducation pour mineurs. Le directeur Rachin insiste sur la discipline: chaque action inappropriée est sévèrement punie. Clément est complètement bouleversé par le système répressif de cette école qui ressemble à une véritable prison. Un jour, il entend un des garçons chanter dans le dortoir. Son chant n'est pas très juste mais puisque les élèves devenaient de plus en plus agressifs, Clément a l'idée de créer une chorale. En introduisant ces enfants «difficiles» à l'art de l'expression personnelle à travers la musique et le chant, il réussit à transformer leur vie.

Point out the cultural connotation of **provincial.** Traditionally, the provinces in France are thought of as old-fashioned, thus the harsh discipline of the wayward boys.

Stress the vocabulary needed to talk about movies. This sample film critique can be a model for students to follow in **Situation à jouer #3,** page 465. Similar film reviews can be easily found on the Internet.

■ **Activité 7: Une critique de film**

Répondez aux questions suivantes sur la critique du film *Les Choristes*.

1. Quel est le genre de ce film?

2. Qui joue le rôle principal?

3. Qui est le réalisateur?

4. Quand le film a-t-il lieu? Où?

5. Est-ce qu'il a été bien reçu par les spectateurs? Et par la presse?

6. Est-ce que vous connaissez un film qui raconte une histoire semblable?

Révision du comparatif

To discuss similarities and differences between French and American cinema, you will need to use comparative structures. Remember that when comparing qualities (adjectives) one uses slightly different forms from those used to compare things (nouns). You'll see examples of both in **Activité 8** below. To review the comparative, see **Structures 8.4** and **9.3**.

■ **Activité 8: Box-office**

Voici les films français et américains en tête du box-office la première semaine de 2006. Étudiez les deux listes pour faire quelques comparaisons. Ensuite, répondez aux questions suivantes en utilisant une forme de comparaison.

FRANCE	ÉTATS-UNIS
Le Monde de Narnia–Chapitre 1: Le Lion, la sorcière blanche et l'armoire magique (fantastique; tous publics; États-Unis)	*The Chronicles of Narnia: The Lion, the Witch and the Wardrobe* (fantastique; PG; États-Unis)
King Kong (fantastique; tous publics–certaines scènes peuvent choquer; États-Unis)	*King Kong* (fantastique; PG13; États-Unis)
Harry Potter et la coupe de fer (fantastique; tous publics–certaines scènes peuvent choquer; États-Unis)	*Fun with Dick and Jane* (Braqueurs amateurs)* (comédie; PG13; États-Unis)
Chicken Little (animation; tous publics, y compris jeune public; États-Unis)	*Cheaper by the Dozen II (Treize à la douzaine)* (comédie, famille; PG; États-Unis)
Saw II (épouvante-horreur; interdit aux moins de 16 ans; États-Unis)	*Rumor Has It* (La Rumeur court)* (comédie; PG13; États-Unis)
Kirikou et les bêtes sauvages (dessin animé; tous publics, y compris jeune public; France)	*The Family Stone (Esprit de famille)* (comédie; PG13; États-Unis)
Angel-A (comédie, romance; tous publics; France)	*Memoirs of a Geisha* (Mémoires d'une Geisha)* (drame; PG13; États-Unis)
The Constant Gardener (thriller; tous publics; États-Unis, Royaume-Uni)	*The Ringer** (comédie, sport; PG13; États-Unis)
Palais Royal! (comédie; tous publics; France)	*Harry Potter and the Goblet of Fire* (fantastique; PG13; États-Unis)
Esprit de famille (comédie; tous publics; États-Unis)	*Munich** (drame, thriller; R; États-Unis)

*Généralement les films américains sortent en France avec un délai de quelques mois.
De CBO Box Office *http://www.cbo-boxoffice.com/page000.php3*

Pendant la première semaine de 2006,...

1. quel film attire *le plus de* spectateurs en France? Et aux États-Unis?

2. est-ce que Harry Potter est *plus populaire* en France ou aux États-Unis?

3. est-ce que c'est en France ou aux États-Unis qu'on trouve *plus de* films pour les enfants parmi le top ten?

4. est-ce que les films étrangers sont *aussi populaires* aux États-Unis qu'en France?

5. est-ce qu'il y a *autant de* films français qu'américains parmi le top ten en France?

6. Savez-vous quels films ont gagné des prix? Lequel a gagné *le plus de* prix?

7. À votre avis, quel est le *meilleur* film de la liste?

8. Maintenant, faites vos propres observations sur les Français et les Américains en ce qui concerne le cinéma.

As students look over the film list, ask comprehension questions such as: Quel film est numéro un dans chaque liste? Et numéro deux? *Harry Potter*, c'est quel genre de film? Et *Esprit de famille*? Selon le système de classification, quels films sont appropriés pour les enfants? Quel film est plutôt pour les adultes? Vous aimez les animations? les films fantastiques? Lesquels de ces films avez-vous vus? Then begin **Activité 8** by having students work with a partner to find the answers to questions 1–5. Questions 6–8 are for discussion. Students will likely respond in short answers; encourage them to use complete sentences with the superlative/comparative structures. Review these forms as needed. In 2006, *Memoirs of a Geisha* and *King Kong* won three Academy Awards, and *The Constant Gardener* and *Chronicles of Narnia* won one each.

■ Activité 9: Interaction

Posez les questions suivantes à un(e) autre étudiant(e).

1. Quel(s) film(s) est-ce que tu as vu(s) récemment? As-tu vu ce(s) film(s) au cinéma, à la télé ou en DVD/vidéo?

2. Quand il faut choisir un film, qu'est-ce qui compte pour toi? le scénario? les acteurs? le genre? le réalisateur? les critiques favorables ou les prix (Oscars, Césars, etc.)?

3. Tu aimes les films étrangers? Est-ce que tu préfères voir la version originale ou une version sous-titrée *(subtitled)* ou doublée *(dubbed)*? Pourquoi?

4. Quel est ton film préféré? Quand est-il sorti? Quels sont les principaux acteurs? Pourquoi est-ce que tu l'aimes?

5. Est-ce que tu as déjà vu un film français? Lequel? Quelles différences as-tu remarquées entre les films français et les films américains?

6. Est-ce que tu crois que le cinéma est un art tout comme la littérature?

In addition to the words presented in the mini-interviews (**titre, roman, écrivain, personnage, protagoniste, best-seller, il s'agit de**) students may mention the following: le **héros/l'héroïne, la fiction, un thriller, un poème, un livre de poche, un livre d'histoire / d'actualité / de bien-être / de santé.** Students often want to say that a film or book is fascinating or exciting; by presenting **passionnant(e)** here, you can help them avoid using **excitant** inappropriately.

Suggestion: Discuss students' reading habits: **Vous lisez au moins un livre par an? Et vos parents, lisent-ils plus ou moins que vous? Que lisez-vous maintenant? Est-ce sur la liste des best-sellers? C'est un roman contemporain ou un roman policier? Vous préférez les romans contemporains ou historiques? Lisez-vous des livres pratiques (cuisine, bricolage, etc.)?**

the struggle / to survive

that surrounds him

It makes me laugh / to escape

both

imaginary

Comment parler de la littérature

■ Réfléchissez et considérez

What do you like to read—novels, comics, nonfiction? Make a list of the words you need to talk about a book. Now look for the equivalents of these expressions in the mini-interviews that follow. How do you say that a book or story is fascinating or exciting?

• **Que lisez-vous, madame?**
—Euh, c'est **un roman** de Yann Martel, **un écrivain** canadien.

Quel est le titre?
—*L'Histoire de Pi.*

Vous aimez?
—Ah oui, c'était **un best-seller,** mais c'est aussi de **la vraie littérature**! Il est très bien écrit. C'est **un roman d'aventures,** presque **une fable métaphysique.**

De quoi s'agit-il?
—**Il s'agit de** la lutte° de Pi, le jeune **protagoniste,** pour survivre° et pour comprendre le monde qui l'entoure°. C'est un livre **passionnant.**

• **Et vous, que lisez-vous là?**
—Eh bien, c'est un livre de *Tintin.* Moi, j'adore les **BD.** Ça me fait rire°, et ça me permet de me dépayser°.

• **Et... monsieur?**
—Moi, il faut dire, je préfère les **analyses politiques** ou les **récits historiques.**

Je vois que vous avez là un livre de Harry Potter.
—Oui, c'est pour mon fils. Il est passionnée par Harry et sa bande d'amis de Poudlard. Ce sont des **personnages** à la fois° fantastiques° et très réels.

Un été très livre

Romans, polars, essais, science-fiction, la sélection à emporter partout !
Brochure gratuite disponible en magasin

CD2, Track 30

■ Écoutons ensemble! Comment parler de la littérature

Quelques Français parlent de leurs goûts littéraires. Ils veulent lire quelque chose en anglais pour pratiquer la langue. Conseillez quelque chose d'approprié pour chacun d'eux.

Réponses:
1. c 2. e 3. d
4. a 5. b

LES GENS	LES TEXTES
1. Soline, 16 ans	a. *Toxic Bachelors,* Danielle Steele
2. Enzo, 27 ans	b. *Batman,* DC Comics
3. Jean-Luc, 12 ans	c. *Pride and Prejudice,* Jane Austen
4. Marie-Jo, 40 ans	d. *The Chronicles of Narnia,* C. S. Lewis
5. Timothé, 19 ans	e. *Robert Ludlum's The Moscow Vector,* Patrick Larkin

■ Notez et analysez

To tell what a story is about in French, you need to use the impersonal expression **il s'agit de.** You cannot precede the verb **s'agir** with a noun. For example, to translate the sentence "*Romeo and Juliet* is about tragic love," you would say: **Dans *Roméo et Juliette,* il s'agit d'un amour tragique.** Now, choose another book and tell what it is about.

■ Activité 10: Interaction

Posez les questions suivantes à un(e) autre étudiant(e).

1. Est-ce que tu lis un bon livre maintenant? De quoi s'agit-il dans ce livre?
2. Quel genre de lecture est-ce que tu préfères?
3. As-tu un auteur préféré? Lequel? Quelles sortes de livres écrit-il/elle?
4. Quel est le dernier livre que tu as lu? Tu l'as aimé? Pourquoi ou pourquoi pas?

Cinq personnages de la littérature française

Suggestion: The characters presented here are from stories in French classic and popular literature. Even superficial recognition of these works helps develop students' ability to understand cultural references. You might assign the reading for homework and go over the follow-up questions in class.

Révision des pronoms d'objet direct et indirect, *y* et *en*

When talking about a story, you will often want to refer to the same person or event a number of times. In order to avoid the repetitious use of the same proper or common nouns, you'll want to use pronouns. For a review of **en**, see **Structure 7.3**. For **pronoms d'objet direct**, see **Structure 7.5**. **Pronoms d'objet indirect** are presented in **Structure 8.3**. See **Structure 9.2** for the pronoun **y**. For pronoun order, see **Structure 12.3**.

Tristan et Iseut (Moyen Âge)

Tristan, chevalier courageux, et Iseut la Blonde, belle princesse d'Irlande, sont unis par un amour fatal et éternel. Après avoir vaincu un géant et un dragon en Irlande, Tristan amène Iseut avec lui afin qu'elle épouse son oncle, le roi de Cornouailles. Pendant le voyage, ils boivent par erreur un philtre magique° qui **les** unit en amour. Iseut épouse le roi mais les deux amants ne peuvent pas s'empêcher de se revoir en secret. Le roi découvre leur amour illicite et **les** bannit. Tristan s'exile et lors d'une bataille, il est blessé à mort°. Iseut essaie de **le** retrouver mais trop tard. Tristan est déjà mort. Iseut meurt, elle aussi, et le roi **les** fait enterrer° dans deux tombes voisines.

magic potion

mortally wounded

bury

Tartuffe (XVIIᵉ siècle)

Tartuffe est un faux dévot° qui arrive à gagner° la confiance du bourgeois Orgon. Aveuglé° par la fausse dévotion de Tartuffe, Orgon **l'**invite à vivre dans sa famille, **lui** confie le contrôle de sa fortune et **lui** offre la main de sa fille qui avait pourtant l'intention d'épouser un autre homme. Mais on découvre la vérité sur Tartuffe quand il entre dans la chambre de la femme d'Orgon pour **la** séduire. Orgon, déçu° et en colère, chasse son faux ami de la maison. Tartuffe se croit pourtant° maître de la situation à cause des documents compromettants qu'il a en sa possession. Mais grâce à l'intervention du roi, il est mis en prison.

religious hypocrite / manages to gain
Blinded

disappointed
however

Madame Bovary (XIXᵉ siècle)

Emma, fille d'un riche paysan° et élevée dans un couvent°, accepte d'épouser Charles Bovary, un homme simple qui est médecin dans un petit village normand. Il **l'**adore mais ne **la** comprend pas. C'est une femme romantique qui rêve de bals luxueux, d'hommes aristocratiques et d'amour idéal. Elle vit° à travers sa lecture. Pour échapper° à son existence banale et à son ennui, elle tombe dans le mensonge°, l'adultère et les dettes. Elle finit par se suicider.

peasant
raised in a convent

lives
To escape
lies

Maigret (XXᵉ siècle)

Le commissaire Maigret, de la Police judiciaire, est souvent appelé sur la scène du crime. Il **y** arrive rapidement. Il **l'**examine de près, interroge le témoin° en fumant sa pipe et fait une analyse psychologique de l'assassin. Ce héros français a son côté humain: il aime prendre un bon dîner chez lui préparé par sa femme. Chez lui, il n'arrête pas de réfléchir aux crimes, bien qu'il ne **lui en** parle pas. Il trouve la solution avec patience, intuition et une très bonne mémoire pour les détails.

witness

■ **Notez et analysez**

What are the antecedents for the boldfaced pronouns in the summaries of the stories on page 463 and above?

■ **Activité 11: Qui est-ce?**

Identifiez les personnages suivants. Ensuite, nommez un personnage semblable d'une autre œuvre littéraire.

Réponses possibles: 1. Maigret: Sherlock Holmes, Sam Spade **2.** Iseut: Juliet **3.** Tristan: Robin Hood, Johnny Appleseed **4.** Mme Bovary: Cendrillon **5.** Tartuffe: Lancelot

1. un héros de roman policier
2. une héroïne qui meurt aux côtés de son bien-aimé
3. le personnage principal d'une légende
4. une héroïne qui rêve d'une vie luxueuse
5. un personnage qui trompe son ami

■ **Activité 12: Quiz de compréhension**

Est-ce que vous avez compris ces histoires? Complétez les réponses avec le pronom approprié: **le, la, l', les, lui, leur, en, y.** N'oubliez pas d'ajouter **ne** ou **n'** dans les réponses négatives.

1. Est-ce que Tristan a tué *le géant et le dragon* qu'il a combattus en Irlande?
   a. Oui, il _____ a tués.
   b. Non, il _____ a pas tués.

2. Est-ce que Tristan et Iseut ont bu *du philtre magique* dans le bateau?
   a. Oui, ils _____ ont bu.
   b. Non, ils _____ ont pas bu.

3. Est-ce qu'Iseut épouse *Tristan*?
   a. Oui elle _____ épouse.
   b. Non, elle _____ épouse pas; elle se marie avec le roi.

4. Est-ce que le roi découvre *leur amour illicite*?
   a. Oui, il _____ découvre.
   b. Non, il _____ découvre pas.

5. Finalement, est-ce qu'Orgon permet *à Tartuffe* de se marier avec sa fille?
   a. Oui, il _____ permet de se marier avec elle.
   b. Non, il _____ permet pas de se marier avec elle.

6. Est-ce que Tartuffe entre *dans la chambre de la femme d'Orgon*?
   a. Oui, il _____ entre.
   b. Non, il _____ entre pas.

7. Est-ce que *Tartuffe* s'échappe?
   a. Oui, il _____ s'échappe.
   b. Non, on _____ met en prison.

8. Est-ce qu'Emma a habité *dans un couvent* quand elle était jeune?
   a. Oui, elle _____ a habité.
   b. Non, elle _____ pas habité.

9. Est-ce que Charles comprend *sa femme*?
   a. Oui, il _____ comprend.
   b. Non, il _____ comprend pas.

10. Comment Maigret traite-t-il *les criminels*?
    a. Il _____ traite de façon professionnelle et il
       _____ pose beaucoup de questions.
    b. Il _____ traite pas bien. Il _____ ignore.

■ Situations à jouer!

Utilisez **iLrn** voiceboard pour plus de pratique orale avec les **Thèmes** et les **Pratiques de conversation** du **Module de récapitulation**.

1. Think of a common tale that will most likely be familiar to the students in your class. Make notes for yourself on the main character(s), the setting, the introduction, and the main plot. Then begin to tell your story to the class and see who is the first to guess the title.

   Modèle: *Dans mon histoire, il s'agit d'un jeune garçon qui ne veut pas grandir. Il veut toujours rester jeune. Sa meilleure amie est une petite fée. Les deux arrivent chez une famille britannique et le jeune homme invite les enfants sur une île magique qui s'appelle «Neverland».*

2. What films are on the box-office list this week? Compare the French and American top ten lists. Identify:
   a. the film that has the biggest budget
   b. the film with the most famous actor
   c. the film that is the most appropriate for young children
   d. a film that is more (or less) popular in France than in the U.S.

   Survey your classmates to find out which films on the list they saw, and which they liked best. Were any of the films unfamiliar? Write up your comparisons and observations.

3. In small groups, select and watch a French movie. Using the model on page 459 as a guide, prepare a synopsis with a critique for the class.

4. Interview several students about their reading habits and a book they've read recently. You might videotape the interview to make your own **Voix en direct.**

Jean-Marie Gustave Le Clézio (1940–) is one of the most widely translated French writers. He was born in Nice to a French mother and a father from Mauritius. His more than 30 books reflect his extensive travels (Nigeria, Morocco, Mauritius, Japan, Thailand, the U.S., Panama, and Mexico), his cross-cultural perspective, and his fascination with the Amerindian world. In an interview with *Label France* (12/2001), he is quoted as saying **"La langue française est peut-être mon seul véritable pays."**

Lecture

■ Anticipation

Vous allez lire une histoire écrite par un écrivain français célèbre, J.-M. G. Le Clézio. Dans les exercices qui suivent, vous allez analyser le texte et en même temps vous allez faire une révision de plusieurs structures grammaticales.

■ Expansion de vocabulaire

Testez votre aptitude verbale. D'après le contexte, trouvez le sens des mots en italique tirés du texte.

1. «C'était un village de *pêcheurs*,... tout blanc au-dessus de la mer.» Un *pêcheur* gagne sa vie en attrapant des...
   a. criminels.
   b. poissons.
   c. prisonniers.
   d. arbres.

2. «Ce qui est terrible, c'est que ça s'est passé *d'un seul coup*, quand j'ai perdu mon travail.» Quelque chose qui se passe *d'un seul coup* se passe...
   a. lentement.
   b. soudainement.
   c. difficilement.
   d. jamais.

3. «J'ai perdu mon travail parce que l'entreprise *avait fait faillite.*» Une entreprise *qui fait faillite...*
   a. gagne beaucoup d'argent.
   b. ne peut plus payer ses dettes.
   c. a de gros revenus.
   d. embauche *(hires)* de nouveaux employés.

4. «Ma femme ne pouvait pas travailler, elle avait *des ennuis* de santé.» Quand on a *des ennuis,* on a des...
   a. problèmes.
   b. médicaments.
   c. traitements.
   d. qualités.

5. «Je fais ça pour eux, pour que ma femme et *mes gosses* aient de quoi manger.» En français familier, le mot *gosses* veut dire...
   a. amis.
   b. parents.
   c. collègues.
   d. enfants.

6. «Qu'est-ce que ça te fait, quand tu penses que tu es devenu un voleur?» [...] «ça me fait quelque chose, ça *me serre la gorge* et ça m'accable.» Quand quelque chose *vous serre la gorge,* vous vous sentez...
   a. tranquille.
   b. neutre.
   c. heureux (heureuse).
   d. plein(e) d'émotions.

1. Ce texte commence par une question indirecte: «Dis-moi comment tout a commencé», puis le protagoniste commence à parler. Est-ce qu'il parlera du futur, du présent ou du passé?
2. Regardez brièvement le texte ci-dessous et à la page 468. Quel est le format du texte? Est-ce qu'il est écrit dans la langue écrite formelle ou dans la langue parlée, la langue familière?
3. Regardez le titre. Ce texte est à propos de qui?

À noter: This text is longer than many you have read. The side notes provide questions to help you focus on its meaning.

«Ô voleur°, voleur, quelle vie est la tienne?»

thief

adapté de J.-M. G. Le Clézio

1 ***Dis-moi comment tout a commencé.***

Je ne sais pas, je ne sais plus, il y a si longtemps, je n'ai plus souvenir du temps maintenant, c'est la vie que je mène. Je suis né au Portugal, à Ericeira, c'était en ce temps-là un petit village de pêcheurs pas loin de Lisbonne, tout blanc au-
5 dessus de la mer.

Ensuite mon père a dû partir pour des raisons politiques, et avec ma mère et ma tante on s'est installé en France, et je n'ai jamais revu mon grand-père. C'était juste après la guerre°, je crois qu'il est mort à cette époque-là. Mais je me souviens bien de lui, c'était un pêcheur, il me racontait des histoires, mais
10 maintenant je ne parle presque plus le portugais. Après cela, j'ai travaillé comme apprenti maçon° avec mon père, et puis il est mort, et ma mère a dû travailler aussi, et moi je suis entré dans une entreprise, une affaire de rénovation de vieilles maisons, ça marchait bien°.

war

mason's apprentice

that worked well

En ce temps-là, j'étais content avec le monde, j'avais un travail, j'étais marié,
15 j'avais des amis, je ne pensais pas au lendemain, je ne pensais pas à la maladie, ni aux accidents, je travaillais beaucoup et l'argent était rare, mais je ne savais pas que j'avais de la chance. Après ça je me suis spécialisé dans l'électricité. C'est moi qui refaisais les circuits électriques, j'installais les appareils ménagers, l'éclairage°, je faisais les branchements°. Ça me plaisait bien, c'était un bon
20 travail. Je ne savais pas que j'avais de la chance.

lighting / connections

Et maintenant?

Ah, maintenant, tout a changé. Ce qui est terrible, c'est que ça s'est passé d'un seul coup°, quand j'ai perdu mon travail parce que l'entreprise avait fait faillite°. Au début j'ai cru que tout allait s'arranger, j'ai cru que j'allais retrouver du
25 travail facilement, mais il n'y avait rien. Et pour l'électricité, je n'avais pas de CAP°, personne ne m'aurait confié un travail comme ça. Alors les mois sont passés et je n'avais toujours rien, et c'était difficile de manger, de payer l'éducation de mes fils, ma femme ne pouvait pas travailler, elle avait des ennuis de santé, on n'avait même pas d'argent pour acheter les médicaments. On allait
30 mourir de faim, ma femme, mes enfants. C'est comme ça que je me suis décidé.

Au début, je me suis dit que c'était provisoire°, le temps de trouver un peu d'argent, le temps d'attendre. Maintenant ça fait trois ans que ça dure, je sais que ça ne changera plus.

all at once / had gone bankrupt

certificate

temporary

Pourquoi a-t-on l'impression que le texte commence au milieu de *(in the middle of)* l'histoire? Est-ce qu'on connaît l'identité de celui qui pose les questions et celle de celui qui répond?

Pourquoi le protagoniste était-il content de sa vie? Est-ce que vous avez le pressentiment que les choses vont mal tourner? Pourquoi?

Est-ce que vous pouvez deviner *(to guess)* ce qu'il s'est décidé à faire?

Que fait-il quand il sort? Pourquoi sort-il la nuit?

Tu sors toutes les nuits?

35 Ça dépend. Ça dépend des endroits. Il n'y a pas de règles. En général, je ne veux pas faire ça le jour, j'attends la nuit, même le petit matin, tu sais, vers trois-quatre heures, c'est le meilleur moment. Mais je n'entre jamais dans une maison quand il y a quelqu'un.

Est-ce qu'ils savent?

Pourquoi est-ce qu'il utilise le conditionnel ici?

40 Mes enfants? Non, non eux ne savent rien, on ne peut pas leur dire, ils sont trop jeunes, ils ne comprendraient pas que leur père est devenu un voleur. Non, je ne voudrais pas que mes enfants apprennent cela, ils sont trop jeunes. Ils croient que je travaille comme avant. Maintenant je leur dis que je travaille la nuit, et que c'est pour ça que je dois partir la nuit, et que je dors une partie de la journée.

45 *Tu aimes cette vie?*

Non, au début je n'aimais pas ça du tout, mais qu'est-ce que je peux faire? Je fais ça pour vivre, pour que ma femme et mes gosses aient de quoi manger, des vêtements, pour que mes gosses aient une éducation, un vrai métier.

Si je retrouvais demain du travail, je m'arrêterais tout de suite de voler, je

would stretch out 50 pourrais de nouveau rentrer chez moi tranquillement, le soir, je m'allongerais° sur le lit avant de dîner.

Qu'est-ce que ça te fait, quand tu penses que tu es devenu un voleur?

overwhelms me Si ça me fait quelque chose, ça me serre la gorge et ça m'accable°, tu sais, quelquefois, le soir, je rentre à la maison à l'heure du dîner, et ce n'est plus du
55 tout comme autrefois, il y a juste des sandwichs froids, et je mange en regardant la télévision, avec les gosses qui ne disent rien. Alors je vois que ma femme me regarde, elle ne dit rien elle non plus, mais elle a l'air si fatigué, elle a les yeux gris et tristes, et je me souviens de ce qu'elle m'a dit, la première fois, quand elle m'a demandé s'il n'y avait pas de danger. Moi, je lui ai dit non, mais ça n'était
60 pas vrai, parce que je sais bien qu'un jour, c'est fatal, il y aura un problème.

cops Peut-être que les flics° m'attraperont, et je ferai des années en prison, ou bien
shoot me peut-être que je ne pourrai pas courir assez vite quand on me tirera dessus°, et je serai mort. Mort. C'est à elle que je pense, à ma femme, pas à moi, moi je ne vaux rien, je n'ai pas d'importance. C'est à elle que je pense, et à mes enfants
65 aussi, que deviendront-ils, qui pensera à eux, sur cette terre?

Adapté de J.-M. G. Le Clézio: «Ô voleur, voleur, quelle vie est la tienne?»" *La ronde et autres faits divers.* Éditions Gallimard.

■ **Compréhension et intégration**

A. **Compréhension**

Répondez aux questions suivantes.

1. Où le voleur est-il né? Pourquoi est-il venu en France?
2. Comment est-ce qu'il a gagné sa vie?
3. Pourquoi a-t-il perdu son travail?
4. Quel est le nouveau métier de cet homme?
5. Pourquoi ne dit-il rien à ses enfants?
6. Quand est-ce qu'il entre dans les maisons? Pourquoi?
7. Avec qui parle-t-il dans ce texte?

B. Analyse de l'emploi du passé

Structure à réviser: Le passé
Donnez une explication pour l'emploi du passé composé et de l'imparfait dans les lignes indiquées. Choisissez parmi les explications suivantes.

Regardez les pages 177–180, 241–242 et 247–248.

Passé composé: un verbe qui fait avancer le récit

Imparfait: a. une action habituelle ou répétée, b. un verbe qui décrit un état mental, ou **être** et **avoir,** c. la description au passé

1. ligne 7: on s'est installé en France
2. ligne 9: c'était un pêcheur, il me racontait des histoires.
3. lignes 10–12: Après cela, j'ai travaillé comme apprenti maçon avec mon père, et puis il est mort,... et moi je suis entré dans une entreprise...
4. lignes 13–17: ça marchait bien. En ce temps-là, j'étais content avec le monde, j'avais un travail, j'étais marié, j'avais des amis... je ne savais pas que j'avais de la chance.
5. ligne 22: Ah, maintenant, tout a changé.
6. lignes 27–30: ... c'était difficile de manger... ma femme ne pouvait pas travailler, elle avait des ennuis de santé... On allait mourir de faim...
7. ligne 30: C'est comme ça que je me suis décidé.

C. Un interrogatoire *(Interrogation)*

Structure à réviser: L'interrogatif

Regardez les pages 23, 149–150 et 342–343.

PREMIÈRE ÉTAPE: Dans cette histoire, les questions sont posées de façon indirecte ou énigmatique. Rendez-les plus directes et complètes.

1. Dis-moi comment tout à commencé.
2. Et maintenant?
3. Est-ce qu'ils savent?
4. Tu aimes cette vie?

DEUXIÈME ÉTAPE: Vous êtes journaliste à *Paris-Match* et vous interrogez le voleur (qui est devenu une célébrité). Posez-lui quatre questions avec les mots interrogatifs suivants: **pourquoi, comment, quand / à quelle heure, où.** Un(e) autre camarade de classe jouera le rôle du voleur.

D. Si seulement!

Structures à réviser: Les propositions avec *si* + imparfait + conditionnel
Jouez le rôle du voleur pour terminer les phrases suivantes.

Regardez les pages 241–242 et 444.

1. Si j(e) _____ (avoir) mon CAP, je pourrais trouver du travail plus facilement.
2. Je n(e) _____ (entrer) jamais dans une maison s'il y avait quelqu'un.
3. Si je _____ (dire) la vérité à mes enfants, ils _____ (ne pas comprendre).
4. Si je _____ (ne pas voler), ma femme et mes enfants _____ (ne rien avoir) à manger.
5. Si je _____ (retrouver) du travail, je _____ (s'arrêter) tout de suite de voler.

E. Que feriez-vous à sa place?

Structures à réviser: Les propositions avec *si* + imparfait + conditionnel
Avec un(e) partenaire, dites ce que vous feriez si vous étiez à la place du voleur. Donnez au moins quatre idées.

Regardez les pages 241–242 et 444–445.

F. Une attitude négative ou une victime du destin *(fate)*?

Regardez les pages 311–312.

Structure à réviser: Les expressions négatives
Jouez le rôle du voleur en répondant à ces questions avec une expression négative.

1. Je sais que tu as travaillé dans l'électricité. Est-ce que tu travailles toujours dans ce domaine?
2. Qu'est-ce que tu fais pour t'amuser?
3. Est-ce qu'il y a quelqu'un à qui tu peux te confier *(to confide in)*?
4. Mais tu as déjà parlé de ta situation à ta femme, je suppose.
5. Alors, quand est-ce que tu penses que ta situation va changer?

G. Réactions différentes

Regardez les pages 411–413 et 445–446.

Structure à réviser: Le subjonctif
On réagit différemment à ce voleur et à sa situation. Complétez les réflexions suivantes en utilisant le subjonctif ou l'indicatif, selon le cas.

1. Moi, je pense que le voleur _____ (avoir) bon cœur, mais qu'il _____ (se trouver) dans une situation impossible.
2. Moi aussi! Je trouve impardonnable qu'il _____ (ne pas avoir) de programme social pour l'aider.
3. À mon avis, il est essentiel qu'il _____ (dire) la vérité à sa femme.
4. Est-il possible qu'elle _____ (ne pas savoir) la vérité?
5. Tu sais, c'est triste que les immigrés clandestins *(illegal aliens)* _____ (ne pas pouvoir) demander d'aide sociale.
6. Il faut que nous _____ (faire) un effort pour créer un monde plus juste.
7. Moi, je crois que les gens _____ (être) responsables de leurs propres actes. Je n'ai pas de pitié pour lui.

■ Maintenant à vous!

Décrivez le protagoniste dans «Ô voleur, voleur, quelle vie est la tienne?».

1. Quels sont ses qualités et ses défauts?
2. Est-ce un criminel, une victime ou les deux?
3. Est-ce qu'il a raison de voler?
4. À votre avis, le voleur pourrait-il changer sa vie?
5. En considérant tout ce qu'il nous a dit, suggérez ce qu'il devrait faire maintenant.

Vocabulaire

■ Vocabulaire fondamental

Noms

Les contes — *Stories, tales*
une barbe — *a beard*
un conte de fée — *a fairy tale*
un événement — *an event*
un loup — *a wolf*
un prince (une princesse) — *a prince (princess)*
un roi (une reine) — *a king (a queen)*

La littérature — *Literature*
un auteur — *an author*
un écrivain — *a writer*
un genre — *a literary / film genre*
une héroïne — *a heroine, main female character*
le héros — *the hero, main male character*
un personnage (principal) — *a (main) character*
un roman — *a novel*

Verbes
épouser — *to marry*
sauver — *to save*
tuer — *to kill*
voler — *to steal*

Adjectifs
courageux (courageuse) — *courageous*
jaloux (jalouse) — *jealous*
magique — *magic*
méchant(e) — *mean*
passionnant(e) — *fascinating, exciting*

Expressions utiles

Comment raconter une histoire — *How to tell a story*
Il était une fois... — *Once upon a time . . .*
Par conséquent — *As a result*

Comment parler de la littérature — *How to talk about literature*
Quel est le titre? — *What is the title?*
J'aime (les romans, les récits historiques, les analyses politiques, les bandes dessinées, etc.) — *I like (novels, historical fiction, political analyses, cartoons, etc.).*
Il s'agit d'(une princesse). — *It's about (a princess).*

■ Vocabulaire supplémentaire

Noms

Les contes — *Stories, tales*
un bal — *a dance*
un carrosse — *a carriage*
un chevalier — *a knight*
un fée — *a fairy*
un géant — *a giant*
un nain — *a dwarf*
un palais — *a palace*
un pirate — *a pirate*
un sorcier (une sorcière) — *a witch*

Le cinéma — *Film*
le box-office — *the top movies*
une comédie — *a comedy*
un dessin animé — *an animated film*
un drame — *a drama*
la durée — *the length*
un film fantastique — *a fantasy film*
un prix — *an award*
un réalisateur (une réalisatrice) — *a director*
un scénario — *a script*
un spectateur (une spectatrice) — *a spectator, member of the audience*
une version doublée — *a dubbed version*
la version originale — *the original version*
une version sous-titrée — *a subtitled version*

La littérature — *Literature*
un(e) amant(e) — *a lover*
un avis — *an opinion*
une bataille — *a battle*
un couvent — *a convent*
un critique — *a critic (art)*
une critique — *a critique*
un dénouement — *an ending*
un déroulement — *a plot, development*
une intrigue — *the plot, story line*
un(e) protagoniste — *a protagonist, main character*

Mots apparentés: une dette, un dragon, une fortune, une prison, une tombe

Verbes
attirer — *to attract*
banir — *to banish*
échapper — *to escape*
transformer — *to transform*
tromper — *to trick*
tuer — *to kill*
vaincre — *to vanquish, beat*

Vocabulaire tiré de «Ô voleur, voleur, quelle vie est la tienne?»
la vérité — *the truth*
un voleur — *a thief*
faire faillite — *to go bankrupt*

Appendices

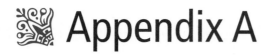

Appendix A

VERBES AUXILIAIRES: AVOIR et ÊTRE

Infinitif Participe passé	Présent	Passé composé	Imparfait	Passé simple
avoir	ai	ai eu	avais	
	as	as eu	avais	
eu	a	a eu	avait	eut
	avons	avons eu	avions	
	avez	avez eu	aviez	
	ont	ont eu	avaient	eurent
être	suis	ai été	étais	
	es	as été	étais	
été	est	a été	était	fut
	sommes	avons été	étions	
	êtes	avez été	étiez	
	sont	ont été	étaient	furent

Indicatif			Présent du conditionnel	Présent du subjonctif	Impératif
Plus-que-parfait	**Futur**	**Futur antérieur**			
avais eu	aurai	aurai eu	aurais	aie	
avais eu	auras	auras eu	aurais	aies	aie
avait eu	aura	aura eu	aurait	ait	
avions eu	aurons	aurons eu	aurions	ayons	ayons
aviez eu	aurez	aurez eu	auriez	ayez	ayez
avaient eu	auront	auront eu	auraient	aient	
avais été	serai	aurai été	serais	sois	
avais été	seras	auras été	serais	sois	sois
avait été	sera	aura été	serait	soit	
avions été	serons	aurons été	serions	soyons	soyons
aviez été	serez	aurez été	seriez	soyez	soyez
avaient été	seront	auront été	seraient	soient	

Verbes conjugués avec **être** au passé composé			
aller	entrer	partir	revenir
arriver	monter	rentrer	sortir
descendre	mourir	rester	tomber
devenir	naître	retourner	venir

VERBES RÉGULIERS

VERBES PRONOMINAUX

Indicatif			Présent du conditionnel	Présent du subjonctif	Impératif
Plus-que-parfait	Futur	Futur antérieur			
avais parlé	parlerai	aurai parlé	parlerais	parle	
avais parlé	parleras	auras parlé	parlerais	parles	parle
avait parlé	parlera	aura parlé	parlerait	parle	
avions parlé	parlerons	aurons parlé	parlerions	parlions	parlons
aviez parlé	parlerez	aurez parlé	parleriez	parliez	parlez
avaient parlé	parleront	auront parlé	parleraient	parlent	
avais dormi	dormirai	aurai dormi	dormirais	dorme	
avais dormi	dormiras	auras dormi	dormirais	dormes	dors
avait dormi	dormira	aura dormi	dormirait	dorme	
avions dormi	dormirons	aurons dormi	dormirions	dormions	dormons
aviez dormi	dormirez	aurez dormi	dormiriez	dormiez	dormez
avaient dormi	dormiront	auront dormi	dormiraient	dorment	
avais fini	finirai	aurai fini	finirais	finisse	
avais fini	finiras	auras fini	finirais	finisses	finis
avait fini	finira	aura fini	finirait	finisse	
avions fini	finirons	aurons fini	finirions	finissions	finissons
aviez fini	finirez	aurez fini	finiriez	finissiez	finissez
avaient fini	finiront	auront fini	finiraient	finissent	
avais vendu	vendrai	aurai vendu	vendrais	vende	
avais vendu	vendras	auras vendu	vendrais	vendes	vends
avait vendu	vendra	aura vendu	vendrait	vende	
avions vendu	vendrons	aurons vendu	vendrions	vendions	vendons
aviez vendu	vendrez	aurez vendu	vendriez	vendiez	vendez
avaient vendu	vendront	auront vendu	vendraient	vendent	

Indicatif			Présent du conditionnel	Présent du subjonctif	Impératif
Plus-que-parfait	Futur	Futur antérieur			
m'étais lavé(e)	me laverai	me serai lavé(e)	me laverais	me lave	
t'étais lavé(e)	te laveras	te seras lavé(e)	te laverais	te laves	lave-toi
s'était lavé(e)	se lavera	se sera lavé(e)	se laverait	se lave	
nous étions lavé(e)s	nous laverons	nous serons lavé(e)s	nous laverions	nous lavions	lavons-nous
vous étiez lavé(e)(s)	vous laverez	vous serez lavé(e)(s)	vous laveriez	vous laviez	lavez-vous
s'étaient lavé(e)s	se laveront	se seront lavé(e)s	se laveraient	se lavent	

VERBES AVEC CHANGEMENTS ORTHOGRAPHIQUES

Infinitif Participe passé	Présent	Passé composé	Imparfait	Passé simple
acheter (se lever, **se promener)** acheté	achète achètes achète achetons achetez achètent	ai acheté as acheté a acheté avons acheté avez acheté ont acheté	achetais achetais achetait achetions achetiez achetaient	 acheta achetèrent
appeler (jeter) appelé	appelle appelles appelle appelons appelez appellent	ai appelé as appelé a appelé avons appelé avez appelé ont appelé	appelais appelais appelait appelions appeliez appelaient	 appela appelèrent
commencer **(prononcer)** commencé	commence commences commence commençons commencez commencent	ai commencé as commencé a commencé avons commencé avez commencé ont commencé	commençais commençais commençait commencions commenciez commençaient	 commença commencèrent
manger (changer, **nager, voyager)** mangé	mange manges mange mangeons mangez mangent	ai mangé as mangé a mangé avons mangé avez mangé ont mangé	mangeais mangeais mangeait mangions mangiez mangeaient	 mangea mangèrent
payer (essayer, **employer)** payé	paie paies paie payons payez paient	ai payé as payé a payé avons payé avez payé ont payé	payais payais payait payions payiez payaient	 paya payèrent
préférer (espérer, **répéter)** préféré	préfère préfères préfère préférons préférez préfèrent	ai préféré as préféré a préféré avons préféré avez préféré ont préféré	préférais préférais préférait préférions préfériez préféraient	 préféra préférèrent

Indicatif			Présent du conditionnel	Présent du subjonctif	Impératif
Plus-que-parfait	**Futur**	**Futur antérieur**			
avais acheté	achèterai	aurai acheté	achèterais	achète	
avais acheté	achèteras	auras acheté	achèterais	achètes	achète
avait acheté	achètera	aura acheté	achèterait	achète	
avions acheté	achèterons	aurons acheté	achèterions	achetions	achetons
aviez acheté	achèterez	aurez acheté	achèteriez	achetiez	achetez
avaient acheté	achèteront	auront acheté	achèteraient	achètent	
avais appelé	appellerai	aurai appelé	appellerais	appelle	
avais appelé	appelleras	auras appelé	appellerais	appelles	appelle
avait appelé	appellera	aura appelé	appellerait	appelle	
avions appelé	appellerons	aurons appelé	appellerions	appelions	appelons
aviez appelé	appellerez	aurez appelé	appelleriez	appeliez	appelez
avaient appelé	appelleront	auront appelé	appelleraient	appellent	
avais commencé	commencerai	aurai commencé	commencerais	commence	
avais commencé	commenceras	auras commencé	commencerais	commences	commence
avait commencé	commencera	aura commencé	commencerait	commence	
avions commencé	commencerons	aurons commencé	commencerions	commencions	commençons
aviez commencé	commencerez	aurez commencé	commenceriez	commenciez	commencez
avaient commencé	commenceront	auront commencé	commenceraient	commencent	
avais mangé	mangerai	aurai mangé	mangerais	mange	
avais mangé	mangeras	auras mangé	mangerais	manges	mange
avait mangé	mangera	aura mangé	mangerait	mange	
avions mangé	mangerons	aurons mangé	mangerions	mangions	mangeons
aviez mangé	mangerez	aurez mangé	mangeriez	mangiez	mangez
avaient mangé	mangeront	auront mangé	mangeraient	mangent	
avais payé	paierai	aurai payé	paierais	paie	
avais payé	paieras	auras payé	paierais	paies	paie
avait payé	paiera	aura payé	paierait	paie	
avions payé	paierons	aurons payé	paierions	payions	payons
aviez payé	paierez	aurez payé	paieriez	payiez	payez
avaient payé	paieront	auront payé	paieraient	paient	
avais préféré	préférerai	aurai préféré	préférerais	préfère	
avais préféré	préféreras	auras préféré	préférerais	préfères	préfère
avait préféré	préférera	aura préféré	préférerait	préfère	
avions préféré	préférerons	aurons préféré	préférerions	préférions	préférons
aviez préféré	préférerez	aurez préféré	préféreriez	préfériez	préférez
avaient préféré	préféreront	auront préféré	préféreraient	préfèrent	

VERBES IRRÉGULIERS

Infinitif Participe passé	Présent	Passé composé	Imparfait	Passé simple
aller allé	vais vas va allons allez vont	suis allé(e) es allé(e) est allé(e) sommes allé(e)s êtes allé(e)(s) sont allé(e)s	allais allais allait allions alliez allaient	 alla allèrent
boire bu	bois bois boit buvons buvez boivent	ai bu as bu a bu avons bu avez bu ont bu	buvais buvais buvait buvions buviez buvaient	 but burent
conduire conduit	conduis conduis conduit conduisons conduisez conduisent	ai conduit as conduit a conduit avons conduit avez conduit ont conduit	conduisais conduisais conduisait conduisions conduisiez conduisaient	 conduisit conduisirent
connaître **(paraître)** connu	connais connais connaît connaissons connaissez connaissent	ai connu as connu a connu avons connu avez connu ont connu	connaissais connaissais connaissait connaissions connaissiez connaissaient	 connut connurent
courir couru	cours cours court courons courez courent	ai couru as couru a couru avons couru avez couru ont couru	courais courais courait courions couriez couraient	 courut coururent
croire cru	crois crois croit croyons croyez croient	ai cru as cru a cru avons cru avez cru ont cru	croyais croyais croyait croyions croyiez croyaient	 crut crurent
devoir dû	dois dois doit devons devez doivent	ai dû as dû a dû avons dû avez dû ont dû	devais devais devait devions deviez devaient	 dut durent

Indicatif			Présent du conditionnel	Présent du subjonctif	Impératif
Plus-que-parfait	**Futur**	**Futur antérieur**			
étais allé(e)	irai	serai allé(e)	irais	aille	
étais allé(e)	iras	seras allé(e)	irais	ailles	va
était allé(e)	ira	sera allé(e)	irait	aille	
étions allé(e)s	irons	serons allé(e)s	irions	allions	allons
étiez allé(e)(s)	irez	serez allé(e)(s)	iriez	alliez	allez
étaient allé(e)s	iront	seront allé(e)s	iraient	aillent	
avais bu	boirai	aurai bu	boirais	boive	
avais bu	boiras	auras bu	boirais	boives	bois
avait bu	boira	aura bu	boirait	boive	
avions bu	boirons	aurons bu	boirions	buvions	buvons
aviez bu	boirez	aurez bu	boiriez	buviez	buvez
avaient bu	boiront	auront bu	boiraient	boivent	
avais conduit	conduirai	aurai conduit	conduirais	conduise	conduis
avais conduit	conduiras	auras conduit	conduirais	conduises	
avait conduit	conduira	aura conduit	conduirait	conduise	conduisons
avions conduit	conduirons	aurons conduit	conduirions	conduisions	conduisez
aviez conduit	conduirez	aurez conduit	conduiriez	conduisiez	
avaient conduit	conduiront	auront conduit	conduiraient	conduisent	
avais connu	connaîtrai	aurai connu	connaîtrais	connaisse	
avais connu	connaîtras	auras connu	connaîtrais	connaisses	connais
avait connu	connaîtra	aura connu	connaîtrait	connaisse	
avions connu	connaîtrons	aurons connu	connaîtrions	connaissions	connaissons
aviez connu	connaîtrez	aurez connu	connaîtriez	connaissiez	connaissez
avaient connu	connaîtront	auront connu	connaîtraient	connaissent	
avais couru	courrai	aurai couru	courrais	coure	
avais couru	courras	auras couru	courrais	coures	cours
avait couru	courra	aura couru	courrait	coure	
avions couru	courrons	aurons couru	courrions	courions	courons
aviez couru	courrez	aurez couru	courriez	couriez	courez
avaient couru	courront	auront couru	courraient	courent	
avais cru	croirai	aurai cru	croirais	croie	
avais cru	croiras	auras cru	croirais	croies	crois
avait cru	croira	aura cru	croirait	croie	
avions cru	croirons	aurons cru	croirions	croyions	croyons
aviez cru	croirez	aurez cru	croiriez	croyiez	croyez
avaient cru	croiront	auront cru	croiraient	croient	
avais dû	devrai	aurai dû	devrais	doive	
avais dû	devras	auras dû	devrais	doives	dois
avait dû	devra	aura dû	devrait	doive	
avions dû	devrons	aurons dû	devrions	devions	devons
aviez dû	devrez	aurez dû	devriez	deviez	devez
avaient dû	devront	auront dû	devraient	doivent	

Infinitif Participe passé	Présent	Passé composé	Imparfait	Passé simple
dire dit	dis dis dit disons dites disent	ai dit as dit a dit avons dit avez dit ont dit	disais disais disait disions disiez disaient	 dit dirent
écrire (décrire) écrit	écris écris écrit écrivons écrivez écrivent	ai écrit as écrit a écrit avons écrit avez écrit ont écrit	écrivais écrivais écrivait écrivions écriviez écrivaient	 écrivit écrivirent
envoyer envoyé	envoie envoies envoie envoyons envoyez envoient	ai envoyé as envoyé a envoyé avons envoyé avez envoyé ont envoyé	envoyais envoyais envoyait envoyions envoyiez envoyaient	 envoya envoyèrent
faire fait	fais fais fait faisons faites font	ai fait as fait a fait avons fait avez fait ont fait	faisais faisais faisait faisions faisiez faisaient	 fit firent
falloir fallu	faut	a fallu	fallait	fallut
lire lu	lis lis lit lisons lisez lisent	ai lu as lu a lu avons lu avez lu ont lu	lisais lisais lisait lisions lisiez lisaient	 lut lurent

**mettre (permet-
tre,
   promettre,
   remettre)**
 	
mis
	mets
	mets
	met
	mettons
	mettez
	mettent
		ai mis
		as mis
		a mis
		avons mis
		avez mis
		ont mis
			mettais
			mettais
			mettait
			mettions
			mettiez
			mettaient
				
				mit
				
				mirent

mourir mort	meurs meurs meurt mourons mourez meurent	suis mort(e) es mort(e) est mort(e) sommes mort(e)s êtes mort(e)(s) sont mort(e)s	mourais mourais mourait mourions mouriez mouraient	 mourut moururent

Indicatif			Présent du conditionnel	Présent du subjonctif	Impératif
Plus-que-parfait	**Futur**	**Futur antérieur**			
avais dit	dirai	aurai dit	dirais	dise	
avais dit	diras	auras dit	dirais	dises	dis
avait dit	dira	aura dit	dirait	dise	
avions dit	dirons	aurons dit	dirions	disions	disons
aviez dit	direz	aurez dit	diriez	disiez	dites
avaient dit	diront	auront dit	diraient	disent	
avais écrit	écrirai	aurai écrit	écrirais	écrive	
avais écrit	écriras	auras écrit	écrirais	écrives	écris
avait écrit	écrira	aura écrit	écrirait	écrive	
avions écrit	écrirons	aurons écrit	écririons	écrivions	écrivons
aviez écrit	écrirez	aurez écrit	écririez	écriviez	écrivez
avaient écrit	écriront	auront écrit	écriraient	écrivent	
avais envoyé	enverrai	aurai envoyé	enverrais	envoie	
avais envoyé	enverras	auras envoyé	enverrais	envoies	envoie
avait envoyé	enverra	aura envoyé	enverrait	envoie	
avions envoyé	enverrons	aurons envoyé	enverrions	envoyions	envoyons
aviez envoyé	enverrez	aurez envoyé	enverriez	envoyiez	envoyez
avaient envoyé	enverront	auront envoyé	enverraient	envoient	
avais fait	ferai	aurai fait	ferais	fasse	
avais fait	feras	auras fait	ferais	fasses	fais
avait fait	fera	aura fait	ferait	fasse	
avions fait	ferons	aurons fait	ferions	fassions	faisons
aviez fait	ferez	aurez fait	feriez	fassiez	faites
avaient fait	feront	auront fait	feraient	fassent	
avait fallu	faudra	aura fallu	faudrait	faille	
avais lu	lirai	aurai lu	lirais	lise	
avais lu	liras	auras lu	lirais	lises	lis
avait lu	lira	aura lu	lirait	lise	
avions lu	lirons	aurons lu	lirions	lisions	lisons
aviez lu	lirez	aurez lu	liriez	lisiez	lisez
avaient lu	liront	auront lu	liraient	lisent	
avais mis	mettrai	aurai mis	mettrais	mette	
avais mis	mettras	auras mis	mettrais	mettes	mets
avait mis	mettra	aura mis	mettrait	mette	
avions mis	mettrons	aurons mis	mettrions	mettions	mettons
aviez mis	mettrez	aurez mis	mettriez	mettiez	mettez
avaient mis	mettront	auront mis	mettraient	mettent	
étais mort(e)	mourrai	serai mort(e)	mourrais	meure	
étais mort(e)	mourras	seras mort(e)	mourrais	meures	meurs
était mort(e)	mourra	sera mort(e)	mourrait	meure	
étions mort(e)s	mourrons	serons mort(e)s	mourrions	mourions	mourons
étiez mort(e)(s)	mourrez	serez mort(e)(s)	mourriez	mouriez	mourez
étaient mort(e)s	mourront	seront mort(e)s	mourraient	meurent	

Infinitif Participe passé	Présent	Passé composé	Imparfait	Passé simple
naître	nais	suis né(e)	naissais	
	nais	es né(e)	naissais	
né	naît	est né(e)	naissait	naquit
	naissons	sommes né(e)s	naissions	
	naissez	êtes né(e)(s)	naissiez	
	naissent	sont né(e)s	naissaient	naquirent
offrir (souffrir)	offre	ai offert	offrais	
	offres	as offert	offrais	
offert	offre	a offert	offrait	offrit
	offrons	avons offert	offrions	
	offrez	avez offert	offriez	
	offrent	ont offert	offraient	offrirent
ouvrir (couvrir, découvrir)	ouvre	ai ouvert	ouvrais	
	ouvres	as ouvert	ouvrais	
	ouvre	a ouvert	ouvrait	ouvrit
ouvert	ouvrons	avons ouvert	ouvrions	
	ouvrez	avez ouvert	ouvriez	
	ouvrent	ont ouvert	ouvraient	ouvrirent
pleuvoir				
plu	pleut	a plu	pleuvait	plut
pouvoir	peux	ai pu	pouvais	
	peux	as pu	pouvais	
pu	peut	a pu	pouvait	put
	pouvons	avons pu	pouvions	
	pouvez	avez pu	pouviez	
	peuvent	ont pu	pouvaient	purent
prendre (apprendre, comprendre)	prends	ai pris	prenais	
	prends	as pris	prenais	
	prend	a pris	prenait	prit
	prenons	avons pris	prenions	
pris	prenez	avez pris	preniez	
	prennent	ont pris	prenaient	prirent
recevoir	reçois	ai reçu	recevais	
	reçois	as reçu	recevais	
reçu	reçoit	a reçu	recevait	reçut
	recevons	avons reçu	recevions	
	recevez	avez reçu	receviez	
	reçoivent	ont reçu	recevaient	reçurent
savoir	sais	ai su	savais	
	sais	as su	savais	
su	sait	a su	savait	sut
	savons	avons su	savions	
	savez	avez su	saviez	
	savent	ont su	savaient	surent

Indicatif			Présent du conditionnel	Présent du subjonctif	Impératif
Plus-que-parfait	**Futur**	**Futur antérieur**			
étais né(e)	naîtrai	serai né(e)	naîtrais	naisse	
étais né(e)	naîtras	seras né(e)	naîtrais	naisses	nais
était né(e)	naîtra	sera né(e)	naîtrait	naisse	
étions né(e)s	naîtrons	serons né(e)s	naîtrions	naissions	naissons
étiez né(e)(s)	naîtrez	serez né(e)(s)	naîtriez	naissiez	naissez
étaient né(e)s	naîtront	seront né(e)s	naîtraient	naissent	
avais offert	offrirai	aurai offert	offrirais	offre	
avais offert	offriras	auras offert	offrirais	offres	offre
avait offert	offrira	aura offert	offrirait	offre	
avions offert	offrirons	aurons offert	offririons	offrions	offrons
aviez offert	offrirez	aurez offert	offririez	offriez	offrez
avaient offert	offriront	auront offert	offriraient	offrent	
avais ouvert	ouvrirai	aurai ouvert	ouvrirais	ouvre	
avais ouvert	ouvriras	auras ouvert	ouvrirais	ouvres	ouvre
avait ouvert	ouvrira	aura ouvert	ouvrirait	ouvre	
avions ouvert	ouvrirons	aurons ouvert	ouvririons	ouvrions	ouvrons
aviez ouvert	ouvrirez	aurez ouvert	ouvririez	ouvriez	ouvrez
avaient ouvert	ouvriront	auront ouvert	ouvriraient	ouvrent	
avait plu	pleuvra	aura plu	pleuvrait	pleuve	
avais pu	pourrai	aurai pu	pourrais	puisse	
avais pu	pourras	auras pu	pourrais	puisses	
avait pu	pourra	aura pu	pourrait	puisse	
avions pu	pourrons	aurons pu	pourrions	puissions	
aviez pu	pourrez	aurez pu	pourriez	puissiez	
avaient pu	pourront	auront pu	pourraient	puissent	
avais pris	prendrai	aurai pris	prendrais	prenne	
avais pris	prendras	auras pris	prendrais	prennes	prends
avait pris	prendra	aura pris	prendrait	prenne	
avions pris	prendrons	aurons pris	prendrions	prenions	prenons
aviez pris	prendrez	aurez pris	prendriez	preniez	prenez
avaient pris	prendront	auront pris	prendraient	prennent	
avais reçu	recevrai	aurai reçu	recevrais	reçoive	
avais reçu	recevras	auras reçu	recevrais	reçoives	reçois
avait reçu	recevra	aura reçu	recevrait	reçoive	
avions reçu	recevrons	aurons reçu	recevrions	recevions	recevons
aviez reçu	recevrez	aurez reçu	recevriez	receviez	recevez
avaient reçu	recevront	auront reçu	recevraient	reçoivent	
avais su	saurai	aurai su	saurais	sache	
avais su	sauras	auras su	saurais	saches	sache
avait su	saura	aura su	saurait	sache	
avions su	saurons	aurons su	saurions	sachions	sachons
aviez su	saurez	aurez su	sauriez	sachiez	sachez
avaient su	sauront	auront su	sauraient	sachent	

Infinitif Participe passé	Présent	Passé composé	Imparfait	Passé simple
suivre suivi	suis suis suit suivons suivez suivent	ai suivi as suivi a suivi avons suivi avez suivi ont suivi	suivais suivais suivait suivions suiviez suivaient	 suivit suivirent
venir (devenir, revenir, tenir) venu	viens viens vient venons venez viennent	suis venu(e) es venu(e) est venu(e) sommes venu(e)s êtes venu(e)(s) sont venu(e)s	venais venais venait venions veniez venaient	 vint vinrent
vivre vécu	vis vis vit vivons vivez vivent	ai vécu as vécu a vécu avons vécu avez vécu ont vécu	vivais vivais vivait vivions viviez vivaient	 vécut vécurent
voir vu	vois vois voit voyons voyez voient	ai vu as vu a vu avons vu avez vu ont vu	voyais voyais voyait voyions voyiez voyaient	 vit virent
vouloir voulu	veux veux veut voulons voulez veulent	ai voulu as voulu a voulu avons voulu avez voulu ont voulu	voulais voulais voulait voulions vouliez voulaient	 voulut voulurent

Indicatif			Présent du conditionnel	Présent du subjonctif	Impératif
Plus-que-parfait	Futur	Futur antérieur			
avais suivi	suivrai	aurai suivi	suivrais	suive	
avais suivi	suivras	auras suivi	suivrais	suives	suis
avait suivi	suivra	aura suivi	suivrait	suive	
avions suivi	suivrons	aurons suivi	suivrions	suivions	suivons
aviez suivi	suivrez	aurez suivi	suivriez	suiviez	suivez
avaient suivi	suivront	auront suivi	suivraient	suivent	
étais venu(e)	viendrai	serai venu(e)	viendrais	vienne	
étais venu(e)	viendras	seras venu(e)	viendrais	viennes	viens
était venu(e)	viendra	sera venu(e)	viendrait	vienne	
étions venu(e)s	viendrons	serons venu(e)s	viendrions	venions	venons
étiez venu(e)(s)	viendrez	serez venu(e)(s)	viendriez	veniez	venez
étaient venu(e)s	viendront	seront venu(e)s	viendraient	viennent	
avais vécu	vivrai	aurai vécu	vivrais	vive	
avais vécu	vivras	auras vécu	vivrais	vives	vis
avait vécu	vivra	aura vécu	vivrait	vive	
avions vécu	vivrons	aurons vécu	vivrions	vivions	vivons
aviez vécu	vivrez	aurez vécu	vivriez	viviez	vivez
avaient vécu	vivront	auront vécu	vivraient	vivent	
avais vu	verrai	aurai vu	verrais	voie	
avais vu	verras	auras vu	verrais	voies	vois
avait vu	verra	aura vu	verrait	voie	
avions vu	verrons	aurons vu	verrions	voyions	voyons
aviez vu	verrez	aurez vu	verriez	voyiez	voyez
avaient vu	verront	auront vu	verraient	voient	
avais voulu	voudrai	aurai voulu	voudrais	veuille	
avais voulu	voudras	auras voulu	voudrais	veuilles	veuille
avait voulu	voudra	aura voulu	voudrait	veuille	
avions voulu	voudrons	aurons voulu	voudrions	voulions	veuillons
aviez voulu	voudrez	aurez voulu	voudriez	vouliez	veuillez
avaient voulu	voudront	auront voulu	voudraient	veuillent	

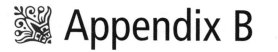

Appendix B

Réponses aux exercices

Module 1

Exercice 1
1. vous 2. tu 3. vous 4. tu 5. tu 6. vous 7. vous

Exercice 2
1. f 2. g 3. c 4. a 5. d 6. b 7. e

Exercice 3
1. Est-ce que c'est une table?
2. Est-ce qu'il s'appelle Patrick?
3. Qu'est-ce que c'est?
4. Qui est-ce?
5. Est-ce que c'est une chaise?

Exercice 4
1. des professeurs 2. des étudiants 3. des pupitres 4. des portes 5. des cahiers 6. des bureaux

Exercice 5
1. un 2. des 3. un 4. une 5. des 6. une 7. un 8. des

Exercice 6
1. tu 2. elle 3. ils 4. nous 5. elles 6. vous

Exercice 7
1. êtes 2. suis 3. est 4. sommes 5. est 6. est 7. sont 8. sont 9. es

Exercice 8
1. blonde 2. intelligente 3. vieille, verte 4. beau 5. gentille

Exercice 9
1. belle 2. intelligente 3. blonds 4. courts 5. bruns 6. fort 7. contents

Tout ensemble!
1. allez-vous 2. Ça va 3. Et toi 4. merci 5. une question 6. grande 7. Qui est-ce 8. une 9. bleue 10. un 11. s'appelle 12. de 11. est 12. sommes

Module 2

Exercice 1
1. aimes 2. préfères 3. chante 4. cherchent, préfèrent 5. regardez 6. habitons

Exercice 2
1. Il aime bien danser.
2. J'aime beaucoup les films...
3. Elle n'aime pas du tout la musique classique.
4. J'aime un peu la musique brésilienne…
5. Marc aime bien le cinéma…

Exercice 3
1. danser 2. jouons 3. écoutez
4. adorer

Exercice 4
1. Vous ne regardez pas la télévision.
2. Joëlle et Martine aiment le cinéma.
3. Tu n'habites pas à Boston.
4. Nous fermons la porte.
5. Marc et moi, nous n'écoutons pas la radio.
6. Tu n'étudies pas l'anglais.
7. J'écoute le professeur.

Exercice 5
1. la 2. les 3. la 4. l' 5. le 6. l' 7. la 8. le 9. les 10. le 11. le 12. le

Exercice 6
1. le 2. la 3. la 4. les 5. le 6. le 7. le 8. la 9. le 10. le 11. Les 12. le

Exercice 7
1. un 2. de 3. un 4. de 5. une 6. de 7. des 8. de

Exercice 8
1. le 2. le 3. le 4. le 5. le 6. de 7. des 8. un 9. les 10. les 11. l' 12. un 13. des 14. un (le)

Exercice 9
1. ai 2. a 3. avez 4. avons 5. as 6. ai 7. ont 8. a 9. ont

Tout ensemble!
1. a 2. cours 3. maths 4. est 5. résidence 6. est 7. de 8. piscine 9. stade 10. sont 11. aiment 12. parlent 13. jouent 14. dansent 15. une

Module 3

Exercice 1
1. mes 2. sa 3. Mon 4. Ta 5. Ma, mon, leur 6. nos

Exercice 2
1. ta 2. ma 3. ma 4. mon 5. mon 6. tes 7. Mes 8. Leur 9. tes 10. mes

Exercice 3
1. venons 2. viens 3. viennent 4. viens 5. venez 6. vient

Exercice 4
1. de la 2. des 3. du 4. de la 5. de l' 6. de

Exercice 5
1. pessimiste 2. ennuyeuse 3. compréhensive 4. enthousiastes 5. paresseuses 6. gâtées 7. méchantes 8. désagréable 9. mignonnes

Exercice 6
1. optimiste 2. active
3. compréhensif 4. optimiste 5. travailleuse 6. intelligente 7. bien élevée 8. gentille 9. indépendantes 10. indifférentes

Exercice 7
1. C'est une petite chambre lumineuse.
2. Je préfère la jolie robe blanche.
3. Voilà un jeune étudiant individualiste.
4. J'aime les vieux films américains.
5. Le sénateur est un vieil homme ennuyeux.
6. Marc est un bel homme riche et charmant.
7. Le Havre est un vieux port important.
8. Paris est une grande ville magnifique.
9. J'écoute de la belle musique douce.

Exercice 8
1. vieille photo 2. petite plante 3. tennis sales 4. vieilles cassettes 5. jolie fille blonde 6. chemise bleue 7. gros sandwich 8. mauvaise odeur 9. chambre agréable

Exercice 9
1. à côté de la 2. Devant 3. derrière la 4. en face de la 5. loin du 6. entre

Tout ensemble!
1. vient 2. de 3. de la 4. petit 5. meublé 6. son 7. belle 8. grand 9. française 10. nouveau 11. bons 12. récents 13. ses 14. viennent 15. leurs

Module 4

Exercice 1
1. musicienne 2. employée 3. cuisinière 4. vendeuse 5. canadienne 6. serveuse 7. femme d'affaires 8. artiste italienne

Exercice 2
1. C'est 2. Elle est 3. Ils sont 4. C'est 5. Elle est 6. Ce sont 7. Il est

Exercice 3
1. à l' 2. à l' 3. à la 4. au 5. au 6. aux 7. au 8. à l'

Exercice 4
1. Vous allez à la montagne.

2. Ils vont aux courts de tennis.
3. Nous allons à la bibliothèque.
4. Il va à l'église.
5. Elle va à la pharmacie.
6. Tu vas à la librairie.
7. Je vais au café.

Exercice 5
1. Vous faites la grasse matinée ce matin.
2. Évelyne fait le ménage quand sa camarade de chambre est au bureau.
3. Philippe et moi faisons de la randonnée à la campagne.
4. Les frères Thibaut jouent au football.
5. Tu joues au basketball.
6. Je fais de la guitare après mes cours.
7. Anne et toi jouez du piano ensemble.

Exercice 6
Answers will vary. Sample answers:
1. Martine, qu'est-ce qu'elle fait? Elle fait une promenade.
2. Jean-Claude et moi, qu'est-ce que nous faisons? Nous jouons aux cartes.
3. Philippe, qu'est-ce qu'il fait? Il joue au football.
4. Les gosses, qu'est-ce qu'ils font? Ils font leurs devoirs.
5. Tante Hélène, qu'est-ce qu'elle fait? Elle fait le ménage.
6. Papa, qu'est-ce qu'il fait? Il fait de la natation.

Exercice 7
1. vont aller 2. allons faire 3. ne va pas sortir 4. ne vas pas aller 5. allez danser 6. ne vais pas être

Exercice 8
1. ne vais pas aller 2. vais rester 3. vais retrouver 4. allons faire 5. va prendre 6. allons faire 7. allons écouter 8. allons jouer 9. allez faire 10. allez rester

Exercice 9
1. Est-ce que tu aimes danser?
2. Est-ce que tu es nerveux (nerveuse) quand tu es avec mes parents?
3. Est-ce que tes parents sont compréhensifs?
4. Est-ce que tu aimes lire, passer du temps sur ton ordinateur ou regarder la télévision le soir?
5. Après les cours, est-ce que tu préfères faire du sport ou passer du temps avec des amis?
6. Est-ce qu'il est important d'être romantique et affectueux (affectueuse)?

Exercice 10
1. D'où êtes-vous?
2. Enseignez-vous les sciences politiques?
3. Est-ce votre première visite aux États-Unis?
4. Votre famille est-elle ici avec vous?
5. Avez-vous des enfants?
6. Votre mari est-il professeur aussi?
7. Parle-t-il anglais?
8. Pensez-vous rester aux États-Unis?

Tout ensemble!
1. C'est 2. a 3. ans 4. va 5. travail 6. médecin 7. à l' 8. d'entreprise 9. métier 10. banque 11. est 12. du 13. de la 14. sportif 15. randonnées 16. au tennis 17. bénévole 18. informatique 19. langues 20. voyager 21. institutrice 22. cadre

Module 5

Exercice 1
1. veux 2. veux 3. peux 4. dois 5. voulez 6. pouvons 7. fait 8. peut 9. doit 10. veux

Exercice 2
1. Nous pouvons aller au cinéma.
2. Tu veux voir le nouveau film de Depardieu?
3. Pouvez-vous téléphoner à Martine?
4. Tu ne peux pas parler plus lentement?
5. On veut faire une promenade.
6. Vous voulez aller danser ce week-end?

Exercice 3
1. partez 2. sort 3. servons 4. dorment 5. pars 6. sors

Exercice 4
1. dormons 2. sortez 3. part 4. partent 5. sers 6. sortons

Exercice 5
1. Marie-Josée 2. Luc et Jean 3. Hélène et Monique 4. Max

Exercice 6
1. lui 2. Nous 3. toi 4. moi 5. vous 6. Moi 7. toi 8. eux 9. elles 10. elles 11. lui

Exercice 7
1. prenez 2. prends 3. prends 4. prenons 5. prend

Exercice 8
1. attends 2. perd 3. buvons 4. descends 5. rendent 6. attendons 7. vend 8. apprenez

Exercice 9
1. attends 2. attends 3. entends 4. descend 5. prenez 6. prends 7. est 8. comprenons

Exercice 10
1. Comment 2. Où 3. Qui 4. Pourquoi 5. Qu'est-ce que 6. comment 7. D'où 8. Combien de 9. Quels 10. Quel 11. quoi

Tout ensemble!
1. voulez 2. voudrais 3. pour 4. sortent 5. Où 6. est-ce que 7. moi 8. Pourquoi 9. prenez 10. À quelle 11. dois 12. Qu'est-ce que 13. rendons 14. toi 15. sors 16. Quelle

Module 6

Exercice 1
1. parlé 2. voyagé 3. fait 4. vu 5. joué 6. eu 7. pris 8. dormi 9. reçu 10. choisi 11. fini 12. été

Exercice 2
1. vu 2. perdu, trouvé 3. fait 4. reçu, répondu 5. téléphoné, parlé

Exercice 3
1. ont salué 2. ont voyagé 3. a regardé, a écouté, a dormi 4. a appelé 5. a pris 6. ont bu, ont regardé

Exercice 4
1. a mal joué 2. n'ai pas bien compris 3. a beaucoup voyagé 4. ont déjà visité 5. n'ai pas encore vu 6. as déjà appris

Exercice 5
1. est allé 2. sommes arrivés 3. sommes entrés 4. sont venus 5. est monté 6. est restée 7. est tombé 8. est descendue 9. sont morts 10. est remontée 11. sommes ressortis 12. sommes remontés 13. suis reparti

Exercice 6
1. sommes allés 2. a pris 3. a emprunté 4. avons quitté 5. sommes passés 6. est sorti 7. avons roulé 8. sommes arrivés 9. avons installé 10. a dormi 11. sommes partis

Exercice 7
1. maigrissez, grossissez 2. réfléchis 3. choisissez 4. finissons 5. grandissent 6. rougissons 7. obéis 8. réussit

Exercice 8
1. a choisi 2. réussit 3. agit 4. obéissent 5. finissent 6. réussissent 7. rougit

Exercice 9
1. M. et Mme Montaud viennent de jouer aux cartes.
2. Yvette vient de travailler à l'ordinateur.
3. Mme Ladoucette vient de faire une promenade dans le parc avec son chien.
4. Véronique vient de prendre des photos du coucher de soleil.
5. Stéphane vient de perdre ses lunettes.

Exercice 10
1. vient 2. a obtenu 3. est venue
4. tient 5. devient

Tout ensemble!
1. viens d' 2. il y a 3. dernière
4. suis partie 5. suis tombée
6. a été 7. ai eu 8. suis arrivée
9. n'ai pas pu 10. suis entrée
11. est devenu 12. a commencé
13. ai appris 14. suis rentrée

Module 7

Exercice 1
1. préférez, préfère, préfère, préfèrent
2. achetez, achètent, achetons, achète
3. mangez, mangeons, manger, mange, mange
4. commencer, commençons, espère

Exercice 2
1. préfère 2. ai commencé 3. ai appelé 4. espère 5. ai acheté
6. avons mangé 7. ont acheté (achètent) 8. a acheté (achète)

Exercice 3
1. du, du, de la, du (un), du (un), de
2. de la (une), du, des, de l' (une)
3. de, de la (une), de la (une), des, des, des, du, du, de, de la

Exercice 4
1. de l' 2. du (un) 3. le 4. du (un)
5. de 6. du 7. des 8. la 9. du 10. de la 11. de la (une) 12. de

Exercice 5
1. assez de 2. d' 3. des 4. de la
5. du 6. de la 7. 100 g de 8. une douzaine d' 9. du 10. de

Exercice 6
1. M. Laurent achète un paquet de beurre, une douzaine d'œufs et 200g de fromage (une omelette au fromage).
2. Paulette achète un litre d'huile d'olive, une bouteille de vinaigre, 500 g de tomates et une salade (une salade de tomates).
3. Jacques achète trois tranches de pâté, un morceau de fromage, une baguette et une bouteille de vin (des sandwichs au fromage et au pâté).
4. Mme Pelletier achète un peu d'ail, 250 g de beurre et une douzaine d'escargots (des escargots à l'ail).
5. Nathalie achète un melon, un ananas, trois bananes et une barquette de fraises (une salade de fruits).

Exercice 7
1. Tu veux un coca? (d)
2. Vous achetez combien de riz? (c)
3. Tu as acheté du vin? (c)
4. Tu as du lait? (d)
5. Marthe a un mari? (c)

Exercice 8
1. Oui, j'en veux.
2. Non, je ne vais pas en prendre.
3. Oui, ils en prennent.
4. Non, je n'en prends pas.
5. Oui, j'en prends.
6. Oui, j'en mange souvent.

Exercice 9
1. Attendez 2. Passe 3. ne mange pas 4. prends 5. Va 6. Sois
7. aidez 8. Bois

Exercice 10
1. Oui, invitons Jérôme.
2. Non, ne faisons pas de pique-nique.
3. Oui, allons dîner dans un restaurant.
4. Oui, rentrons chez nous après.
5. Oui, achetons un gros gâteau au chocolat.
6. Non, n'achetons pas de glace.
7. Oui, prenons du champagne.

Exercice 11
1. b, c 2. a, d 3. b 4. a, c, d 5. a, c
6. a, d 7. c 8. a, b

Exercice 12
1. les 2. la 3. l' 4. les 5. l' 6. le 7. l'
8. l'

Exercice 13
1. Ils te trouvent très gentille aussi.
2. Oui, tu peux les voir.
3. Oui, j'en voudrais une.
4. Oui, nous allons les inviter à dîner bientôt.
5. Oui, je les aime beaucoup.
6. Oui, ma famille en mange toujours aussi.

Tout ensemble!
1. La 2. Commençons 3. belles
4. en 5. de 6. des 7. choisis 8. d'
9. de l' 10. côtelettes 11. du
12. préfères 13. Prenons
14. mangeons 15. Achetons
16. les 17. de la 18. pain 19. Va
20. boucherie 21. N'achète pas
22. espère 23. te

Module 8

Exercice 1
1. habitait 2. était 3. vivait
4. travaillait 5. portait 6. restais
7. enlevais 8. arrivaient
9. aidaient 10. jouions
11. mangeait 12. devions

Exercice 2
1. où 2. qui 3. qui 4. qu' 5. où
6. où 7. où 8. qui 9. que

Exercice 3
1. dit 2. écrivons 3. lire 4. lit
5. écris 6. lisons 7. écrivent
8. Écrivez 9. dis

Exercice 4
1. D 2. I 3. I 4. D 5. I 6. D 7. I
8. D 9. D 10. I

Exercice 5
1. d 2. c 3. e 4. b 5. a

Exercice 6
1. Oui, elle lui offre un cadeau d'anniversaire.
2. Non, elle ne leur prête pas ses vêtements.
3. Oui, elle lui téléphone régulièrement.
4. Non, elle ne lui dit pas de nettoyer sa chambre.
5. Non, elle ne lui a pas emprunté d'argent.
6. Oui, elle va leur envoyer une carte de Noël.
7. Oui, elle va lui demander des conseils.
8. Oui, elle leur a expliqué pourquoi elle a eu une mauvaise note en chimie.

Exercice 7
1. Mon frère aîné est plus fort que mon frère cadet.
2. Brad Pitt est aussi populaire en France qu'aux États-Unis.
3. Le rap français est moins violent que le rap américain.
4. Les robes des couturiers comme Christian Lacroix sont plus chères que les robes de prêt-à-porter.
5. Le casino de Monte Carlo est plus classique que les casinos de Las Vegas.
6. Une Porsche est aussi rapide qu'une Ferrari.

Exercice 8
1. Le pain au supermarché est moins bon que le pain à la boulangerie.
2. La bière allemande est meilleure que la bière américaine.
3. L'hiver à Paris est moins bon que l'hiver à Nice.
4. Les pâtisseries françaises sont meilleures que les beignets au supermarché.
5. Le vin anglais est moins bon que le vin français.
6. La circulation à Paris est moins bonne que la circulation hors de la ville.
7. Le chocolat belge est aussi bon que le chocolat suisse.

Exercice 9
It was a winter night in Grenoble; it was very cold and snow was falling with huge snowflakes. In the house, I was listening to Beethoven and was writing a letter to Maurice, my friend who was studying at Cambridge. Suddenly, I heard

some noise. It was as if something was thumping against the wall of the house. I opened the door but there wasn't anything. I started writing my letter again. A few minutes later, bam! A snowball exploded against the window. I looked through the curtains and there, in the yard, I saw a man. I was going to call the police but, when he turned himself towards me, I recognized Maurice's face! He was back.

Exercice 10
Partie A
1. I 2. I 3. I 4. I 5. PC 6. PC 7. I 8. PC 9. PC 10. PC
Partie B
2. Le temps était doux et ensoleillé.
5. Soudain, j'ai entendu quelqu'un.
7. C'était mon ami Michel.
8. Michel m'a invité à manger une pizza avec lui.

Tout ensemble!
1. que 2. où 3. allions 4. étais 5. pouvais 6. voulais 7. plus 8. étais 9. était 10. qui 11. mangeait 12. que 13. envoyait 14. moins 15. ai trouvé 16. espionnions 17. me 18. moins 19. aussi 20. t' 21. écrit

Module 9
Exercice 1
1. Ottawa 2. Les États-Unis 3. le Québec 4. St-Pierre-et-Miquelon 5. Le Manitoba 6. au nord-ouest du
Exercice 2
1. de, en 2. d', à 3. du, au 4. du, aux 5. d', à 6. d', au
Exercice 3
1. à, au, d', les 2. du, en, à, au, au 3. de , du, de la, la, la, Au
Exercice 4
1. a, b, d 2. a, b, d 3. c, e 4. b, d
Exercice 5
1. Tu veux y aller avec moi?
2. Euh, je ne peux pas y aller parce que je dois aller à l'université.
3. À l'université? Pourquoi est-ce que tu y vas?
4. Eh bien, normalement, je n'y vais pas le samedi après-midi, mais j'ai un examen important lundi.
5. À quelle heure est-ce que tu y vas?
6. Non, je n'y pense pas trop.
7. Il faut que j'y pense si je veux devenir médecin.

Exercice 6
1. plus de, plus 2. moins 3. la plus, plus de 4. la plus 5. mieux 6. plus de 7. aussi bien
Exercice 7
1. il vaut mieux prendre 2. il vaut mieux faire 3. il ne faut pas réserver 4. il vaut mieux parler 5. il faut montrer 6. Il faut porter
Exercice 8
1. Tu connais Paul, n'est-ce pas? / Tu sais que Paul est en Égypte, n'est-ce pas? / Tu sais quand il pense revenir?
2. Elle sait que nous préférons un billet moins cher. / Elle sait trouver les meilleurs prix. / Elle connaît bien la Suisse.
3. Vous savez, moi, je suis très impatiente. / Vous savez la date de mon départ? / Vous connaissez les meilleurs centres de vacances?
4. Nous savons le numéro de téléphone de l'Hôtel d'Or. / Nous savons où se trouve l'Hôtel d'Or. / Nous connaissons tous les hôtels de la région.
5. Sais-tu parler italien? / Connais-tu les catacombes? / Connais-tu une bonne pizzeria?
Exercice 9
1. connais, sait 2. Connaissez, Savez, sais 3. Connais, sais, connaissent 4. connais, ai connu, savait, connaît

Tout ensemble!
1. à 2. projets 3. tour 4. agence de voyages 5. vol 6. classe touriste 7. De 8. au 9. connaît 10. sait 11. francophone 12. plus 13. désert 14. climat 15. aussi 16. en 17. Il faut 18. frontières 19. sèche 20. océan

Module 10
Exercice 1
1. ne me lève pas 2. se lève 3. se douche 4. me rase 5. me brosse 6. nous habillons 7. nous amusons 8. me coucher
Exercice 2
1. se 2. se regarde 3. les 4. regarde 5. lave 6. vous 7. s'
Exercice 3
1. s'est levé 2. a pris 3. avons eu 4. nous sommes dépêchés 5. a déjeuné 6. nous sommes reposés 7. nous sommes promenés 8. avons écouté 9. ai joué 10. nous sommes couchés
Exercice 4
1. Quand il fait froid, je mets un manteau.
2. Quand il pleut, tu mets un imperméable.

3. Quand il fait chaud, mon professeur met un short.
4. Quand il fait du vent, mes amis et moi mettons un pull-over.
5. Quand il fait du soleil, vous mettez des lunettes de soleil.
6. Quand il neige, les enfants mettent des gants.
Exercice 5
1. me mets 2. permets 3. mettre 4. promet 5. se met à table
Exercice 6
1. ai mis 2. s'est mise 3. a remis 4. as mis 5. ai remis 6. a promis
Exercice 7
1. Dépêche-toi! On t'attend.
2. Ferme la porte à clé.
3. Prenons le bus.
4. Achetons les provisions à l'épicerie Dupont.
5. Va chercher le jus d'orange. Moi, je m'occupe du pain.
6. Ne vous disputez pas. Cette marque est aussi bonne que l'autre.
7. Paie avec ton argent. J'ai payé la dernière fois.
Exercice 8
Partie A
1. Levez-vous plus tôt.
2. Ne te rase pas alors.
3. Lave-toi les mains.
4. Couche-toi moins tard.
5. Séchez-vous.
6. Brossez-vous les dents.
Partie B
1. Il faut se lever plus tôt.
2. Il ne faut pas se raser alors.
3. Il faut se laver les mains. / Tu veux bien te laver les mains?
4. Il faut se coucher moins tard.
5. Il faut se sécher.
6. Il faut se brosser les dents.
Exercice 9
1. La chambre d'Émilie par contre n'est jamais bien rangée.
2. Au contraire, personne ne téléphone à Emmanuelle.
3. … mais Emmanuelle n'habite plus chez sa famille.
4. Émilie ne travaille pas et elle ne gagne rien.
5. Sa sœur, elle, n'a pas encore de rendez-vous.
6. Moi non plus.
7. Mais si, elles s'entendent bien!
Exercice 10
1. Je n'ai qu'une sœur.
2. Vous n'êtes arrivé qu'hier?
3. Tu ne veux te reposer qu'en regardant la télé?
4. Je n'aime que toi.
5. Ils ne vont qu'au supermarché.

Tout ensemble!

1. se réveille 2. se lève 3. salle de bains 4. se douche 5. se sèche 6. se maquille 7. s'habille 8. chambre 9. réveille 10. cuisine 11. frigo 12. four à micro-ondes 13. qu' 14. jamais 15. leur 16. se dépêcher

Module 11

Exercice 1
1. aurai 2. sera 3. trouverons 4. parlera 5. ferons 6. fabriqueront 7. pourra 8. sera

Exercice 2
1. seront, visiteront 2. sera, ira 3. serons, prendrons 4. seras, feras 5. serai, me baignerai

Exercice 3
Answers may vary. Possible answers:
1. Tu auras de bonnes notes si tu étudies.
2. Si vous ne mangez pas mieux, vous tomberez malade.
3. Ma mère viendra au campus quand elle pourra.
4. Je resterai chez moi ce soir si j'ai besoin d'étudier.
5. Nous serons en retard si nous ne nous dépêchons pas.
6. Mes parents ne seront pas contents si je rate mes examens.
7. Si mon copain (ma copine) oublie mon anniversaire, je me mettrai en colère.

Exercice 4
1. de 2. d'un 3. de 4. de 5. de 6. d'une

Exercice 5
1. Avec qui est-ce que tu voyages?
2. À qui est-ce nous pouvons demander des renseignements?
3. À qui est-ce que le guide parle?
4. De quoi est-ce que vous avez besoin?
5. De qui est-ce qu'elle a besoin?
6. À qui est-ce qu'elle pense?

Exercice 6
Answers may vary. Possible answers:
1. Non, je ne les ai pas regardées.
2. Oui, je les ai faits.
3. Oui, je l'ai écoutée.
4. Non, je ne les ai pas vus.
5. Oui, je l'ai pris.
6. Non, je ne les ai pas arrosées.
7. Oui, je l'ai fait.
8. Non, je ne les ai pas lues.

Exercice 7
1. mangés 2. vues 3. rencontrés 4. laissées 5. achetés 6. faites

Exercice 8
1. crois 2. vois 3. vois 4. vois 5. croient 6. voient 7. crois 8. voir

Tout ensemble!

1. crois 2. recevrez 3. serai 4. avons rencontrés 5. ont trouvée 6. irons 7. d' 8. ne voit pas 9. ferai (vais faire) 10. ai achetés 11. prendrons 12. arriverons 13. pourrai 14. Avec 15. reverrons

Module 12

Exercice 1
1. Ce qui m'ennuie, c'est le conformisme.
2. Ce que j'apprécie, ce sont mes copains et ma famille.
3. Ce que je n'aime pas, c'est être malade.
4. Ce que je désire, c'est trouver quelqu'un de bien qui me comprend.
5. Ce qui m'ennuie, ce sont les gens qui parlent toujours d'eux-mêmes.
6. Ce qui me plaît, c'est une promenade sur la plage.
7. Ce qui me manque, c'est ma famille.

Exercice 2
1. ce qui, ce qui 2. ce que 3. ce qu' 4. Ce qui 5. ce que

Exercice 3
1. ces, ces 2. ce, ce 3. cette, ce 4. ce, cette 5. cette, ce

Exercice 4
1. Cette 2. Ces 3. Ce 4. Ces 5. Ce 6. Cet

Exercice 5
1. Lequel? Ce jean-ci ou ce jean-là?
2. Laquelle? Cette chemise-ci ou cette chemise-là?
3. Lequel? Ce pull-over-ci ou ce pull-over-là?
4. Lequel? Ce livre-ci ou ce livre-là?
5. Lesquelles? Ces baskets-ci ou ces basket-là?

Exercice 6
1. c 2. e 3. f 4. b 5. a 6. g 7. d

Exercice 7
Answers may vary. Possible answers:
1. Tu as acheté quelque chose à tes parents?
2. Est-ce que je peux offrir le cadeau à Martine?
3. Est-ce qu'il y a encore du dessert?
4. Tu crois que je peux raconter le film à tes amis?
5. Est-ce que tu as déjà envoyé la carte postale à tes parents?

Exercice 8
1. m'ennuie 2. paies 3. essaie 4. envoie 5. essaie 6. payons 7. dépenses

Exercice 9
1. gagnons 2. dépensons 3. essaie 4. dépense 5. paie 6. épargnent 7. envoient 8. payer (dépenser) 9. ennuie

Tout ensemble!

1. Ce qui 2. ce sont 3. consommation 4. dépensent 5. ciné 6. fringues 7. portable 8. le lui 9. paient 10. leur 11. y 12. leur en 13. ce que

Module 13

Exercice 1
1. Rachid a mal à la gorge.
2. Nous avons mal aux jambes.
3. Vous avez mal aux yeux.
4. Sacha et Karina ont mal aux oreilles.
5. Vanessa a mal à la cheville.
6. Il a mal au dos.

Exercice 2
1. a sommeil 2. a mal à la tête 3. as l'air 4. ai du mal à 5. a lieu 6. a l'occasion 7. envie 8. a peur 9. avoir de la chance 10. a peur 11. avez de la patience 12. tort

Exercice 3
1. Ces femmes ont l'air très jeunes.
2. Ces garçons ont l'air de bien s'amuser.
3. Cet homme a l'air d'attendre quelqu'un.
4. La mère sur le banc a l'air très ennuyée.
5. La petite blonde a l'air malheureuse.
6. L'homme au chapeau a l'air de chercher quelque chose.

Exercice 4
1. Anne a de terribles migraines depuis l'âge de dix ans.
2. Simone répète la même phrase depuis dix ans.
3. Agnès a peur de l'eau depuis son accident de bateau.
4. Sophie a horreur des hôpitaux depuis son enfance.
5. Monsieur Monneau a peur de monter dans un avion depuis que son parachute ne s'est pas ouvert.
6. Jeanne fait une dépression depuis que son chien est mort.
7. Madame Leclerc n'a pas conduit depuis son accident, il y a cinq ans.
8. Guy n'est pas sorti avec ses copains depuis sa rupture avec Alice.

Exercice 5
1. franc 2. absolu 3. différent 4. évident 5. naturel 6. vague 7. actif 8. suffisant

Exercice 6
1. silencieusement
2. naturellement 3. constamment
4. heureusement 5. apparemment
6. régulièrement 7. vraiment
8. récemment 9. couramment

Exercice 7
1. insolemment 2. indifféremment
3. fixement 4. silencieusement
5. énergiquement 6. patiemment

Exercice 8
1. Il faut que tu mettes de la crème solaire pour protéger ta peau.
2. Il faut que vous fassiez un régime et brûliez des calories en faisant de l'exercice chaque jour.
3. Il faut que tu dormes davantage.
4. Il faut que tu fasses de la musculation.
5. Il faut que vous vous détendiez sur une île déserte.
6. Il faut que tu te brosses les dents après chaque repas.
7. Il faut que tu te laves le visage régulièrement avec du savon.

Exercice 9
1. écrive 2. finissiez 3. soyons
4. aies 5. répondent 6. aille
7. invitions 8. fassions

Exercice 10
1. mette 2. buvions 3. preniez
4. fasse 5. ayez 6. mettiez

Exercice 11
1. Ils me disent de dépenser moins d'argent.
2. Il me dit de conduire plus lentement.

3. Il vous conseille d'étudier davantage.
4. Elle nous demande de lui rendre visite plus souvent.
5. Ils leur suggèrent d'être moins sérieux.
6. Elle me demande de perdre des kilos.
7. Il te conseille de faire de la musculation.
8. Il nous demande de faire moins de bruit.

Tout ensemble!
1. besoin 2. franchement 3. envie
4. air 5. mal 6. sommeil
7. Évidemment 8. travaille
9. vachement 10. finalement
11. malheureusement 12. peur
13. absolument 14. honte
15. vraiment 16. faire 17. sortes
18. téléphoner 19. fasses
20. régulièrement

Module 14

Exercice 1
1. s'écrivent, se téléphonent 2. se voient 3. déteste 4. s'entendait, se disputer 5. marier 6. nous revoyons 7. demandent

Exercice 2
1. s'occupe 2. vous rendez compte 3. se dépêcher 4. vous fâchez 5. t'en aller 6. me demande

Exercice 3
1. amusés 2. brossé 3. parlé
4. rencontrés, écrit, retrouvés
5. dépêchée 6. vues, parlé

Exercice 4
1. ceux 2. celui 3. ceux 4. celui
5. celui 6. celui 7. celles 8. celles

Exercice 5
1. Tu devrais... 2. Nous préférerions... 3. Nous voudrions... 4. Pourriez-vous...
5. Serait-il... 6. Vous devriez

Exercice 6
1. verrais 2. aurait 3. étudierais
4. aurions 5. offrirais 6. passerait
7. devraient 8. savais

Exercice 7
1. Je regrette que tu ne fasses pas de sport.
2. Nous sommes contents que vous arriviez demain.
3. François est triste que Jeanne ne veule pas le revoir.
4. Nous avons peur qu'elle perde son argent.
5. Ma mère est furieuse que je sorte avec Pierre.
6. Je suis heureux que tu puisses venir tout de suite.
7. Anne-Marie est désolée que son ami soit malade.
8. Nous sommes surpris que vous aimiez ce film.

Exercice 8
1. sait 2. sont 3. vienne 4. a
5. dise 6. fassiez

Tout ensemble!
1. doit 2. celle 3. équilibrer
4. prenne 5. se disputer 6. iraient
7. fasse 8. a 9. aille 10. comprenne
11. est 12. celui 13. se méfient

This list contains the words and expressions actively taught in Motifs, including the **Vocabulaire fondamental** and other frequently used supplemental words. The number references indicate the chapter where the words are introduced; **s** following the number indicates that the word appears within the **Vocabulaire supplémentaire**. To facilitate study at home, words used in exercise directions are also listed. In subentries, the symbol — indicates the repetition of the key word.

Nouns are presented with their gender, irregular plural forms, and familiar forms. Adjectives are listed in the masculine form with regular feminine endings and irregular feminine forms following in parentheses. Verb irregularities such as spelling changes and irregular past participles are also included. Words marked with * begin with an **h aspiré.**

The following abbreviations are used.

adv. adverb	*m.* masculine
conj. conjunction	*pl.* plural
f. feminine	*p.p.* past participle

A

à to, at, in; — **côté (de)** next to, by 3; — **droite (de)** to the right (of) 11; — **gauche (de)** to the left (of) 11; — **pied** on foot 4; **au bout de** at the end of 11 s; **au-dessous (de)** underneath 3; **au-dessus (de)** above 3; **au printemps** in spring 7 **au revoir** good-bye 1

absolument absolutely 13

accident *m.* accident 6

accompagner to accompany

accord *m.* agreement; **d'**— OK, all right 5

accorder to grant

accouchement *m.* delivery (of a baby) 13 s

accrocher to hook, hitch on 6 s

accueillir to welcome, greet 11 s

achat *m.* purchase 12

acheter (j'achète) to buy 7

acteur/trice *m., f.* actor 1 s, 4

actif(-ive) active 3

activement actively 13

activité *f.* activity 1

s'adapter to adapt 10 s

addition *f.* check, tab (at a restaurant) 5

admirer to admire 11

adorer to love, adore 2

adresse *f.* address 2; — **de courriel** *f* email address 1

adulte *m., f.* adult 6

adultère *m.* adultery 14 s

aérobic *f.* aerobics; **faire de l'** — to do aerobics 9 s

aéroport *m.* airport 4

affaire *f.* affair, business; *pl.* business studies 2; **une bonne** — a bargain 12 s; **homme (femme) d'affaires** *m., f.* businessman (businesswoman) 4

affiche *f.* poster 3

africain(e) African

Afrique *f.* Africa

âge *m.* age 2; **quel** — **avez-vous?** how old are you? 2; **d'un certain** — middle aged 1

âgé(e) old, elderly (person) 1

agence *f.* agency; — **de voyages** travel agency 9

agenda *m.* personal datebook 4

s'agenouiller to kneel 13 s

agent *m.* agent 4; — **de police** *m., f.* policeman/ woman 4; — **de voyages** *m., f.* travel agent 9; — **immobilier** real estate agent

agir to act 6; **il s'agit de...** it's about... Récap

agneau *m.* lamb 7 s, 15 s

agréable likeable 3

agriculteur(-trice) *m., f.* agriculturalist, farmer 4 s

aider to help 4

ail *m.* garlic 7 s

ailleurs elsewhere

aimer to like, love 2; — **bien** to like 2; — **mieux** to prefer 2

aîné(e) older (brother/sister) 3 s

ainsi thus

air *m.* air; **avoir l'**— **de** to seem, look 13; **en plein** — outdoors 7

ajouter to add 7 s

album de photos *m.* photo album 8

alcoolisé(e) containing alcohol

alimentation *f.* food, diet 7 s

allégé(e) reduced fat/calories 7 s

allemand(e) German 4; *m.* German language 2

aller to go 4; — **voir** to go see 5; **comment allez-vous?** how are you? 1; **s'en** — to go away 14 s

allergie *f.* allergy 13 s

allergique allergic 7 s

alliance *f.* wedding ring 14 s

allô hello (on the telephone) 5

allumette *f.* match 11 s

alors then, therefore; **et** —? and then? 6

alphabétisme *m.* literacy rate 9

amant(e) *m., f.* lover 15 s

ambitieux(-ieuse) ambitious 14 s

aménagé(e) with all the amenities 11 s

aménagement *m.* amenities, layout of a room 3 s

amener (j'amène) to bring, take along (a person) 6

américain(e) American

Amérique *f.* America, the Americas; — **du Nord** North America; — **du Sud** South America

ami(e) *m., f.* friend 1; **petit(e)** — boyfriend/girlfriend

amitié *f.* friendship 11 s, 14

amour *m.* love 14

amoureux(-euse) in love; **tomber** — **de** to fall in love with 14

amphithéâtre *m.* amphitheater, lecture hall 2 s

amusant(e) funny 1

amuser to amuse; **s'** — to have fun, enjoy oneself 2, 10

an *m.* year 2; **avoir (dix-huit) ans** to be (18) years old 2

ananas *m.* pineapple 7 s

ancêtre *m., f.* ancester 6 s

anchois *m.* anchovies 7 s

ancien(ne) former, old 9

anglais(e) English 4; *m.* English language 2

animal *m.* (*pl.* **animaux**) animal 2 s, 3; — **familier,** — **domestique** house pet 8

animé(e) lively 9 s, 11

année *f.* year 2 s

anniversaire *m.* birthday 2

annoncer to announce

anthropologie *f.* anthropology 2

antilope *f.* antilope 9 s

août August 2

apercevoir to see 14 s; **s'** — to notice 14 s

appareil *m.* device; — **ménager** appliance 10; — **photo** camera 12

appartement *m.* (*fam.* **appart**) apartment 3

appartenir à to belong to 6 s

appeler (j'appelle) to call 5 s, 7; **Comment vous appelez-vous?** What is your name?; **je m'appelle** my name is 1; **s'** — to be named 7

appétit: bon — enjoy your meal 10

apporter to bring, carry 11

apprécier to appreciate 11, 13 s

apprendre (*p.p.* **appris**) to learn 5

apprentissage *m.* apprenticeship 16

approprié(e) appropriate

après after 4; then 6

après-midi *m.* afternoon 4

aquarium *m.* aquarium 3 s

association caritative *f.* charity, non-profit organization 14 s

arabe *m.* Arabic 2

arbre *m.* tree 2 s

architecte *m., f.* architect 4 s

ardoise *f.* writing slate 8 s

argent *m.* money 4

armoire *f.* armoire, closet 10

s'arranger to resolve itself, work out 10 s

arrête! stop it! 8

arrêter to stop; to arrest; — (**de**) to stop (doing something) 10 s, 13

arriver to arrive 4; to happen 10 s

art dramatique *m* drama 2

article *m.* article

artiste *m., f.* artist 4 s

ascenseur *m.* elevator 10 s, 11

Asie *f.* Asia

asperges *f. pl.* asparagus 7

aspirateur *m.* vacuum cleaner 10; **passer l'** — to vacuum 10

aspirine *f.* aspirin 13

asseoir *(p.p.* **assis)** to seat; **asseyez-vous** sit down 1; **s'** — to sit down

assez somewhat, sort of 1; — **bien** fairly well 2; — **de** enough of 7

assiette *f.* plate 7

assister (à) to attend 11

assurance *f.* insurance 13 s

athlète *m., f.* athlete 4 s

atmosphère *f.* atmosphere 11

attaquer to attack Récap

attendre to wait (for) 5; **s'** — **à** to expect to 14

attention *f.* attention; **faire** — to pay attention 4 s

attirer to attract Récap

attraction *f.* attraction 11

attraper to catch

auberge *f.* inn 11; — **de jeunesse** youth hostel 11

augmenter to increase 16

aujourd'hui today 2

auparavant previously

aussi also 1; — **... que** as ... as 8; **moi** — me too 1

aussitôt que as soon as 11

austère austere, simple 11 s

Australie *f.* Australia

autant as much, as many 9; — **de (travail) que...** as much (work) as ... 9

auteur *m.* author Récap

authentique authentic 9

autobus *m.* bus 9

autocar *m.* bus 9

automne *m.* autumn 2; **en** — in autumn 9

autoroute *f.* highway 6 s

autre other, another 9

autrefois formerly, in the past 14 s

avaler to swallow 13 s

avance: en — early 4

avancé(e) advanced 4 s, 16

avant before 4

avantage *m.* advantage 11

avec with 5

avenir *m.* future 11

aventure *f.* adventure 2 s, 9

avenue *f.* avenue 11

averse *f.* rain shower 5 s, 9

avion *m.* airplane 6 s, 9

avis *m.* opinion Récap; **à mon** — in my opinion

avocat(e) *m., f.* lawyer 4

avoir *(p.p.* **eu)** to have 2; — **besoin de** to need 11; — **chaud** to be hot 13; — **de la chance** to be lucky 13; — **de la patience** to be patient 13; — **du mal à** to have difficulty 13; — **envie de** to desire, feel like 13; — **faim** to be hungry 7; — **froid** to be cold 13; — **honte** to be ashamed 13; — **l'air** to seem, look 13; — **l'occasion de** to have the opportunity 13; — **le cafard** to have the blues, be depressed 13; — **lieu** to take place 13; — **mal à la tête** to have a head-ache 13; — **mauvaise mine** to look ill 13; — **peur (de)** to be afraid 8 s, 13; — **raison** to be right 13; — **soif** to be thirsty 7; — **sommeil** to be sleepy 13; — **tort** to be wrong 13

avril April 2

B

baby-sitter *m., f.* babysitter 4 s

baccalauréat *m. (fam.* **bac)** French secondary school program of study; examination required for university admission; diploma 12

bagnole *f. fam.* car 12

bague (de fiançailles) *f.* (engagement) ring 14 s

baguette *f.* loaf of French bread 7

bain *m.* bath; **salle de bains** *f.* bathroom 10

bal *m.* dance, ball Récap s

(se) balader to stroll 11 s

baladeur *m.* Walkman, personal stereo 3 s

balai *m.* broom 10; **passer le** — to sweep 10

balcon *m.* balcony 10

balle *f.* small ball 2 s, 3

ballon *m.* (inflatable) ball 3, 8

banane *f.* banana 7

banc *m.* bench 2 s

bande dessinée *f. (fam.* **BD)** cartoon strip 8

banlieue *f.* suburb 10

bannir to banish 15 s

banque *f.* bank 4

baptiser to baptise 4 s

barbe *f.* beard Récap

bas(se) low; **table basse** coffee table 10

basket-ball *m. (fam.* **basket)** basketball 4; **jouer au basket** to play basketball 4

baskets *f pl* basketball shoes, sneakers

basketteur *m* basketball player 1 s

bateau *m.* boat 9

bâtiment *m.* building 2 s, 8

battre to beat, hit

bavard(e) talkative 3 s

bavarder to chat 4 s

beau (bel, belle) *(pl.* **beaux, belles)** handsome, beautiful 1; **il fait** — it's nice weather 5; **le** — **temps** nice weather 2 s

beaucoup a lot 2; — **de** a lot of 7

bébé *m.* baby 3

beige beige 1

belge Belgian 4

bénéficier to benefit

bénévole voluntary, unpaid; **faire du travail** — to do volunteer work 4

béquilles *f. pl.* crutches 13 s

besoin *m.* need; **avoir** — **de** to need 11

bête *(fam.)* stupid 3

beurre *m.* butter 7

bibliothèque *f.* library 2

bicyclette *f.* bicycle 3

bien well 2; — **des** a good many 12; — **élevé(e)** well-mannered 3 s; —-**être** well-being 13 s; — **que** although; — **sûr** of course

bientôt soon; **à** — see you soon 1

bienvenue *f.* welcome

bière *f.* beer 5

bilingue bilingual 9

billet *m.* ticket 5 s, 9; ; — **aller simple** oneway ticket 9; — **aller-retour** roundtrip ticket 9

biologie *f.* biology 2

biscuit *m.* cookie 7 s

bise *f. (fam)* kiss; **grosses bises** hugs and kisses (in a letter)

blague *f.* joke 10; **sans** — no kidding 10

blanc(he) white 1

blesser to hurt, injure 13

blessure *f.* injury 13

bleu(e) blue 1; *m.* bruise 13 s

blond(e) blond 1

blouson *m.* jacket 1

blue-jean *m. (fam.* **jean)** jeans 1

bœuf *m.* beef 7

boire *(p.p.* **bu)** to drink 5

bois *m.* wood 10 s

boisson *f.* drink 5

boîte *f.* box, can 7; — **de nuit** *f.* nightclub 4 s, 5; **aller en** — to go to a club 4 s, 5

bol *m.* bowl 7 s

bon(ne) good, correct 2

bonbon *m.* candy 7

bonheur *m.* happiness 11 s, 13

bonjour hello 1

bon marché inexpensive 3

bonsoir good evening 1

botte *f.* boot 12

bouche *f.* mouth 13

bouché(e) stopped up 13 s

boucherie *f.* butcher shop 7

bouffe *f. (fam.)* food 12

boulangerie *f.* bakery (for bread) 7

boulevard *m.* boulevard 11

boulot *m. (fam.)* job (10)

bouquin *m. (fam.)* book 12

bouquiniste *m., f.* bookseller 11 s

bourgeois(e) middle class (6)

boussole *f.* compass 11 s

bout: au — **de** at the end of 11

bouteille *f.* bottle 7

boutique *f.* boutique, small shop 4

box-office *m.* the top movies 15 s

bras *m.* arm 13

bref (brève) brief

briller to shine 9 s

brochure *f.* brochure 9 s

brocoli *m.* broccoli 7 s

se bronzer to sunbathe, tan 14 s

brosse *f.* brush 10 s; chalkboard eraser 1 s; — **à dents** toothbrush 10 s

brosser to brush; **se** — **les cheveux (les dents)** to brush one's hair (teeth) 10

brouillard *m.* fog 5 s; **il y a du** — it's foggy 5 s

bruit *m.* sound, noise 6

brûler to burn 13 s

brun(e) brown, brunette 1
brunir to tan, get brown 6
buffet m. buffet 10
bulletin m. bulletin; — météorologique (fam. f. météo) weather report 9; — scolaire report card 8 s
bureau m. desk 1; office 4; — de poste post office 4; — de tourisme tourist office 11
but m. goal

C

ça that; — va? how's it going? 1
cabine f. booth; — téléphonique phone booth 5 s; — d'essayage dressing room 12 s
cadeau m. gift 12
cadet(te) younger brother/sister 3 s
cadre m. executive 4
café m. coffee, coffee shop 5; — au lait coffee with milk 5; — crème (fam. un crème) coffee with cream 5
cafétéria f. cafeteria 2
cahier m. notebook 1
calculatrice f. calculator 3
calendrier m. calendar 2
calme calm 3
camarade m., f. friend; — de chambre roommate 2; — de classe classmate 1
campagne f. country 9
camping m. camping 2 s, 11; faire du — to go camping 11
campus m. campus 2
canadien(ne) Canadian 4
canapé m. couch, sofa 10
cancer m. cancer 13 s
canoë m. canoe, canoeing 9 s
capitale f. capital 9
car because
caravane f. trailer, caravan 6 s
carie f. cavity 10 s; 13 s
caresser to caress 13 s
carosse f. carriage Récap s
carrière f. career
carotte f. carrot 7
carte f. card 4; map 8; menu 5; — postale postcard 9; jouer aux cartes to play cards 4; payer par — bancaire/de crédit to pay by debit/credit card 12
casquette f. baseball cap 3 s
casser to break; se — (la jambe) to break (one's leg) 13
cassette f. cassette 3
caution f. deposit 3 s
CD m. s./pl. compact disc(s)
ce(t) (cette) (pl. ces) this/that; these/those 12
ceinture f. belt 12
célèbre famous 1
célibataire unmarried 3
celui (celle) (pl. ceux, celles) this one; that one; (these) 14
cent one hundred 3; deux cents two hundred 3
centre m. center 9; — commercial m. shopping mall 12; — culturel m. cultural center 2s; — ville m. downtown 2 s, 4
cependant however
céréales f. pl. cereal, grain 7
cerise f. cherry 7 s
certain(e)s certain ones, some 12

chaîne hi-fi f. stereo system 3; mini- — bookshelf stereo 3
chaise f. chair 1
chambre f. bedroom 3
champ m. field 4 s
champagne m. champagne (11)
champignon m. mushroom 7 s
champion(ne) m., f. champion 4 s
chance f. luck; avoir de la — to be lucky 13; bonne — good luck 10
changement m. change
chanson f. song 8
chanter to sing 2
chanteur(-euse) m., f. singer 1 s, 4
chapeau m. hat 1
chaque each 10
charcuterie f. delicatessen, cold cuts 7
chargé(e) busy 4 s, 10 s
charges f. pl. utility bills 3 s
charmant(e) charming 1
chasser to hunt, chase 8
chat(te) m./f. cat 2 s, 3
château m. chateau, castle, palace 6
châtiment corporel m. corporal punishment 8 s
chaud(e) hot 5; il fait — it's hot 5
chauffeur de taxi m. taxi driver 4 s
chaussettes f. pl. socks (12)
chaussures f. pl. shoes 1; — à talons high heels 12
chef m. leader, head person 4
chef d'entreprise m. company president 4 s
cheminée f. fireplace 10
chemise f. shirt 1
chemisier m. blouse 1
chèque m. check; payer par — pay by check 12
cher (chère) expensive 3; dear (salutation in a letter) 4
chercher to look for 3; — à to try to 14
chercheur(-euse) m., f. researcher, scientist 6 s
chevalier m. knight Récap s
cheveux m. pl. hair 1; — blonds (bruns, gris, roux) blond (brown, gray, red) hair 1; — courts (longs) short (long) hair 1
cheville f. ankle 13 s
chez at the house or place of 3; — moi at my place 5
chic stylish 10
chien(ne) m(f.) dog 1
chimie f. chemistry 2
chinois(e) 4
chocolat chaud m. hot chocolate 5
choisir to choose 6
chômage m unemployment
choqué(e) shocked 11 s
chose f. thing 1 s, 3; quelque — something 5
chouette cool 12
chute (d'eau) f. (water)fall 9 s
ciao bye (fam) 1
cicatrice f. scar 13 s
ciel m. sky 9
cil m. eyelash 13 s
cinéma m. movies, movie theater 2
cinq five 1
cinquante fifty 1
citron pressé m. lemonade 5 s
clair(e) sunny, light 3 s; clear 14

classe f. class 1; en — in class; en première — in first class 9; en — touriste in tourist class 9
classer to classify, categorize
classeur m. binder 1 s
clé f. key 6 s
client(e) m., f. client 4
climat m. climate 9
climatisation f. air conditioning 3
clip m. video clip 12
coca (light) m. (diet) Coca-Cola 5
cœur m. heart 13
coffre m. car trunk 6 s
coiffure f. hairstyle 12 s
coin m. corner 11
col m. collar; à — roulé turtleneck 12 s; à — en V V-neck 12 s
colère f. anger; se mettre en — to get angry 10
collants m. pl. hosiery; tights 12
collège m. middle school (in France) 12
collègue m., f. colleague (12)
colocataire m., f. apartment, house mate
colonie f. colony 9 s
combien how much 5; c'est — how much is it? 3; — de how many 5
comédie f. comedy 2
comédien(ne) m., f. actor Récap s
comique funny 1
commander to order (in a café, restaurant) 5
comme like, as 8
commencer (nous commençons) to begin 2, 4 s, 7
comment how (what) 5; — allez-vous? how are you? 1
commerçant(e) m., f. shopkeeper 4
commerce m. business 2
commercial(e) commercial 9
commercialisé(e) commercialized 9
commissariat m. police station 4 s
commode f. chest of drawers 10
communiquer to communicate
comparer to compare 8
complet (complète) filled, booked 11
complet m. man's suit 12
compléter (je complète) to complete
se comporter to behave 8 s
compositeur(-trice) m., f. composer (4)
compréhensif(-ive) understanding 3 s
comprendre (p.p. compris) to understand 5
compris(e) included 11; service — tip included 7
compromettant(e) compromising (15)
comptabilité f. accounting 2
compter to count 1 s; to intend to 11; — sur to count on 14
concert m. concert 2, 5
concombre m. cucumber 7 s
concours m. competitive exam 12
conduire (p.p. conduit) to drive 8 s, 10 s
confier to confide 13, 14
confiture f. jam 7
conformisme m. conformity 8 s
conformiste conformist 3 s
confort m. comfort 11; tout — luxury 10 s
congrès m. convention 11 s
connaissance f. knowledge; faire la — de to make the acquaintance of 5

connaître (*p.p.* **connu**) to know, be acquainted or familiar with 2, 9
consacrer to devote to
constater to note, notice
conseil *m.* advice 13
conseiller to recommend, advise 7 s, 13
conservateur(-trice) conservative 4 s
considérer (**je considère**) to consider 9
consommation *f.* consumption 12
constamment constantly 13
construire to construct
consulter to consult
conte *m.* story Récap; **— de fées** fairy tale Récap
contemporain(e) contemporary 11
content(e) happy 3
continent *m.* continent 9
continuer to continue 5 s, 9
contraire *m.* opposite
contre against
contribuer to contribute 6
convaincre to convince 14 s
convenable appropriate, proper
coordonnées *f pl* contact information 1
copain (copine) *m., f.* friend 2
copier to copy 8
corbeille à papier *f.* wastebasket 3 s
corps *m.* body 13
corriger to correct
côte *f.* coast 9; **— d'Azur** Riviera 11
côté: à — de next to 3
côtelette *f.* meat cutlet 7
coton *m.* cotton; **en —** made of cotton (12)
cou *m.* neck 13
coucher to put to bed; **se —** to go to bed 10; **— de soleil** *m.* sunset 6 s
coude *m.* elbow 13 s
couleur *f.* color 1; **de quelle —?** what color?
couloir *m.* hallway 10
coup *m.* blow, hit; **— de foudre** love at first sight 14; **— de soleil** sunburn 14 s; **— de téléphone** telephone call 6
couper to cut 7 s; **se — le doigt** to cut one's finger 13 s
couple *m.* couple 14
cour *f.* courtyard 8
courage: bon — hang in there 10
courageux(-euse) brave 3 s, Récap
couramment fluently 8, 13
courir (*p.p.* **couru**) to run 11
courrier électronique *m.* e-mail 8
cours *m.* course 2
course *f.* errand; **faire les courses** to go shopping 4
court(e) short 1
court de tennis *m.* tennis court 2 s
cousin(e) *m., f.* cousin 3
couteau *m.* knife 7
coûter to cost 3
couturier(-ière) *m., f.* fashion designer 1 s
couvert(e) covered; **le ciel est —** it's cloudy 9 s
craie *f.* chalk 1
cravate *f.* tie 1 s, 12
crayon *m.* pencil 1
créer to create
crème solaire *f.* sunscreen
crêpe *f.* crepe (thin pancake) 7 s
crevette *f.* shrimp 7

crier to shout
critique *m.* critique Récap
critiquer to criticize 8
croire (*p.p.* **cru**) to believe 11
croisière *f.* cruise 9 s
croissance *f.* growth
croissant *m.* croissant (roll) 5
cuillère *f.* spoon 7; **— à café** teaspoon 7 s; **— à soupe** soup spoon, tablespoon 7 s
cuir *m.* leather; **en —** made of leather 12
cuisine *f.* food, cooking 7; kitchen 10; **faire la —** to cook 4
cuisinier(-ère) *m., f.* cook 4 s
cuisinière *f.* stove 10 s
cuit(e) cooked; **bien —** well done 7
culinaire culinary 7 s
cultiver to cultivate 4 s

D

d'abord first 6
d'accord OK, all right 5, 14
dans in 3
danse *f.* dance 2
danser to dance 2
danseur(-euse) *m., f.* dancer 1 s, 4 s
date *f.* date 2
davantage more 13
de of, from, about 3
débardeur *m.* tank top 12
débarquer to disembark, get off (plane, boat)
débarrasser to clear, remove 11 s
débordé(e) overwhelmed; **— de travail** overworked 10 s
se débrouiller to get along, manage 7 s
début *m.* beginning; **au —** in/at the beginning
décembre December 2
décider to decide 6; **se — à** to decide to 14
déconseiller to advise against 13 s
décontracté(e) relaxed 3 s,
découvrir (*p.p.* **découvert**) to discover 6 s, 11
décrire (*p.p.* **décrit**) to describe 8
déçu(e) disappointed 11, 14
défendre to defend 4 s
défilé *m.* parade; **— de mode** fashion show 12 s
dégoûtant(e) disgusting 7 s
déjà already 4
déjeuner *m.* lunch 7; to eat lunch 4
délicieux(-ieuse) delicious 7
demain tomorrow 4
demander to ask (for) 4; **se —** to wonder 14
démarrer to start 6 s
déménager (**nous déménageons**) to move (house) 10
demi(e) half; **il est une heure et demie** it's one-thirty 4; **un —** *m.* glass of draft beer 5
démissionner to resign 8 s
démodé(e) old-fashioned 14
dénouement *m.* ending Récap
dent *f.* tooth 10
dépaysé(e) homesick 11
se dépêcher to hurry 10
dépense *f.* expense 12
dépenser to spend (money) 12
déprimé(e) depressed 13
depuis for, since 13; **— combien de temps?** how long (for how much time)? 13;

— longtemps for a long time 13; **— quand?** how long (since when)? 13
déraisonnable unreasonable 3 s
dernier(-ière) last, past 6; **la semaine dernière** last week 6; **la dernière fois** last time 6
déroulement *m.* plot Récap
derrière behind 3
désagréable unpleasant 3
descendre (*p.p.* **descendu**) to go down, downstairs; get off (a bus, a plane) 5
description *f.* description 1
désert *m.* desert 9
désirer to want, desire 5
désolé(e) sorry 5
désordonné(e) messy 3
désordre: en — messy, untidy, disorderly 10 s
dessert *m.* dessert 7
dessin *m.* drawing
destin *m.* destiny 11 s
destination *f.* destination 9 s
détail *m.* detail
se détendre to relax 11 s, 13
détenir le record to hold the record
détester to hate 2
détruire to destroy 14 s
deux two 1
deuxième second 2 s
devant in front of 3
développer to develop
devenir (*p.p.* **devenu**) to become 6
deviner to guess
devoir (*p.p.* **dû**) must, to have to, to owe 5
devoirs *m. pl.* homework assignment 1; **faire les —** to do homework 4
d'habitude usually 5
diable *m.* devil 11 s
dictionnaire *m.* (*fam.* **dico**) dictionary 1
dieu *m.* god; **Dieu** God 11 s
différence *f.* difference 8
différent(e) different 8
difficile difficult 2
dimanche Sunday 2
diminuer to diminish 5 s
dîner *m.* dinner 6; to eat dinner 4
diplôme *m.* diploma 12
dire (*p.p.* **dit**) to say, tell 8
directeur(-trice) *m., f.* director, school principal 8
discipline *f.* discipline 8
discuter (de) to discuss 5
disponible available
se disputer (avec) to argue, quarrel (with) 10
disque compact *m.* (*fam.* **CD**) compact disc 3
distraction *f.* entertainment 2
diversité *f.* diversity 9 s
divorce *m.* divorce 14
divorcé(e) divorced 3
divorcer to divorce 14
dix ten 1
doctorat *m.* doctorate (12)
documentaire *m.* documentary 2 s
doigt *m.* finger 13
dominer to dominate 11 s
dommage *m.* damage, pity; **quel —** what a shame; **il est —** it's too bad
donc then, therefore
donner to give 8; **— sur** to open onto, overlook 11
dormir to sleep 5

dos *m.* back 13
se doucher to shower 10
douter to doubt 14
douteux(-euse) doubtful 14
doux (douce) sweet, gentle 3 s; **il fait —** it's mild weather 5
douze twelve 1
douzaine *f.* dozen 7
drame *m.* drama 2
drapeau *m.* flag 8
draps *m. pl.* bedsheets 11 s
droit *m.* law 2; right, permission 11 s;
droit(e) right, straight 11; **à droite** to the right 11; **tout droit** straight ahead 11
dur(e) tough 2 s, 7; **dur** *adv.* hard
durable durable Récap
durée *f.* length (of time) Récap

E

eau *f.* water 5; **— minérale** mineral water 5
échanger to exchange
échapper (à) to escape (from) Récap s
écharpe *f.* scarf 12
éclaircie *f.* sunny spell; **il y a des éclaircies** it's partly cloudy 9 s
école *f.* school 4; **grande —** elite university 12; **— maternelle** nursery school, kindergarten 8, 12; **— primaire** elementary school 8, 16
écouter to listen (to) 2
écrire (*p.p.* **écrit**) to write 8
écriture *f.* writing, penmanship 8
écrivain(e) *m., f.* writer 4 s
égalitaire egalitarian 14 s
église *f.* church 4
élaborer to elaborate, develop
élégant(e) elegant 8
élément *m.* element
éléphant *m.* elephant 9 s
élève *m., f.* pupil (pre-university) 8
élevé(e) high, raised 9 s, 13; **bien/mal —** well/bad mannered 3 s
elle she, it 1; **elles** they 1
embêter to annoy 13s
embrasser to kiss 14; **s'—** to kiss each other 14
émission *f.* program 6 s
emménager to move in 10 s
emmener (**j'emmène**) to take (someone) along 4 s, 8 s
s'empêcher to stop oneself 14 s
emploi du temps *m.* schedule 4 s, 5
employé(e) *m., f.* employee 4
employer (**j'emploie**) to employ, use 12
emprunter to borrow 8, 12
en at, in, on, to; **— face (de)** facing 3; **— avance** early 4; **— rang** in a row 8; **— retard** late 4; **— solde** on sale 12 s
enceinte pregnant 13
encore still, yet, even more 10; **pas —** not yet 6
endormir to put to sleep 13; **s'—** to fall asleep 10
endroit *m.* place 9
énerver to annoy, get on one's nerves 10
enfance *f.* childhood 8
enfant *m., f.* child 1; **petit(e)—** grandchild 3 s
enfer *m.* hell 11 s
enfin finally 6
enflé(e) swollen 13 s

ennuyer (**j'ennuie**) to annoy, bother 8; **s'—** to get bored, be bored 12
ennuyeux(-euse) boring 2
enrhumé(e) congested 13
enrichir to enrich
enseigner to teach 4 s
ensemble together 5; *m.* outfit 12
ensoleillé(e) sunny 9 s
ensuite then 6
entendre to hear 5; **s'— bien** to get along well 14
enthousiaste enthusiastic 3 s
entier(-ière) entire, whole 11
entre between 3
entrée *f.* entryway 10; first course (meal) 7
entreprise *f.* company, business 4
entrer (dans) to enter, go in 6
envers towards 8
environ about, around
envoyer (**j'envoie**) to send 8 s, 12
épargner to save 12
épaule *f.* shoulder 13
épeler to spell 1 s
épice *f.* spice 7 s
épicerie *f.* grocery store 7
époque *f.* era 8; **à l'—** at that time 8
épouser to marry Récap
époux (épouse) *m., f.* spouse 14
équateur *m.* equator 9 s
équilibre *m.* balance 11 s
équipe *f.* team 4
équitation *f.* horseback riding 9 s
erreur *f.* error 7
escalier *m.* staircase 10
espace *m.* space 2 s
espagnol(e) Spanish 4; *m.* Spanish language 2
espérer (**j'espère**) to hope for 7
espoir *m.* hope 14
esprit *m.* mind
essayer (**j'essaie**) to try (on) 12
essence *f.* gasoline 11 s
essentiel(le) essential 3 s, 11
essentiellement essentially 13
est east 9; **à l'— (de)** to/in the east (of) 9
estomac *m.* stomach 13
et and 1
établir to establish
étage *m.* floor (of a building); **premier —** first floor (American second floor) 10
étagère *f.* bookshelf 3
étape *f.* stage, step
état *m.* state 9
États-Unis *m. pl.* United States; **aux —** in, to the United States
été *m.* summer 2; **en —** in summer 9
éternuer to sneeze 13 s
étonnant(e) astonishing 14
étonné(e) astonished 14
étranger(-ère) foreign; **à l'étranger** abroad
être (*p.p.* **été**) to be 1; **— à la mode** to be in fashion 8 s; **— au régime** to be on a diet 7; **— bien dans sa peau** to be comfortable with oneself 13; **— de mauvaise humeur** to be in a bad mood 13; **— en terminale** to be a senior (in high school) 12
études *f. pl.* studies 12
étudiant(e) *m., f.* student 1
étroit(e) tight, narrow 12

étudier to study 2
euh um
Europe *f.* Europe
européen(ne) European
eux them 5
s'évanouir to faint 13 s
événement *m.* event, happening 6, Récap
évidemment evidently 13
évident(e) obvious 14
évier *m.* kitchen sink 10 s
éviter to avoid 7 s
examen *m.* exam 2
excellent(e) excellent 2
exceptionnel(le) exceptional 9
excursion *f.* excursion 11
s'excuser to excuse oneself; **excusez-moi** excuse me, pardon me 4
exemple *m.* example; **par —** for example
exigeant(e) demanding 13
exiger to demand, insist on 13
expliquer to explain 6, 8
exploser to explode 6 s
exposition *f.* exhibit 2 s
expresso *m.* espresso 5
exprimer to express
extérieur *m.* exterior; **à l'—** outside 8
extra (*fam.*) very, great 12
extra-terrestre extra-terrestrial 11 s
extrait(e) excerpted; *m.* excerpt
extraordinaire extraordinary 9

F

fabriquer to produce, make 11
face: en — de facing 3
se fâcher (contre) to get angry (with) 14
facile easy 2
facilement easily 13
façon *f.* way 15
faculté *f.* (*fam.* **la fac**) school of a university 2
faim: avoir — to be hungry 7
faire (*p.p.* **fait**) to do, make 4; **— attention** to pay attention 4 s; **— de l'aérobic** to do aerobics 9 s; **— de la musculation** to lift weights 13 s; **— de la natation** to swim 4, **— des économies** to save money 12; **— des gargarismes** to gargle 13 s; **— des projets** to make plans 9; **— du camping** to go camping 11; **— du français** to study French 4; **— du jogging** to jog 4; **— du piano** to play the piano 4; **— du ski** to go skiing 4; **— du sport** to play a sport 4; **— du travail bénévole** to do volunteer work 4 s; **— faillite** to go bankrupt Récap s; **— fortune** to get rich 12 s; **— la connaissance (de)** to meet 5; **— la cour** to court 14 s; **— la cuisine** to cook 4; **— la grasse matinée** to sleep late 4 s; **— la lessive** to do the laundry 10; **— la vaisselle** to do the dishes 10; **— le lit** to make the bed 10; **— le ménage** to do housework 4; **— les courses** to go shopping, to do errands 4; **— les devoirs** to do homework 4; **— le tour du monde** to travel around the world 9; **— mal** to hurt 13; **— sa toilette** to get dressed 10 s; **— sa valise** to pack one's bag 9; **— semblant de** to pretend 14; **— une promenade à pied** to take a walk 4; **— une promenade en voiture** to go for a

drive 4; — **une promenade en vélo** to ride bikes 4; — **une randonnée** to take a hike 4; — **un pique-nique** to go on a picnic 4; — **un voyage** to take a trip 4; **se — mal** to hurt oneself 13 s

fameux(-euse) famous

famille *f.* family 3; — **recomposée** blended family 3 s

fatigué(e) tired 1

fauché(e) *(fam.)* broke, out of money 11

fauteuil *m.* armchair 10

faux (fausse) false

fée *f.* fairy Récap

félicitations *f. pl.* congratulations 10

féminin(e) feminine

femme *f.* woman 1; wife 3; — **au foyer** homemaker 4; — **d'affaires** business woman 4; — **politique** politician 4 s

fenêtre *f.* window 1

ferme *f.* farm 4 s

fermer to close 4

fête *f.* holiday, party 2

feuille (de papier) *f.* leaf, sheet (of paper) 1 s

feuilleter to leaf through 11 s

feutre *m.* marking pen 1 s

février February 2

fiancé(e) *m., f.* fiancé(e) 14

se fiancer to get engaged 14

fidélité *f.* fidelity 14

fièvre *f.* fever 13

figure *f.* face 10

fille *f.* girl 1; daughter 3; — **unique** only child 3 s; **petite—** granddaughter 3 s

film *m.* movie, film 2; — **d'amour** romantic film 2 s; — **d'horreur** horror movie 2 s; — **de science fiction** sci-fi movie 2 s; — **d'aventure** adventure movie 2 s

fils *m.* son 3; — **unique** only child 3 s; **petit—** grandson 3 s

finalement finally 13

finir to finish 6

flâner to stroll 11 s

fleur *f.* flower 2 s, 3

fleuve *m.* river (major) 9

foie *m.* liver 13 s

fois *f.* time 10; **deux —** two times; **la dernière —** the last time 6

fonder to found, start 14 s

fondu(e) melted 7 s

football *m. (fam. foot)* soccer 2 s, 4; — **américain** football 4

footballeur *m.* soccer player 4 s

forêt *f.* forest 9

forme shape; **être en pleine —** to be in top shape 13

formule de vacances *f.* vacation package 11 s

fort(e) heavy, stocky 1

fou (folle) crazy 2 s

foule *f.* crowd 11 s

se fouler to twist 13 s

four *m.* oven 10; — **à micro-ondes** microwave oven 10

fourchette *f.* fork 7

foyer: homme (femme) au — homemaker 4

frais (fraîche) cool 5; fresh 7; **il fait frais** it's cool (weather) 5

fraise *f.* strawberry 7

français(e) French; *m.* French language 2

franc(he) frank 13 s

franchement frankly, honestly 13

francophone French-speaking 1 s, 7, 9 s

frapper to knock

fréquent(e) frequent 9 s

frère *m.* brother 3; **beau—** brother-inlaw, step brother 3 s; **demi—** half brother 3 s

fric *m. (fam.)* money 12

frigo *m. (fam.)* fridge 3 s

fringues *f., pl. (fam.)* clothes 12

frisson *m.* shiver, chill 13 s

froid *m.* cold 2 s; **avoir —** to be cold 13; **il fait — ** it's cold 5

froid(e) cold 5

fromage *m.* cheese 7

front *m.* forehead 13 s

frontière *f.* border 9

fruit *m.* fruit 7; **fruits de mer** *m. pl.* seafood 7 s

fumer to smoke 2

G

gagner to earn, to win 4

gant *m.* glove 12

garage *m.* garage 10

garçon *m.* boy 1

garde-robe *f.* wardrobe 12 s

gare *f.* train station 9, 11

garni(e) garnished with vegetables 7 s

gastronomique gourmet 11

gâté(e) spoiled 3 s

gâteau *m.* cake 7 s

gâter to spoil 8 s

gauche left; **à — ** to the left 11

géant *m.* giant Récap s

geler to freeze; **il gèle** it's freezing 9 s

généreux(-euse) generous

génie civil *m.* civil engineering 2

genou *(pl. genoux)* *m.* knee 13

genre *m.* type; literary genre Récap

gens *m. pl.* people 3; — **sans abri** homeless people 14 s

gentil(le) nice 3

géographie *f.* geography 9

gesticuler to gesture 13 s

girafe *f.* giraffe 9 s

glace *f.* ice cream 7; **faire du patin à — ** to go ice skating 9 s

glisser to slide 8 s

golf *m.* golf 9 s

gorge *f.* throat 13

gorille *m.* gorilla 9 s

gosse *m., f. (fam.)* kid 12

goût *m.* taste 2 s, 7

goûter *m.* snack 7 s

goûter to taste 7 s

grâce: grâce à thanks to

graisse *f.* fat, grease 7 s

gramme *m.* gram 7

grand(e) big, tall 1

grand-mère *f.* grandmother 3

grand-père *m.* grandfather 3

grandir to grow, grow up 6

grands-parents *m. pl.* grandparents 3

gratiné(e) with melted cheese 7 s

grave serious 5 s, 13

gravement seriously 13

grignoter to snack 7 s

grillé(e) grilled 7 s

grippe *f.* flu 13

gris(e) gray 1

gronder to scold 8 s

gros(se) large 3

grossir to gain weight 6

grotte *f.* cave, grotto (11)

groupe *m.* group

guérir to heal 13 s

guerre *f.* war 6

guitare *f.* guitar 3 s; 4

gymnase *m.* gym 4 s

H

habillé(e) dressed up 12 s

habiller to dress; **s'—** to get dressed 10

habitant *m.* inhabitant 9 s

habiter to live, live in 2

*hanche *f.* hip 13 s

*haricots (verts) *m. pl.* (green) beans 7

*haut(e) high 9 s

hebdomadaire *m.* weekly 6 s

*héros (héroïne) *m., f.* hero, heroine Récap

hésiter (à) to hesitate (to) (14)

heure *f.* hour, o'clock 4; **dans une —** in an hour 4; **à l'—** on time 4; **de bonne — ** early 10

heureusement fortunately 13

heureux(-euse) happy 3

hier yesterday 6; — **matin** yesterday morning 6; — **soir** last night 6

histoire *f.* history 2; story 6

historique historical 9

hiver *m.* winter 2; **en —** in winter 9

*hockey *m.* hockey

homme *m.* man 1; — **au foyer** homemaker 4; — **d'affaires** businessman 4; — **politique** *m.* politician 4 s

honnête honest 14 s

*honte *f.* shame 13; **avoir —** to be ashamed 13

hôpital *m.* hospital 4

horaire *m.* time schedule 4

horloge *f.* clock 1 s

*hors-d'œuvre *m.* appetizer 7

huile *f.* oil 7 s; — **d'olive** olive oil 7 s

huit eight 1

humeur *f.* mood; **être de mauvaise (bonne) —** to be in a bad (good) mood 13

hyper *(fam.)* very 12

I

ici here 3

idéal(e) ideal 9

idéaliste idealistic 1

idée *f.* idea 1 s, 3

identifier to identify

il he, it 1; — **faut** it is necessary 9; — **vaut mieux** it is better 9; — **y a** there is, there are 2; — **y a** (+ time) ago 6

île *f.* island 9

ils they 1

image *f.* image, picture

immeuble *m.* apartment or office building 3 s

impensable unthinkable 14

important(e) important 3, 4

impossible impossible 5

impressionniste impressionist 11

incertain(e) uncertain, variable (weather) 9 s

incompréhension *f.* misunderstanding 14 s

inconvénient *m.* disadvantage, drawback 11

incroyable incredible 2 s; 14

indépendant(e) independent 3 s
indifférent(e) indifferent 3
indiquer to indicate
individualiste individualistic 3 s
infirmier(-ière) *m., f.* nurse 4
influencer to influence 8 s, 11
informaticien(ne) *m., f.* computer specialist 4 s
informations *f. pl.* (*fam.* **les infos**) news 2 s; 6
informatique *f.* computer science 2; **salle —** *f.* computer room 2
informer to inform 6
infusion *f.* herbal tea 5 s
ingénieur *m.* engineer 4 s
ingrédient *m.* ingredient 7
inquiet(-iète) worried 8
s'inscrire to sign up
s'inquiéter (je m'inquiète) to worry (12)
s'installer to settle in, move in, set up residence 10 s, 14
instant *m.* moment 5
instituteur(-trice) *m., f.* elementary school teacher 4 s, 8
instrument de musique *m.* musical instrument 3
intelligent(e) (*fam.* **intello**) intelligent 1
interdit(e) prohibited 3
intéressant(e) interesting 2
s'intéresser à to be interested in 14
intérieur *m.* interior; **à l'—** inside 10 s
interview *f.* interview 2 s
intime intimate; **journal —** diary 12 s
intrigue *f.* story line Récap
inviter to invite 5
irriter to irritate 8
italien(ne) Italian 4; *m.* Italian language 2
italique: en — in italics
itinéraire *m.* itinerary 11

J

jalousie *f.* jealousy 14 s
jaloux(-se) jealous 3 s
jamais never 10; **ne... —** I never 10
jambe *f.* leg 13
jambon *m.* ham 7
janvier January 2
japonais(e) Japanese; *m.* Japanese language 2
jardin *m.* garden, yard 2
jaune yellow 1
jazz *m.* jazz 2
je I
jean *m.* blue jeans 1
jeter to throw 7 s
jeu *m.* game; **— télévisé** TV game show 2 s; **— vidéo, électronique** video game 2, 12
jeudi Thursday 2
jeune young 1
jeunesse *f.* youth 8
jogging *m.* jogging 4; **faire du —** to go jogging 4
joli(e) pretty 1
joue *f.* cheek 13
jouer to play 2; **— à** to play a game or sport 4; **— au football (tennis, volleyball, cartes)** to play soccer (tennis, volleyball, cards) 4; **— à la poupée** to play with dolls 8 s; **— aux boules** to play boules 8 s; **— de** to play a musical instrument 4;

— de la guitare to play guitar; **— du piano** to play piano 4
joueur (joueuse) *m., f.* player 1 s
jour *m.* day 2, **par —** per day 7
journal *m.* (*pl.* **journaux**) newspaper 6; **— intime** diary 12 s
journalisme *m.* journalism, media studies 2
journaliste *m., f.* journalist 4
journée *f.* day 10
juge *m.* judge 4 s
juillet July 2
juin June 2
jumeau (jumelle) twin 3 s; **jumelles** *f. pl.* binoculars 11 s
jupe *f.* skirt 1
jus *m.* juice 5; **— d'orange** orange juice 5; **— de pomme** apple juice 5 s
jusqu'à *prep.* until 6, 11
juste just, fair; (clothes) tight 12

K

karma *m.* karma 11 s
kilo *m.* kilogram 7; **demi-kilo** half kilogram 7
kiosque à journaux *m.* newsstand 6 s

L

là there 2; **là-bas** over there 12
laboratoire *m.* (*fam.* **labo**) laboratory 2
lac *m.* lake 9
lâcher to release 8 s
laid(e) ugly 1
laisser to leave 5
lait *m.* milk 7; **café au —** coffee with milk 5
laitier: produit — *m.* milk product 7
lamentable (*fam.*) awful 8 s, 12
lampe *f.* lamp, light 1; **— électrique** *f.* flashlight 11 s
lancer to launch (8)
langue *f.* language 2; tongue 13
large wide, big 12
latin(e) Latin 2 s; *m.* Latin language 2
lavabo *m.* sink 3 s, 10
laver to wash; **se —** to wash, to wash up 10
leçon *f.* lesson
lecteur (laser de CD/DVD) *m.* CD/DVD player 3 s; **— MP3** *m.* MP3 player 3
lecture *f.* reading
légende *f.* legend 15
léger(-ère) light 7 s
légume *m.* vegetable 7
lendemain *m.* next day, day after 14 s
lequel (laquelle) (*pl.* **lesquels, lesquelles**) which one(s) 12
lessive *f.* laundry 10; **faire la —** to do the laundry 10
lettre *f.* letter 10; **—s** humanities 2 s
lever (je lève) to raise; **se —** to get up 10
lèvres *f. pl.* lips 13
lézard *m.* lizard (15)
librairie *f.* bookstore 2
libre free, available 5
licence *f.* university diploma Récap
lieu *m.* place; **— de travail** workplace 4; **avoir —** to take place 13
limonade *f.* lemon-lime soda 5 s
linge *m.* laundry, linen 10; **laver le —** to do the wash (10)
lion *m.* lion 9 s
liquide *m.* liquid; **en —** in cash 12

lire (*p.p.* **lu**) to read 8
liste *f.* list
lit *m.* bed 3; **faire son —** to make one's bed 10
litre *m.* liter 7; **demi-litre** half liter 7
littéraire literary Récap
littérature *f.* literature 2
livre *m.* book 1
locataire *m., f.* tenant 3 s
location *f.* rental 3 s, 11 s
logement *m.* lodging 3
loger to lodge, stay (at a hotel, pension, etc.) 11
logiciel *m.* computer software
loin (**de**) far (from) 3
loisirs *m. pl.* leisure activities 4
long(ue) long 1, 3
longtemps a long time 6
look *m. fam.* style, appearance 12
lorsque when 11
louer to rent 3
loup *m.* wolf Récap
loyer *m.* rent 3
lui him 5
lumière *f.* light 1 s
lumineux(-euse) sunny, bright (room) 3 s
lundi Monday 2
lune de miel *f.* honeymoon 14
lunettes *f. pl.* eyeglasses 1; **— de soleil** sunglasses 1 s
luxe *m.* luxury 14 s
lycée *m.* high school 4, 8

M

machin *m. fam.* thingy 12
madame *f.* (**Mme**) (*pl.* **Mesdames**) ma'am, Mrs. 1
mademoiselle *f.* (**Mlle**) (*pl.* **Mesdemoiselles**) miss, Miss 1
magasin *m.* store 12
magazine *m.* magazine 6
magique magic Récap
magnétoscope *m.* VCR 3 s
magnifique magnificent 9
Maghrébin(e) *m., f.* North African or individual of North African heritage
mai May 2
maigre thin; lowfat 7 s
maigrir to lose weight 6
maillot *m.* jersey, t-shirt; **— de bain** swimsuit 1
main *f.* hand 10
maintenant now 4
maintenir to maintain 6 s
maire *m.* mayor (4)
mairie *f.* town hall 4 s
mais but 2
maïs *m.* corn
maison *f.* house 3
maîtrise *f.* master's degree 12
majorité *f.* majority; **la — de** the majority of 12
mal bad, badly 6; **— élevé(e)** bad mannered, impolite 3 s; **avoir — à la tête** to have a headache 13; **avoir le — du pays** to be homesick 11 s
malade sick 13
maladie *f.* illness 13
malgré despite
malheureusement unfortunately 5, 13

manche *f.* sleeve 12 s
manger (nous mangeons) to eat 2, 7
manière *f.* manner; **les bonnes manières** good manners 6 s
mannequin *m.* model 1 s
manque *m.* lack 10 s
manquer to miss 6
manteau *m.* coat, overcoat 1
se maquiller to put on makeup 10
marâtre *f.* stepmother (Récap)
marché *m.* market 7; — **en plein air** open air market 7; **bon —** inexpensive 3
marcher to walk, to function
mardi Tuesday 2
mari *m.* husband 3
mariage *m.* marriage 14
marié(e) married 3
se marier (avec) to marry 14
marketing *m.* marketing 2 s
marque *f.* brand 12
marron brown 1
mars March 2
mas *m.* typical Provençal house 10 s
masculin(e) masculine
match *m.* game 2
maternelle *f.* kindergarten 12
mathématiques *f. pl. (fam. maths)* mathematics 2
matin *m.* morning, in the morning 4
mauvais(e) bad 3; **il fait —** it's bad weather 5
mayonnaise *f.* mayonnaise 7
mec *m. (fam.)* guy 12
mécanicien(ne) *m., f.* mechanic 4 s
méchant(e) mean, evil 3 s, Récap
médaille (d'or, d'argent) *f.* (gold, silver) medal
médecin *m.* doctor 4
médecine *f.* field of medicine 2
médicament *m.* medicine 13
médiocre mediocre 2 s
se méfier de to be wary of 12 s, 14 s
meilleur(e) better 8
mélange *m.* mixing 9 s
mélanger to mix 7 s
même same, even 10
ménage *m.* housework; **faire le —** to do the housework 4
mener to lead
mentionner to mention
menton *m.* chin 13 s
menu *m.* fixed-price meal 7
mer *f.* sea 9; **fruits de —** *m. pl.* seafood 7; **département d'outre-mer (DOM)** overseas department 9
merci thank you 1
mercredi Wednesday 2
mère *f.* mother 3; **belle—** stepmother, mother-in-law 3 s; **grand-— ** grandmother 3
message *m.* message 5
métier *m.* occupation, profession 4
métissage culturel *m.* cultural mixing 9 s
métro *m.* subway 9
metteur en scène *m., f.* movie director 1 s
mettre *(p.p. mis)* to put, set 7, 10; — **la table** to set the table 7; **se — à** to begin to (do something) 10 s; **se — en colère** to get angry 10
meublé furnished 3 s
meubles *m. pl.* furniture 3

mexicain(e) Mexican 4
micro-ondes *m.* microwave; **four à —** *m.* microwave oven 10
midi noon 4
miel *m.* honey; **lune de —** *f.* honeymoon 14
mieux *adv.* better 2, 9; **aimer —** to prefer 2
mignon(ne) sweet, cute 3 s
mille one thousand 3; **deux —** two thousand 3
million million
mince thin 1
minéral(e) mineral; **eau minérale** *f.* mineral water 5
minorité *f.* minority 12
minuit midnight 4
minute *f.* minute 4
miracle *m.* miracle 11 s
miroir *m.* mirror 3
moche *fam.* ugly 1
mode *f.* fashion 12
modèle *m.* model; style 12
modéré(e) moderate 9 s
moderne modern (10)
mœurs *f. pl.* social customs (14)
moi me 5; — **aussi** me too 1; — **non plus** me neither 10
moins... que less . . . than 9
mois *m.* month 2
moment *m.* moment 5
monde *m.* world 1 s, 9; **tout le —** everyone
monnaie *f.* coins; change 12
monsieur *m. (M.) (pl. messieurs)* sir, Mr. 1
montagne *f.* mountain 2 s, 9
montagneux(-euse) mountainous 9 s
monter to climb, go up 6
montre *f.* watch 3
montrer to show 12
monument *m.* monument 11
se moquer de to make fun of 14 s
morceau *m.* piece 7
mort(e) dead 3 s
mot *m.* word; — **apparenté** related word, cognate
motocyclette *f. (fam. moto)* motorcycle 9
se moucher to blow one's nose 13 s
mouchoir *m.* handkerchief 13
moulant(e) close-fitting 12
mourir *(p.p. mort)* to die 6
moutarde *f.* mustard 7
moyen(ne) average, average size 3 s
moyen de transport *m.* means of transportation 9
mur *m.* wall 1
muscle *m.* muscle 13 s
musculation *f.* weight lifting 9 s
musée *m.* museum 2
musicien(ne) *m., f.* musician 4 s
musique *f.* music 2; — **classique** classical music 2
mythe *m.* legend 8s
mythique mythical 11 s

N

nager (nous nageons) to swim 9
naître *(p.p. né)* to be born 6
naissance *f.* birth
naïveté *f.* naivete 15 s
nana *f. (fam.)* girl 12
nappe *f.* tablecloth 7

narrateur(-trice) *m., f.* narrator 15
natation *f.* swimming 4
nature *f.* nature 11
naturellement naturally 13
négliger (de) to neglect 14
neige *f.* snow 2 s, 5; **il —** it's snowing 5
nerveux(-euse) nervous 1
nettoyer to clean 12
neuf nine 1
neveu *m.* nephew 3
nez *m.* nose 13
ni... ni... neither... nor 10; **ne... ni... ni** neither... nor 10
nid *m.* nest 6
nièce *f.* niece 3
noces *f. pl.* wedding 14 s
noir(e) black 1
nom *m.* name 2; — **de famille** last name 2
nombre *m.* number 1, 3
nombreux(-euse) numerous; **une famille nombreuse** a big family 3 s
nommer to name
nord north 9; **au — (de)** to/in the north (of) 9
nourriture *f.* food 7
nous we 1
nouveau (nouvelle) new 3; **de —** again
novembre November 2
nuage *m.* cloud 5
nul(le) *fam.* awful
numéro *m.* number 2; — **de téléphone** telephone number 2

O

obéir to obey 6
obéissant(e) obedient 13 s
objet *m.* object 3
obtenir *(p.p. obtenu)* to obtain 6 s
occidental(e) Western 11
occupé(e) busy 4 s
s'occuper de to take care of, watch out for 14
océan *m.* ocean 9
octobre October 2
œil *m. (pl. yeux)* eye 13
œuf *m.* egg 7
œuvre *f.* work of art 11 s
officiel(le) official 9
offrir *(p.p. offert)* to give, to offer 8 s, 12
oignon *m.* onion 7
oiseau *m.* bird 6
on one, you, we 1
oncle *m.* uncle 3
ongle *m.* fingernail 13 s
opération *f.* operation 13
opossum *m.* opossum
optimiste optimistic 1
or *m.* gold (Récap)
orage *m.* storm 5 s, 9
orange orange 1; *f.* orange (fruit) 7
ordinateur *m.* computer 1
ordonnance *f.* prescription 13
ordonné(e) tidy 3
ordre *m.* order; **en —** orderly, tidy 10 s
organiser to organize 4 s
orteil *m.* toe 13 s
où where 3; **d'où** from where 5
oublier (de) to forget 7
ouest west 9; **à l'— (de)** to/in the west (of) 9
ouragan *m.* hurricane 9 s
ours *m.* bear (Récap)

ouvert(e) open 3 s, 4
ouvrier(-ière) *m., f.* worker 4
ouvrir (*p.p.* **ouvert**) to open 4, 6 s

P

pain *m.* bread 7; — **complet** whole wheat
bread 7 s
paix *f.* peace 6 s
palais *m.* palace Récap s; — **des congrès**
convention center 11 s
pamplemousse *m.* grapefruit 7 s
panne: tomber en — to have a (mechanical)
breakdown 6 s
pansement *m.* bandage 13 s
pantalon *m.* pants 1; — **à pattes d'éléphant**
bell bottoms 12 s
papillon *m.* butterfly 8 s
paquet *m.* packet 7 s
par by, per; — **jour** per day 7
paradis *m.* paradise 11 s
paragraphe *m.* paragraph
parapluie *m.* umbrella 1 s
paraître (*p.p.* **paru**) to seem 13 s
parc *m.* park 2; — **d'attractions** amusement
park 11
parce que because 5
pardon pardon me 5
parenthèse: entre parenthèses in parentheses
paresseux(-euse) lazy 3
parfois sometimes 2 s, 4
parler to speak 2
parmi among
partager to share 8
partenaire *m., f.* partner
participer to participate
partir to leave 5
pas not 1; — **du tout** not at all 1; — **encore**
not yet 6; — **mal** not bad 1
passeport *m.* passport 11
passer to spend (time) 3; to pass (by) 6;
— **l'aspirateur** to vacuum 10; — **le balai**
to sweep 10 s; — **la tondeuse** to mow 10
s; — **un examen** to take an exam 8; **se**
— to happen 6; **se** — **de** to do
without 13 s
passion *f.* passion 14
passionnant(e) exciting, wonderful 8, 12
passionné(e) enthusiastic, fanatic 3 s
pasteur *m.* preacher 4 s
pâte *f.* pastry dough 7; **pâtes** *f. pl.* pasta 7
pâté *m.* meat spread; — **de campagne**
country-style meat spread 7
patient(e) patient 1; **un(e)** — patient 4
patiemment patiently 13
patin à glace *m.* ice skating 9 s
pâtisserie *f.* pastry; pastry shop 7
patron(ne) *m., f.* boss 4 s
pauvre poor 10
pavillon *m.* small house 10
payer (je paie) to pay 3, 12; — **en liquide**
pay in cash 12; — **par chèque** pay by
check 12
pays *m.* country 7
paysan(ne) *m., f.* peasant (Récap)
peau *f.* skin 13
peintre *m., f.* painter 11 s
peinture *f.* painting
pelouse *f.* grass 8
pendant during 6; — **que** while

penser to think; — **à** to think about 9; — **de** to
think about (opinion) 11, 14
perdre to lose 5
père *m.* father 3; **beau-**— stepfather, father-in-
law 3 s
perfectionniste perfectionist 8 s
permettre (*p.p.* **permis**) to permit 10
personnage *m.* character Récap; — **principal**
main character Récap
personne *f.* person 1; nobody 10; — **sans**
emploi unemployed person 4; **ne...**
— not anyone 10
perte *f.* loss
pessimiste pessimistic 3
petit(e) little, small 1; — **déjeuner** *m.*
breakfast 7
petit-fils *m.* grandson 3 s; **petite-fille** *f.*
granddaughter 3 s; **petits-enfants** *m. pl.*
grandchildren 3 s
petits pois *m. pl.* peas 7
peu (de) little 6, 7; **un** — a little 2
peur *f.* fear; **avoir** — **de** to be afraid 13
peut-être maybe 5
pharmacie *f.* pharmacy 4
philosophie *f.* philosophy 2
photo *f.* photograph 3, 6
phrase *f.* sentence
physique *f.* physics 2; *m.* physical appearance 13 s
piano *m.* piano 4
pièce *f.* room 10; — **de théâtre** play 15
pied *m.* foot 13; **à** — on foot 4
pierre *f.* stone
pilote *m., f.* pilot 4
pilule *f.* pill 13 s
à pinces pleated 12 s
pincée *f.* pinch 7 s
pique-nique *m.* picnic; **faire un** — to go
on a picnic 4
piqûre *f.* shot 13 s
pirate *m.* pirate Récap s
pire worse 8
piscine *f.* swimming pool 2
pittoresque picturesque 9 s
placard *m.* closet, cupboard 3
place *f.* seat, position 5; town square 11
plage *f.* beach 2 s, 9
se plaindre (*p.p.* **plaint**) to complain 10
plaire to please
plan *m.* map 11
planche à voile *f.* windsurfing 9 s
plante *f.* plant 3
plat *m.* course, dish 7; — **principal** main
course 7
plat(e) flat 9 s
plâtre *m.* plaster, cast 13 s
plein(e) full
pleinement fully 13
pleurer to cry 13
pleuvoir (*p.p.* **plu**) to rain; **il pleut** it's
raining 5
plissé(e) pleated (12)
plongée avec un tuba *f.* snorkeling 9 s;
plongée sous marine scuba diving 9 s
pluie *f.* rain 9
plupart *f.* **la** — **(de)** most (of) 12
plus more; —**... que** more . . . than 8; **ne...**
— not any longer 10; **moi non** — me
neither 10
plusieurs several 12

plutôt rather, somewhat 8
poêle *f.* frying pan 7 s
poème *m.* poem (11)
poète *m., f.* poet 4 s
poignet *m.* wrist 13 s
à point medium (meat) 7
pointure *f.* shoe size 12
poire *f.* pear 7 s
pois *m.* pea; **petits** — green peas 7
poisson *m.* fish 7
poivre *m.* pepper 7
poivron *m.* bell pepper 7 s
poli(e) polite
pomme *f.* apple 7; — **de terre** potato 7;
pommes frites *f. pl.* (*fam.* **frites**) French
fries 7
pont *m.* bridge 6
populaire popular 4
population *f.* population 9 s
porc *m.* pork 7
port *m.* port 9
porte *f.* door 1
porter to wear 1
poser une question to ask a question 4
possible possible 3 s, 5
poste *f.* post office 4; *m.* job, position 4
pot *m.* ceramic or glass jar 7 s
pote *m.* (*fam.*) buddy
poubelle *f.* garbage can 10; **vider la** — to
empty the garbage 10
poulet *m.* chicken 7
poupée *f.* doll 8 s; **jouer à la** — to play with
dolls 8 s
pour for 5; — **moi** for me 5
pourboire *m.* tip 7
pourquoi why 5
poursuivre to pursue
pourtant however
pousser to push; — **un cri** to shout 8 s
pouvoir (*p.p.* **pu**) can, to be able to 5
prairie *f.* prairie 9 s
pratique practical, useful 2
pratiquer to practice 4
préférence *f.* preference 2 s
préférer (je préfère) to prefer 2, 7
premier(-ière) first 2; **premier étage** *m.* first
floor 10; **en première année,**
first year (freshman)
prendre (*p.p.* **pris**) to take 3, 4, 5; — **la tension**
to take blood pressure 13 s; — **soin** to
take care
prénom *m.* first name 2
préparer to prepare; **se** — to prepare oneself,
get ready 10
près (de) near 3
présenter to present, introduce; **se** — to
introduce oneself 1 s
presque almost
presse *f.* press, news media 6
pressé(e) in a hurry
prestigieux(-euse) prestigious
prêt(e) ready 10 s
prêter to lend 8
prêtre *m.* priest 4 s
prince (princesse) *m., f.* prince, princess Récap
principauté *f.* principality 9 s
printemps *m.* spring 2; **au** — in the spring 9
prison *m.* prison (15)
privé(e) private 8 s

prix *m.* price 3 s, 11, 12; award, prize Récap s
probable probable 14
probablement probably
problème *m.* problem 10
prochain(e) next 4
proche near
producteur(-trice) *m., f.* (film) producer (4)
produit *m.* product 12; — **laitier** milk product 7 s
professeur *m.* (*fam.* **prof**) professor, instructor 1
profiter to take advantage of 11 s
profond(e) deep
programme *m.* program; — **d'échanges** exchange program 12; — **d'études** program of study 12
projets *m. pl.* plans 4; **faire des** — to make plans 9
promenade *f.* walk; **faire une** — to take a walk 4
promener to walk 10; **se** — to go for a walk 10
promettre (de) (*p.p.* **promis**) to promise 10, 14
promotion *f.* promotion, special offer (12)
prononcer (**nous prononçons**) to pronounce
propre clean 12 s
propriétaire *m., f.* landlord/landlady 3
prospère prosperous 8
protagoniste *m., f.* main character Récap
protéger to protect 8 s
province *f.* province 7 s
provisions *f. pl.* food 6
psychologie *f.* psychology 2
publicité *f.* (*fam.* **la pub**) advertising 12
puis then 6
pull-over *m.* (*fam.* **pull**) pullover sweater 1; — **à col en V** V neck sweater 12 s; — **à col roulé** turtleneck sweater 12 s
punition *f.* punishment 8 s

Q

qualité *f.* quality, advantage 10 s
quand when 5; — **même** anyway 5 s
quantité *f.* quantity 7
quarante forty 1
quartier *m.* neighborhood 3, 8 s
quatorze fourteen 1
quatre four 1
quatre-vingts eighty 3
quatre-vingt-dix ninety 3
que what 5; **qu'est-ce** — what 1; **qu'est-ce que c'est?** what is it? 1; **ne...** — only 10
quel(s), quelle(s) which or what 2 s, 5
quelque chose something 5; — **à boire** something to drink 5
quelques some (12)
quelqu'un someone 5
question *f.* question 1; **poser une** — to ask a question 4
qui who 1; — **est-ce?** Who is it? 1
quitter to leave 5
quoi what 5
quotidien(ne) daily 10 s; *m.* daily publication 6 s

R

raconter to tell (a story) 6
radio *f.* radio 2; — **réveil** *m.* clock radio 3 s
radiocassette *f.* portable radio cassette player 3
radiographie *f.* X ray 13 s

rafting *m.* rafting 9 s
raï *m.* raï music (a popular musical genre from North Africa)
raisin *m.* grapes 7
raison *f.* reason; **avoir** — to be right 13
raisonnable sensible 1, 3 s
randonnée *f.* hike, excursion 4
rangé(e) organized 10 s
rangement télévision/hi-fi *m.* entertainment center 10 s
ranger (**nous rangeons**) to arrange, straighten 6 s, 10
rap *m.* rap music 2
rapide fast 9
rapidement quickly 13
rappeler to call back 5 s
se rappeler (**je me rappelle**) to remember 8
raquette de tennis *f.* tennis racket 3 s
rarement rarely 2 s, 4
raser to shave; **se** — to shave (oneself) 10
rasoir *m.* razor; — **électrique** electric razor 10 s
rater to miss (the bus); to fail 10 s
ravi(e) delighted 14
réagir to react 6
réalisateur(-trice) *m., f.* movie director Récap
réaliste realistic 3
récemment recently 13
récent(e) recent 4 s, 5 s
réceptionniste *m., f.* receptionist 11
recevoir (*p.p.* **reçu**) to receive 6 s; 11
récipient *m.* container 7 s
récit *m.* story, narrative Récap; — **historique** historical fiction Récap
reclus(e) *m./f.* recluse 14 s
recommander to recommend
récréation *f.* (*fam.* **la récré**) recess 8
réduction *f.* (price) reduction 11 s
réduit(e) reduced 11
réfléchir to think, reflect 3, 6, 8
réfrigérateur *m.* (*fam.* **frigo 3 s**) refrigerator 10
refuser to refuse 14
regarder to look (at), watch 2
région *f.* region 9
régime *m.* diet 7
règle *f.* ruler 8 s; a rule
régler to pay or settle a bill 7 s
regretter to regret 14
régulièrement regularly 2 s, 13
se rejoindre to meet up (again) 14 s
religion *f.* religion 9 s
remarquer to notice
remède *m.* cure 13
remettre (*p.p.* **remis**) to put back 10; **se** — to get well 10 s
remplacer (**nous remplaçons**) to replace
remplir to fill (in)
rencontrer to meet up (with someone you know)
rendez-vous *m.* appointment, meeting, date 5
rendre to return (something) 5; — **visite (à)** to visit (someone) 5; **se** — **compte** to realize 14
renseignements *m. pl.* information 9; **un renseignement** a piece of information 11
rentrée *f.* back to school/work 2 s
rentrer to return home 6

renvoyer to expel (from school) 8 s
réparer to repair 4 s, 6
repas *m.* meal 7
se répérer to find one's way 11 s
répéter (**je répète**) to repeat 1, 7; to rehearse 4 s
répondeur *m.* telephone answering machine 3 s
répondre to respond, answer 5
se reposer to rest 10
réservation *f.* reservation 9
réservé(e) reserved 3
réserver to reserve 7
résidence universitaire *f.* college dormitory 2
respirer to breathe 13 s
responsabilité *f.* responsibility
ressembler to resemble 8
restaurant *m.* (*fam.* **resto**) restaurant 4; 12 — **universitaire** (*fam.* **resto-u**) university cafeteria 2
rester to stay 2
résultat *m.* result
résumé *m.* summary; résumé
retard: en — late 4
retour *m.* return; **aller-retour** round-trip 9
retrouver to meet up with 4; **se** — to meet each other (by arrangement) 4 s; to meet again 14
réussir to succeed 6; — **à** to succeed at 14
rêve *m.* dream 9 s
réveil *m.* alarm clock 3 s
réveiller to awaken (someone); **se** — to wake (oneself) up 10
revenir (*p.p.* **revenu**) to return, come back 6
rêver to dream 9 s
revoir (*p.p.* **revu**) to see again 11 s; **au** — good-bye 1
rez-de-chaussée *m.* ground floor (of a building) (American first floor) 10
rhume *m.* cold 13
riche rich 1
rideaux *m. pl.* curtains 3
rien nothing 10; **ne...** — not anything' 10
rire to laugh 8 s
risque *m.* risk 2 s
riz *m.* rice 7
robe *f.* dress 1
rock *m.* rock music, rock 'n roll 2
rocker *m.* rock musician
roi (**reine**) *m., f.* king, queen Récap
rôle *m.* role; **jouer un** — to play a role
rollerblades *m. pl.* rollerblades 3 s; **faire du roller** to rollerblade 4
roman *m.* novel Récap; — **policier** detective novel Récap
romantique romantic 14
romantisme *m.* romaticism 14
rompre (avec) to break up with 14 s
rose pink 1
rouge red 1; — **à lèvres** *m.* lipstick 10 s; **un verre de** — *m.* a glass of red wine 5
rougir to blush, turn red 8
rouler to drive
routine *f.* routine 10; — **quotidienne** daily routine 10
roux (rousse) red haired 1
rubrique *f.* heading, news column 6 s
rue *f.* street 11

rupture *f.* split (of a couple) 14
russe Russian 4; *m.* Russian language

S

sac *m.* purse 1; sack, bag 7; **— à dos** backpack 1; **— de couchage** *m.* sleeping bag 11
sage well behaved, demure 3 s, 8
sain(e) healthy 13
saison *f.* season 2; **— sèche** dry season 9; **— des pluies** rainy season 9
salade *f.* salad, lettuce 7
saladier *m.* large (mixing) bowl 7 s
salaire *m.* salary 4
sale dirty 10
salle *f.* room; **— à manger** dining room 10; **— de bains** bathroom 10; **— de classe** classroom 1; **— de séjour** living room 10
saluer to greet; **se —** to greet each other 1 s
salut hi, bye 1
samedi Saturday 2
sandales *f. pl.* sandals 1
sandwich *m.* sandwich 5; **— jambon beurre** ham sandwich with butter 5
sang *m.* blood 13
sans without; **—abri** homeless people 14 s; **— blague** *fam.* no kidding 10 s
santé *f.* health 13
satisfait(e) satisfied 8 s
sauce *f.* sauce, gravy 7 s
saucisson *m.* dry sausage 7
sauf except 11
saumon *m.* salmon 7
sauver to save Récap
savane *f.* savannah 9 s
savoir (*p.p.* **su**) to know (information), to know how 9
scandale *m.* scandal 14
scénario *m.* script Récap s
science *f.* science 2; **sciences économiques** *f. pl.* economics 2; **sciences politiques** *f. pl.* political science 2
scooter *m.* scooter 3 s
sculpture *f.* sculpture 2 s
sec (sèche) dry 9 s
sèche-cheveux *m.* hair dryer 10 s
sécher (je sèche) to dry; **— un cours** (l' école) *fam.* to cut a class (school) 6 s; **se —** to dry (oneself) off 10 s
secrétaire *m., f.* secretary 4
section (non) fumeurs *f.* (non) smoking section 9
sécurité *f.* security 2 s
sédentaire sedentary 3 s
séduire to seduce 14 s
séisme *m.* earthquake 6 s
séjour *m.* trip
sel *m.* salt 7
sélectionner to select
selon according to
semaine *f.* week 2
semblable similar 8
semestre *m.* semester 2
sens *m.* meaning, sense
sentiment *m.* feeling 14
sentir to sense; to smell; **se —** to feel 13
séparation *f.* separation 14
se séparer to separate, break up 14
sept seven 1

septembre September 2
série *f.* series; TV series 2 s
sérieux(-euse) serious 1
serré(e) tight 12
serveur(-euse) *m., f.* waiter, waitress 4
service *m.* service 7; **— compris** tip included 7; **— non-compris** tip not included 7; **— des urgences** emergency room 13 s
serviette *f.* napkin 7; **— de bain** bath towel 10 s
servir to serve; **se — de** to use 10
seul(e) alone 8 s
shampooing *m.* shampoo 10 s
short *m.* shorts 1
si if 10, 11
s'il vous plaît please 1
siècle *m.* century
signer to sign
silencieux(-euse) quiet, silent 2 s
simplement 13
six six 1
ski *m.* ski, skiing 4; **faire du —** to go skiing 4
skier to ski 4
snob snobby 3 s
sociable sociable 1
société *f.* society
sociologie *f.* sociology 2
sœur *f.* sister 3; **belle—** sister-in-law, stepsister 3 s; **demi—** half sister 3 s
soie *f.* silk
soif: avoir — to be thirsty 7
soigner to take care of, nurse 13
soir *m.* evening, in the evening 4; **bon—** good evening 1; **ce —** this evening 5
soirée *f.* evening 5 s
soixante sixty 1
soixante-dix seventy 3
solde *m.* sale 12; **en solde** on sale 12
sole *f.* sole (fish) 7 s
soleil *m.* sun 5; **il fait du —** it's sunny 5
solitaire solitary 1
sommeil: avoir — to be sleepy 13
sondage *m.* survey
sorcier(-ière) *m., f.* witch Récap s
sorte *f.* sort
sortir to go out 5
souffrir (**je souffre**; *p.p.* **souffert**) to suffer 13
souhaiter to wish 13
souligner to underline
soupçonner to suspect
soupe *f.* soup 7
sourcil *m.* eyebrow 13 s
sourire to smile 13 s
sous under, beneath 3
souvenir *m.* memory 8
se souvenir de (*p.p.* **souvenu**) to remember 8
souvent often 2 s, 4
spécialisation *f.* academic major 2
sport *m.* sport 4
sportif(-ive) athletic, active in sports 3
stade *m.* stadium 2 s
station de métro *f.* metro stop 10 s
stressé(e) stressed 3 s, 4
stricte strict 3 s
studio *m.* studio apartment 2 s, 3
stupide stupid 3
stylo *m.* pen 1
sucré(e) sweetened 5 s, 7
sud south 9; **au — (de)** to/in the south (of) 9

suffire (*p.p.* **suffi**): **ça suffit** that's enough 10
suffisamment sufficiently 13
suggérer (**je suggère**) to suggest
se suicider to commit suicide 14 s
suisse Swiss 4
suivant(e) next, following
suivre (*p.p.* **suivi**) to follow 8 s; **— un cours** to take a course
super (*fam.*) super 3 s, 12
supermarché *m.* supermarket 7
supplément *m.* extra charge 11
supporter to hold up, bear
superficie *f.* surface area (9)
sur on 3
sûr(e) sure, safe 14; **bien sûr** of course 2
surprenant(e) surprising 14
surpris(e) surprised 14
surtout most of all, especially 2 s
surveillant(e) *m., f.* person in charge of discipline 8 s
surveiller to watch, keep an eye on, supervise
sweat *m.* sweatshirt 1
sympathique (*fam.* **sympa**) nice, friendly 1
symptôme *m.* symptom 13

T

T-shirt *m.* T-shirt 1
table *f.* table 1; **— basse** coffee table 10; **— de nuit** nightstand 3; **mettre la —** set the table 7
tableau *m.* chalkboard 1; painting
tâche ménagère *f.* household chore 10
taille *f.* size 12; **de — moyenne** average size 1
tailleur *m.* woman's suit 12
talon *m.* heel; **des chaussures à —s** high heels 12 s
tante *f.* aunt 3
taper à l'ordinateur to type on a computer 4 s
tapis *m.* rug 3
tard late 4
tarif *m.* fare, price 11
tarte *f.* tart, pie
tartelette *f.* mini-tart 7
tartine *f.* bread with butter and jam, a typical after-school snack 7 s
tasse *f.* cup 7
taxi *m.* taxi 9
techno *f. fam.* techno music 2
télécarte *f.* phone card 5 s
télépathie *f.* telepathy 11 s
téléphone *m.* telephone 3; **— mobile (portable)** cell phone 5
télé-réalité *f.* reality TV show 2
télévision *f.* (*fam.* **télé**) television 2
tellement so, so much
témoin *m.* witness
température *f.* temperature 9
temps *m.* weather 5; **quel — fait-il?** what is the weather? 5; **emploi du —** *m.* schedule 5; **le beau —** good weather 2 s
tendre tender 7
tendresse *f.* tenderness 14
tenir (*p.p.* **tenu**) to hold 6 s; to hold on 14; **— à** to be bent on doing something, to want to 6 s
tennis *m.* tennis 4; **des — ** *m. pl.* tennis shoes 1; **jouer au —** to play tennis 4
tension *f.* blood pressure 13 s
tentative *f.* attempt 14 s

tente *f.* tent 11
tenter to try
terminale *f.* senior year of high school 12
terrain *m.* land; **— de camping** campground 11; **— de sport** sports field 8; **— de football** soccer field 2 s
terrasse *f.* terrace, patio 5 s, 10
tête *f.* head 13; **avoir mal à la —** to have a headache 13
thé *m.* tea 5; **— nature** plain tea 5 **— au citron** hot tea with lemon 5; **— au lait** hot tea with milk 5
théâtre *m.* theater
thème *m.* theme
thon *m.* tuna 7
timide timid 1
titre *m.* title Récap
toi you 5
toilettes *f. pl.* toilet 10
tomate *f.* tomato 7
tomber to fall 6; **— amoureux(-euse)** to fall in love 14; **— en panne** to have a (mechanical) breakdown 6
tondeuse *f.* lawnmower 10 s
tongs *f. pl.* flip flops 12
tort: avoir — to be wrong 13
tôt early 4
toujours always 10
tour *f.* tower (11); *m.* **le Tour de France** bicycle race 4
tourisme *m.* tourism 9
touriste *m., f.* tourist
touristique tourist, popular with tourists 11
tourner to turn 11
tousser to cough 13
tout(e) (*pl.* **tous, toutes**) all; **— confort** luxury 10 s; **— droit** straight ahead 11; **— de suite** immediately; **— le monde** everyone; **c'est —** that's all 5
tradition *f.* tradition 11
train *m.* train 9
tranche *f.* slice 7
tranquille calm 3 s
tranquillisant *m.* tranquilizer 13 s
transformer to transform Récap
transport *m.* transportation 9; **transports en commun** *m. pl.* public transportation 9; **moyen de —** *m.* means of transportation 9
travail *m.* (*pl.* **travaux**) work 2; **— bénévole** volunteer work 4 s
travailler to work 2, **— à plein temps** to work full time 4 s, 12; **— à mi-temps** to work part time 12
travailleur(-euse) hardworking 3
traverser to cross 11
treize thirteen 1

trente thirty 1
très very 1
trimestre *m.* trimester 2
triste sad 3
trois three 1
troisième third 2; **être en — année** to be a college junior 3
tromper to be unfaithful 14 s; to trick Récap
trop (de) too much, too many (of) 7
tropical(e) tropical 9
trouver to find 6; **se —** to be located 9
truc *m.* (*fam.*) thing 12
tu you 1
tube *m.* hit 9 s
tuer to kill Récap
type *m.* (*fam.*) guy 12
typiquement typically 2 s

U

un(e) one 1; a
unir to unite Récap s
université *f.* university 2
usine *f.* factory 4
utiliser to utilize, use

V

vacances *f. pl.* vacation 2 s, 6, 9; **les grandes — summer vacation** 9
vachement (*fam.*) very, a lot 12
vaincre to vanquish Récap s
vaisselle *f.* dishes 10; **faire la —** to do the dishes 10
valable valid 11
valeur *f.* value 14
valise *f.* suitcase 9; **faire sa —** to pack one's bag 9
vallée *f.* valley 9 s
vanille *f.* vanilla 7 s
varié(e) varied 9
vase *m.* vase 3
vaste vast, big 9 s
vedette *f.* star Récap s
végétarien(ne) *m., f.* vegetarian 7 s
vélo *m.* bicycle 3; **en / à —** by bike 9
vendeur(-euse) *m., f.* salesperson 4
vendre to sell 5
vendredi Friday 2
venir (*p.p.* **venu**) to come 3; **— de** to have just 6
vent *m.* wind 5; **il fait du —** it's windy 5
ventre *m.* stomach 13
verité *f.* truth 14 s, Récap s
verre *m.* glass 7
vers around (time); towards (direction)
version originale (doublée, sous-titrée) *f.* original (dubbed, subtitled) movie Récap s
vert(e) green 1

veste *f.* jacket, sport coat 12
vêtements *m. pl.* clothes, clothing 1
viande *f.* meat 7
vidéo *f.* video 2
vider to empty; **— la poubelle** to empty the garbage 10
vie *f.* life; **— conjugale** *f.* married life 14 s; **— sentimentale** love life 14
vieux (vieil, vieille) old, elderly 1
village *m.* town 9
ville *f.* city 4
vin *m.* wine 5
vinaigrette *f.* salad dressing made with oil and vinegar 7 s
vingt twenty 1
violet(te) violet, purple 1
visage *m.* face 13
visiter to visit (a place) 9
vitamine *f.* vitamin 7 s, 13
vite fast, quickly 8
vivant(e) alive 3 s
vivre (*p.p.* **vécu**) to live 6
vocabulaire *m.* vocabulary
voici here is, here are 2
voilà there is, there are
voile *f.* sailing 9 s
voir (*p.p.* **vu**) to see 3, 11
voisin(e) *m., f.* neighbor 1 s, 6 s
voiture *f.* car 3; **en —** by car 9
vol *m.* flight 9
volcan *m.* volcano 9 s
voler to steal, to fly Récap
volets *m. pl.* shutters 3 s, 6 s, 9
voleur *m.* thief Récap
vouloir (*p.p.* **voulu**) to want 5
vous you 1
voyage *m.* trip 4; **faire un —** to take a trip 4
voyager (nous voyageons) to travel 2
voyant(e) *m., f.* fortune teller 11 s
vrai(e) true
vraiment really 6, 13

W

W.C. *m. pl.* half bath (abbreviation of water closet) 10
week-end *m.* weekend 2

Y

yaourt *m.* yogurt 7
yeux *m. pl.* eyes (**œil** *m.* eye) 13
yoga *m.* yoga 4

Z

zèbre *m.* zebra 7 s
zéro *m.* zero 1
zouk *m.* zouk (popular musical genre from the French West Indies) 9 s

A

a un(e)

able: to be — pouvoir

abortion avortement *m.*

about à propos de, au sujet de

above au-dessus (de)

abroad à l'étranger

absolute absolu(e)

absolutely absolument

about: (the book) is about: il s'agit de

accident accident *m.*

to accompany accompagner

to accomplish accomplir

according to selon

accounting comptabilité *f.*

to ache avoir mal (à)

across à travers

to act agir

active actif(-ive)

actively activement

activity activité *f.;* **leisure activities** loisirs *m. pl.*

actor acteur(-trice) *m., f.;* comédien(ne) *m., f.*

to adapt s'adapter

to add ajouter

address adresse *f.;* **email address** adresse de courriel

to admire admirer

to adore adorer

adult adulte *m., f.*

advanced avancé(e)

advantage avantage *m.;* qualité *f.* **to take — of** profiter

adventure aventure *f.* ; **— movie** film d'aventure *m.*

advertisement réclame *f.;* publicité *f.* (*fam.* la pub)

advice conseil *m.*

to advise conseiller; **— against** déconseiller

aerobics aérobic *f.* ; **to do —** faire de l'aérobic

affectionate affectueux(-euse)

afraid: to be — avoir peur (de)

Africa Afrique *f.*

African africain(e); **North —** Maghrébin(e) *m., f.*

after après

afternoon après-midi *m.*

again de nouveau

against contre

age âge *m.*

agency agence *f.* ; **travel —** agence de voyages *f.*

agent agent *m., f.;* **travel —** agent de voyages *m.*

aggressive agressif(-ive)

ago il y a (+ time)

to agree être d'accord

agricultural agricole

air conditioning climatisation *f.*

airplane avion *m.*

airport aéroport *m.*

alarm clock réveil *m.*

alcoholic alcoolisé(e)

alive vivant(e)

all tout(e) (*pl.* tous, toutes)

allergic allergique

allergy allergie *f.*

to allow permettre

almost presque

alone seul(e)

already déjà

also aussi

although bien que

always toujours

ambitious ambitieux(-euse)

American américain(e)

among parmi

ancestor ancêtre *m., f.*

anchovies anchois *m.*

and et

angry: to get — se mettre en colère, se fâcher contre; **to make someone —** mettre en colère

animal animal *m.*

ankle cheville *f.*

to announce annoncer

announcement annonce *f.*

to annoy ennuyer; embêter; énerver

to answer répondre (à)

anthropology anthropologie *f.*

anxious angoissé(e)

apartment appartement *m.,* studio *m.;* **— building** immeuble *m.*

appetite appétit *m.*

appetizer hors-d'œuvre *m.*

apple pomme *f.*

appliance appareil ménager *m.*

to apply (for a job) poser sa candidature

appointment rendez-vous *m.*

to appreciate apprécier

April avril

aquarium aquarium *m.*

Arabic arabe *m.*

architect architecte *m., f.*

to argue (with) se disputer (avec)

arid aride

arm bras *m.*

armchair fauteuil *m.*

armoire armoire *f.*

around (time) vers; autour; environ

to arrange arranger; ranger

to arrive arriver

article article *m.*

artisan artisan *m., f.*

artist artiste *m., f.*

as comme; **— … —** aussi… que; **— much, — many** autant ; **— soon —** aussitôt que

Asia Asie *f.*

to ask (for) demander; **— a question** poser une question

asparagus asperges *f.pl.*

aspirin aspirine *f.*

assured assuré(e)

astonished étonné(e)

astonishing étonnant(e)

at à, en

athlete athlète *m., f.*

athletic sportif(-ive)

ATM (automatic teller machine) distributeur automatique *m.*

atmosphere atmosphère *f.*

to attack attaquer

attempt tentative *f.*

to attend assister à

attention attention *f.;* **to pay —** faire attention

to attract attirer

attraction attraction *f.*

August août

aunt tante *f.*

austere austère

Australia Australie *f.*

authentic authentique

author auteur *m.*

autumn automne *m.*

available disponible

avenue avenue *f.*

average moyen(ne)

to avoid éviter

to awaken (someone) réveiller

B

baby bébé *m.*

babysitter baby-sitter *m., f.;* **to babysit** faire du baby-sitting

back dos *m.*

backpack sac à dos *m.*

bad mauvais(e); **not —** pas mal

badly mal

bag sac *m.*

bakery boulangerie *f.;* pâtisserie *f.*

balance équilibre *m.*

balcony balcon *m.*

ball balle *f.;* (inflatable) ballon *m.;* (dance) bal *m.*

banal banal(e)

banana banane *f.*

bandage pansement *m.*

to banish bannir

bank banque *f.*

banker banquier(-ière) *m., f.*

bankrupt: to go — faire faillite

to baptize baptiser

bargain bonne affaire *f.;* **to —** marchander

basketball basketball *m.;* **— player** basketteur *m.;* **— shoes** baskets *f. pl.;* **to play —** jouer au basket

to bathe baigner; **to take a bath** se baigner

bathing suit maillot de bain *m.*

bathroom salle de bains *f.;* **half-—** les W.C. *m. pl.*

battle bataille *f.*

to be être

beach plage *f.*

bean haricot *m.*

bear ours *m.*

to bear, hold up supporter

beard barbe *f.*

to beat battre

beautiful beau (bel, belle), (*pl.* beaux, belles)

because parce que, car

to become devenir

bed lit *m.;* **to make the** — faire le lit; **to put to** — coucher; **to go to** — se coucher

bedroom chambre *f.*

bedsheets draps *m. pl.*

bee abeille *f.*

beef bœuf *m.*

beer bière *f.;* **glass of draft** — demi *m.*

before avant

to beg prier

to begin commencer; — **to** se mettre à

beginning début *m.;* **in the** — au début

to behave se comporter

behind derrière

beige beige

Belgian belge

to believe croire

bell pepper poivron *m.*

to belong to appartenir à

bench banc *m.*

to benefit bénéficier

better meilleur(e); *adv.* mieux; **it is** — il vaut mieux

between entre

bicycle bicyclette *f.,* vélo *m.*

big grand(e); vaste

bilingual bilingue

binder classeur *m.*

binoculars jumelles *f. pl.*

biology biologie *f.*

bird oiseau *m.*

birth naissance *f.*

birthday anniversaire *m.;* **happy** — bon anniversaire

black noir(e)

blackboard tableau *m.*

blazer blazer *m.*

blond blond(e)

blood sang *m.;* — **pressure** tension *f.*

blouse chemisier *m.*

blue bleu(e)

blue jeans jean *m.*

to blush rougir

boat bateau *m.*

body corps *m.*

to boil faire bouillir

book livre *m.*

bookseller bouquiniste *m., f.*

bookshelf étagère *f.*

bookstore librairie *f.*

boot botte *f.*

border frontière *f.*

boring ennuyeux(-euse)

born: to be — naître

to borrow emprunter

boss patron(ne) *m., f.*

to bother déranger

bottle bouteille *f.*

boulevard boulevard *m.*

boutique boutique *f.*

bowl bol *m.;* **mixing** — saladier *m.*

box boîte *f.*

boy garçon *m.;* —**friend** petit ami *m.*

brand marque *f.*

bread pain *m.;* **whole wheat** — pain complet *m.*

to break casser; — **(one's leg)** se casser (la jambe); — **up with** rompre (avec)

breakfast petit déjeuner *m.*

to breathe respirer

bridge pont *m.*

brief bref (brève)

to bring (person) amener; **(thing)** apporter

broadcast émission *f.*

broccoli brocoli *m.*

brochure brochure *f.*

broom balai *m.*

brother frère *m.;* **brother-in-law,** beau-frère *m.,* **half-brother, stepbrother** demi-frère *m.*

brown marron; **to get** — brunir

bruise bleu *m.*

brunette brun(e)

brush brosse *f.;* **to** — brosser; **to** — **one's hair** se brosser les cheveux

buddy pote *m. fam.*

to build construire

building bâtiment *m.*

to burn brûler

bus autobus *m.,* autocar *m.*

business commerce *m.;* affaires *f. pl.;* **e-business** commerce électronique; **businessman/woman** homme (femme) d'affaires *m., f.*

busy occupé(e); chargé(e)

but mais

butcher shop boucherie *f.*

butter beurre *m.*

butterfly papillon *m.*

to buy acheter

by par

C

cafeteria cafétéria *f.*

café café *m.*

cake gâteau *m.*

calculator calculatrice *f.*

calendar calendrier *m.*

to call appeler; téléphoner (à); — **back** rappeler

calm calme, tranquille

camel chameau *m.*

camera appareil photo *m.*

campground terrain de camping *m.*

camping camping *m.;* **to go** — faire du camping

can boîte *f.*

can, to be able to pouvoir

cancer cancer *m.*

candy bonbon *m.*

canoe canoë *m.*

capital capitale *f.*

car voiture *f.,* bagnole *f. fam.*

card carte *f.;* **debit** — carte bancaire; **credit** — carte de crédit; **postcard** carte postale; **to play cards** jouer aux cartes

care: to take — **of** s'occuper de; **to** — **for** se soucier de; **to take** — **of oneself** se soigner; **to take** — **of** prendre soin (de)

career carrière *f.*

careful: to be — faire attention

to carress caresser

carriage carosse *f.*

carrot carotte *f.*

cartoon bande dessinée *f.,* BD *f.*

cash en liquide; — **register** caisse *f.*

cassette cassette *f.*

cast plâtre *m.*

castle château *m.*

cat chat *m.*

to catch attraper

cave grotte *f.*

cavity carie *f.*

CD disque compact *m.* CD *m. fam.;* — **player** lecteur (laser) de CD *m.*

cemetery cimetière *m.*

center centre *m.;* **cultural** — centre culturel *m.*

century siècle *m.*

cereal céréales *f. pl.*

certain certain(e)

chair chaise *f.*

chalk craie *f.*

challenge défi *m.*

champagne champagne *m.*

champion champion(ne) *m., f.*

change changement *m.;* **(money)** monnaie *f.*

to change changer

character personnage *m.;* **main** — personnage principal *m.;* protagoniste *m., f.*

charge: extra — supplément *m.*

charity association caritative *f.*

charming charmant(e)

to chase chasser

to chat bavarder

cheap bon marché, pas cher

check chèque *m.;* **restaurant** — addition *f.;*

checkered (fabric) à carreaux

cheek joue *f.*

cheese fromage *m.;* **with melted** — gratiné(e)

chemistry chimie *f.*

cherry cerise *f.*

chest of drawers commode *f.*

chicken poulet *m.*

child enfant *m., f.;* gosse *m., f., fam.;* **only** — fils (fille) unique

childhood enfance *f.*

chill frisson *m.*

chin menton *m.*

chocolate chocolat *m.*

to choose choisir

church église *f.*

city ville *f.*

class classe *f.;* **classmate** camarade de classe *m., f.;* **classroom** salle de classe *f.*

classified ads petites annonces *f. pl.*

clean propre; **to** — nettoyer

clear clair(e)

client client (cliente) *m., f.*

climate climat *m.*

to climb monter

clock horloge *f.,* — **radio** radioréveil *m.*

to close fermer

close (to) près (de)

closet placard *m.,* armoire *f.*

clothes vêtements *m. pl.*

cloud nuage *m.;* **it's cloudy** le ciel est couvert; **it's partly cloudy** il y a des éclaircies

coast côte *f.*

coat manteau *m.*

Coca-Cola coca *m.;* **diet Coke** coca light *m.*

coffee café *m.;* — **with cream** café crème *(fam.* un crème*);* — **table** table basse *f.*

coin(s) monnaie *f.*

cold froid(e); (illness) rhume *m.*, **it's —** il fait froid; **to be —** avoir froid

collar col *m.*

colleague collègue *m., f.*

colony colonie *f.*

color couleur *f.*

comb peigne *m.*

to come venir; **to — back** revenir

comedy comédie *f.*

comfort confort *m.*

commercial commercial(e)

commercialized commercialisé(e)

to communicate communiquer

compact disc disque compact *m.*, CD *m.*

company entreprise *f.*; **— president** chef d'entreprise *m.*

to compare comparer

compass boussole *f.*

competition concours *m.*

to complain se plaindre, râler

completely complètement, tout à fait

composer compositeur(-trice) *m., f.*

computer ordinateur *m.*; **— science** informatique *f.*; **— room** salle informatique *f.*; **— software** logiciel *m.*; **— specialist** informaticien(ne) *m., f.*

concert concert *m.*

to confide confier

confident confiant(e)

conflict conflit *m.*

conformist conformiste *m., f.*

conformity conformisme *m.*

congested enrhumé(e)

consequently par conséquent

conservative conservateur(-trice)

to consider considérer

constantly constamment

to consult consulter

consumer consommateur(-trice) *m., f.*

consumption consommation *f.*

contact information coordonnées *f. pl.*

container récipient *m.*

contemporary contemporain(e)

continent continent *m.*

to continue continuer

contrary: on the — au contraire

to contribute contribuer

convention congrès *m.*

to convince convaincre

cook cuisinier(-ière) *m., f.*; **to —** faire la cuisine; **to — (something)** faire cuire (quelque chose)

cookie biscuit *m.*

cool frais (fraîche); cool, chouette *fam.*; **it's — (weather)** il fait frais

copy copier; copie *f.*

corduroy velours côtelé *m.*

corn maïs *m.*

corner coin *m.*

cosmopolitan cosmopolite

to cost coûter

cotton coton *m.*

couch canapé *m.*

to cough tousser

to count (on) compter (sur)

country campagne *f.*; pays *m.*

couple couple *m.*

courage courage *m.*

courageous courageux(-euse)

course cours *m.*; **of —** bien sûr

to court faire la cour

courtyard cour *f.*, terrasse *f.*

cousin cousin(e) *m., f.*

to cram (for an exam) bachoter

crazy fou (folle)

cream crème *f.*

to create créer

credit card carte de crédit *f.*

to criticize critiquer

to cross traverser

crow corbeau *m.*

crowd foule *f.*

cruise croisière *f.*

crutches béquilles *f. pl.*

to cry pleurer

cucumber concombre *m.*

culinary culinaire

to cultivate cultiver

cup tasse *f.*

cure remède *m.*

curtains rideaux *m. pl.*

customer client(e) *m., f.*

to cut couper; **— a class** sécher un cour *fam.*; **— one's finger** se couper le doigt

cute mignon(ne)

D

daily quotidien(ne); **— publication** quotidien *m.*

dance danse *f.*; bal *m.*; **to —** danser

dancer danseur (danseuse) *m., f.*

date date *f.*; rendez-vous *m.*

datebook agenda *m.*

daughter fille *f.*

day jour *m.*; journée *f.*; **all — long** toute la journée; **— after** lendemain *m.*

dead mort(e)

dear cher (chère)

death penalty peine de mort *f.*

debit card carte bancaire *f.*

December décembre

to decide décider; se décider à

to decrease diminuer

deep profond(e)

to defend défendre

degree degré *m.*; **bachelor's —** licence *f.* (equivalent); **master's —** master *m.*

delicatessen charcuterie *f.*

delicious délicieux(-ieuse)

delighted ravi(e)

delivery (of a baby) accouchement *m.*

to demand exiger

demanding exigeant(e)

demure sage

dental floss fil dentaire *m.*

dentist dentiste *m., f.*

department store grand magasin *m.*

to depend (on) dépendre (de); **it depends** ça dépend

deposit caution *f.*

depressed déprimé(e); **to be —** avoir le cafard, faire une dépression

to describe décrire

description description *f.*

desert désert *m.*

to desire désirer; avoir envie de

desk bureau *m.*; **student —** pupitre *m.*

despite malgré

dessert dessert *m.*

destination destination *f.*

destiny destin *m.*

to destroy détruire

to develop développer

developed developpé(e)

devil diable *m.*

to devote consacrer

to devour dévorer

dialog(ue) dialogue *m.*

diary journal intime *m.*

dictionary dictionnaire *m.*, dico *m. fam.*

to die mourir (*p.p.* mort)

diet régime *m.*; alimentation *f.*; **to be on a —** être au régime

difference différence *f.*

different différent(e)

difficult difficile

to diminish diminuer

to dine dîner

dinner dîner *m.*

diploma diplôme *m.*

direction direction *f.*

director directeur(-trice); réalisateur (-trice) *m., f*; metteur en scène *m.*

dirty sale

disadvantage inconvénient *m.*

disappointed déçu(e)

discipline discipline *f.*

to discover découvrir

to discuss discuter (de)

disgusting dégoûtant(e)

dish assiette *f.*; (of food) plat *m.*; **to wash dishes** faire la vaisselle

diversity diversité *f.*

divorce divorce *m.*; **to — divorcer**

divorced divorcé(e)

to do faire

doctor médecin *m.*

doctorate doctorat *m.*

documentary documentaire *m.*

dog chien(ne) *m., f.*

doll poupée *f.*; **to play dolls** jouer à la poupée

to dominate dominer

door porte *f.*

dormitory résidence universitaire *f.*; dortoir *m.*

to doubt douter

doubtful douteux (douteuse)

down: to go downstairs, get off descendre

downtown centre-ville *m.*

dozen douzaine *f.*

dragon dragon *m.*

drama drame *m.*; art dramatique *m.*

drawing dessin *m.*, image *f.*

dream rêve *m.*; **to — rêver**

dress robe *f.*; **to — habiller**; **to get dressed** s'habiller; **dressed up** habillé(e)

drink boisson *f.*; **to — boire**; **something to — quelque chose à boire**

to drive conduire, rouler; **to go for a drive** faire une promenade en voiture

drug drogue *f.*

dry sec (sèche); **to — (oneself) off** se sécher; **— cleaners** pressing *m.*

during pendant

DVD DVD *m.*

E

each chaque
eagle aigle *m.*
ear oreille *f.*
early tôt, de bonne heure; **to be —** être en avance
to earn gagner
earthquake tremblement de terre *m.*, séisme *m.*
east est; **to/in the — (of)** à l'est (de)
easy facile
to eat manger; **— lunch** déjeuner; **— dinner** dîner
ecology écologie *f.*
economics sciences économiques *f. pl.*
education formation *f.*; enseignement *m.*
egalitarian égalitaire
egg œuf *m.*
eight huit
eighty quatre-vingts
elbow coude *m.*
elegant élégant(e)
element élément *m.*
elephant éléphant *m.*
elevator ascenseur *m.*
elsewhere ailleurs
email courrier électronique *m.*, courriel *m.*, e-mail *m.*, mèl *m.*; **— address** adresse de courriel *f.*
to emphasize mettre en valeur
to employ employer
employee employé(e) *m., f.*
employer employeur(-euse) *m., f.*
to empty the garbage vider la poubelle
end fin *f.*; **at the — of** au bout de
ending dénouement *m.*
energetic énergique
engaged: to get — se fiancer
engineer ingénieur *m.*
English anglais(e); **— language** anglais *m.*
enough assez (de)
to enrich enrichir
to enter entrer
entertainment distraction *f.*; **— center** rangement télévision/hi-fi, *m.*
enthusiastic enthousiaste, passionné(e)
entry (hall) entrée *f.*
environment environnement *m.*
equator équateur *m.*
errand course *f.*; **to do errands** faire les courses
error erreur *f.*
especially surtout
espresso expresso *m.*
to establish établir
eternal éternel(le)
Europe Europe *f.*
evening soir *m.*; soirée *f.*; **good —** bonsoir; **yesterday —** hier soir; **this —** ce soir
event événement *m.*; **current events** actualités *f. pl.*
every: everyone tout le monde; **everywhere** partout
evidently évidemment
exactly exactement
exam examen *m.*; **competitive —** concours *m.*
example exemple *m.*; **for —** par exemple
excellent excellent
except sauf

exceptional exceptionnel(le)
to exchange échanger
excited animé(e)
exciting passionnant(e)
excursion excursion *f.*
excuse me excusez-moi
executive cadre *m.*
exercise exercice *m.*
exhibit exposition *f.*
exile: to go into exile s'exiler
to expect attendre; **— to** s'attendre à
to expel (from school) renvoyer
expense dépense *f.*
expensive cher (chère)
to explain expliquer
to explode exploser
to express exprimer
eyebrow sourcil *m.*
eyeglasses lunettes *f. pl.*; **sunglasses** lunettes de soleil
eyelash cil *m.*
eyes yeux *m. pl.* (œil *m. sing.*)

F

fable fable *f.*
face figure *f.*; visage *m.*
facing en face (de)
factory usine *f.*
to fail rater
to faint s'évanouir
fairy fée *f.*; **— tale** conte de fées *m.*
faithfulness fidélité *f.*
to fall tomber; **— asleep** s'endormir; **— in love (with)** tomber amoureux (-euse) (de)
false faux (fausse)
family famille *f.*; **blended family** famille recomposée *f.*
far (from) loin (de)
fare tarif *m.*
farm ferme *f.*
farmer agriculteur(-trice) *m., f.*
fashion mode *f.*; **— designer** couturier (-ière) *m., f.*; **— show** défilé de mode *m.*, **to be in —** être à la mode
fat gros(se); graisse *f.*, **low —** maigre
father père *m.*; **father-in-law, stepfather** beau-père *m.*
favorite préféré(e)
fear peur *f.*; **to be afraid** avoir peur
February février
to feel se sentir; **— like** avoir envie de
fever fièvre *f.*
few peu (de); **a —** quelques
fiancé(e) fiancé(e) *m., f.*
field champ *m.*; **soccer —** terrain de football *m.*; **sports —** terrain de sport *m.*
fifty cinquante
to fight lutter
to fill (in) remplir
filled complet (complète)
film film *m.*; (for camera) pellicule *f.*
film maker cinéaste, *m., f.*; réalisateur (-trice) *m., f.*
finally enfin, finalement
to find one's way se repérer
finger doigt *m.*
fingernail ongle *m.*

to finish finir
fireplace cheminée *f.*
first premier(-ière); *adv.* d'abord
fish poisson *m.*
five cinq
flag drapeau *m.*
flashlight lampe électrique *f.*
flat plat(e)
to flatter flatter
flight vol *m.*
floor étage *m.*; **first — (American second floor)** premier étage
florist fleuriste *m., f.*
flower fleur *f.*; **— print** à fleurs
flu grippe *f.*
fluently couramment
to fly voler
fog brouillard *m.*; **it's foggy** il fait du brouillard
to follow suivre; **following** suivant(e)
food nourriture *f.*; provisions *f. pl.*; cuisine *f.*; alimentation *f.*; bouffe *f. fam.*
foot pied *m.*; **on —** à pied
football football américain *m.*
for pour
forehead front *m.*
foreign étranger(-ère)
foresight prévoyance *f.*
forest forêt *f.*
to forget oublier
fork fourchette *f.*
form formulaire *m.*
former ancien(ne)
formerly autrefois
fortunately heureusement
fortune teller voyant(e) *m., f.*
four quatre
fox renard *m.*
free libre; **— (of charge)** gratuit(e)
to freeze geler; **it's freezing** il gèle
French français(e); **— language** français *m.*
French-speaking francophone
frequent fréquent(e)
to frequent fréquenter
fresh frais (fraîche)
freshman (in school) en première année
Friday vendredi
friend ami(e) *m., f.*; copain (copine) *m., f.*; camarade *m., f.*; **boyfriend/girlfriend** petit(e) ami(e)
friendship amitié *f.*
from de
front: in — of devant
fruit fruit *m.*
full plein(e); **— time** à plein temps
fun: to have — s'amuser
funny amusant(e), drôle, comique, marrant(e) *fam.*, rigolo(te) *fam.*
furnished meublé(e)
furniture meubles *m. pl*
future avenir *m.*

G

to gain weight grossir
game jeu *m.*; (sports) match *m.*
gang gang *m.*
garage garage *m.*
garbage can poubelle *f.*
garden jardin *m.*

to gargle faire des gargarismes
garlic ail *m.*
gasoline essence *f.*
general général(e); **in —** en général
generous généreux(-euse)
geography géographie *f.*
German allemand(e); **— language** allemand *m.*
to gesture gesticuler
to get obtenir; **— a job** décrocher; **— rich** faire fortune
to get along s'entendre (bien)
to get down descendre
to get dressed s'habiller
to get up se lever
to get used to s'habituer
to get well se remettre
giant géant *m.*
gift cadeau *m.*
giraffe girafe *f.*
girl fille *f.*, nana *f. fam.*
girlfriend petite amie *f.*
to give donner
glass verre *m.*
glove gant *m.*
to go aller; **— away** s'en aller; **— to bed** se coucher, **— see** aller voir
goal but *m.*
goblet verre à pied *m.*
god, God dieu *m.*, Dieu *m.*
gold or *m.*; **made of —** en or
golf golf *m.*
good bon(ne); **— evening** bonsoir
good-bye au revoir, salut, ciao *fam.*
gorilla gorille *m.*
gourmet gastronomique
gram gramme *m.*
grandchildren petits-enfants *m. pl.*
granddaughter petite-fille *f.*
grandfather grand-père *m.*
grandmother grand-mère *f.*
grandparents grands-parents *m. pl.*
grandson petit-fils *m.*
grape raisin *m.*
grapefruit pamplemousse *m.*
grass pelouse *f.*
gray gris(e)
great super *fam.*; chouette *fam.*
green vert(e)
green beans haricots verts *m. pl.*
to greet saluer; **— each other** se saluer
grilled grillé(e)
grocery store épicerie *f.*
ground floor (of a building) (American first floor) rez-de-chaussée *m.*
group groupe *m.*
to grow (up) grandir
growth croissance *f.*
to guess deviner
guitar guitare *f.*
guy mec *m.*, type *m. fam.*
gym gymnase *m.*

H

hair cheveux *m. pl.*; **— dryer** sèche-cheveux *m.*; **short (long) —** cheveux courts (longs); **blond (brown, gray, red) —** cheveux blonds (bruns, gris, roux)
hairstyle coiffure *f.*

half demi(e)
hallway couloir *m.*
ham jambon *m.*
hand main *f.*
handkerchief mouchoir *m.*
handsome beau (bel, belle) (*pl.* beaux, belles)
to happen se passer, arriver
happiness bonheur *m.*
happy heureux(-euse); content(e)
hard *adv.* dur
hardware store quincaillerie *f.*
hard-working travailleur(-euse)
hat chapeau *m.*
to hate détester
to have avoir; **— a great time** s'éclater *fam.*; **— difficulty** avoir du mal à; **— fun, enjoy oneself** s'amuser; **— to** devoir
he il
head tête *f.*; **to have a headache** avoir mal à la tête
to heal guérir
health santé *f.*
healthy sain(e)
to hear entendre
heart cœur *m.*
heavy lourd(e); **(stocky)** fort(e)
heel talon *m.*; **high heels** chaussures à talons hauts *f.*
hell enfer *m.*
hello bonjour; (telephone) allô
to help aider
here ici; **— is/are** voici
hero héros *m.*
heroine héroïne *f.*
to hesitate hésiter (à)
hi salut *fam.*
to hide se cacher
hide-and-seek cache-cache *m.*
high élevé(e)
high school lycée *m.*
highway autoroute *f.*
hike randonnée *f.*; **to go for a —** faire une randonnée
hiker (biker) randonneur(-euse) *m., f.*
hip hanche *f.*
to hire embaucher
historical historique
history histoire *f.*
hit tube *m.* (music)
to hit taper
to hitch together accrocher
to hitchhike faire de l'auto-stop
hockey hockey *m.*; **to play —** jouer au hockey
to hold (out) tenir; **— the record** détenir le record
holiday fête *f.*
home foyer *m.*
homeless people gens sans-abri *m. pl.*
homemaker homme (femme) au foyer *m., f.*
homesick dépaysé(e)
homesickness mal du pays *m.*
homework devoirs *m. pl.*; **to do —** faire les devoirs
honest honnête
honestly franchement
honeymoon lune de miel *f.*
to hook (hitch on) accrocher
hope espoir *m.*

to hope espérer
horrible horrible
horror movie film d'horreur *m.*
horse cheval *m.*
horseback riding équitation *f.*
hosiery (tights) collants *m. pl.*
hospital hôpital *m.*
hot chaud(e); **— chocolate** chocolat chaud *m.*; **— plate** réchaud *m.*; **it's —** il fait chaud; **to be —** avoir chaud
hotel hôtel *m.*
hour heure *f.*; **in an —** dans une heure
house maison *f.*; **at someone's —** chez; **— mate** colocataire *m., f.*
household chore tâche ménagère *f.*
housework ménage *m.*; **to do —** faire le ménage
how comment; **— are you?** comment allez-vous?; **— long** (for how much time) depuis combien de temps; **— long** (since when, since what point of time) depuis quand; **— many** combien de; **— much** combien; **— much is it?** c'est combien? **—'s it going?** ça va?
however cependant, pourtant
humiliating humiliant(e)
hundred cent; **two —** deux cents
hungry: to be **—** avoir faim
hurricane ouragan *m.*
to hurry se dépêcher
to hurt blesser
husband mari *m.*

I

I je
ice cream glace *f.*
ice skating patin à glace *m.*
ideal idéal(e)
identification identification *f.*
to identify identifier
if si
illness maladie *f.*
to imagine imaginer
immediately immédiatement, tout de suite
immigration immigration *f.*
important important(e)
in à, dans; **— class** en classe; **— first class** en première classe; **— front of** devant; **— tourist class** en classe touriste
included compris(e)
to increase augmenter
independence indépendance *f.*
independent indépendant(e)
indifferent indifférent(e)
individualistic individualiste
industrialized industrialisé(e)
inexpensive bon marché
to influence influencer
to inform informer
information renseignements *m. pl.*
ingredient ingrédient *m.*
inhabitant habitant *m.*
to injure blesser
injury blessure *f.*
inn auberge *f.*
inside à l'intérieur
insurance assurance *f.*
intellectual intellectuel(le)
intelligent intelligent(e)

interest: to be interested in s'intéresser à
interesting intéressant(e)
international international(e)
internship: to do an — faire un stage
interview interview f.
to introduce présenter; — oneself se
    présenter
to invite inviter
to iron clothes repasser le linge
to irritate irriter
island île f.
itinerary itinéraire m.

J

jacket blouson m.
jam confiture f.
January janvier
Japanese japonais(e); — language japonais m.
jar pot m.
jazz jazz m.
jealous jaloux(-se)
jealousy jalousie f.
jeans blue-jean m.
jewelry bijoux m. pl
job travail m., job m.; boulot m. (fam.)
jogging jogging m.; to jog faire du jogging
joke blague f.; to — plaisanter; no kidding
    sans blague (fam.)
journalism journalisme m.
journalist journaliste m., f.
judge juge m.
juice jus m.; orange — jus d'orange; apple
    — jus de pomme
July juillet
June juin
junior (in school) en troisième année
just: to have — venir de

K

to keep garder
key clé f.
kid gosse m., f. fam
to kill tuer
kilogram kilo m.
kind (type) sorte f.; (nice) gentil(le)
kindergarten école maternelle f.
kindness gentillesse f.
king roi m.
kiss baiser m., bise f. (fam.); to — embrasser;
    to — each other s'embrasser; hugs and
    kisses (letter closing) grosses bises
kitchen cuisine f.; — utensil ustensile de
    cuisine m.
knee genou m. (pl. genoux)
to kneel s'agenouiller
knife couteau m.
knight chevalier m.
to knock frapper
to know connaître, savoir
knowledge connaissance f.

L

laboratory laboratoire m.
lack manque m.
lake lac m.
lamb agneau m.
lamp lampe f.
landlord/landlady propriétaire m., f.
language langue f.

to last durer
last dernier/ière; — week la semaine dernière
late tard; to be — être en retard
later plus tard
Latin latin(e); — language latin m.
to laugh rire
to launch lancer
laundry lessive f.; to do the — faire la lessive
law droit m.
lawnmower tondeuse f.
lawyer avocat(e) m., f.
laziness paresse f.
lazy paresseux(-euse)
to lead (direct) diriger; mener
leaf feuille f.
to leaf feuilleter
to learn apprendre
leather cuir m.
to leave quitter, partir, sortir; to — behind
    laisser
lecture hall amphithéâtre m.
left gauche, à gauche
leg jambe f.
legend légende f.
lemonade citron pressé m.
lemon-lime soda limonade f.
to lend prêter
length (of time) durée f.
less moins; — than moins... que
lesson leçon f.
letter lettre f.
lettuce salade f., laitue f.
library bibliothèque f.
life vie f.; married — vie conjugale f.
to lift weights faire de la musculation
light léger/ère; (color) clair(e); (lowfat)
    allégé(e), maigre
light bulb ampoule f.
like comme
to like aimer, aimer bien
line ligne f.; to stand in — faire la queue
lion lion m.
lips lèvres f. pl.
lipstick rouge à lèvres m.
list liste f.
to listen to écouter
liter litre m.
literacy alphabétisme m.
literature littérature f.
little petit(e); peu; a — un peu (de)
to live habiter, vivre
lively animé(e)
liver foie m.
living room salle de séjour f.
lizard lézard m.
loafers mocassins m. pl.
located situé(e); to be — se trouver
lodging logement m.
long long(ue)
to look (at) regarder; — for chercher; — ill
    avoir mauvaise mine; — like avoir l'air
    (de), ressembler
to lose perdre; — weight maigrir
loss perte f.
lot: a — (of) beaucoup (de)
love amour m.; — at first sight coup de
    foudre m.; to — aimer, adorer; to be in
    — (with) être amoureux(-euse) (de)
lover amant(e) m., f.

low bas(se)
lowfat allégé(e)
luck chance f.; to be lucky avoir de la chance
lunch déjeuner m.; to eat — déjeuner
luxury tout confort, luxe m.

M

ma'am madame
magazine magazine m.; revue f.
mail courrier m.
main principal(e)
to maintain maintenir
major (academic) spécialisation f.
to major se spécialiser
majority majorité (de) f.
to make faire, fabriquer; — fun of se
    moquer de
makeup: to put on — se maquiller
man homme m.
management gestion f.
manager manager m., f.
manner manière f.; good manners
    bonnes manières; well/bad mannered
    bien/mal élevé(e)
many beaucoup (de)
map carte f., plan m.
marble bille f. ; to play marbles jouer aux
    billes
March mars
market marché m.; open air — marché en
    plein air m.; —ing marketing m.
marriage mariage m.
married marié(e)
to marry épouser; to get married se marier
    (avec)
match allumette f.
mathematics mathématiques f. pl. (fam.
    maths)
May mai
maybe peut-être
mayonnaise mayonnaise f.
mayor maire m.
me moi; — too moi aussi; — neither moi
    non plus
meal repas m.; enjoy your — bon appétit
mean méchant(e)
meaning sens m.
meat viande f. ; — cutlet côtelette f.;
    — spread pâté m.
mechanic mécanicien(ne) m., f.
medal (gold, silver) médaille (d'or,
    d'argent) f.
medicine médicament m., field of —
    médecine f.
mediocre médiocre
to meet rencontrer; — again se retrouver, se
    rejoindre; to make someone's
    acquaintance faire la connaissance de
to melt faire fondre
melted fondu(e)
memory mémoire f., souvenir m.
to mention mentionner
menu carte f.
message message m.
messy en désordre, désordonné(e)
microwave micro-ondes f.; — oven four à
    micro-ondes m.
midnight minuit m.
mild doux (douce); it's — (weather) il

fait doux

milk lait *m.*; **coffee with** — café au lait *m.*
million million *m.*
mind esprit *m.*
mini-tart tartelette *f.*
minority minorité (de)
miracle *f.* miracle *m.*
mirror miroir *m.*
to miss manquer; rater (le bus)
miss, Miss mademoiselle (Mlle)
misunderstanding incompréhension *f.*
to mix mélanger
mixing mélange *m.*; **cultural mixing** métissage culturel *m.*
model mannequin *m.*
moderate modéré(e)
modern moderne
modest modeste
moment moment *m.*
Monday lundi
money argent *m*
month mois *m.*
monument monument *m.*
mood humeur *f.*; **to be in a bad (good)** — être de mauvaise (bonne) humeur
more plus, davantage; — **. . . than** plus... que
morning matin *m.*
most (of) la plupart (de), la majorité de
mother mère *f.*; **step-mother, mother-in-law** belle-mère *f.*
motorcycle motocyclette (*fam.* moto) *f.*
mountain montagne *f.*
mountainous montagneux(-euse)
mouth bouche *f.*
to move bouger; **(house)** déménager; — **in** s'installer, emménager
movie film *m.*; — **director** cinéaste, metteur en scène *m., f.*; — **star** vedette *f.*; — **theater** cinéma *m.*, salle de cinéma *f.*
to mow passer la tondeuse
MP3 player lecteur MP3 *m.*
Mr. Monsieur (M.)
Mrs. Madame (Mme)
murder meurtre *m.*
muscle muscle *m.*
museum musée *m.*
mushroom champignon *m.*
music musique *f.*; **classical** — musique classique; **rap** — rap *m.*
musician musicien(ne) *m., f.*
must, to have to devoir
mustard moutarde *f.*
my mon, ma, mes
mythical mythique

N

name nom *m.*; **first** — prénom *m.*; **last** — nom de famille *m.*; **to be named** s'appeler; **what is your** — **?** comment vous appelez-vous?
napkin serviette *f.*
narrator narrateur(-trice) *m., f.*
nature nature *f.*
near près (de); proche
neat en ordre, ordonné(e)
necessary nécessaire; **it is** — il faut

neck cou *m.*
to need avoir besoin de
to neglect négliger
neighbor voisin(e) *m., f.*; **neighborhood** voisinage *m.*, quartier *m.*
neither non plus; **. . . nor** ni... ni...
nephew neveu *m.*
nervous nerveux(-euse)
nest nid *m.*
never ne... jamais
new nouveau (nouvelle)
news informations *f. pl.*; — **column** rubrique *f.*
newspaper journal *m.*
newsstand bureau de tabac *m.*, kiosque à journaux
next prochain(e), suivant(e); — **to** à côté de; **the** — **day** le lendemain
nice gentil(le), sympathique; **it's** — **weather** il fait beau
niece nièce *f.*
nightclub boîte de nuit *f.*
nightstand table de nuit *f.*
nine neuf
ninety quatre-vingt-dix
no non
nobody ne... personne
noise bruit *m.*
nonsmoking section section non fumeurs *f.*
noon midi *m.*
north nord *m.*; — **America** Amérique du Nord *f.*
nose nez *m.*; **to have a runny** — avoir le nez qui coule
not: — **any longer** ne... plus
not pas; ne... pas; — **at all** pas du tout
to note constater
notebook cahier *m.*
notepad bloc-notes *m.*
nothing rien; ne... rien
to notice remarquer, s'apercevoir
novel roman *m.*
November novembre
now maintenant
nuclear energy énergie nucléaire *f.*
number nombre *m.*; numéro *m.*; **telephone** — numéro de téléphone *m.*
nurse infirmier(-ière) *m., f.*

O

obedient obéissant(e)
to obey obéir
object objet *m.*
to obtain obtenir
obvious évident(e)
occupation métier *m.*
ocean océan *m.*
o'clock heure *f.* **it's six** — il est six heures
October octobre
of de; — **course** bien sûr
to offer offrir
office bureau *m.* (*pl.* bureaux*)
official officiel(le)
often souvent
oil huile *f.*; **olive** — huile d'olive *f.*
OK d'accord
old vieux (vieille), ancien; **elderly (person)** âgé(e); **how** — **are you?** quel âge avez-vous?; —**fashioned** démodé(e)
older brother (sister) aîné(e) *m., f.*

on sur
one un(e); on
onion oignon *m.*
only seulement; ne... que
open ouvert(e); **to** — ouvrir
operation opération *f.*
opinion opinion *f.*, avis *m.*; — **poll** sondage *m.*
opportunity occasion *f.*; **to have the** — avoir l'occasion de
opposite contraire *m.*
optimistic optimiste
or ou
orange orange *f.*
to order (in a café, restaurant) commander
ordinary ordinaire
to organize organiser
other autre
outdoors en plein air
outfit ensemble *m.*
outside à l'extérieur
oven four *m.*
over sur, dessus; — **there** là-bas
to overlook donner sur
overpopulation surpopulation *f.*
overwhelmed débordé(e)
overworked débordé(e) de travail
to owe devoir
owner propriétaire *m., f.*

P

to pack faire sa valise
package paquet *m.*
painter peintre *m., f.*
painting tableau *m.*, peinture *f.*
palace palais *m.*
pale pâle
pan poêle *f.*
pants pantalon *m.*; **warm-up** — pantalon de jogging *m.*; **bell bottoms** pantalon pattes d'éléphant *m.*
paper papier *m.*; **sheet of paper** feuille de papier *f.*
paradise paradis *m.*
pardon me pardon
parents parents *m.pl.*
park parc *m.*
to participate participer
partner partenaire *m., f.*
party soirée *f.*; fête *f.*; boum *f.*
to pass (by) passer; — **an exam** être reçu(e) à un examen
passion passion *f.*
passive passif(-ive)
passport passeport *m.*
past; in the — autrefois
pasta pâtes *f.pl.*
pastry dough pâte *f.*
pastry, pastry shop pâtisserie *f.*
patient patient(e); **to be** — avoir de la patience
patio terrasse *f.*
to pay payer; — **a bill** régler
pea pois *m.*; **green peas** petits pois *m.pl.*
peace paix *f.*
pear poire *f.*
peasant paysan(ne) *m., f.*
pen stylo *m.*; **marking pen** feutre *m.*
pencil crayon *m.*
people gens *m.pl.*
pepper poivre *m.*; **bell pepper** poivron *m.*

per par; **— day** par jour
perfect parfait(e)
perfume parfum *m.*
to permit permettre
person personne *f.*
pessimistic pessimiste
pet animal familier, animal domestique *m.*
pharmacy pharmacie *f.*
philosophy philosophie *f.*
photograph photo *f.;* **photo album** album de photos *m.*
photographer photographe *m., f.*
physical appearance physique *m.*
physics physique *f.*
piano piano *m.*
to pick up, get back récupérer; **— (girls/guys)** draguer *(fam.)*
picnic pique-nique *m.;* **to go on a —** faire un pique-nique
picture image *f.;* photo *f.*
picturesque pittoresque
pie tarte *f.*
piece morceau *m.,* tranche *f.*
pig cochon *m.*
pill pilule *f.*
pilot pilote *m., f.*
pinch (of) pincée (de) *f.*
pineapple ananas *m.*
pink rose
pirate pirate *m.*
place lieu *m.,* endroit *m.;* **workplace** lieu de travail *m.*
plaid écossais(e)
to plan faire des projets
plans préparatifs *m.pl.,* projets *m.pl.*
plant plante *f.*
plastic plastique
plate assiette *f.*
to play jouer; **— a sport** jouer à; **— a musical instrument** jouer de; **— cards** jouer aux cartes; **— hide-and-seek** jouer à cache-cache; **— marbles** jouer aux billes; **— the piano** jouer du piano; **— tennis** faire du tennis; jouer au tennis; **— with dolls** jouer à la poupée; **—soccer** jouer au football
play pièce de théâtre *f.*
player joueur(-euse)
pleasant agréable
please s'il vous (te) plaît
to please plaire
pleated plissé(e)
plot déroulement *m.*
poem poème *m.*
poet (femme) poète *m., f.*
poisoned empoisonné(e)
policeman agent de police *m., f;* **police station** commissariat *m.*
polite poli(e)
political science sciences politiques *f. pl.*
politician homme (femme) politique *m., f.*
polka dot à pois
pollution pollution *f.*
pool piscine *f.*
poor pauvre
popular populaire
pork porc *m.*
port port *m.*
possession possession *f.*

possible possible
postage stamp timbre *m.*
postcard carte postale *f.*
poster affiche *f.*
post office bureau de poste *m.;* poste *f.*
potato pomme de terre *f.*
practical pratique
to practice pratiquer, **— a profession** exercer une profession
preacher pasteur *m.*
to prefer préférer, aimer mieux
preference préférence *f.*
pregnancy grossesse *f.*
pregnant enceinte
to prepare préparer; **— oneself, get ready** se préparer
prescription ordonnance *f.*
press, news media presse *f.*
prestige prestige *m.*
prestigious prestigieux(-euse)
pretty joli(e)
previously auparavant
price prix *m.,* tarif *m.*
priest prêtre *m.*
prince prince *m.*
princess princesse *f.*
principal directeur(-trice) *m., f*
private privé(e)
prize prix *m.*
probable probable
probably probablement
problem problème *m.*
to produce produire, fabriquer
producer producteur(-trice) *m., f.*
product produit *m.*
professor, instructor professeur *m.* (*fam.* prof)
program programme *m.* ; **(TV, radio)** émission *f.* **— of study** programme d'études *m.;* **exchange —** programme d'échanges *m.*
programmer programmeur(-euse) *m., f.*
prohibited interdit(e)
to promise promettre
prosperous prospère
to protect protéger
provided that pourvu que
province province *f.*
provincial provincial(e)
psychology psychologie *f.*
to pull tirer
pullover sweater pull-over *m.* (*fam.* pull)
punctual ponctuel(le)
punishment punition *f.;* **corporal —** châtiment corporel *m.*
purchase achat *m.*
purse sac *m.*
to pursue poursuivre
to put (on) mettre; **— back** remettre

Q

quality qualité *f.*
quantity quantité *f.*
queen reine *f.*
question question *f.;* **to ask a —** poser une question
quickly vite, rapidement
quiet silencieux(-euse)

R

rabbit lapin *m.*
radio radio *f.;* **portable — cassette player** radiocassette *f.;* **— alarm clock** radioréveil *m.*
rafting rafting *m.*
raï raï *m.* (popular musical genre from North Africa)
rain pluie *f.;* **to —** pleuvoir; **it's raining** il pleut
raincoat imperméable *m.*
raise augmentation de salaire *f.*
to raise lever
rare rare; **(meat)** saignant(e)
rarely rarement
rather plutôt, assez
razor rasoir *m.;* **electric —** rasoir électrique *m.*
to react réagir
to read lire; **to reread** relire
ready prêt(e)
realistic réaliste
reality TV show télé-réalité *f.*
to realize se rendre compte
really vraiment
reason raison *f.*
reasonable raisonnable
to receive recevoir
recent récent(e); **recently** récemment
receptionist réceptionniste *m., f.*
recess récréation *f.* (*fam.* la récré)
recipe recette *f.*
recluse reclus *m.*
to recommend recommander
record disque *m.;* **— store** magasin de disques *m.*
to recycle recycler
red rouge; **to turn —** rougir; **a glass of — wine** un verre de rouge; **— hair** cheveux roux *m.pl.*
to redo (a school lesson) repasser
to reduce réduire
reduced price tarif réduit *m.*
reduction réduction *f.*
refrigerator réfrigérateur *m.* (*fam.* frigo)
to refuse refuser (de)
region région *f.*
to regret regretter
regularly régulièrement
to rehearse répéter
to relax se détendre
relaxed décontracté(e); relaxe
to release lâcher
religion religion *f.*
to remain rester
to remember se rappeler; se souvenir de
to remodel rénover
rent loyer *m.;* **to —** louer
rental location *f.*
to repair réparer
to repeat répéter; **— (a class, a grade)** redoubler
report card bulletin scolaire *m.*
request demande *f.*
to resemble ressembler à
reservation réservation *f.*
to reserve réserver
reserved réservé(e)
to resign démissionner
responsibility responsabilité *f.*

to **rest** se reposer
restaurant restaurant *m.*
result résultat *m.*
retirement retraite *f.*
to **return** (**home**) rentrer; — (**something**) rendre; — (**come back**) revenir
rice riz *m.*
rich riche
right correct(e); **to, on the** — à droite (de); **to be** — avoir raison
ring; engagement — bague de fiançailles *f.*; **wedding** — alliance *f.*
risk risque *m.*; **to** — risquer de
river (major) fleuve *m.*
rock rocher *m.*; — **music** rock *m.*; — **musician** rocker *m.*
role rôle *m.*
rollerblades rollerblades *m.*; **to go rollerblading** faire du roller
romantic romantique; — **film** film d'amour *m.*
romanticism romantisme *m.*
room pièce *f.*; salle *f.*; **dining** — salle à manger *f.*; **emergency** — service des urgences *m.*; **fitting** — cabine d'essayage *f.*; **living** — salle de séjour *f.*
roommate camarade de chambre *m., f.*, colocataire *m., f.*
routine routine *f.*
row rang *m.*; **in a** — en rang
rug tapis *m.*
ruler règle *f.*
to **run** courir
rural rural(e)
Russian russe

S

sad triste
to **sail** faire de la voile
salad salade *f.*
salary salaire *m.*
sale solde *m.*; **on** — en solde; **sales promotion** promotion *f.*
salesperson vendeur(-euse) *m., f.*
salmon saumon *m.*
salt sel *m.*
same même
sandals sandales *f. pl.*
sandwich sandwich *m.*; **ham** — **with butter** sandwich jambon beurre *m.*
satisfied satisfait(e)
Saturday samedi
sauce sauce *f.*
sausage saucisson *m.*
to **sauté** faire revenir
savannah savane *f.*
to **save** sauver; (money) épargner, faire des économies
to **savor** déguster
to **say** dire
scandal scandale *m.*
scar cicatrice *f.*
scarf écharpe *f.*
schedule emploi du temps *m.*; horaire *m.*
scholarship bourse *f.*
school école *f.*; **elementary** — école primaire *f.*; **middle** — (in France) collège *m.*; — **of a university** faculté *f.* (*fam.* la fac)
science science *f.*; — **fiction** science-fiction *f.*
scientist chercheur *m.*

to **scold** gronder
to **scuba dive** faire de la plongée sous-marine
sculpture sculpture *f.*
sea mer *f.*; **seafood** fruits de mer *m. pl.*
search engine moteur de recherche *m.*
season saison *f.*; **dry** — saison sèche *f.*; **rainy** — saison des pluies *f.*
seat place *f.*
seated assis(e)
second deuxième
secretary secrétaire *m., f.*
security sécurité *f.*
to **seduce** séduire
to **see** voir, apercevoir; — **again** revoir
to **seem** paraître; avoir l'air (de)
to **select** sélectionner
selfish égoïste
to **sell** vendre
semester semestre *m.*
to **send** envoyer
senior (in high school) en terminale
sensible raisonnable
sentence phrase *f.*
sentimental sentimental(e)
to **separate** se séparer
separation séparation *f.*
September septembre
serious sérieux(-euse), grave
to **serve** servir; — **yourself** se servir
service service *m.*
to **set** mettre; — **the table** mettre la table
seven sept
seventy soixante-dix
several plusieurs
shame honte *f.*; **to be ashamed** avoir honte
shampoo shampooing *m.*
to **share** partager
shark requin *m.*
to **shave** (**oneself**) se raser
she elle
sheep mouton *m.*
to **shine** briller
shirt chemise *f.*
shock choc *m.*; —**ed** choqué(e)
shoes chaussures *f. pl*; **high heels** chaussures à talons; **shoe size** pointure *f.*
to **shop** (**go shopping**) faire les courses
shopkeeper commerçant(e) *m., f.*
shopping mall centre commercial *m.*
short court(e); (people) petit(e)
shorts short *m.*
shot piqûre *f.*
shoulder épaule *f.*
to **shout** crier; pousser un cri
to **show** montrer, indiquer
shower douche *f.*; — (**weather**) averse *f.*; **to** — se doucher
shrimp crevette *f.*
shutters volets *m. pl.*
shy timide
sick malade
to **sign** signer; — **up** s'inscrire
silk soie *f.*
since depuis
to **sing** chanter
singer chanteur(-euse) *m., f.*
single (not married) célibataire
sink lavabo *m.*; **kitchen** — évier *m.*

sir monsieur
sister sœur *f.*; **sister-in-law**, belle-sœur *f.*, **stepsister** demi-sœur *f.*
to **sit down** s'asseoir; — **back down** se rasseoir; **sit down** asseyez-vous
size taille *f.*; **shoe** — pointure *f.*; **average** — de taille moyenne
sixty soixante
skater patineur (patineuse) *m., f.*; **to** (**figure**) **skate** faire du patinage (artistique)
to **ski** skier, faire du ski
skiing ski *m.*
skin peau *f.*
to **skip class** sécher un cours
skirt jupe *f.*
sky ciel *m.*
slate ardoise *f.*
to **sleep** dormir; — **late** faire la grasse matinée; **to be sleepy** avoir sommeil; **to fall asleep** s'endormir
sleeping bag sac de couchage *m.*
slice tranche *f.*
to **slide** glisser
slowly lentement
small petit(e)
to **smile** sourire; **smile** sourire *m.*
to **smoke** fumer; **smoking section** section fumeurs *f.*
snack goûter *m.*; **to** — grignoter
snake serpent *m.*
to **sneeze** éternuer
snobby snob
to **snorkel** faire de la plongée avec un tuba
snow neige *f.*; **it's snowing** il neige
so alors, si; — (**much**) tellement
soap savon *m.*
soccer football *m.* ; — **field** terrain de football *m.*; —**player** footballeur *m.*
sociable sociable
social customs mœurs *f. pl.*
society société *f.*
sociology sociologie *f.*
sock chaussette *f.*
soft doux (douce)
sole sole *f.*
solitary solitaire
some des, quelques, certain(e)(s)
someone quelqu'un
something quelque chose
sometimes parfois
somewhat assez
son fils *m.*
song chanson *f.*
soon bientôt ; **see you** — à bientôt
sophmore (in school) en deuxième année
sorry désolé(e)
sort sorte *f.*
sound bruit *m.*
soup soupe *f.*
south sud *m.*; — **America** Amérique du Sud *f.*
space espace *m.*
Spanish espagnol(e); — **language** espagnol *m.*
to **speak** parler
to **specialize in** se spécialiser en
to **spell** épeler
to **spend** (**money**) dépenser; — (**time**) passer
spice épice *f.*
to **spoil** gâter
spoiled gâté(e)

spoon cuillère *f.;* **soup —** cuillère à soupe *f.*

sport sport *m.;* **sports field** terrain de sport *m.*

sportcoat veste *f.*

spouse époux (épouse) *m., f.*

spring printemps *m.*

stadium stade *m.*

stairs escalier *m.*

to start (up) démarrer; **— a family** fonder une famille

state état *m.*

to stay rester; **— at a hotel** loger

to steal voler

step (stage) étape *f.*

stereo chaîne hi-fi *f.*

stitch suture *f.*

stomach estomac *m.,* ventre *m.*

stone pierre *f.*

stop arrêt *m.;* **metro —** arrêt de métro *m.;* **to — ** arrêter, s'arrêter; **to — oneself** s'empêcher de

stopped up bouché(e)

store magasin *m.*

storm orage *m.*

story conte *m.;* histoire *f.;* **— line** intrigue *f.*

stove cuisinière *f.*

straight droit(e); **— ahead** tout droit

to straighten ranger

strawberry fraise *f.*

street rue *f.*

stressed stressé(e)

strict sévère, strict(e)

strike grève *f.;* **to go on —** faire la grève

striped à rayures

to stroll se balader, flâner

strong fort(e)

stubborn têtu(e)

student étudiant(e) *m., f.;* (pre-college) élève *m., f.*

studies études *f. pl.*

to study étudier; **— French** faire du français

stupid bête, stupide

style style *m.;* modèle *m.*

stylish chic

subject sujet *m.;* **school —** matière *f.*

suburb banlieue *f.*

subway métro *m.;* **— stop** station de métro *f.*

to succeed réussir (à)

suddenly tout à coup, soudain

to suffer souffrir

sugar sucre *m.*

to suggest suggérer, conseiller

suicide suicide *m.;* **to commit —** se suicider

suit costume *m.;* **man's —** complet *m.;* **woman's —** tailleur *m.*

suitcase valise *f.*

summer été *m.*

sun soleil *m.;* **it's sunny** il fait du soleil

to sunbathe se bronzer

sunburn coup de soleil *m.*

Sunday dimanche

sunglasses lunettes de soleil *f.pl.*

sunny clair(e), lumineux(-euse), ensoleillé(e)

sunscreen crème solaire *f.*

sunset coucher de soleil *m.*

supermarket supermarché *m.*

superstore hypermarché *m.*

sure sûr(e)

surface area superficie *f.*

surprised surpris(e), étonné(e)

surprising surprenant(e)

survey enquête *f.,* sondage *m.*

to suspect soupçonner

to swallow avaler

sweater pull-over *m.* (pull *fam.*)

to sweep passer le balai

sweetened sucré(e)

to swim nager, faire de la natation

swimming pool piscine *f.*

swimsuit maillot de bain *m.*

swollen enflé(e)

symptom symptôme *m.*

T

T-shirt T-shirt *m.,* maillot *m.*

table table *f.;* **coffee —** table basse *f.*

tablecloth nappe *f.*

tablespoon cuillère à soupe *f.;* **tablespoonful** cuillerée à soupe *f.*

to take prendre; **— (someone) along** emmener; **— place** avoir lieu; **— a course** suivre un cours; **— an exam** passer un examen; **— a nap** faire la sieste; **— a trip** faire un voyage

talkative bavard(e)

tall grand(e)

to tan brunir; se bronzer

tank top débardeur *m.*

tart tarte *f.,* tartelette *f.*

taste goût *m.;* **to —** goûter

taxi taxi *m.;* **— driver** chauffeur de taxi *m.*

tea thé (nature) *m.;* **herbal —** infusion *f.*

to teach enseigner

teacher professeur *m.;* **elementary school —** instituteur(-trice) *m., f.*

team équipe *f.*

teaspoon cuillère à café *f.;* **teaspoonful** cuillerée à café *f.*

telecommuting télétravail *m.*

telephone téléphone *m.;* **— answering machine** répondeur *m.;* **— booth** cabine téléphonique *f.;* **— call** coup de téléphone *m.;* **— card** télécarte *f.;* **— number** numéro de téléphone *m.;* **cell phone** téléphone mobile (portable) *m.*

television télévision (*fam.* télé) *f.;* **— series** feuilleton *m.;* **— show** émission de télévision *f.;* **TV game show** jeu télévisé *m.*

to tell dire; **— a story** raconter

temperature température *f.*

ten dix

tenant locataire *m., f.*

tender tendre

tenderness tendresse *f.*

tennis tennis *m.;* **— court** court de tennis *m.;* **— racket** raquette de tennis *f.;* **— shoes** des tennis *m. pl.;* **high tops** des baskets *f. pl.*

test examen *m.*

thank you merci; **thanks to** grâce à

that ça, cela; **— one** celui, celle

the le, la, les

theater théâtre *m.*

theme thème *m.*

then ensuite, puis, alors; **and —** et alors

there là, y; **— over** là-bas; **there is/are** il y a; **voilà**

therefore donc, par conséquent

these (those) ces; **— ones** ceux, celles

they elles, ils

thief voleur *m.*

thin mince, maigre

thing chose *f.* (*fam.* truc *m.,* machin *m.*); **something** quelque chose

to think penser, croire; **— about** penser à, réfléchir à; **— about (opinion)** penser de

thirsty: to be — avoir soif

thirty trente

this (that) ce (cet), cette; **— one** celui, celle

thousand mille

three trois

throat gorge *f.;* **— lozenge** pastille pour la gorge *f.*

to throw jeter

Thursday jeudi

thus ainsi

ticket billet *m.;* **one-way —** billet aller simple *m.;* **round-trip —** billet aller retour

tidy ordonné(e), en ordre

tie cravate *f.*

tight serré(e); juste; moulant(e); étroit(e)

time fois *f.;* **a long —** longtemps; **the last —** la dernière fois; **to be on —** être à l'heure; **what — is it?** quelle heure est-il?

tip pourboire *m.;* **— (not) included** service (non-)compris

tired fatigué(e)

title titre *m.*

to à, en, jusqu'à

today aujourd'hui

toe orteil *m.*

together ensemble

toilet toilettes *f. pl.;* W.C. *m.pl.*

tomato tomate *f.*

tomorrow demain

tongue langue *f.*

too aussi; **me —** moi aussi; **— much** trop (de)

tooth dent *f.;* **—brush** brosse à dents *f.*

tough dur(e)

tourism tourisme *m.*

tourist touriste *m., f.;* touristique

toward vers

towel (bath) serviette de bain *f.*

tower tour *f.*

town village *m.,* ville *f.;* **— square** place *f.*

town hall mairie *f.*

tradition tradition *f.*

trailer caravane *f.*

train train *m.,* **— station** gare *f.*

training formation *f.*

tranquilizer tranquillisant *m.*

to transform transformer

transportation transport en commun *m.;* **means of —** moyen de transport *m.*

to travel voyager; **— around the world** faire le tour du monde

traveler's check chèque de voyage *m.*

tree arbre *m.*

to trick tromper

trickiness ruse *f.*

trimester trimestre *m.*

trip voyage *m.,* séjour *m.;* **to take a —** faire un voyage

tropical tropical(e)

trouble: to have — doing something avoir du mal à

true vrai(e)

trunk coffre *m.*
truth vérité *f.*
to try (on) essayer; **(attempt)** tenter; **— to** chercher à, essayer de
Tuesday mardi
tuna thon *m.*
to turn tourner; **— off** éteindre; **— on** allumer
turtleneck à col roulé
twin jumeau (jumelle)
to twist one's ankle se fouler la cheville
two deux
to type taper
typically typiquement

U

ugly laid(e); moche *(fam.)*
umbrella parapluie *m.*
unbearable insupportable
unbelieveable incroyable
uncertain incertain(e)
uncle oncle *m.*
under sous; au-dessous (de)
to understand comprendre
understanding compréhensif(-ve)
unemployed: to be — être au chômage, **— person** personne sans emploi *f.*; chômeur(-euse) *m., f.*
unfaithful: to be — tromper
unfortunately malheureusement
unhappy malheureux(-euse)
to unite unir
university université *f.*; **— cafeteria** restaurant universitaire *m. (fam.* resto-U*)*
unpleasant désagréable
unreasonable déraisonnable
unthinkable impensable
until jusqu'à; jusqu'à ce que
to use utiliser; se servir de, employer
useful utile
useless inutile
usually d'habitude, normalement
utilities (bills) charges *f. pl.*

V

vacation vacances *f. pl.*; **— package** formule de vacances *f.*; **summer—** grandes vacances *f., pl.*
to vacuum passer l'aspirateur
vacuum cleaner aspirateur *m.*
valid valable
valley vallée *f.*
value valeur *f.*
vanilla vanille *f.*
various varié(e)s, divers
vase vase *m.*
vegetable légume *m.*
vegetarian végétarien(ne)
velvet velours *m.*
very très; extra, hyper, vachement *fam.*
video vidéo *f.*; **VCR** magnétoscope *m.*; **— game** jeu vidéo/électronique *m.*

violet violet(te)
to visit (a person) rendre visite (à), aller voir; **— (a place)** visiter
vitamin vitamine *f.*
volcano volcan *m.*

W

to wait for attendre
waiter, waitress serveur(-euse) *m., f.*
to wake (oneself) up se réveiller
walk promenade *f.*; **to —** promener; marcher; **to go for a —** se promener; faire une promenade (à pied)
Walkman baladeur *m.*
wall mur *m.*
to want vouloir, désirer, avoir envie de; **— to** tenir à
war guerre *f.*
wardrobe garde-robe *f.*
wary; to be wary of se méfier de
to wash laver; **to do the wash** faire la lessive; **— (up)** se laver
wastebasket corbeille à papier *f.*
watch montre *f.*
to watch regarder; **to keep an eye on** surveiller
water eau *f.*; **mineral —** eau minérale *f.*
waterfall chute d'eau *f.*
way façon *f.*; manière *f.*
we nous
to wear porter
weather temps *m.*; **— report** bulletin météorologique *m. (fam. f.* météo*)*; **it's bad (good) —** il fait mauvais (beau); **what is the —?** quel temps fait-il ? **good —** beau temps *m.*
wedding noces *f. pl.*; **— ring** alliance *f.*
Wednesday mercredi
week semaine *f.*; **last —** la semaine dernière *f.*; **—end** week-end *m.*
weekly (publication) hebdomadaire *m.*
weight lifting musculation *f.*
welcome bienvenue *f.*; **to —, greet** accueillir; **you're —** je (te) vous en prie
well bien; **rather —** assez bien; **as — as** aussi bien que; **— behaved** sage; **— mannered** bien élevé(e); **— done (meat)** bien cuit(e)
west ouest
what que, qu'est-ce que, quoi, comment, quel(le)
when quand, lorsque
where où; **from —** d'où
which quel(le) *(pl.* quels, quelles*)*; **— ones** lequel, laquelle *(pl.* lesquels, lesquelles*)*
while pendant que
white blanc(he)
who qui
whole entier(-ière)
why pourquoi
wide large
wife femme *f.*
to win gagner
wind vent *m.*; **it's windy** il fait du vent

window fenêtre *f.*
to windsurf faire de la planche à voile
wine vin *m.*
winter hiver *m.*
to wipe one's nose se moucher
wisdom sagesse *f.*
to wish souhaiter
witch sorcier(-ière) *m., f.*
with avec
without sans
witness temoin *m.*
wolf loup *m.*
woman femme *f.*
to wonder se demander
wonderful formidable, passionnant(e)
wood bois *m.*
wool laine *f.*
word mot *m.*
work travail *m.*; **to — full time (part time)** travailler à plein temps (à temps partiel, à mi-temps;) **to do volunteer —** faire du travail bénévole; **— of art** œuvre *f.*
to work (function) marcher
worker ouvrier(-ière) *m., f.*
world monde *m.*
worried inquiet(-iète)
worry souci *m.*; **to —** s'inquiéter, avoir des soucis
worse pire
wrist poignet *m.*
to write écrire
writer écrivain *m.*
writing (penmanship) écriture *f.*
wrong: to be — avoir tort

X

X ray radiographie *f.*

Y

yard jardin *m.*
year an *m.*; année *f.*; **to be (18) years old** avoir (dix-huit) ans
yellow jaune
yes oui
yesterday hier; **— morning** hier matin
yet déjà; **not —** pas encore
yoga yoga *m.*
yogurt yaourt *m.*
you tu, vous, on, toi
young jeune
younger (brother, sister) cadet(te)
your ton, ta, tes; votre, vos
youth jeunesse *f.*; **— hostel** auberge de jeunesse *f.*

Z

zebra zèbre *m.*
zero zéro *m.*
zouk zouk (popular musical genre from the French West Indies) *m.*

Index

Credits

Text/Realia

20: TOUT LE MONDE Paroles & musique: ZAZIE Arrangements: Pierre JACONELLI & Christophe VOISIN © 1998 UNIVERSAL MUSIC PUBLISHING (catalogue Larsen) "Avec l'aimable autorisation d'UNIVERSAL MUSIC PUBLISHING"; **48:** Tony Parker, *J'aime, J'aime pas*, www.tp9.net; **65:** *Astérix*, Les Éditions Albert René; **76:** Hestia dans toute la France, Hestia ad **78:** "La famille Bellelli", *Le guide du musée d'Orsay* © La Réunion des Musées Nationaux, 1986; **107:** Adapté de "Au septième Tour, Lance se reposa" par Florian Joyard, *Vélo Magazine* août 2005 : adapté de l'Équipe, 25 juillet 2006; **132:** Menu, Le Café de la Sorbonne; **169:** "L'Express sommaire" in *L'Express Magazine*, no. 2834, 27 octobre au 2 novembre 2005; **174:** "Jacques Brel: Chanteur en rébellion", Montaut; **206:** Jacques Prévert, "Déjeuner du matin" in *Paroles* © Éditions Gallimard; **234:** © Hergé/Moulinsart 2006; **234:** *Astérix*, Les Éditions Albert René; **234:** *Titeuf* by Zep © Éditions Glénat; **238–239:** "Alceste a été renvoyé" in *Les Récrés du petit Nicolas* de Sempé/Goscinny © Éditions Denoël, 1961, 2002; **270:** "Le pays va mal" © Universal, 2002; **302–303:** Eugène Ionesco, "Premier conte pour enfants de moins de trois ans" in *Présent passé, passé présent* © Mercure de France, 1968; **322:** Paris map, Galeries Lafayette; **338:** Jacques Prévert, "Le Message" in *Paroles* © Éditions Gallimard; **354:** Courtesy of Laurence Denié-Hygney; **392:** Association Action Migraine, PSA; **400:** Antismoking PSA; **402:** "La main tendue, vous pouvez les aider", *Femme Actuelle;* **404–406:** "Je suis malade" in *Le petit Nicolas* de Sempé/Goscinny © Éditions Denoël, 1960, 2002; **427:** Courtesy of Fondation Abbé Pierre, www.fondation-abbe-pierre.fr; **428:** "Touche pas à mon pote", www.sos-racisme.org; **430:** Loto, France; **438–439:** Magali Morsi, "L'affaire du collier" in *Les femmes du Prophète* © Mercure de France, 1989; **456:** "Le Petit Chaperon rouge" et "La Belle au bois dormant", 1916 (edition out of copyright), Émile Guérin, éditeur; **457–458:** "Gaston et la chaise tournante" in *Gaston Lagaffe* © Éditions Dupuis, Marsu Productions; **459:** *Les Choristes*, Galatée Films; **467–468:** J.-M. G. Le Clézio, "Ô voleur, voleur, quelle vie est la tienne?" in *La ronde et autres faits divers* © Éditions Gallimard.

Photo

All images not credited are the property of the authors or The Thomson Corporation.

Module 1
0–1: ©Ulrike Welsch/PhotoEdit
2 top left: ©Royalty-Free/CORBIS
2 top right: ©Spencer Grant/PhotoEdit
2 bottom: ©Robert Fried/Alamy
3 top: ©Reuters/CORBIS
3 bottom: ©Rufus F. Folkks/CORBIS
5 top: ©The Thomson Corporation/Heinle Image Resource Bank
5 bottom: ©Dan Porges/Peter Arnold, Inc.
6: ©GreenShoots Communications/Photographers Direct
9 top left: ©Benoit Peverelli/Corbis
9 top center: ©Philippe Giraud/CORBIS SYGMA
9 top right: ©Reuters/CORBIS
9 center left: ©Pascal Le Segretain/Getty Images
9 center: ©Bernard Bisson/CORBIS SYGMA
9 center right: ©Evan Agostini/Getty Images
9 bottom left: ©AP Photo
9 bottom left center: ©Juminer Bruno/CORBIS SYGMA
9 bottom center: ©Ben Radford/Getty Images
9 bottom right center: ©Reuters/CORBIS
9 bottom right: ©Arnaldo Magnani/Getty Images
10 top: ©Arnaldo Magnani/Getty Images
10 top left: ©Evan Agostini/Getty Images
10 top center: ©Ben Radford/Getty Images
10 top right: ©Juminer Bruno/CORBIS SYGMA
10 bottom left: ©Reuters/CORBIS
10 bottom center: ©Benoit Peverelli/Corbis
10 bottom right: ©Bernard Bisson/CORBIS SYGMA
10 bottom: ©Reuters/CORBIS
12 top: ©Robert Llewellyn/SuperStock
12 bottom: ©The Thomson Corporation/Heinle Image Resource Bank
20: ©Fabrice Vallon/CORBIS KIPA

Module 2
30–31: ©STF/AFP/Getty Images
33: ©Directphoto.org/Alamy
34: ©Amet Jean Pierre/CORBIS SYGMA
35: ©Mat Jacob/The Image Works
36: ©The Thomson Corporation/Heinle Image Resource Bank
48: ©Benoit Peverelli/Corbis

Module 3
58–59: ©Omni Photo Communications Inc./Index Stock Imagery
61: ©The Thomson Corporation/Heinle Image Resource Bank
62 top: ©Owen Franken/CORBIS
62 bottom: ©AP Photo/Paul Sakuma
63 top: ©Camera Lucida/Alamy
63 bottom: ©Stephen Simpson/Taxi/Getty Images
68: ©Lawrence Manning/CORBIS

72: ©Jonathan Stark/Index Stock Imagery
73 top: ©AP Photo/Francois Mori
73 top center: ©Cheryl Maeder/Iconica/Getty Images
73 bottom center: ©Mark Segal/Index Stock Imagery
73 bottom: ©Royalty-Free/CORBIS
75: ©The Thomson Corporation/Heinle Image Resource Bank
78: ©Erich Lessing/Art Resource, NY

Module 4
88–89: ©David R. Frazier
92 left: ©Ben Radford/Getty Images
92 top right: ©Lucas Schifres/Bloomberg News/Landov
92 center right: ©AP Photo/Martin Meissner
92 bottom right: ©Reglain Frederic/Gamma
94: ©Cephas Picture Library/Alamy
98 top left: ©The Thomson Corporation/Heinle Image Resource Bank
98 top center: ©Ted Pink/Alamy
98 top right: ©Art Kowalsky/Alamy
98 bottom: ©Directphoto.org/Photographers Direct
99 top: ©Peter Menzel/Stock Boston
99 bottom: ©Mat Jacob/The Image Works
102 top: ©Directphoto.org/Alamy
102 bottom: ©Andrew Holt/Alamy
104 top: ©The Thomson Corporation/Heinle Image Resource Bank
104 bottom: ©Bruno de Hogues
107 left: ©AP Photo/Christophe Ena
107 right: ©AP Photo/Peter Dejong

Module 5
120–121: ©Bob Handelman/Stone/Getty Images
122: ©Owen Franken/CORBIS
125 left: ©SuperStock
125 center: ©Photodisc Green/Getty Images
125 right: ©The Thomson Corporation/Heinle Image Resource Bank
126: ©Hahn/laif/AURORA
128: ©AP Photo/Jacques Brinon
129: ©Movie Stills Archive
133 top right: ©SCPhotos/Alamy
136 left: ©AP Photo/Anja Niedringhaus
136 right: ©age fotostock/SuperStock

Module 6
154–155: ©Chad Ehlers/Alamy
160: ©Catherine Ledner/Stone/Getty Images
170 top left: ©Clive Brunskill/Getty Images
170 bottom left: ©Dreamworks LLC/The Kobal Collection
170 right: ©AP Photo/Alessandro Trovati
171: ©Stock Montage/Index Stock Imagery
172 top left: ©H. Armstrong Roberts/Retrofile/Getty Images

172 top right: ©Ewing Galloway/Index Stock Imagery
172 bottom left: ©Bettmann/CORBIS
172 bottom right: ©Bettmann/CORBIS
174: ©Giribaldi Gilbert/Gamma

Module 7

186–187: ©Esther Marshall
191 left: ©Digital Vision/Getty Images
191 center: ©Nancy R. Cohen/Photodisc Green/Getty Images
191 right: ©The Thomson Corporation/Heinle Image Resource Bank
194 left: ©The Thomson Corporation/Heinle Image Resource Bank
194 center: ©Marnie Burkhart/Masterfile
194 right: ©The Thomson Corporation/Heinle Image Resource Bank
201 left: ©Photononstop/Envision
201 center: ©Steven Mark Needham/FoodPix
201 right: ©The Thomson Corporation/Heinle Image Resource Bank
206 top: ©Ara Guler/Magnum Photos
206 bottom: ©James Leynse/CORBIS

Module 8

220–221: ©The Thomson Corporation/Heinle Image Resource Bank
222: ©The Thomson Corporation/Heinle Image Resource Bank
224: ©Vincent Besnault/Sygma/Corbis
225: ©Robert DOISNEAU/RAPHO
227 top: ©The Thomson Corporation/Heinle Image Resource Bank
227 center: ©Vince Streano/CORBIS
227 bottom: ©Benelux Press/Index Stock Imagery
228: ©Owen Franken/CORBIS
229: ©Fogstock LLC/Index Open
233: ©Picture Partners/Alamy
235 top: ©Rolf Bruderer/Masterfile
235 bottom: ©Dennis Hallinan/Alamy

Module 9

252–253: ©Michele Burgess/Index Stock Imagery
254 top left: ©Andre Jenny/Alamy
254 top right: ©Michael Dwyer/Stock Boston
254 bottom: ©Dave G. Houser/CORBIS
256: ©The Thomson Corporation/Heinle Image Resource Bank
258 top: ©Alain Jocard/AFP/Getty Images
258 bottom: ©ArenaPal/Topham/The Image Works
259: ©Eric Fougere/CORBIS KIPA
262: ©Beryl Goldberg
266: ©Marc Steinmetz/Visum/The Image Works
267 top: ©Hemis/Alamy
267 center: ©The Thomson Corporation/Heinle Image Resource Bank
267 bottom: ©ImageDJ/Index Open
270: ©Alain Jocard/AFP/Getty Images

Module 10

284–285: ©Owen Franken/CORBIS
286: ©Owen Franken/CORBIS
293 top: ©The Thomson Corporation/Heinle Image Resource Bank
293 bottom: ©Bernard Annebicque/CORBIS SYGMA
294 top: ©Bill Bachmann/Index Stock Imagery
294 bottom: ©The Thomson Corporation/Heinle Image Resource Bank
297 top: ©Djamel Khechine/CORBIS KIPA
299: ©Jed Leicester/Bloomberg News/Landov

Module 11

316–317: ©Fernand Ivaldi/Iconica/Getty Images
318: ©Brian Lawrence/ImageState/Jupiter Images
319 top left: ©Janet Generalli/Index Stock Imagery
319 top right: ©Walter Bibikow/Index Stock Imagery
319 bottom right: ©Philip Gould/CORBIS
320 top left: ©Walker/Index Stock Imagery
320 center: ©David Noble Photography/Alamy
320 bottom left: ©Owen Franken/CORBIS
320 bottom right: ©Robert Fried/Alamy
326 top: ©The Thomson Corporation/Heinle Image Resource Bank
330 top center: ©David Ball/Index Stock Imagery
330 top right: ©Rick Strange/Index Stock Imagery
330 bottom center: ©Hubert Stadler/CORBIS
330 bottom right: ©Gail Mooney/CORBIS
333: ©Hemis/Alamy
335: ©Directphoto.org/Alamy
338: ©Ara Guler/Magnum Photos

Module 12

350–351: ©John Angerson/Alamy
352 top left: ©Michael Nicholson/CORBIS
352 top center: ©Photolibrary.com Pty. Ltd./Index Open
352 top right: ©Dag Sundberg/Getty Images
352 bottom left: ©The Thomson Corporation/Heinle Image Resource Bank
352 bottom right: ©Kevin Dodge/Masterfile
355: ©Martine Franck/Magnum Photos
356: ©The Thomson Corporation/Heinle Image Resource Bank
360 top: ©The Thomson Corporation/Heinle Image Resource Bank
360 bottom: ©The Thomson Corporation/Heinle Image Resource Bank
363: ©AbleStock/Index Stock Imagery
364: ©Sabine Weiss/RAPHO
370: ©Robert Fried/Alamy
371 top: ©The Thomson Corporation/Heinle Image Resource Bank
371 bottom: ©The Thomson Corporation/Heinle Image Resource Bank
372: ©The Thomson Corporation/Heinle Image Resource Bank

Module 13

384–385: ©Raffy Martin/CORBIS SYGMA

386: ©Duomo/CORBIS
387: ©J.J. Lapey Ronnie/Liaison/Getty Images
394: ©VStock LLC/Index Open
395: ©AbleStock/Index Open
396: ©The Thomson Corporation/Heinle Image Resource Bank
397 top: ©AP Photo/Laurent Emmanuel
397 bottom: ©AP Photo/Elise Amendola

Module 14
418–419: ©Thomas Craig/Index Stock Imagery
420: ©Robert Doisneau/RAPHO
423: ©Warner Bros/The Kobal Collection
425: ©Ben Radford/Getty Images

431: ©The Thomson Corporation/Heinle Image Resource Bank
436: ©ImageDJ/Index Open
437: ©AP Photo/Keystone/Sandro Campardo
438: ©SGM/Stock Connection/Jupiter Images

Module de récapitulation
450–451: ©The Thomson Corporation/Heinle Image Resource Bank
459: ©Courtesy of Miramax Films/Bureau L.A.Collections/Corbis
463 top: ©Giraudon/Art Resource, NY
463 bottom: ©Manciet/Liaison/Gamma